カラー図解 身のまわりの

すごい技術大全

涌井良幸・涌井貞美

KADOKAWA

はじめに

　科学文明の発達した現代において、私たちは多種多様な製品や建造物に囲まれて生活しています。それらの多くは、1世紀前の生活では思いもよらなかったような「モノ」。ふだんから目にしているため、特に不思議に思うことはないかもしれませんが、そのしくみや製造方法にあらためて思いをめぐらすと、おそらく戸惑ってしまうはずです。

　例えば、高層ビルなどを見慣れているいま、建築中のビルの屋上でクレーンが動いていても疑問を持つことはありません。でも、ふと「資材を運び上げるクレーンを屋上に上げるのは誰だろう？」と考えると、気になって立ち止まってしまいます。

　また、プラモデルなどをつくるときには瞬間接着剤を当たり前のように使いますが、「そもそもどうして瞬間的にくっつくのだろう？」と考えはじめると、プラモデルづくりよりもその疑問のほうに関心が向いてしまいます。

　それもそのはず、私たちの身のまわりの多くのモノは、20世紀における

〝科学技術の結晶〟だからです。特に、エレクトロニクスや新素材などに分類される最近の「モノ」は、過去1世紀の研究の集大成であり、難解なのは当然なのです。

本書は、こうした「モノ」の疑問を100項目、オールカラーの図を交えてわかりやすく解説した〝謎解き本〟です。5G《ファイブジー》、ドローン、VR《ブイアール》・AR《エーアール》、ビットコインといった、最近ニュースなどでよく見聞きする新しい技術についても取り上げています。図を見ただけでしくみや原理がわかるように工夫しているので、「なぜ?」「どうして?」という疑問がスッキリ解消するはずです。

21世紀のエネルギーや環境、情報の問題を考えるとき、人間の創《つく》り出した「モノ」の〝すごいしくみ〟を理解することは必要不可欠です。また、知的興味からいっても、「モノ」の理解はたいへん面白いでしょう。本書が、そんな謎解きに少しでもお役に立てれば幸いです。

涌井良幸・涌井貞美

第3章 生活用品のすごい技術

第4章 乗り物に見るすごい技術

第5章 ハイテクなすごい技術

第6章 便利グッズのすごい技術

第7章 文房具のすごい技術

本文デザイン―Malpu Design（佐野佳子）
本文イラスト・図版―小林哲也
DTP―ニッタプリントサービス
校正―古川順弘
編集協力―岩佐陸生
写真・図版提供（50音順）―抗菌製品技術協議会（P165）、繊維評価技術協議会（P165）、Shutterstock、フォトライブラリー

本書は、小社刊行の『雑学科学読本 身のまわりのすごい技術大百科』（2018年）、『雑学科学読本 身のまわりのすごい「しくみ」大百科』（2020年）をもとに加筆・再編集し、改題の上、新たな一冊にリメイクしたものです。

第1章

外で見かける
すごい技術

街中や郊外を歩くと、

意外に気づかない技術がそこらじゅうで使われている。

タワークレーンやエスカレーターなど、

外で見かける技術を見てみよう。

technology 001

タワークレーン

高層ビル建設のいちばん高いところで活躍しているタワークレーン。あのクレーンは誰が、どのように持ち上げるのだろう。

高層ビルの建設工事でいちばん高いところでマメに活躍しているモノがある。タワークレーンだ。建築中にいちばん目立つので、工事の見物人の人気者になっている。

タワークレーンは高層ビルの建築に欠かせない。低層のビル建築ならクレーン車で資材を最上階まで届けられるが、高層ビルの建設ではそうはいかないからだ。**資材を最上部に持ち上げるには、どうしてもタワークレーンの力が必要**なのだ。

ところで、このタワークレーンを見ていると、不思議なことが起こる。ビルの成長に合わせて、自分も高い位置にどんどん移動しているのだ。

タワークレーンの一連の工事の流れは、**組み立て↓クライミング↓解体**の順で行なわれる。

タワークレーンの「クライミング」

地上で組み立てられたクレーンは、「クライミング」によってシャクトリムシのように登っていく。つまり、❶〜❹を繰り返すことで、クレーンは上昇していく。

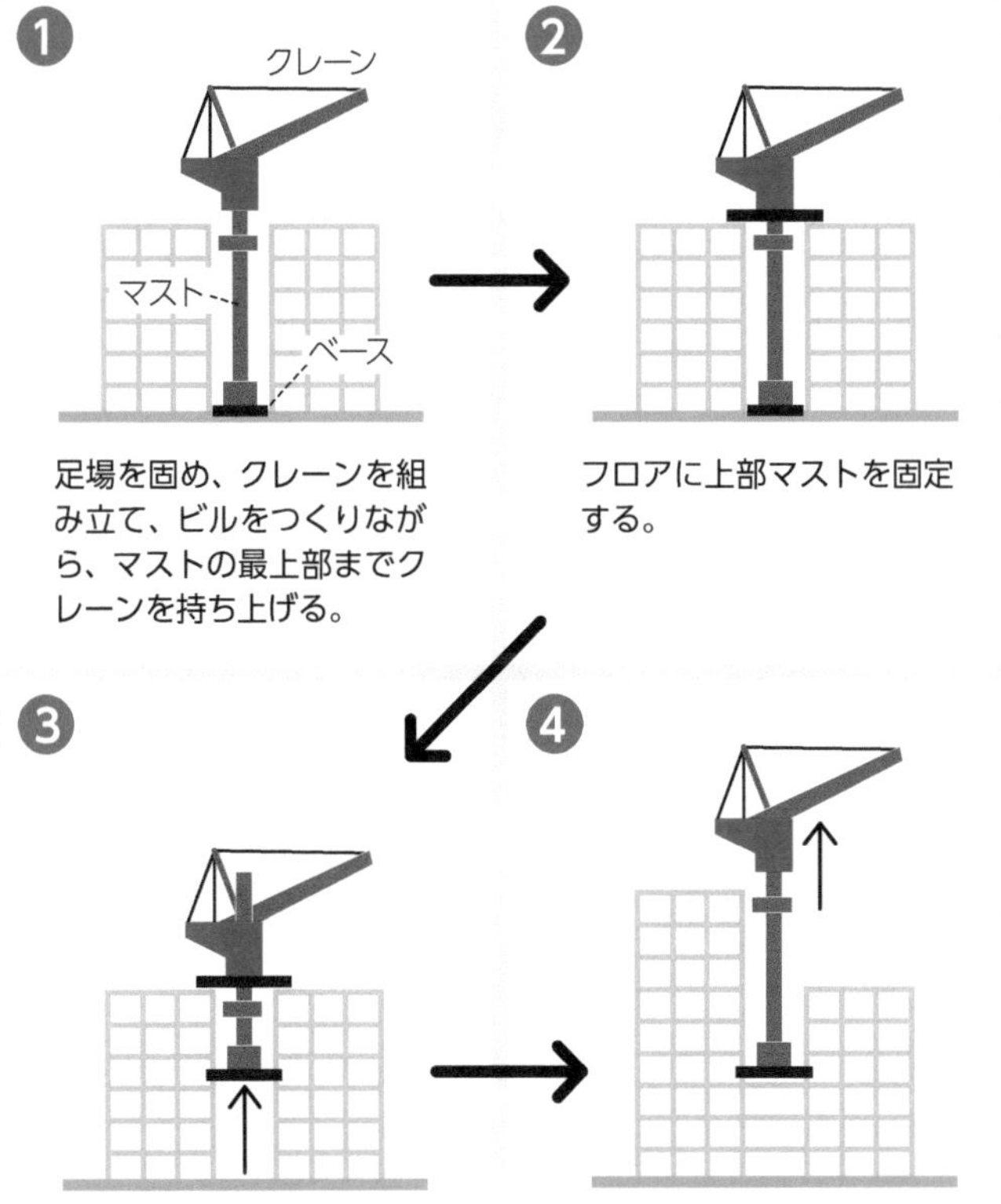

❶ 足場を固め、クレーンを組み立て、ビルをつくりながら、マストの最上部までクレーンを持ち上げる。

❷ フロアに上部マストを固定する。

❸ ベースをマストごと持ち上げ、フロアに固定する。

❹ クレーンを再びマストの最上部まで持ち上げる。

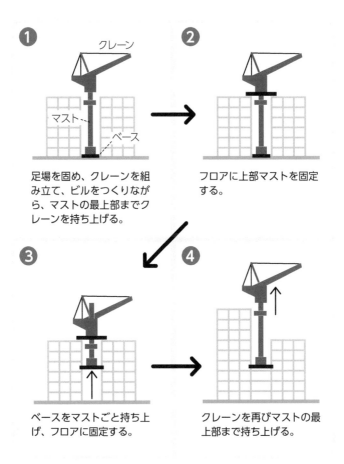

「組み立て」は足場を固める作業である。「クライミング」では、ビルの成長に合わせて、クレーンをシャクトリムシのように這《は》い上がらせていく。「解体」では、親亀・子亀・孫亀方式で屋上から分解していく。つまり、ひと回り小さい子クレーンを元の親クレーンの隣に設置し、それで親クレーンを解体する。次に、その子クレーンはさらに小さい孫クレーンを隣に設置して解体するのである。**これらを繰り返すことで、御用《ごよう》済みのタワークレーンは地上に下ろされる**のだ。最後に残った解体用クレーンは、人力で解体してエレベーターで階下に下ろすことになる。

シャクトリムシ的にタワークレーンがクライミングする方法には、クレーン本体がマストを昇る「マストクライミング」と、工事の進捗《しんちょく》とともに工事中の鉄骨を利用して土台部分を階上に上げる「フロアクライミング」がある。前者は超高層マンションの建築に、後者は超高層のオフィスビルの建築によく利用される。17ページの図はフロアクライミングを示している。

ちなみに、電線の鉄塔を建築する際にもクレーンのクライミングが用いられる。山奥に高い鉄塔が立っている不思議も、これで解決される。

タワークレーンの解体

親クレーンは子クレーン、子クレーンは孫クレーンで解体される。つまり、以下の❶〜❸を繰り返し、最後に❹で終了する。

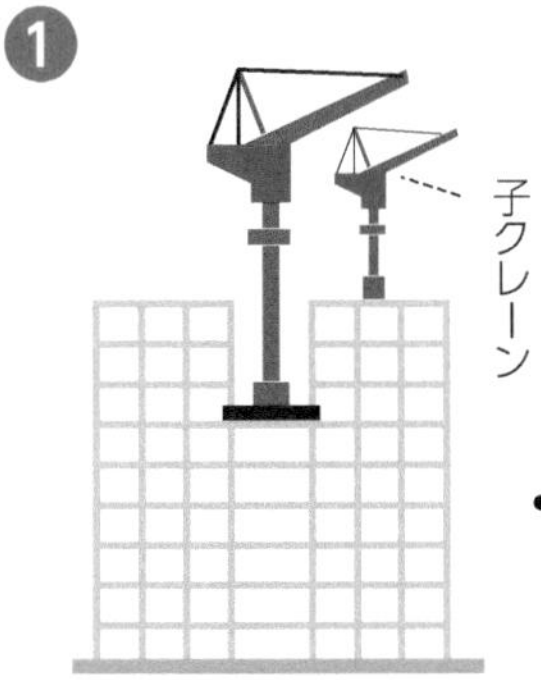

子クレーンを親クレーンの近くにつくる。

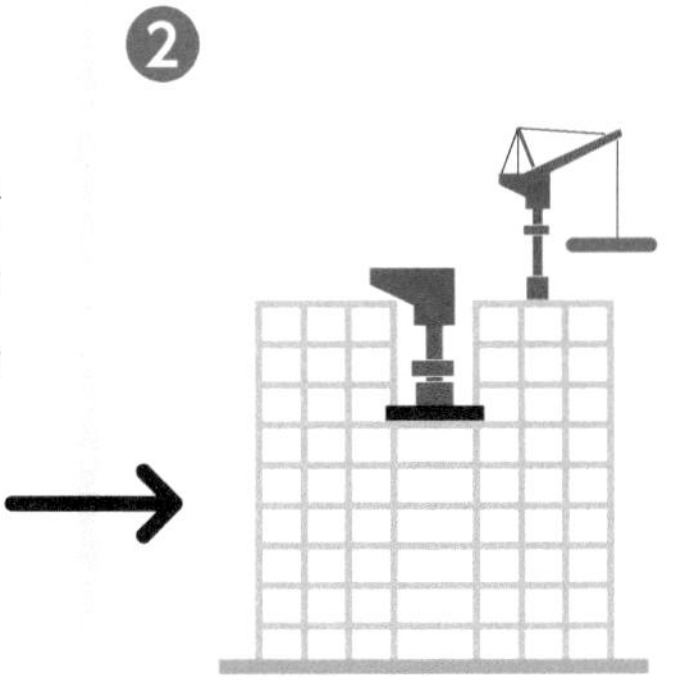

子クレーンで親クレーンを解体する。

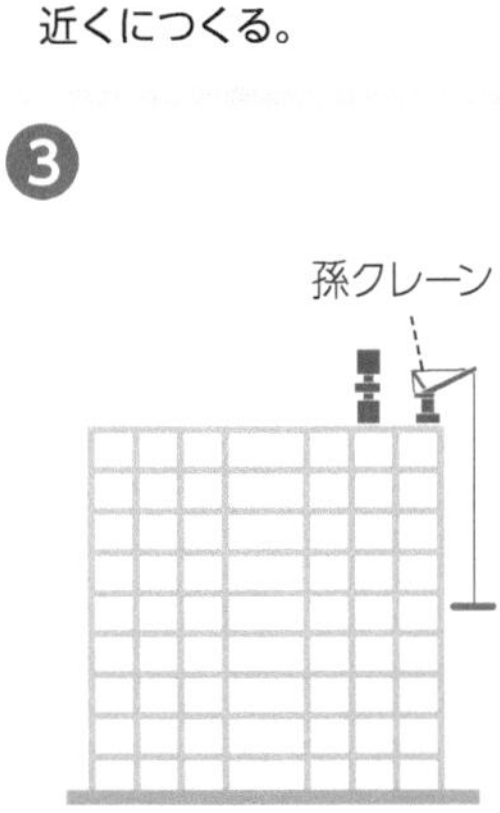

同様に、子クレーンは孫クレーンをつくって解体される。

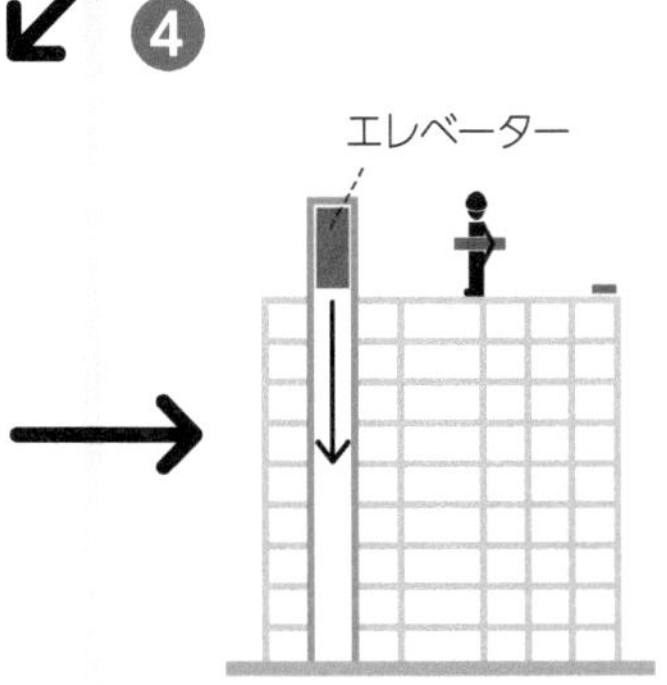

最後は人が解体し、エレベーターで地上に下ろす。

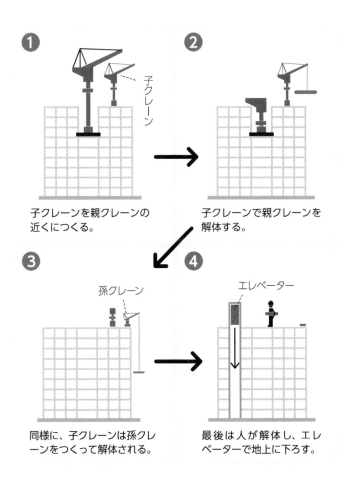

technology 002

高層ビルの解体

日々、数多くの高層ビルが建築され、同時にまた、解体されている。解体現場を覆《おお》うパネルの中は、どうなっているのか。

「高層ビル」「超高層ビル」に明確な定義はない。建築基準法では高さ60メートルを超える建築物に特別な基準を設定していることから、**「高さ60メートル」が目安**になるようだ。

日本では、1968（昭和43）年に日本初の本格的な超高層ビル「霞《かすみ》が関《せき》ビルディング」（霞が関ビル、地上36階・高さ147メートル）が完成した。そして、それから半世紀余りが過ぎ、多くの高層ビルが惜しまれながら解体されている。

従来のビル解体工事では、まず**クレーンを設置し、解体用の重機を最上階につり上げ、上から壊していく**のが一般的だ。しかし、人や車、オフィスが密集する都市部の高層ビル解体工事にはさまざまな問題が生じる。安全性はもちろんのこと、騒音、振動、粉じん飛散など

世界の高層建築物の解体棟数と築年数

世界の高層建築物の解体は、築30〜40年が多い。

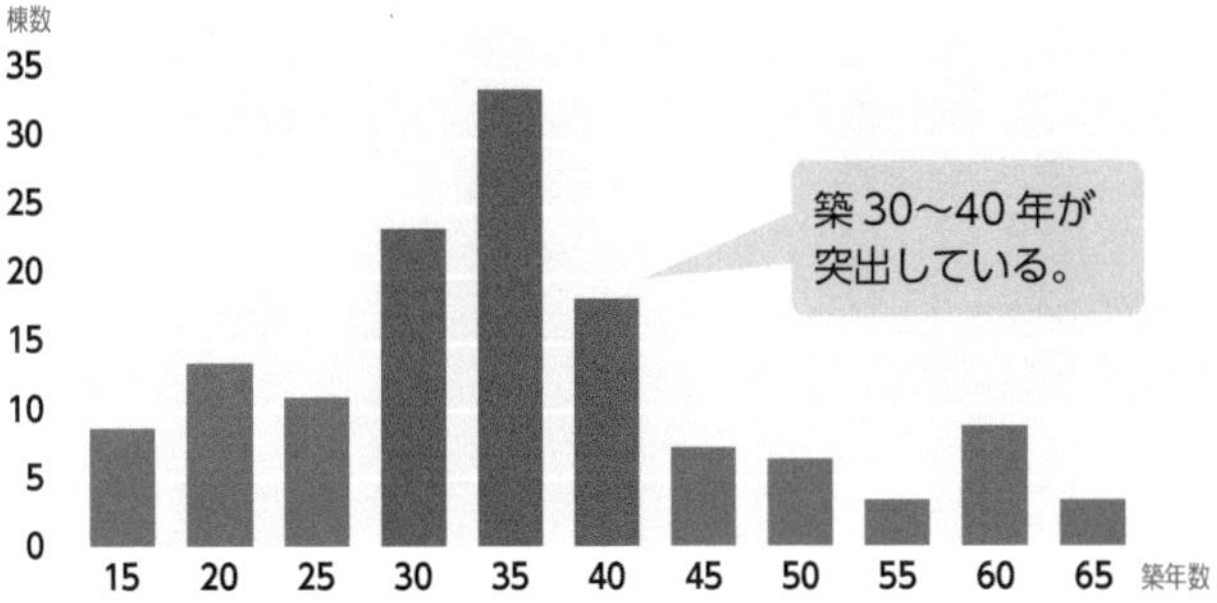
棟数
35
30
25
20
15
10
5
0
15
20
25
30
35
40
45
50
55
60
65
築年数
築30〜40年が突出している。

出所：大成建設

従来の解体方法

上部を重機で破砕《はさい》し、クレーンで下に運んで圧砕《あっさい》する。これをそのまま高層ビルに応用すると、騒音や粉じん、振動、安全性などの問題が発生する。

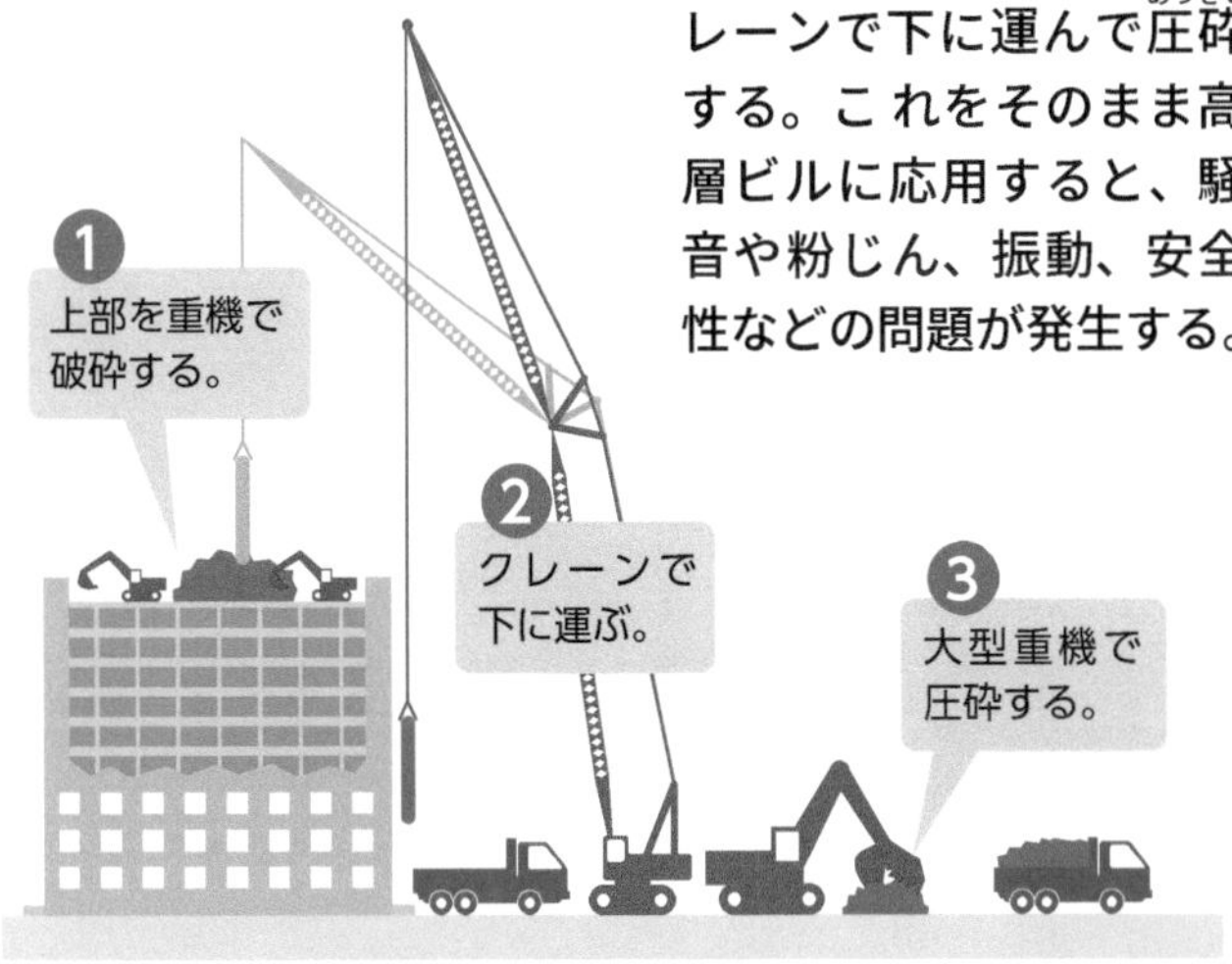
1
上部を重機で破砕する。
2
クレーンで下に運ぶ。
3
大型重機で圧砕する。

周囲への影響が重要課題で、高層ビルの解体には工夫が必要となるのだ。

例として、ビルに帽子をかぶせ、その帽子の中で解体作業を進める工法を見てみよう。以前の工法ではビルをすっぽりパネルで覆っていたが、ビルが高くなると全体を覆うのは困難だ。そこで、上側だけをパネルで覆い、**上部から少しずつ解体していく方法**が編み出された。タワークレーンを設置して解体物をそのまま降ろし、下で破砕《はさい》すればさらに安全性が高まる。2013（平成25）年、東京赤坂にあったグランドプリンスホテル赤坂のビル（通称「赤プリ」）はこのように解体され、注目を浴びた。

「上から」ではなく、**「下から」解体する方法**も考案されている。通称「だるま落とし」と呼ばれる工法がその一つだ。主要な作業場が下層階に限定されるので、重機や人の上下移動がなく、安全で効率的に作業ができる。

「下から」の解体法は、ジャッキをフル活用する。ビルの柱1本1本にジャッキを取り付け、微妙に調整しながら**1フロアごとに上下させる**。これは2007（平成19）年、鹿島建設本社の解体で用いられ、注目を浴びた。

ここで調べた解体法では、建物がいつのまにか消えたように思えるのがおもしろい。

高層ビルの2つの解体方法

高層ビルの解体には、「上」から解体する方法と「下」から解体する方法がある。それぞれのしくみを見てみよう。

「上」から解体する方法

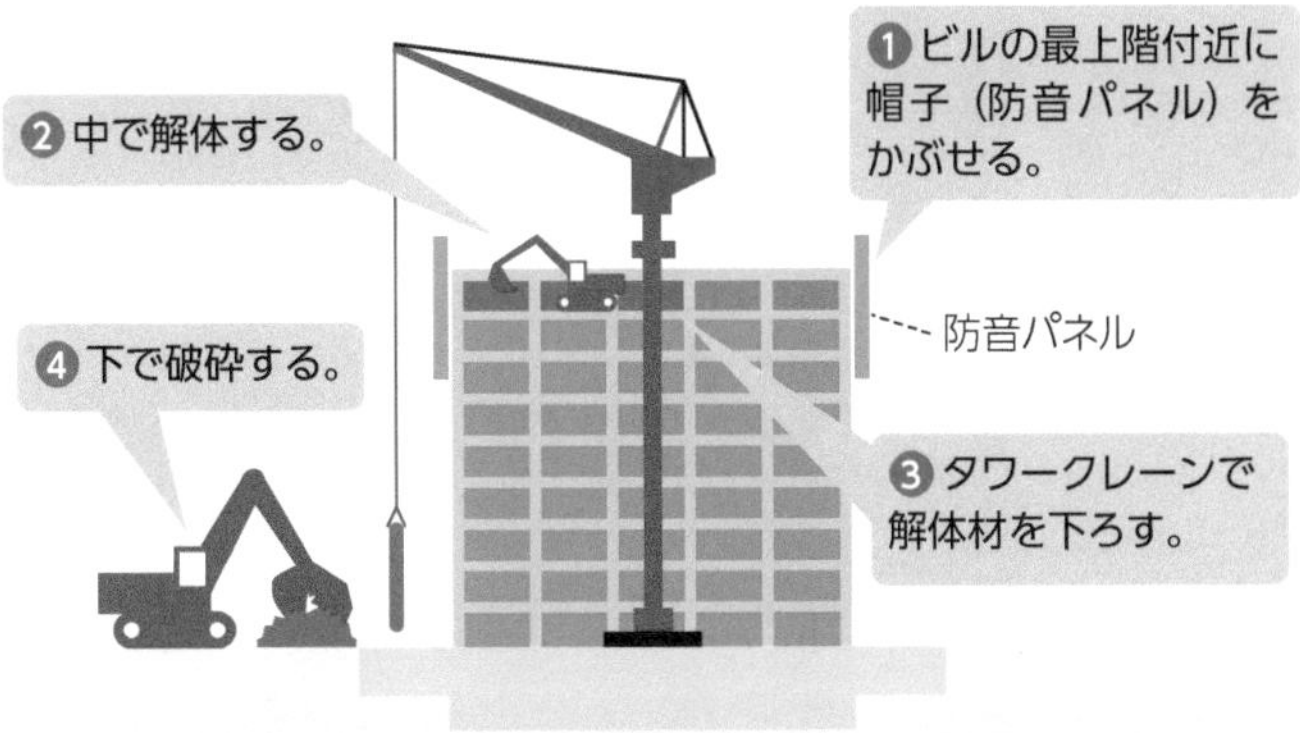
❶ビルの最上階付近に帽子（防音パネル）をかぶせる。
❷中で解体する。
防音パネル
❹下で破砕する。
❸タワークレーンで解体材を下ろす。

「下」から解体する方法

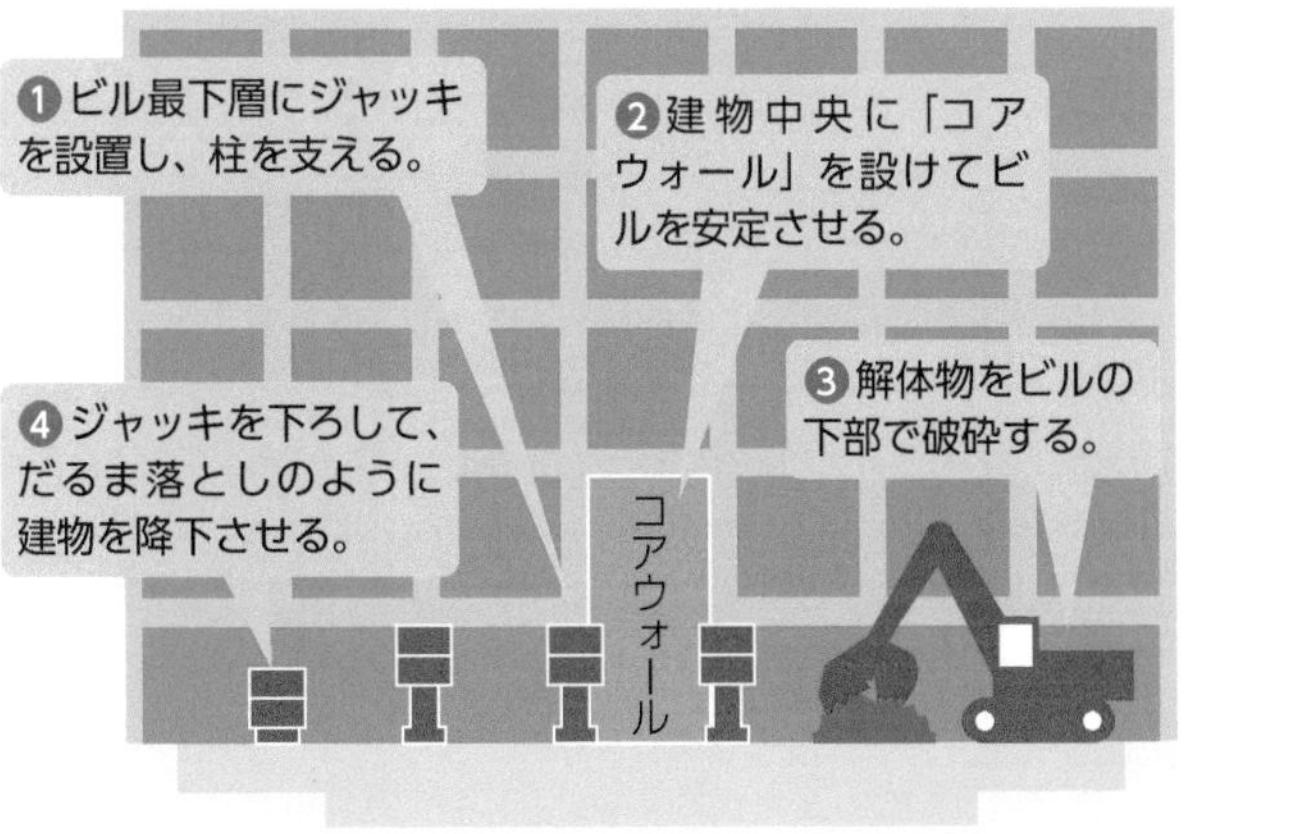
❶ビル最下層にジャッキを設置し、柱を支える。
❷建物中央に「コアウォール」を設けてビルを安定させる。
❸解体物をビルの下部で破砕する。
❹ジャッキを下ろして、だるま落としのように建物を降下させる。
コアウォール

technology 003

エスカレーター

ビルに欠かせないエスカレーターだが、その構造を見ることはほとんどない。いったいどのようなしくみなのだろう。

エスカレーターとはラテン語のScala（階段）と英語のElevator（エレベーター）を組み合わせてつくられた言葉である。考案者のシーバーガーが１８９５年に命名した、その名のとおり階段状の昇降《しょうこう》装置である。エスカレーターの利点は搬送《はんそう》能力が高いこと。エレベーターに比べて格段に効率がいい。

エスカレーターは**踏段（ステップ）をループ状のチェーンに連結し、モーターで駆動《くどう》するしくみ**だ。踏段と同時に、手すりも同じスピードで動かす。

街で見られるエスカレーターは傾斜《けいしゃ》角30度の直線タイプが一般的だが、これよりも傾斜角を大きくしたものや、途中に平らな踊《おど》り場があるものなど、ユニークなものも登場している。

エスカレーターのしくみ

踏段をループ状のチェーンに連結し、モーターでクルクル回している。手すりも同一のスピードで回す。

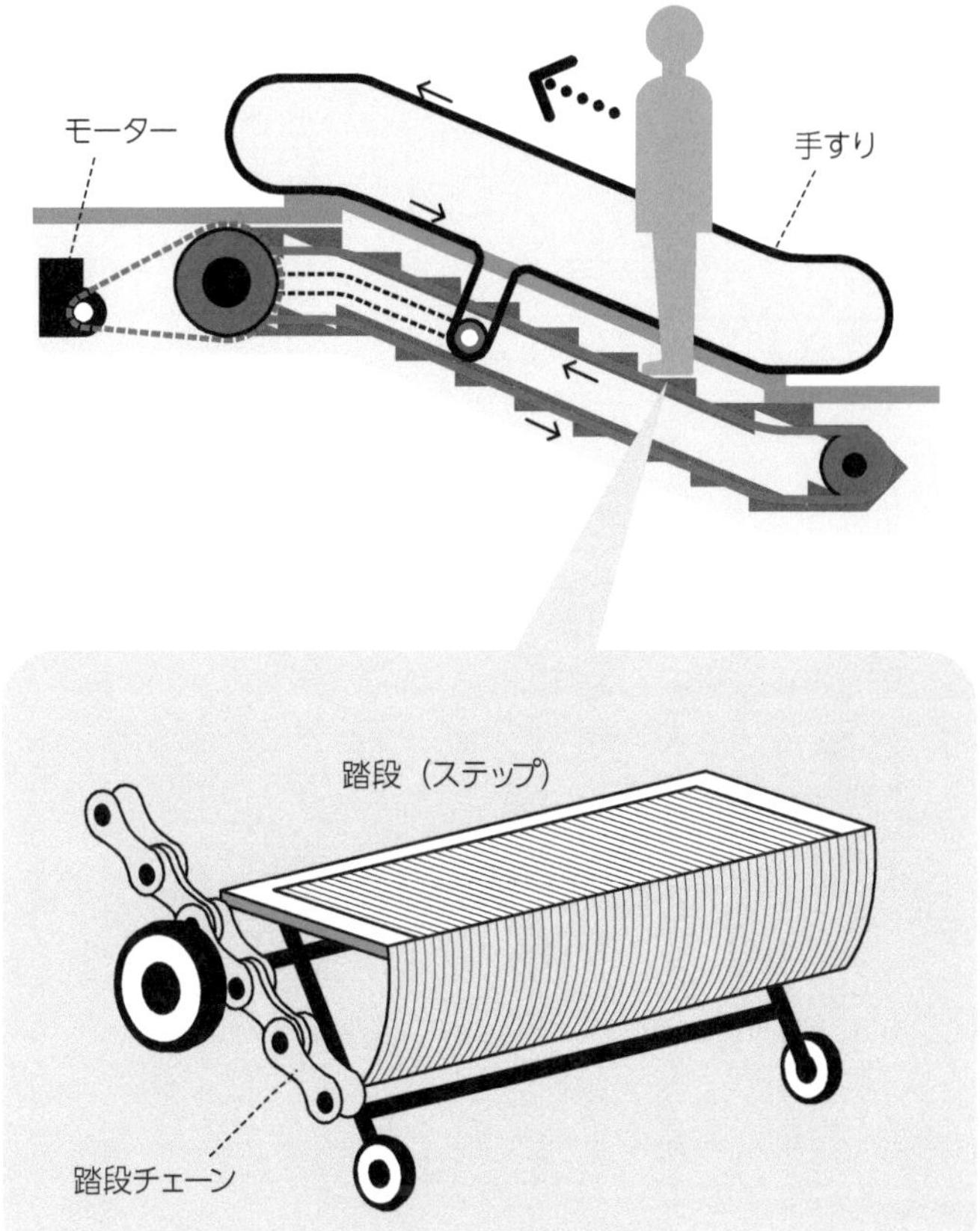

また、傾斜角をなくした「動く歩道」も、エスカレーターとしくみは同様である。

多くのエスカレーターの速度は、分速30メートル（時速1・8キロ）とゆっくりである。だが、そのために気の短い人はエスカレーターを駆け上ったり下りたりして危険だ。もちろん、もっと速く動かすことも可能だが、そうすると今度は乗り降りが危険になってしまう。

この問題を見事に解決するエスカレーターが2000年代に登場した。三菱電機が実用化した、「変速エスカレーター」または「傾斜部高速エスカレーター」と呼ばれるものだ。

その秘密は踏段の構造にある。通常のエスカレーターでは二つの踏段はチェーンで直線的に連結されている。ところが変速エスカレーターでは、**この連結を曲がるようにした**のである。水平時には「Y」の字のような形に、傾斜時にはカタカナの「イ」の字のような形に変形させる。こうすることで、**入口と出口のところで、紙がシワになる原理で踏段のスピードが落ち、安全に乗降できる**のである。おかげで、傾斜部の移動速度を乗降時の1・5倍にすることが可能になったという。

ちなみに、日本最長のエスカレーターは香川県の遊園地「ニューレオマワールド」にあるもの（2024年4月現在）で、96メートルもあるそうだ。

変速エスカレーターのしくみ

踏段を結ぶ金具が折りたたまれ、あたかも紙にシワができるようなしくみで、昇降口付近で踏段の動きが減速される。

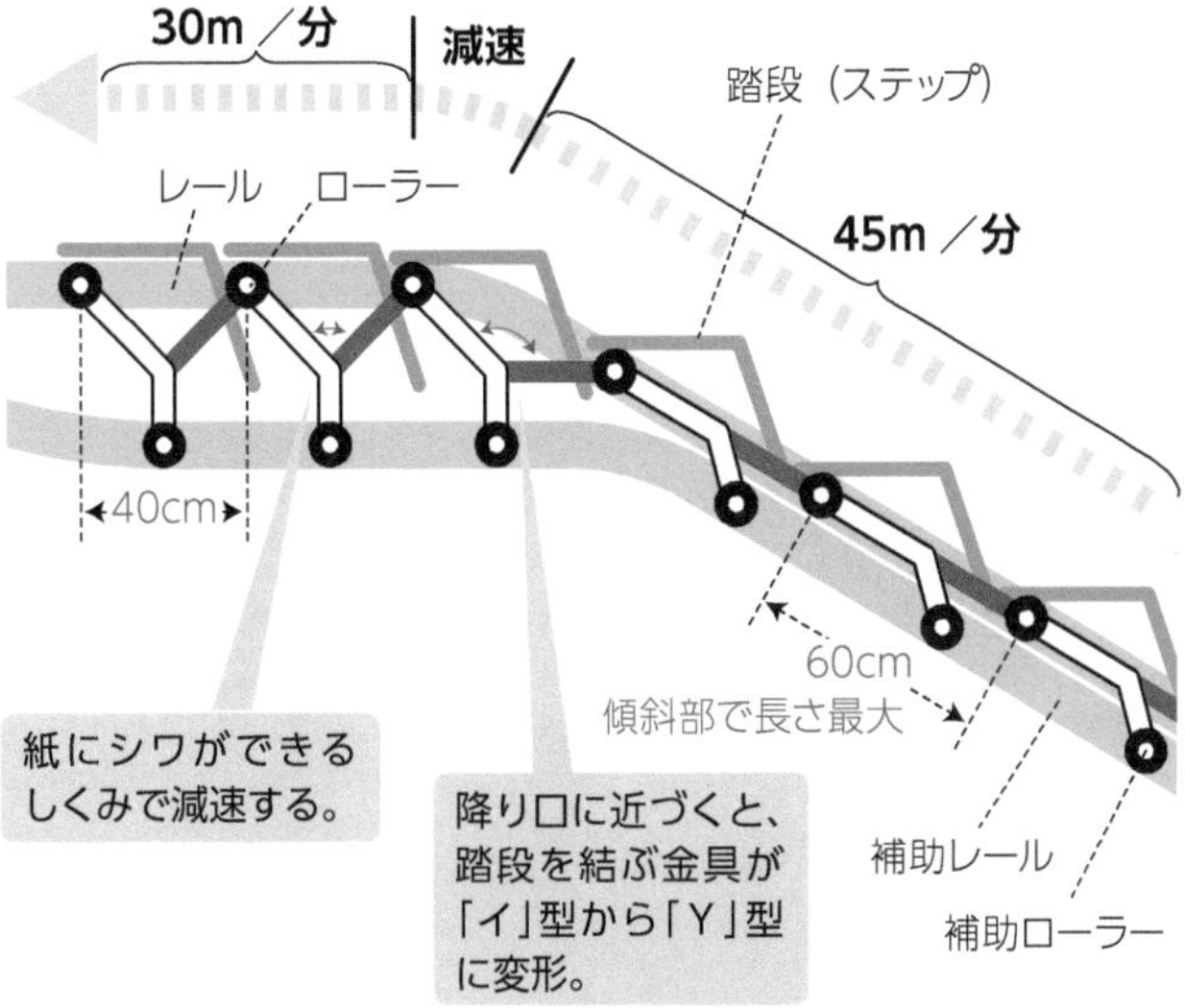
30m／分
減速
踏段（ステップ）
45m／分
レール
ローラー
40cm
60cm
傾斜部で長さ最大
紙にシワができるしくみで減速する。
降り口に近づくと、踏段を結ぶ金具が「イ」型から「Y」型に変形。
補助レール
補助ローラー

水平移動時

金具は「Y」型をしている。速度は30m／分。

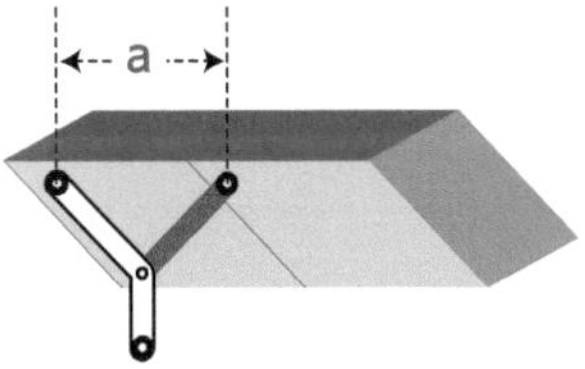
a

傾斜移動時

金具は「イ」型をしている。速度は水平時の1.5倍の45m／分。

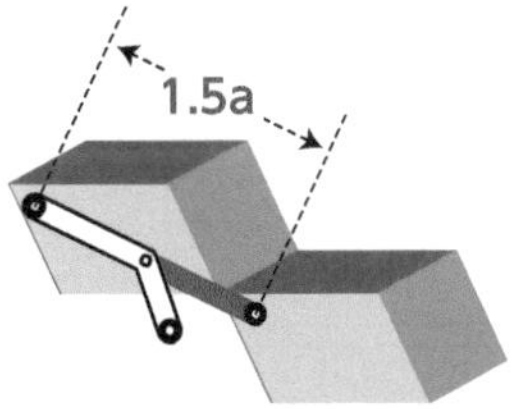
1.5a

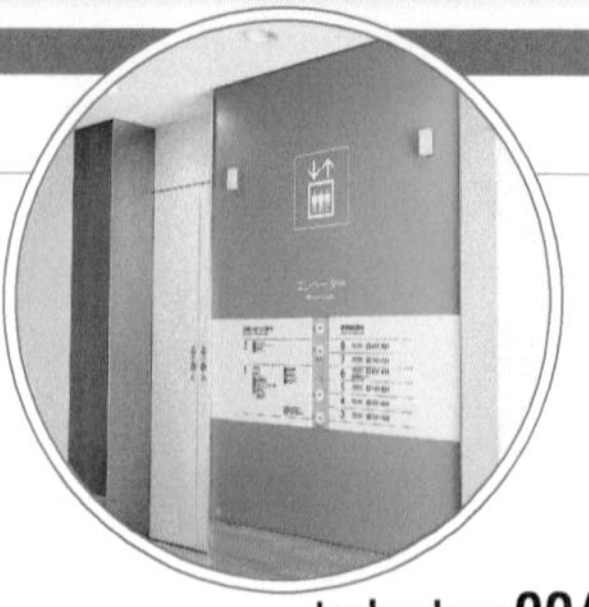

technology 004

エレベーター

高層ビルになくてはならない乗り物がエレベーター。中をのぞくと、さまざまな工夫が施《ほどこ》されている。

11月10日はエレベーターの日である。1890（明治23）年のこの日に、東京の浅草で日本初の電動式エレベーターを備えた凌雲閣《りょううんかく》がオープンしたことを記念したものだ。

紀元前のローマではエレベーターが使用されていたという記録が残っている。もちろん電動式ではないが、エレベーターの歴史は意外に古い。

現代の電動式エレベーターの多くは**「つるべ式」と呼ばれる方式**を採用している。人が乗る「かご」と、バランスを取るための「つり合いおもり」がワイヤーロープによって「つるべ式」につながっている方式だ。

この方式の特徴は、かごと「つり合いおもり」をつり合わせているため、**モーターにかか**

エレベーターの方式

エレベーターは、高さや用途、スペースなどによっていくつかの種類が使い分けられている。

つるべ式

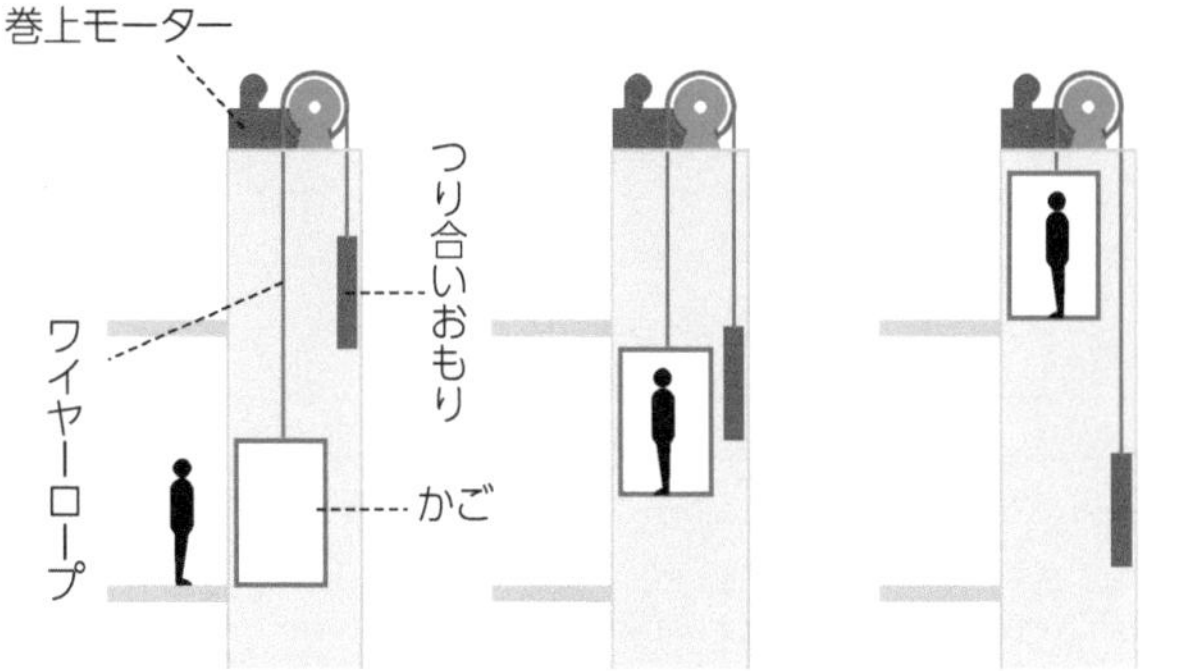

巻上モーターの回転速度を調整することで、かごを昇降させる。日本の多くのエレベーターがこのしくみ。おもりとつり合いを取るため、省エネでモーターも小さくてすむ。

油圧式

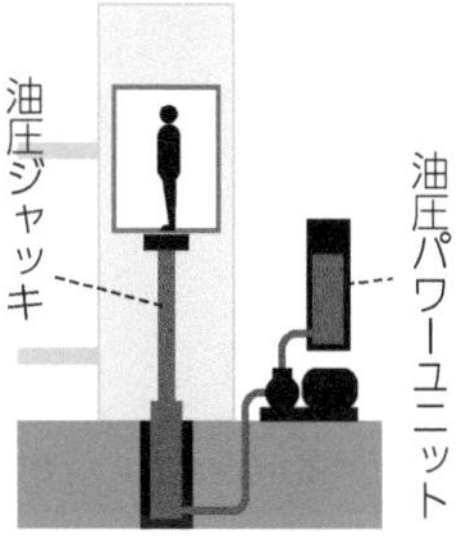

油の圧力によりジャッキを昇降させる。低層階の荷物運搬によく利用される。

巻胴式

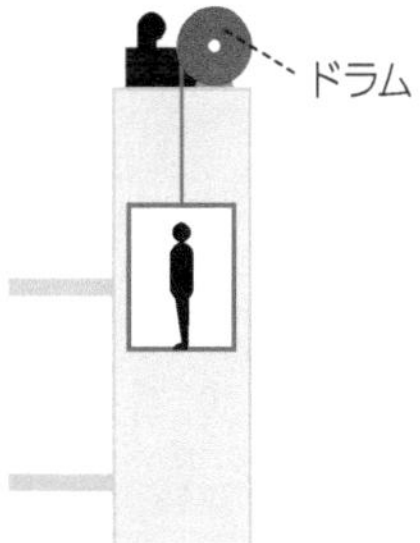

ワイヤーロープをドラムに巻き取ってかごを上昇させる。構造が単純なので、低層階小規模向け。

る負荷が半減され、モーターの容量を小さくできることだ。

　エレベーターの駆動《くどう》方式には、そのほかに、「巻胴《まきどう》式」「油圧《ゆあつ》式」などがあり、高さやスペースなどによって使い分けられている。かごが昇降するイメージは、ケーブルカーを垂直に走らせるのに似ている。取りつけられたローラー（すなわち車輪）にガイドされながら、かごは**直立したレールに沿ってロープに引っ張られて移動する**のである。

　最近のエレベーターは静かで揺れがない。時速70キロを超えるスピードで昇降しながら、床に立てた10円玉が倒れないという。これはコンピューター制御《せいぎょ》のおかげだ。かごにつけ

エレベーターが揺れない秘密

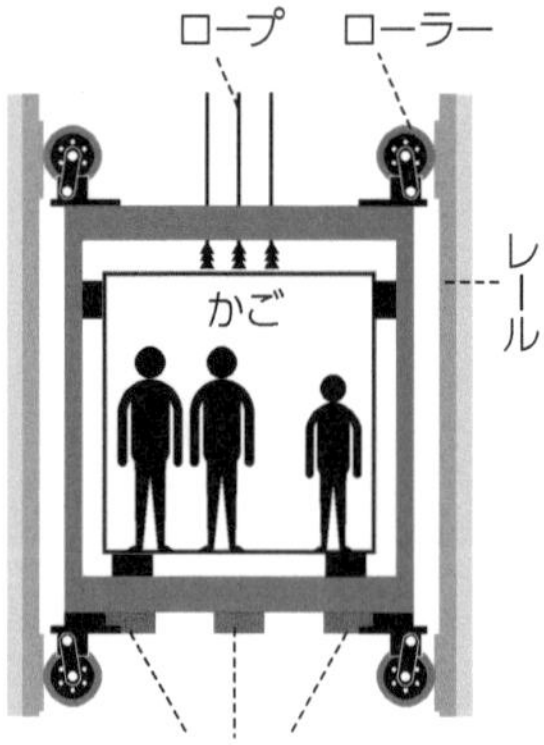

加速度センサーが揺れを検知すると、コンピューターはローラーがレールを押しつける力を制御する。

られた加速度センサーが揺れを感知すると、ローラーとレールとの力関係をコンピューターが調整。**常にかごの振動を抑えるように保たれている**のだ。

コンピューター制御は、待ち時間の縮小にも一役買っている。何台もエレベーターが並んでいるのに、長い時間待たされたという経験をお持ちの人も多いだろうが、新しいビルではそんなことはない。イライラせずに待てるのは1分以内というが、**コンピューター制御でそれが実現**されている。

また、エレベーターはビルの構造にも影響を与えている。「スカイロビー構造」がその例である。

スカイロビー構造とは？

100階建てのビルでは、70台以上のエレベーターが必要だという。これらのエレベーターを効率よく管理するために、各階停まりと直通に分け、途中の階で乗り換える方式がとられている。その乗り換える階を「スカイロビー」という。鉄道の運行に似ている。

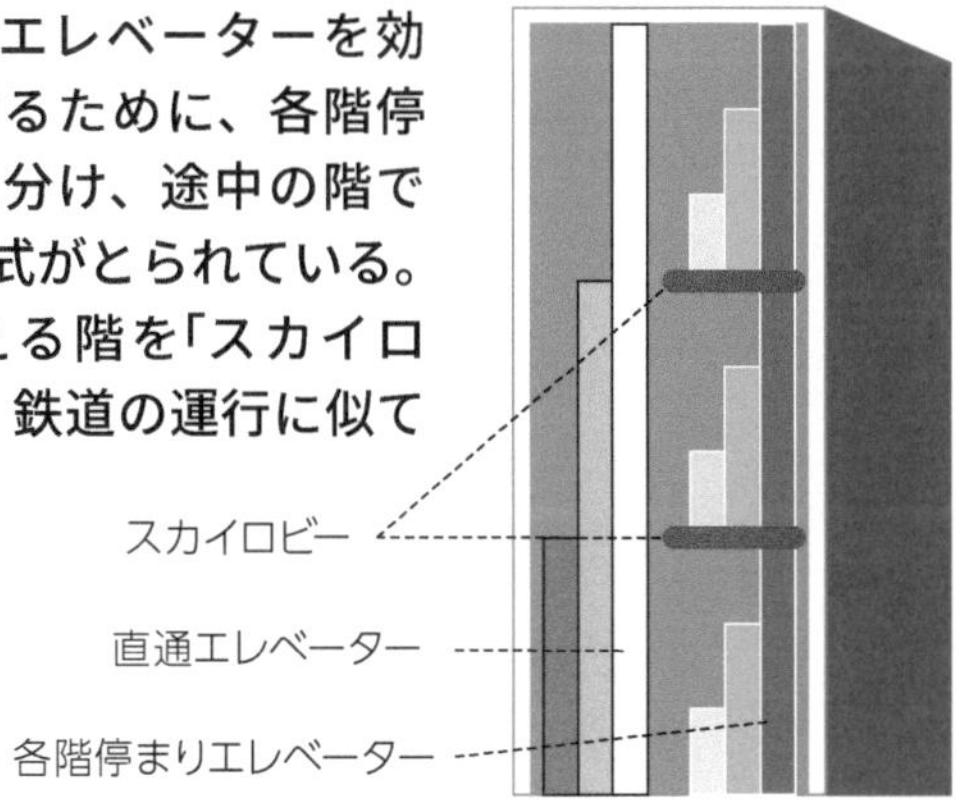

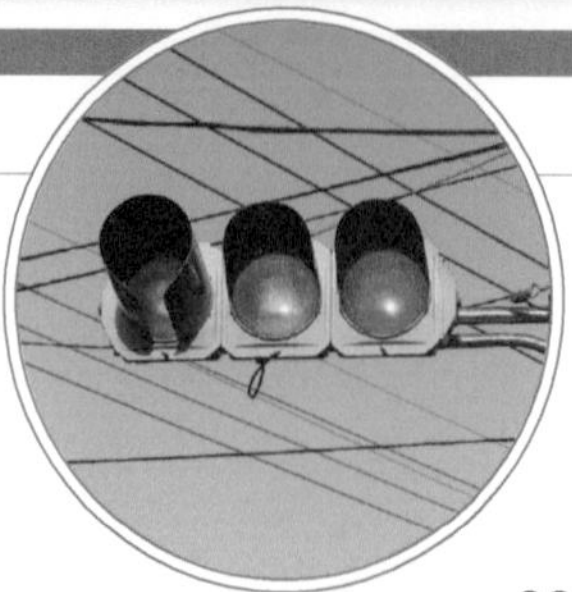

technology 005

信号機

青、黄、赤の3色で交差点を〝交通整理〟している信号機は、地域や交通状況などによってきめ細かく制御《せいぎょ》されている。

自動車で道路を走っているとき、「やけに赤信号に引っかかるな」と思ったことはないだろうか。こうした現象には、信号機のしくみが関わっていることがある。

交差点に設置された信号機は、1～2分前後の間隔で青から黄、そして赤になるが、その制御は地域や混雑状況などに応じて、**主道路と従道路の時間配分（スプリット）**や、**隣接する交差点の青信号のズレ（オフセット）を考慮してきめ細かく制御**されている。交通量の多い主道路と少ない従道路の青信号の時間がどちらも同じ配分だと、ムダが生じてしまう。そのため、交通量に応じたスプリットが必要になる。

制御方法の基本となるのは「点制御」。**各信号が単独で制御を受ける方法**で、一定のタイ

信号機の制御方法

信号機には、以下のような制御方法がある。

点制御

交差点ごとに信号機を制御する方法。「地点制御」とも呼ばれる。1日の車の流れに応じて制御され(多段制御)、多段制御では対応できない交差点は、交通量に合わせてその都度、時間が調整される(感応制御)。

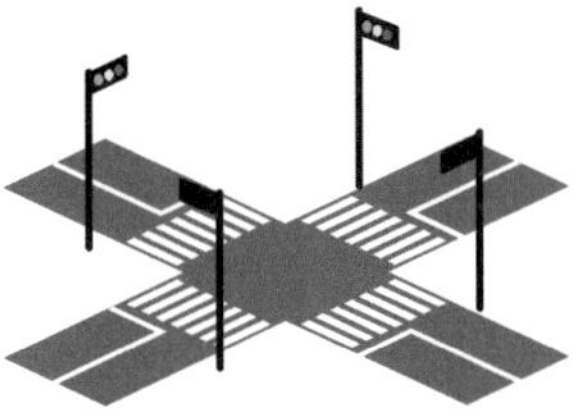
交差点ごとに制御

系統制御

おもに主要幹線で採用。連続して設置された信号機を関連づけて制御することで、車をスムーズに走行させる。はじめの信号機が青になってから、一定時間の後、次の信号機を青にする、というもの。

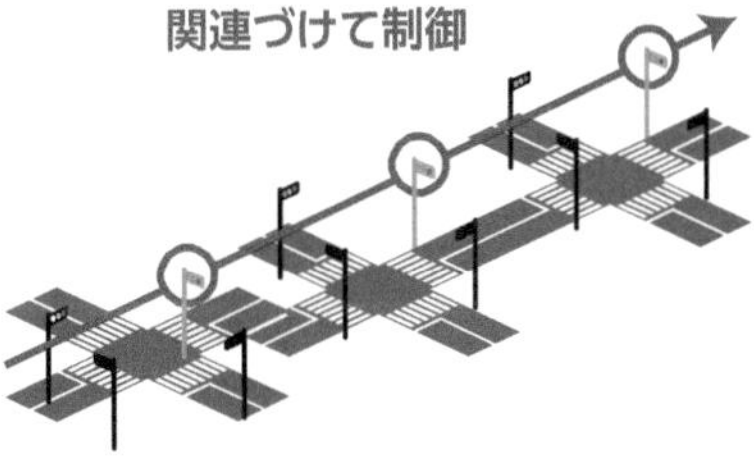
関連づけて制御

地域制御

多くの信号機が設置されている都市部などで採用。「停止回数を減らす」「待ち時間を減らす」といったさまざまな計算をして、各交差点の信号機に的確なタイミングを指令して制御する。

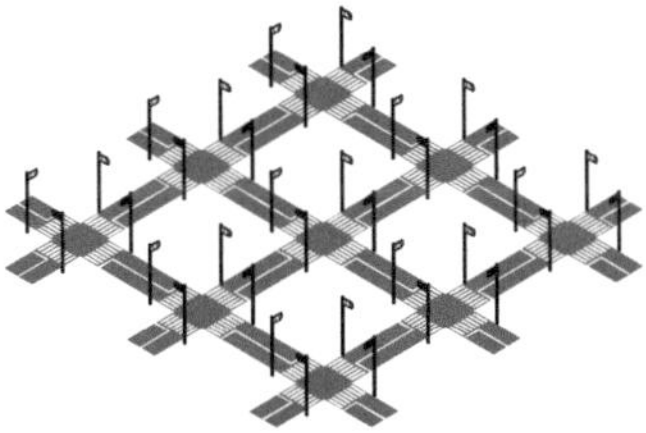
縦横無尽に絡み合う交通状況の
データを収集、分析して制御

ミングで信号が青、黄、赤のサイクルで点灯しているものや、押しボタン式やセンサーによって車が近づいたときに検知する感応式などもある。

大通りの連続した信号機などを一つの系統として関連づける方法は「系統制御」だ。車の走行に応じ、進行方向の信号機を次々と青にすることで交通を円滑にする役割を担っている。押しボタンを押しても、歩行者用信号機がすぐ青に変わらないことがある。これは、系統制御に乗った車両群が押しボタンのために途中で止められてしまうという不合理を回避するためだ。

もっと広大なエリアを対象とするのは「地域制御」である。道路が網の目のように張り巡らされた都市部で、**車両感知器を随所に配置することで交通状況をリアルタイムに監視し、その情報にもとづいて制御**している。都市部の信号機をオンラインで結び、きめ細かい制御を行なっているのが交通管制センターである。

「やけに赤信号に引っかかる」のは、このうちの「系統制御」が原因かもしれない。信号機がタイミングをずらして青になるため、一定速度で走行すれば連続して交差点を通過できるが、**速いスピードで走行するとタイミングが合わなくなり、赤信号に捕まってしまう**からだ。

「スプリット」と「オフセット」

スプリットとオフセットを考慮して制御されている。

スプリット

青、黄、赤と信号機が一巡する時間を「サイクル」という。この1サイクルにおける主道路・従道路の時間配分を「スプリット」と呼ぶ。

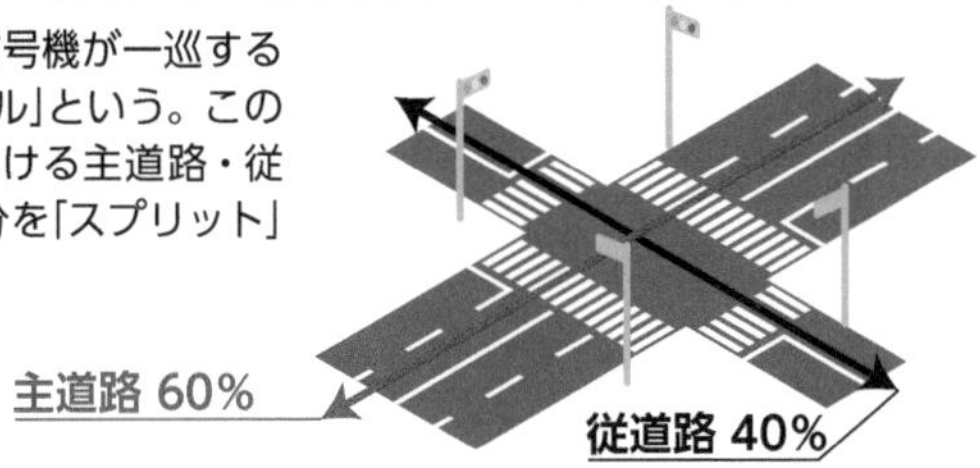
主道路 60%
従道路 40%

オフセット

隣接する交差点をスムーズに通過できるように、青信号の開始時間をずらすことがある。この“ズレ”を「オフセット」という。

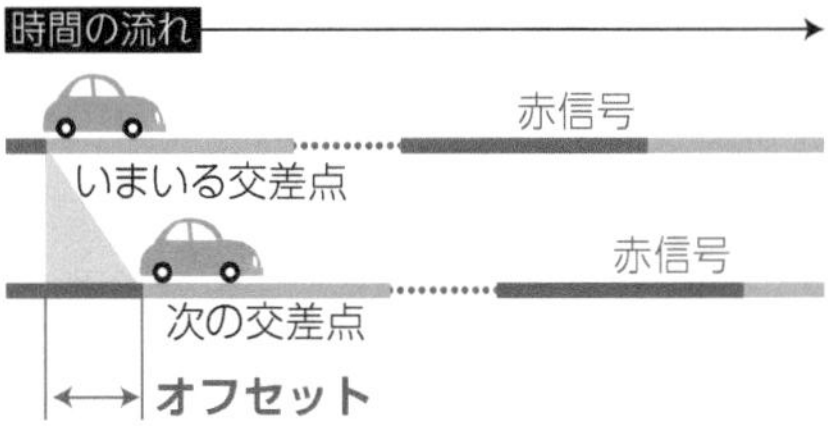
時間の流れ
赤信号
いまいる交差点
赤信号
次の交差点
オフセット

なぜか赤信号に連続で捕まるワケ

系統制御のタイミングに合わないと、赤信号につかまる。

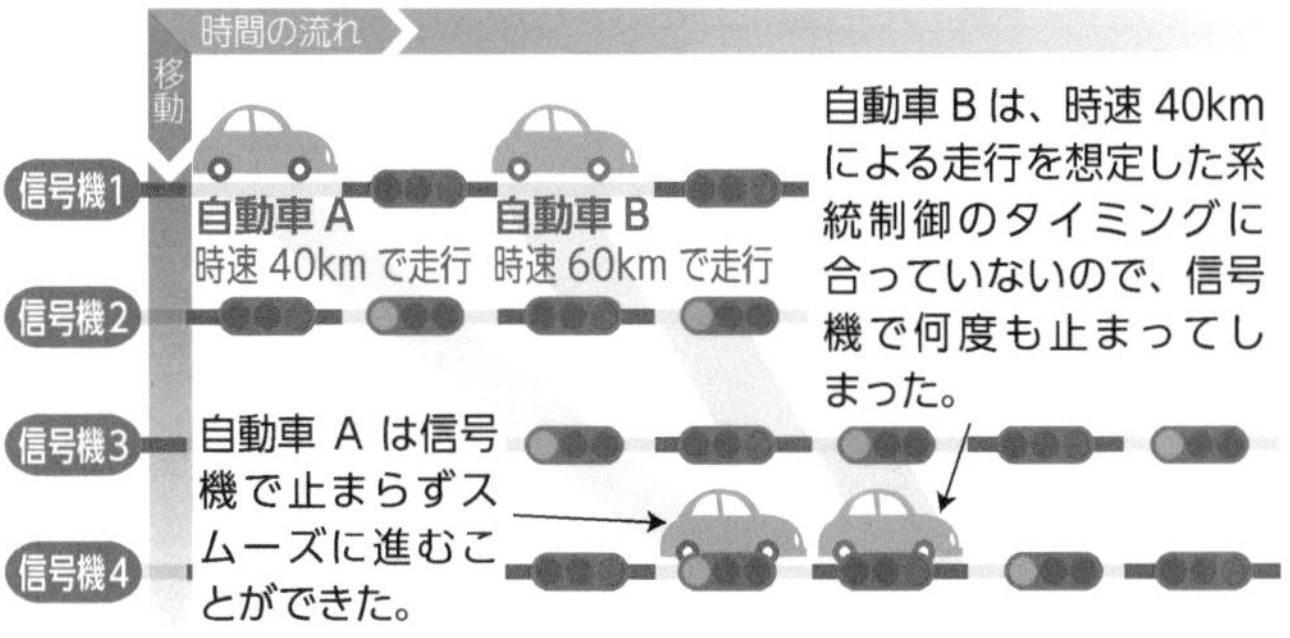
時間の流れ
移動
信号機1
信号機2
信号機3
信号機4
自動車 A
時速 40km で走行
自動車 B
時速 60km で走行
自動車 B は、時速 40km による走行を想定した系統制御のタイミングに合っていないので、信号機で何度も止まってしまった。
自動車 A は信号機で止まらずスムーズに進むことができた。

technology 006

立体駐車場

マンションや都市部の個人宅などで見られる機械式立体駐車場。複数の自動車をコンパクトに停められる便利な駐車場だ。

機械を使い、車を幾段か重ねるようにして駐車できる機械式立体駐車場。１９６０（昭和35）年に日本初の機械式駐車場が東京都千代田区に設置されて以降、機械式駐車装置は増え続け、２０１６（平成28）年には累積出荷台数が３００万台を突破した。

立体駐車場工業会の分類によれば、駐車装置には八つの方式がある。**最も多いのは2段方式・多段方式で、設置台数全体の6割以上**を占めている。続いて多いのが、車を駐車させる多数の搬器《はんき》をメリーゴーラウンドのように移動させて入出庫する垂直循環方式と、駐車室と昇降《しょうこう》装置、搬送装置を組み合わせて立体的に駐車するエレベーター方式だ。

まず、２段方式とは、**駐車している自動車の上または下にもう1台の自動車を駐車させて**

立体駐車場のおもなタイプ

立体駐車場には、以下のようなタイプがある。

2段・多段方式

2段以上に自動車を駐車させる搬器を配置し、運搬する方式。マンションなどに広く普及している。

ピット2段式

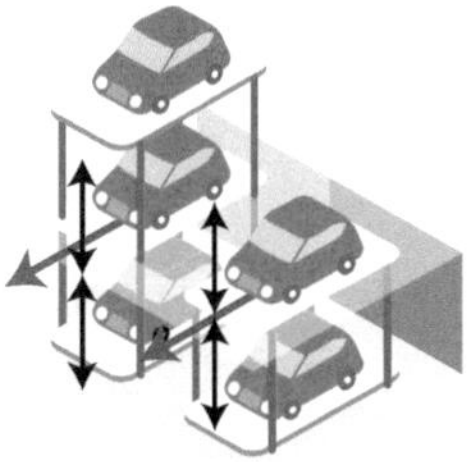

下段を地下に収めた2段式の駐車場。下段の車を移動しなくても、上段の車の出し入れができる。

昇降横行式

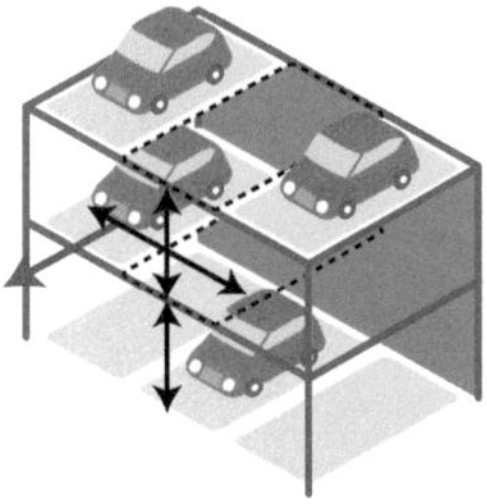

最初から1台分の空きスペースを設け、そのスペースを利用して必要なパレットを動かして車を出す。

大型装置

大規模なマンションやテナント、大型商業施設などに多く見られる方式。

垂直循環方式

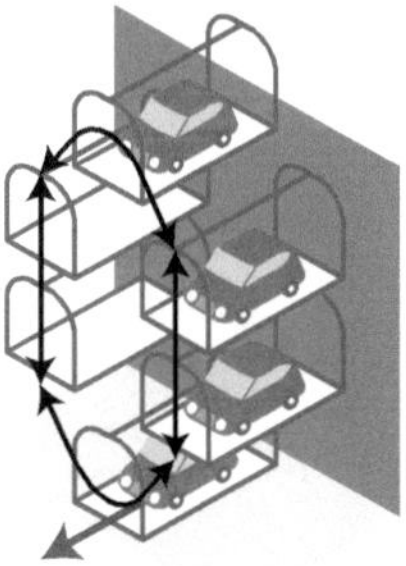

パレットを垂直に循環させることで、出入口までパレットを移動させる。

エレベーター方式

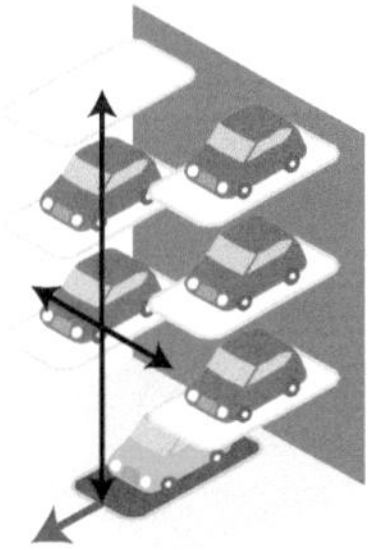

駐車室を左右に配し、リフトを目的の高さまで上げて車を出し入れする。

駐車効率を高めたもので、昇降装置だけを備えた昇降式と、任意の自動車を入出庫させるため下段の搬器を左右に横行移動させる機能を持つ昇降横行式がある。この**昇降横行式を拡大応用したのが3段式・4段式などの多段方式**だ。多段方式には、地上部分だけを利用するものから、ピット利用のものまで各種あり、最近では前後に多重駐車させる縦列式も実用化されている。

進化型の立体駐車場も誕生している。三菱重工機械システムが開発した省エネ型立体駐車場「スマートリフトパーク」は、入庫する車両の重量を測定して、最適な昇降速度と加速度を自動選定するしくみである。

JFEテクノスが開発した「JFE高層パズルタワー」は、車を載せて運ぶリフトと台座がくし歯型になっているのが特徴だ。車を出庫する際はリフトが保管場所まで上昇し、保管場所で車を載せていた台座が横にスライドしてリフトに車を受け渡す。台座がもとの場所に戻ると、リフトが下降する。**台座とリフトのくし歯が互い違いになるため、スムーズに車を受け渡せる**のだ。通常、高さ100メートル級の立体駐車場では出庫に7分以上かかるが、パズルタワーの所要時間は2分30秒程度と、約3分の1の時間で出庫することが可能である。

進化する立体駐車場

近年は、従来とは異なる“進化型”の立体駐車場も登場している。

従来の立体駐車場

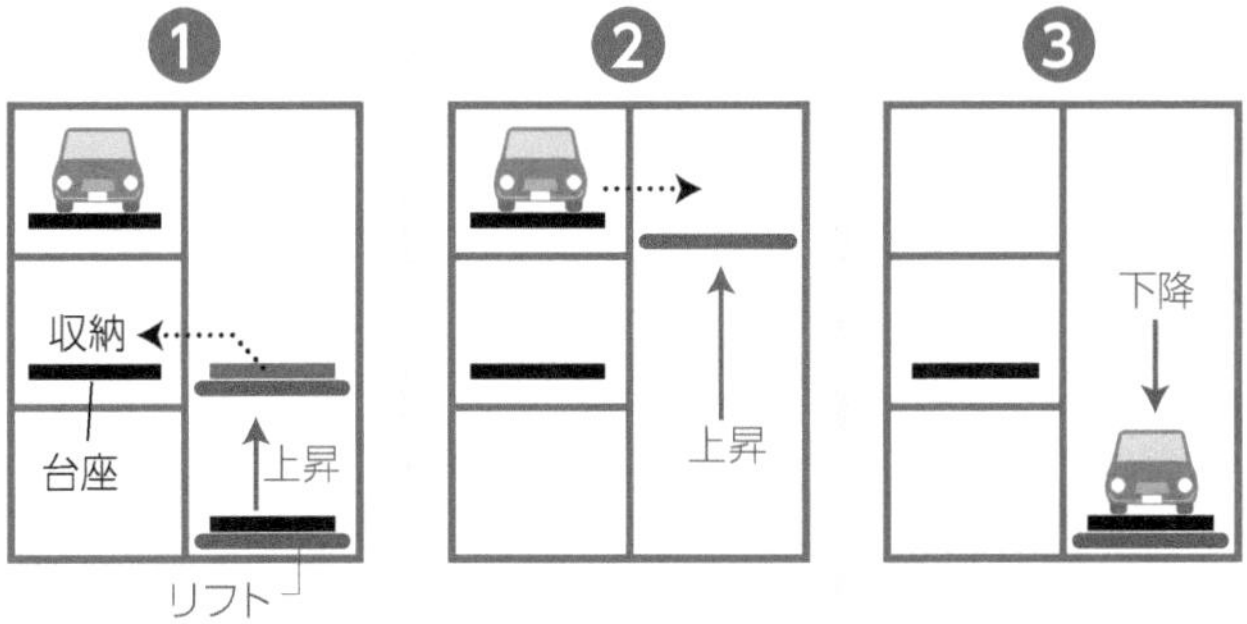

① 空の台座を収納する。

② 台座ごと車をリフトに載せる。

③ リフトが下降して出庫準備が完了。

「くし歯型」を採用した立体駐車場

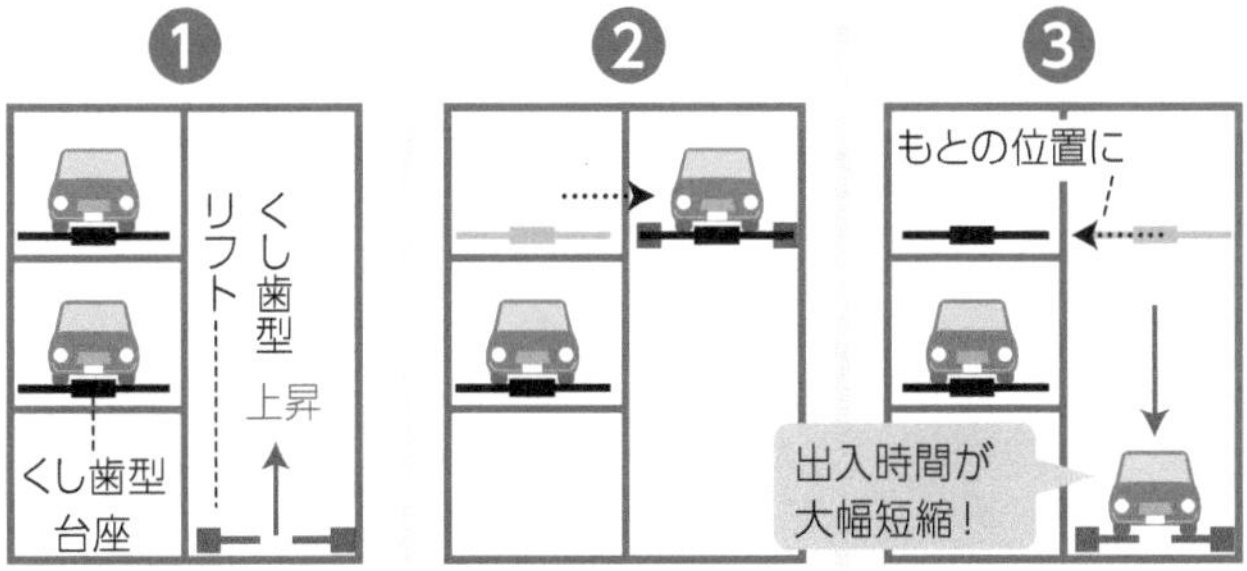

① 「くし歯型」をしたリフトが上昇する。

② 「くし歯型」の台座から、車だけをリフトに渡す。

③ 台座はもとの位置に。リフトが下降して出庫準備が完了。

technology 007

耐震・制震・免震構造

地震列島の日本では、ビルの耐震性が何よりも重要である。近年は、さらに制震、免震へと進化している。

東京の都心には超高層ビルが林立している。地震多発国の日本で大丈夫なのかと心配になるが、備えはなされている。耐震、制震、免震と呼ばれる技術だ。1963（昭和38）年以前、日本では高さ31メートルを超える高層ビルの建築は法的に許されなかった。しかし、技術の進歩などにより法律が改正され、100メートルを超えるビルの建築も可能になった。その最初が「霞《かすみ》が関《せき》ビル」である。このビルが日本の高層建築の口火を切ることになる。

霞が関ビル以前のビル建設の地震対策には、耐震構造がとられていた。**鉄筋コンクリートで柱と壁を強くして地震の揺れに対抗する「剛《ごう》構造」**である。しかし、100メートルを超える高層ビルに適用すると、鉄とコンクリートの量で実用に耐えなくなってしまう。そこで採

「揺れ」を吸収する3つの構造

「耐震」「制震」「免震」は、言葉こそ似ているが、そのしくみは大きく異なっている。

Ⓐ 耐震構造 コスト小

建物の本体で揺れのエネルギーを吸収する。

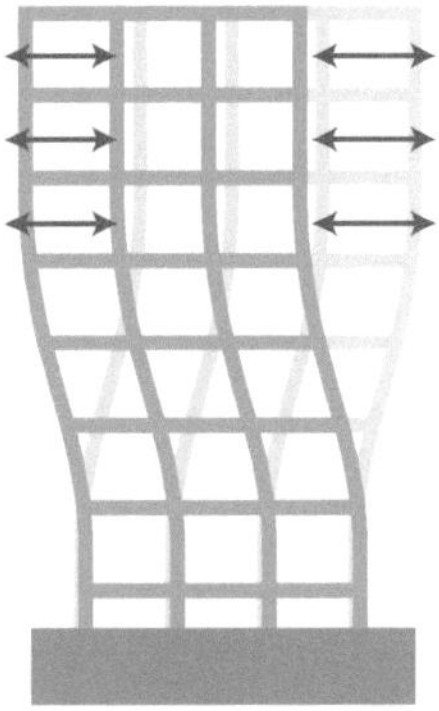

Ⓑ 制震構造 コスト中

制震ダンパーと呼ばれる柱が、まず揺れのエネルギーを吸収する。

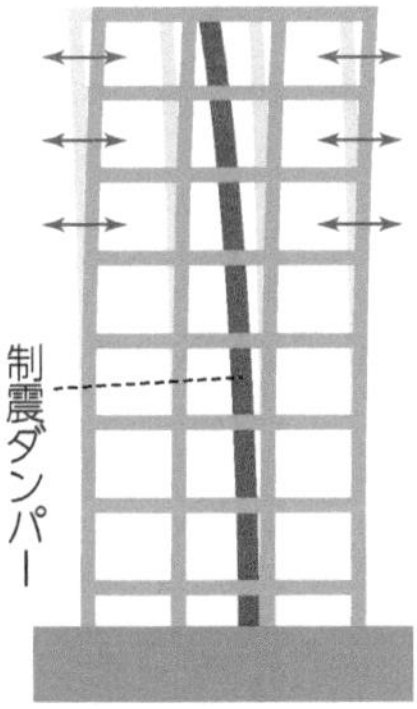

Ⓒ 免震構造 コスト大

免震装置を基礎に取りつけ、揺れのエネルギーを吸収する。

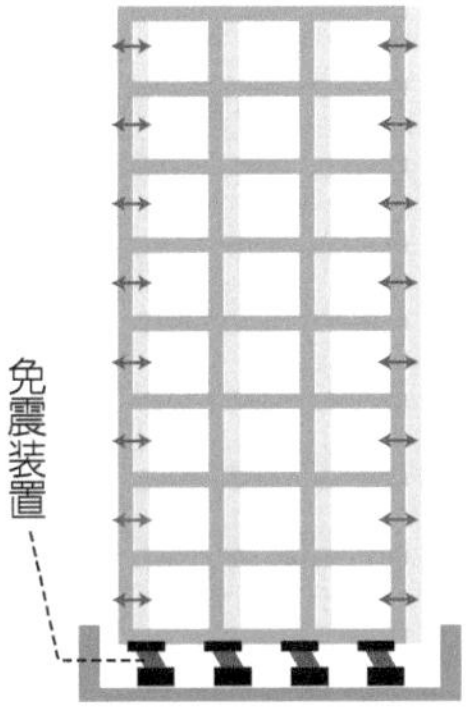

用されたのが制震構造である。**地震の揺れに合わせて建物を適度に揺らし、エネルギーを分散・吸収する「柔《じゅう》構造」**の建築法だ。

柔構造理論の発想には、古寺にある五重塔の技術が利用されている。関東大震災で多くの建物が倒壊《とうかい》するなか、上野寛永寺《かんえいじ》の五重塔は元の姿を保っていた。それを見た建築学者が構造を調べ、現代に活かしたのである。心柱制振《しんばしら》と呼ぶ構造で、2012（平成24）年竣工《しゅんこう》の東京スカイツリーにも採用されている。

2011年の東日本大震災では、高層ビルが長周期《ちょうしゅうき》振動で大きく揺れ、けが人も出た。これは柔構造の欠点である。ビルは壊れないが、大きく揺れることがあるのだ。現代では、この揺れも抑えようとする技術が開発されている。それが免震構造である。

免震構造はゴムなどの変形しやすいものからなる装置の上に建物を構築し、地震エネルギーが建物に伝わりにくくする方法である。これに制震構造を組み合わせることで、地震の揺れを大きく低減させることができる。

耐震、制震、免震のどれが優《すぐ》れているかは場合による。建築目的に合った技術が採用されているのだ。

五重塔を模した東京スカイツリーの構造

五重塔の技術は「心柱制振」として現代に生かされている。その代表が2012年竣工の東京スカイツリーだ。

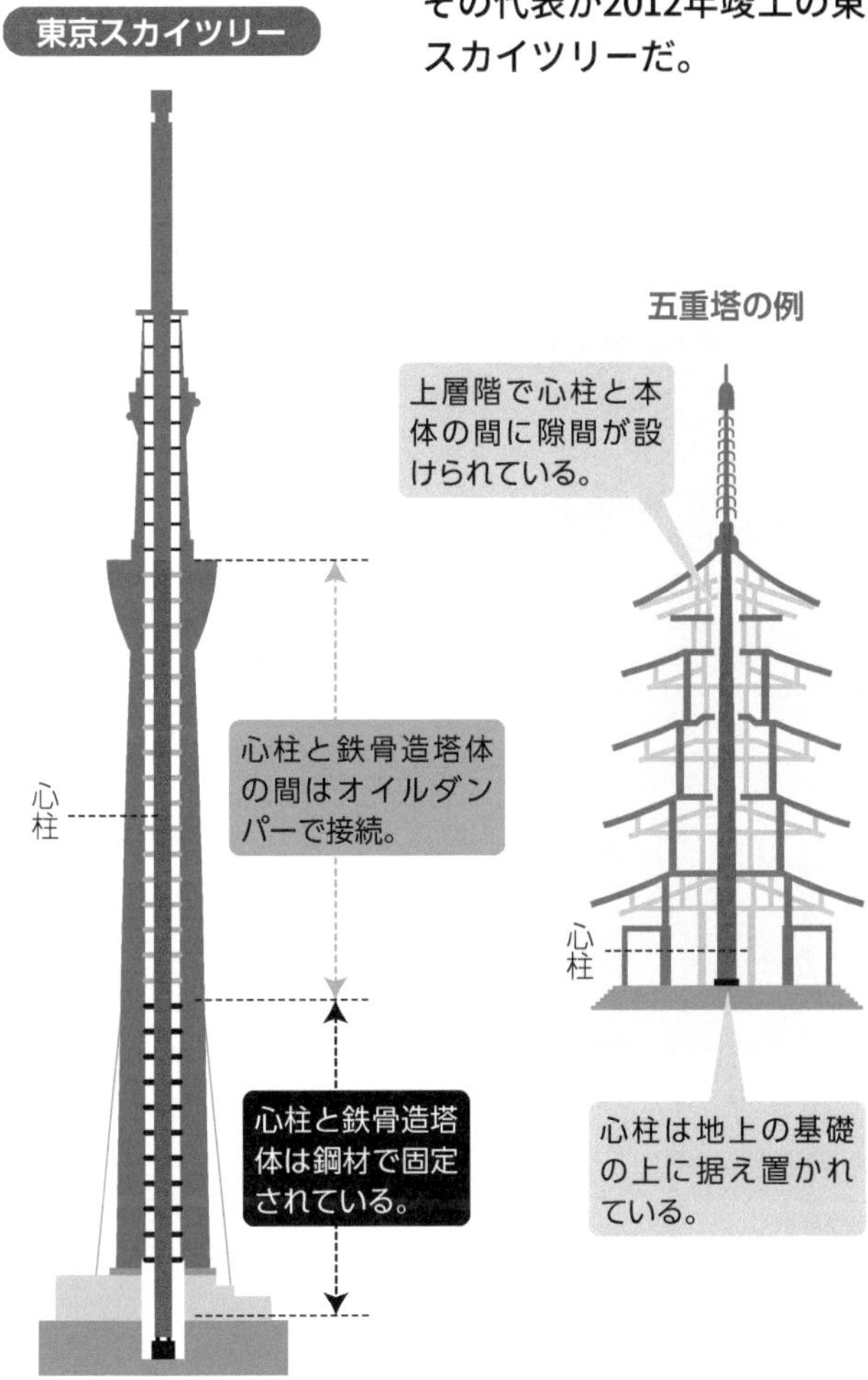
東京スカイツリー
心柱
心柱と鉄骨造塔体の間はオイルダンパーで接続。
心柱と鉄骨造塔体は鋼材で固定されている。
五重塔の例
上層階で心柱と本体の間に隙間が設けられている。
心柱
心柱は地上の基礎の上に据え置かれている。

technology 008

送電線と鉄塔

遥《はる》かかなたまで続く送電線を見ると、どうやって張っているのか知りたくなる。そもそも送電線は何からできているのだろう。

送電線は**架空《がくう》送電線と地中送電線**に分けられる。その字が示すように、架空送電線は鉄塔に架けられた地上の送電線、地中送電線は地下に張られた送電線をいう。架空送電線の総延長は日本全国で地球2周分にもおよぶ。

架空送電線は、鉄塔に支えられながら電気を遠方に運ぶ。左ページ下図に示すように、電線は**碍子《がいし》**を介して鉄塔につながっている。**碍子は絶縁性が高いセラミック（陶器）でできている**ので、鉄塔を触っても感電はしない。

送電の主役である架空送電線について調べてみよう。架空送電線は、発電所と変電所、あるいは変電所同士を結び、大量の電気を高電圧で送る。そこで、高電圧に耐える構造が必要

送電線のしくみ

送電線は架空送電線と地中送電線に分けられる。架空送電線の総延長は、日本全国でほぼ地球2周分。

総延長は地球2周以上

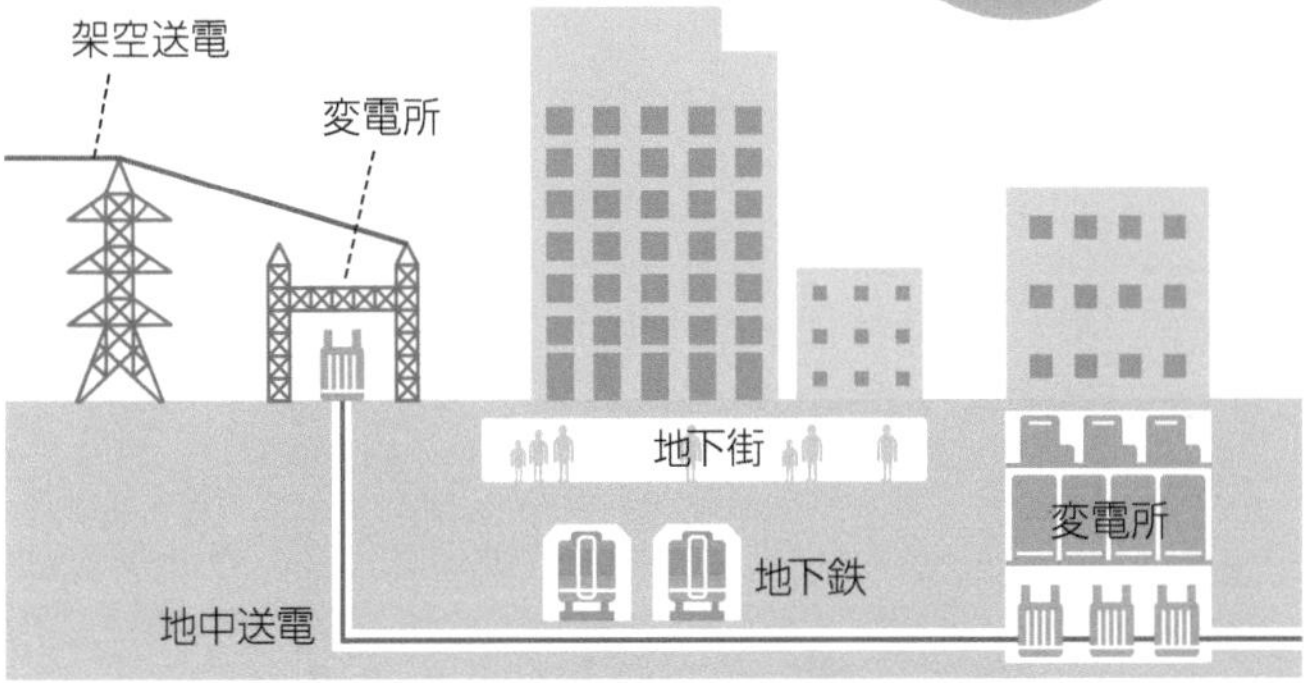
架空送電
変電所
地下街
変電所
地下鉄
地中送電

送電用鉄塔の構造

鉄塔設計において最も重要なのは風対策。ちなみに、「架空地線」は雷から送電線を保護するために張られた導線だ。

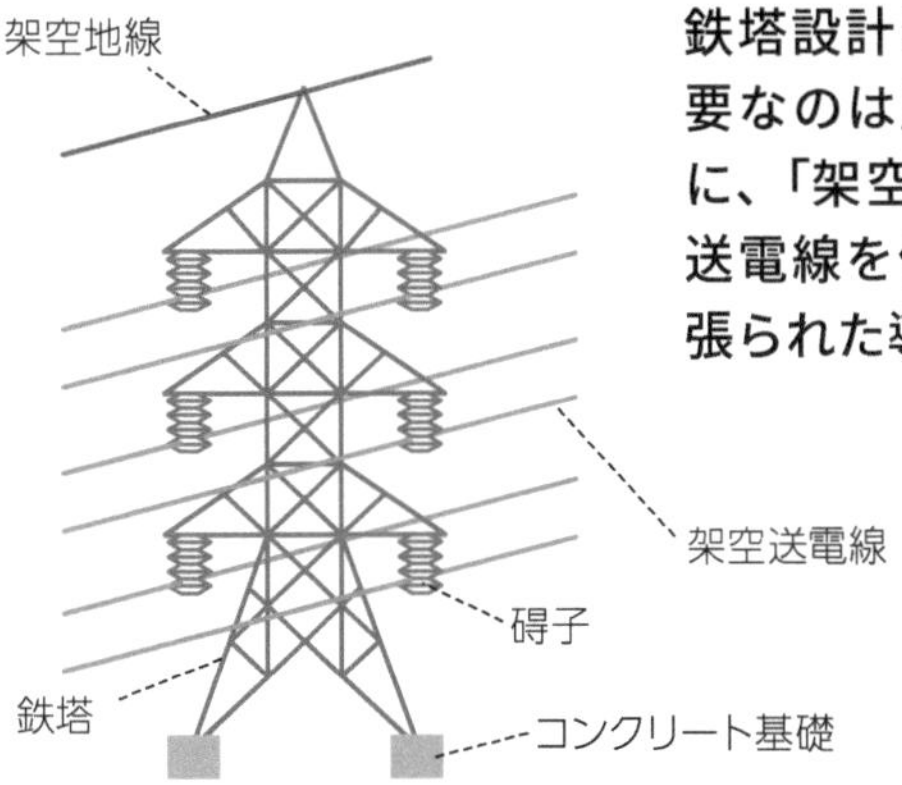
架空地線
架空送電線
碍子
鉄塔
コンクリート基礎

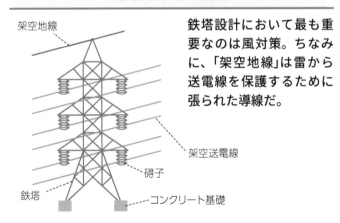

だ。そのためには電気をよく通す太い金属電線を利用すればよい。しかし、すでに述べたように、地球を2周するほどの送電線がいる。それを用意するには経済性も大切だ。そこで、多くの送電線の形状として左ページ上図に示すような工夫がなされている。

送電線は、**中央に鋼線《こうせん》が通り、周囲をアルミ線が囲む**。鋼線は安価で丈夫だが重い。アルミニウム線は鋼線よりも高価で丈夫さに欠けるが、電気をよく通し軽い。安価で重い鋼《はがね》の丈夫さと、電気を通しやすく軽いアルミニウム線のベストマッチで送電線はつくられている。

送電線を鉄塔に架ける方法を見てみよう。軽量化の努力はされていても、やはり金属製の電線は重い。鉄塔の間隔は数百メートルにもおよぶので、電線をいきなり架けるのは難しいのだ。そこで、**軽く丈夫なナイロン製ロープを最初に架け、その後に一方を引っ張って、鉄塔間に送電線を張る**のである。山間地では、ナイロン製ロープをつなげるのにヘリコプターを利用し、ひたすら人の作業に頼ることになる。この人を、ラインマンという。

ラインマンは100メートル以上もある鉄塔にも自力で頂上まで登り、ナイロンロープを架ける。特に山間部では、ヘリコプターが運んでくるナイロンロープをキャッチし、すばやく鉄塔に架ける技が求められる。その高所の作業を想像すると、身がすくむ。

架空送電線の構造

アルミ線は鋼線を中心に撚《よ》られている。これは電線を丈夫にするため。風圧や雪の重みに耐えられる電線は頑丈でなくてはならないのだ。ちなみに、架空送電線は碍子でしっかり絶縁されているので、裸線が用いられている。

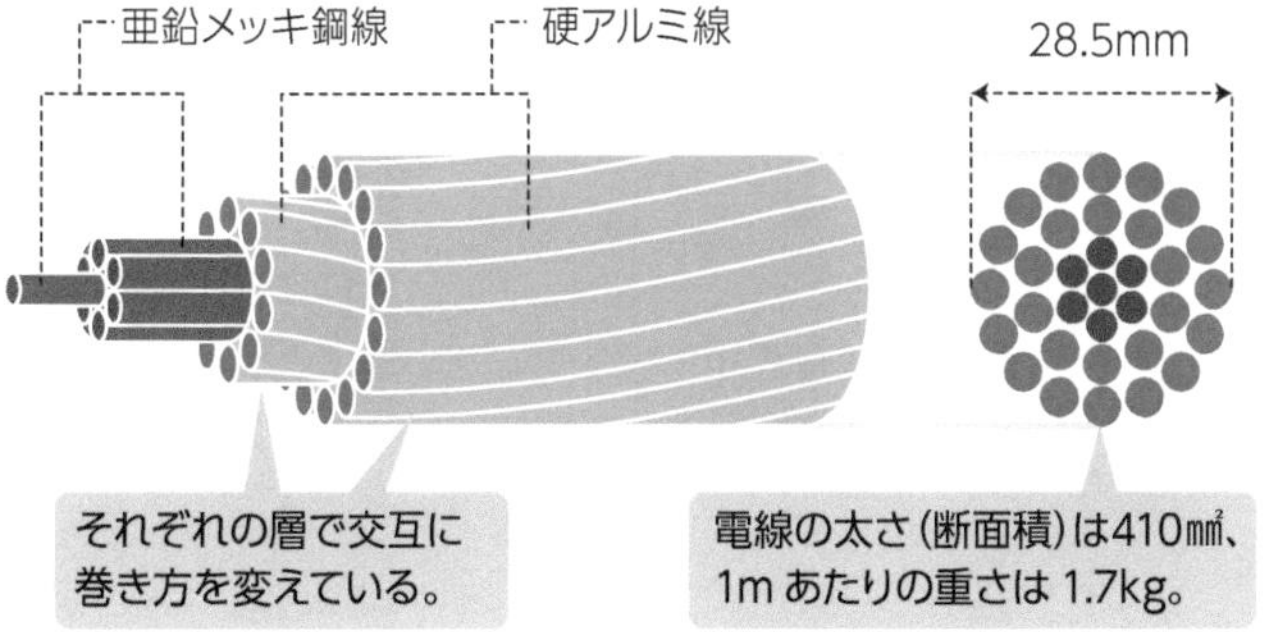
亜鉛メッキ鋼線
硬アルミ線
28.5mm
それぞれの層で交互に巻き方を変えている。
電線の太さ（断面積）は410㎟、1mあたりの重さは1.7kg。

送電線の架け方

送電線を一端に結んだナイロンロープを最初に架け、それを手繰り寄せる。

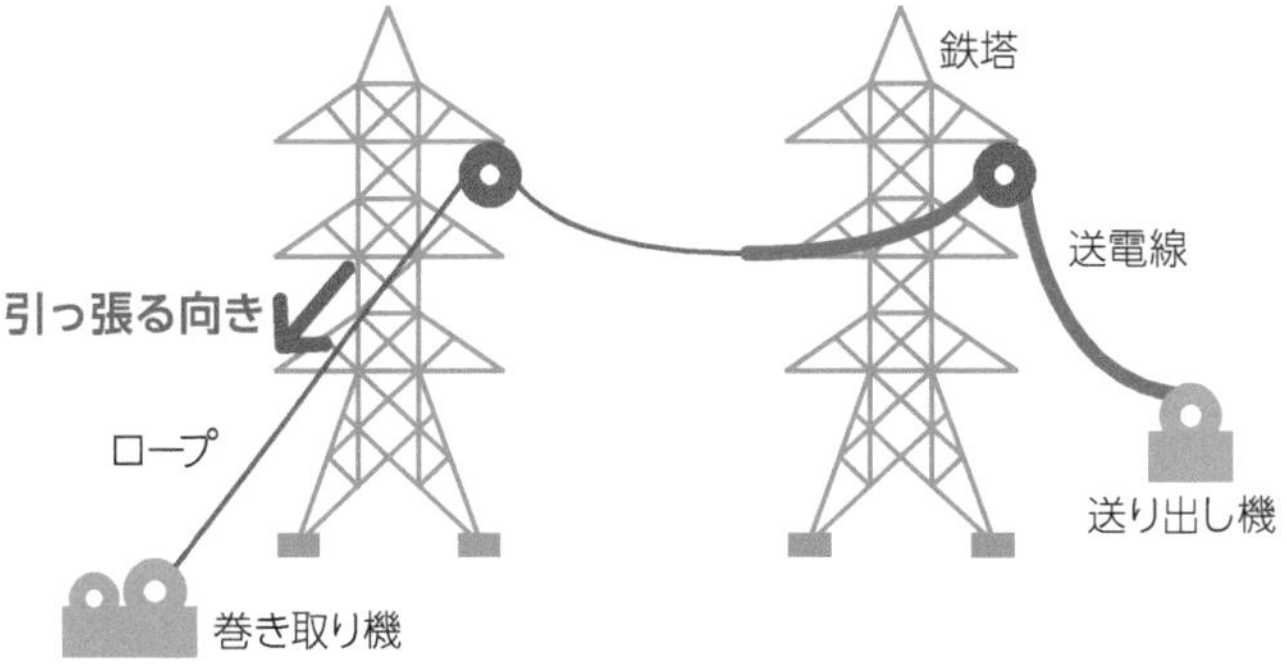
鉄塔
送電線
引っ張る向き
ロープ
送り出し機
巻き取り機

technology 009

キャッシュレス決済

コロナ禍をきっかけに、キャッシュレス決済が急速に普及した。一口に「キャッシュレス」と言っても、決済のしくみはさまざまだ。

財布からわざわざお金を出さず、スマートに支払いを済ませられるキャッシュレス決済。

近年、多様なキャッシュレス決済が登場しているが、支払いのタイミングで、**ポストペイ（後払い）**、**リアルタイムペイ（即時払い）**、**プリペイド（前払い）**の三つに分けられる。

ポストペイの代表は、すでに日本でもおなじみのクレジットカードである。**クレジットカード会社が、買い物をした代金を利用者に代わって支払い、利用者はあとで代金を支払う**しくみだ。ほとんどすべてのクレジットカードにビザやマスターカードなどの国際ブランドがついており、世界中の加盟店で利用できるのが大きな特徴。現在では、スマートフォンに搭載《とうさい》された非接触型ＩＣ《アイシー》チップに決済アプリを入れたり、スマホ決済アプリサービスと紐《ひも》づ

支払いのタイミングとインターフェース

キャッシュレス決済は、以下の組み合わせで成り立つ。

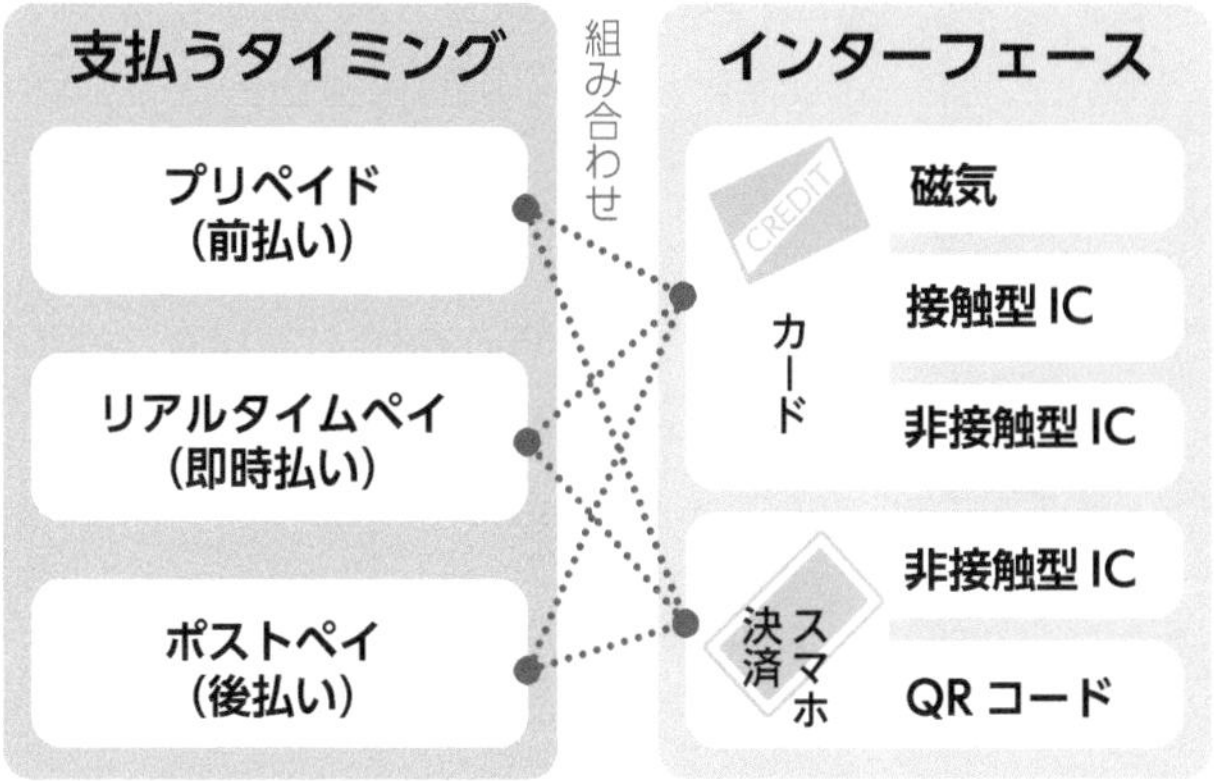

クレジットカードの決済の流れ

利用者が後でカード会社に支払うしくみである。

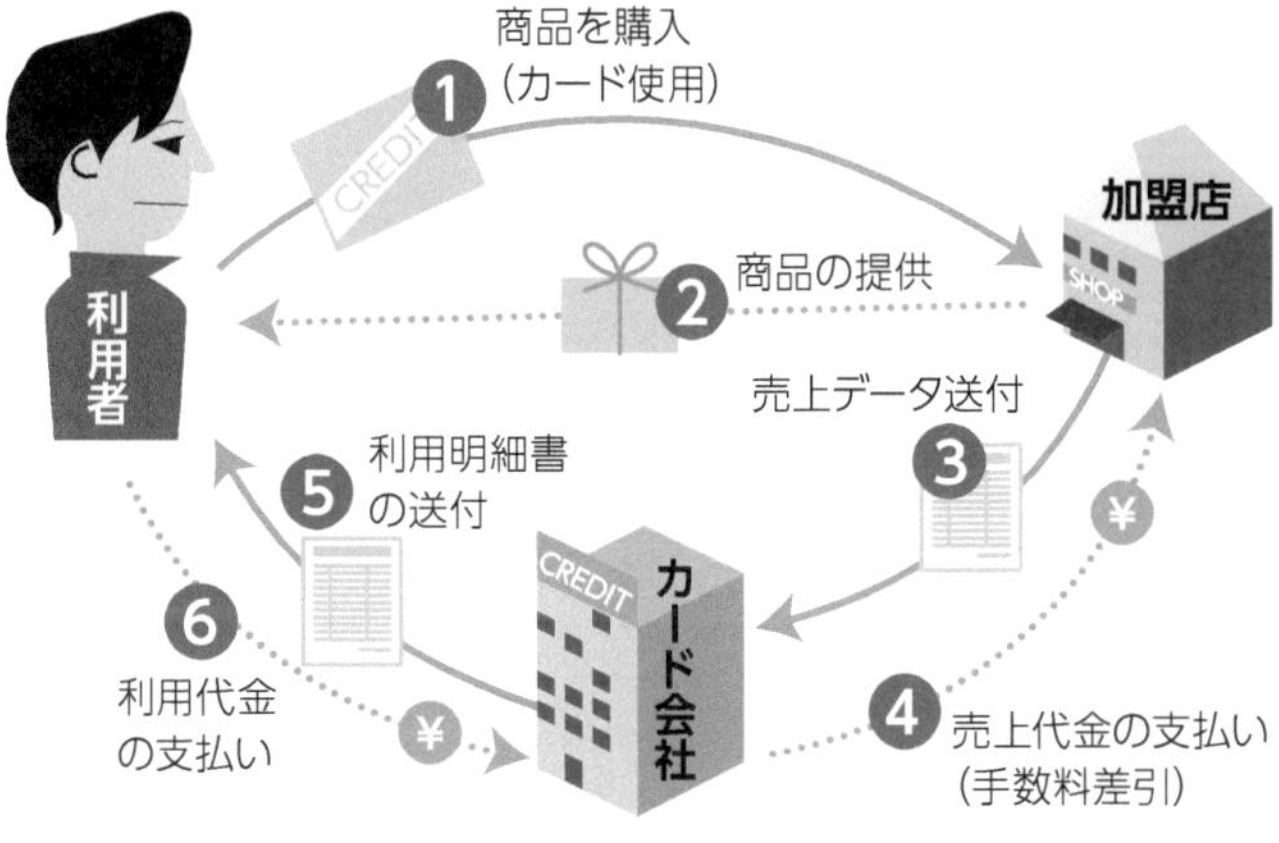

けしたりすることも可能。支払いのたびに財布からカードを出す手間が省ける。

リアルタイムペイは、デビットカードに代表されるように、**決済と同時に金融機関に預けた預金から引き落とされるシステム**だ。デビットカードは、日本ではＪ‐Ｄｅｂｉｔ《ジェイデビット》とブランドデビットが発行されている。

プリペイドで代表的なのは、電子マネーである。電子マネーには明確な定義がなく、対象となる範囲は広いが、非接触型ＩＣカードを使ったプリペイド式を指すことが多い。**端末にタッチするだけで決済が完了**する手軽さから、交通機関やコンビニ、外食チェーンといった比較的少額の決済が行なわれる場所を中心に普及が進んでいる。

近年、注目を集めているのは**ＱＲコード（216ページ）支払い**である。スマホに決済アプリをダウンロードして、銀行口座やクレジットカード番号などの支払い手段の情報を登録すればすぐに利用できる。支払いの方法は、自身のスマホ画面にＱＲコードを表示して店舗がスキャンする方法と、店舗が提示するＱＲコードを利用者がスマホで読み取る方法がある。引き落としのタイミングは、プリペイド、リアルタイムペイ、ポストペイがあり、事業者によって異なっている。

ブランドデビットの決済の流れ

決済と同時に金融機関の預金から引き落とされる。

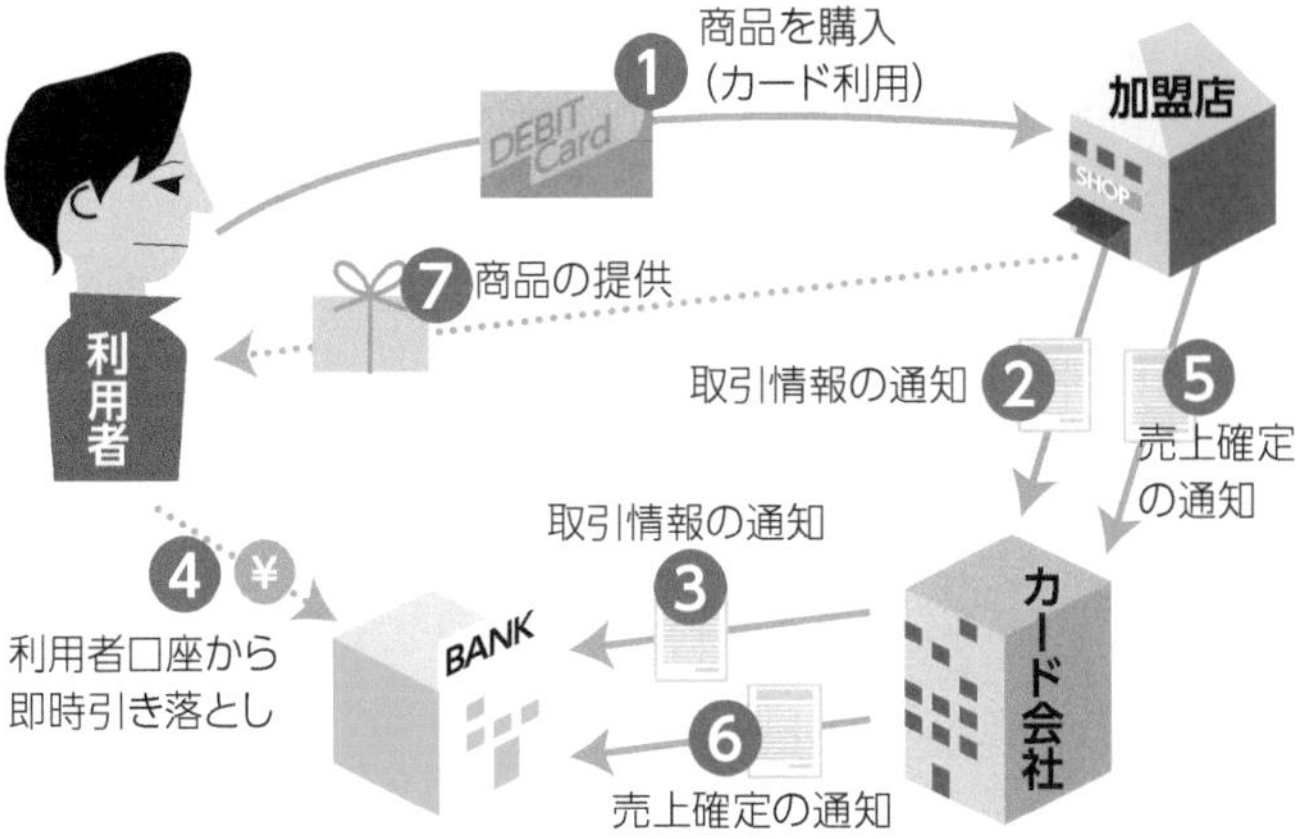
商品を購入
(カード利用)
1
DEBIT Card
加盟店
SHOP
7 商品の提供
利用者
取引情報の通知 2
5
売上確定
の通知
取引情報の通知
3
4 ¥
利用者口座から
即時引き落とし
BANK
カード会社
6
売上確定の通知

電子マネーの決済の流れ(プリペイドの場合)

プリペイドの場合は、以下の手順で決済される。

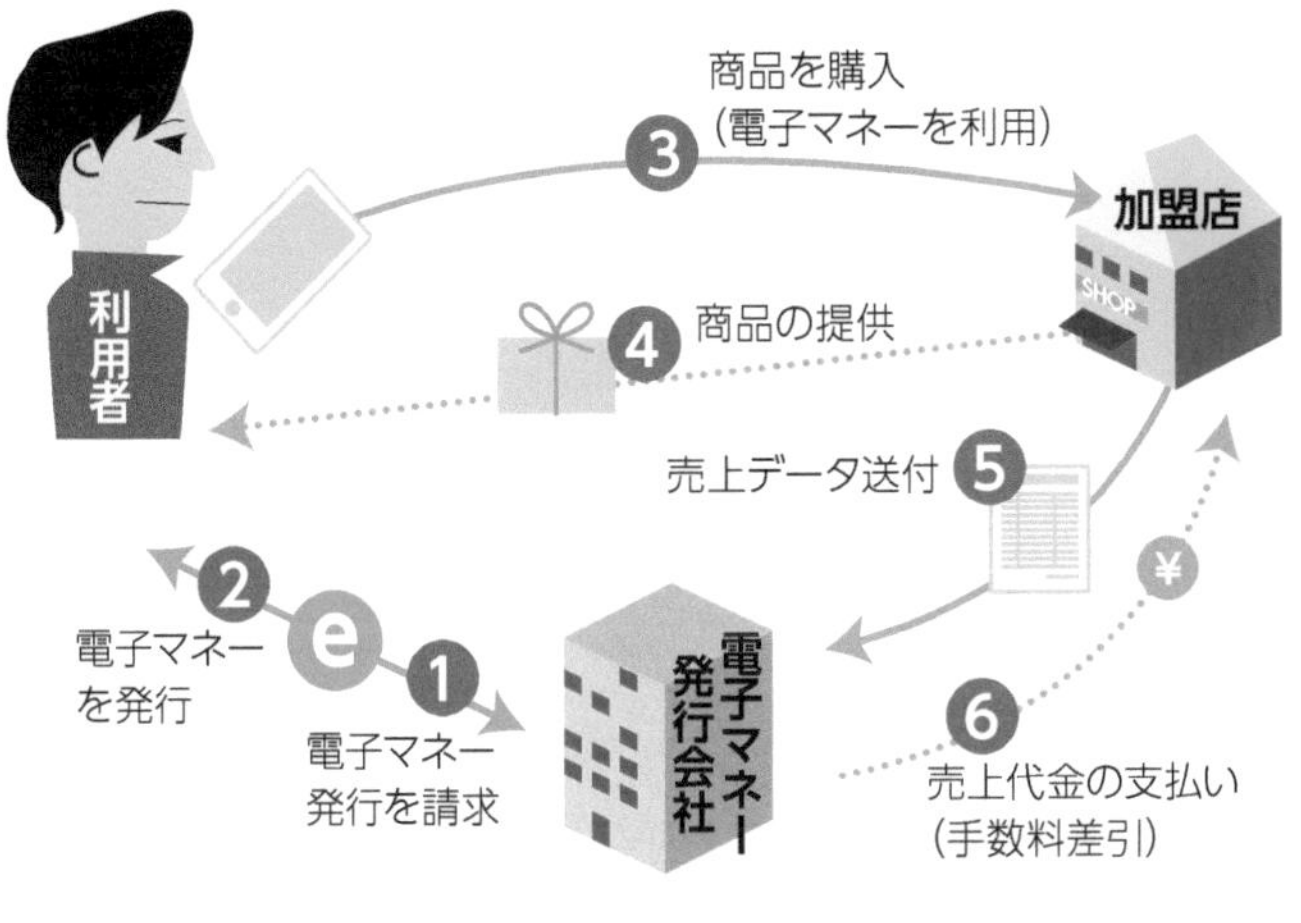
商品を購入
(電子マネーを利用)
3
加盟店
SHOP
利用者
4 商品の提供
売上データ送付 5
¥
2
電子マネー
を発行
e
1
電子マネー
発行を請求
電子マネー
発行会社
6
売上代金の支払い
(手数料差引)

technology 010

自動改札

自動改札とIC《アイシー》カードとのコラボレーションで、スムーズに交通機関が利用できるようになった。そのしくみを見てみよう。

一昔前、電車に乗るには券売機に並び、切符《きっぷ》を買ってから改札口を通過しなければならなかった。

しかし現在、ＰＡＳＭＯ《パスモ》やＳｕｉｃａ《スイカ》などのＩＣカードを持ってさえいれば、公道の延長のように乗り物を利用できる。**カードをかざすだけで改札をすませられる**からだ。

この便利なシステムを実現しているのがソニーの開発した非接触型ＩＣカード技術「ＦｅｌｉＣａ《フェリカ》」である。これはＩＣカードと、それを読み書きするリーダー／ライターから成り立つシステムに名づけられた名称である。

以下では、ＪＲ東日本のＳｕｉｃａで改札をすませる場合を例にして、そのしくみを見てみることにしよう。

駅に入場するために、自動改札機にカードをかざす。すると、自動改札機はそのカードが正しいものかを認証し、入金額を読み取り、さらに日時や駅名等を書き込む、という一連の操作を実行する。Ｓｕｉｃａのすばらしい点は、**この一連の操作を0・1秒という短い時間で実行**する点にある。改札でもたついては実用にはならないが、認証や読み書きが確実にできなければ改札の意味がない。Ｓｕｉｃａはその両方の要求を見事にクリアしたのである。

カードの中身はアンテナとＩＣチップからできている。**自動改札機から出された電波を**

Suicaの動作

SuicaはFeliCaと呼ばれるシステムの一例である。認証とデータの読み書きを0.1秒で行なうのが自慢。

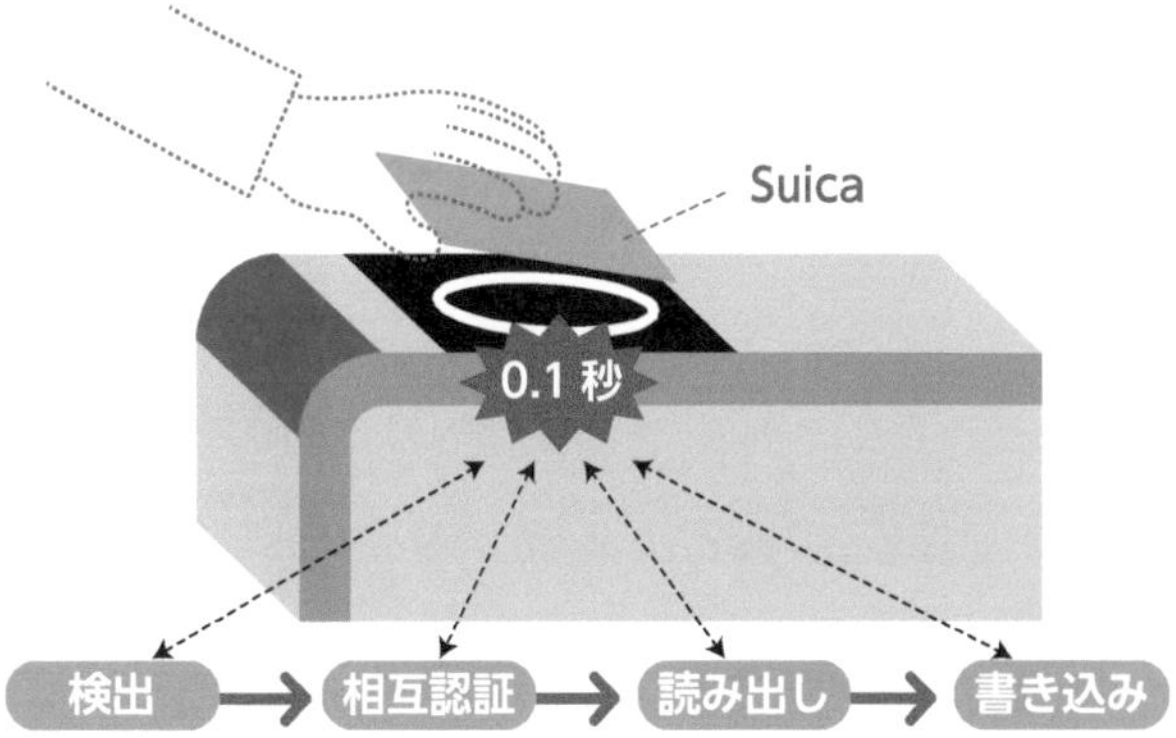
Suica
0.1 秒
検出
相互認証
読み出し
書き込み

アンテナが電気に変え、ICチップを作動させる。これが非接触型のICの特徴である。このような技術は一般的にRFIDと呼ばれるが、FeliCaの自慢は一連の複雑な処理を高速に実行する点だ。

FeliCaの持つ確実な認証能力は「Edy《エディ》」「nanaco《ナナコ》」「WAON《ワオン》」などの電子マネー、会社や大学の身分証、さらにはマンション入棟や入室の際の電子キーとしても採用されている。

2016年、米国のアップル社はFeliCaを搭載《とうさい》したiPhoneの販売を開始した。スマホをかざすだけで改札を通過できるのはこのしくみのおかげである。

FeliCaの構造

ICチップの電源はリーダー／ライターが出す電波が担っている。

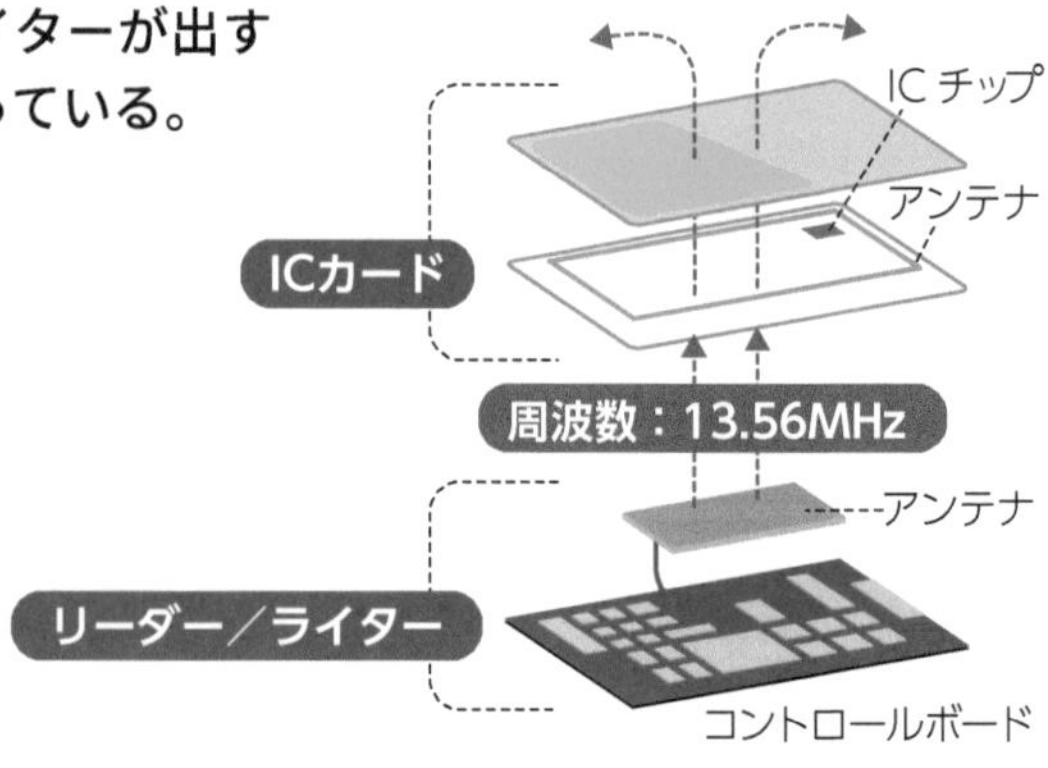
ICチップ
アンテナ
ICカード
周波数：13.56MHz
アンテナ
リーダー／ライター
コントロールボード

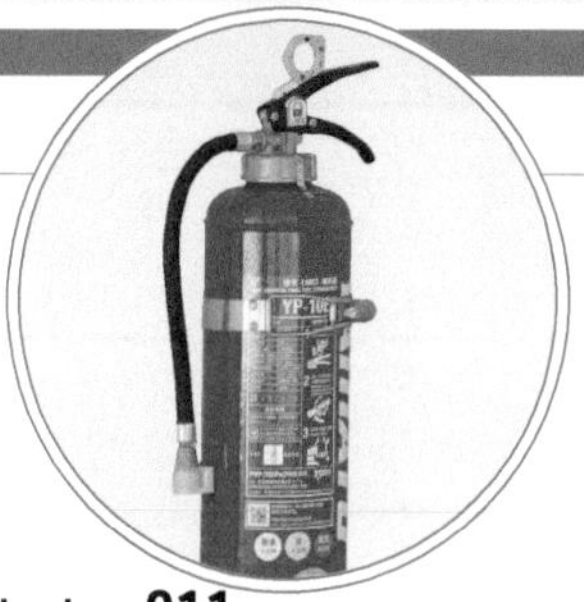

technology 011

消火器

家庭やオフィスで目にする消火器には、よく見ると「ＡＢＣ」の文字が刻印されている。これは何を意味しているのだろう。

近年、民家にも火災警報装置の設置が義務付けられているが、痛ましい火災事故はあとを絶たない。日頃の火の用心は大切だ。しかし、いくら注意しても災害は起こるもの。いざ火災が発生したときに強い味方になるのが、消火器である。では、なぜ消火器で火が消せるのだろうか。

モノが燃えるには可燃物、空気、高い温度、そして燃え続けるための化学反応の連鎖《れんさ》が必要である。消火するには、これらのいずれかを除去すればいい。家庭やオフィスでは、**燃焼物体を冷やして消火する冷却法**、**空気の供給を遮断《しゃだん》して消火する窒息《ちっそく》法**の二つが消火法として考えられている。

「冷却法」の代表は散水《さんすい》である。水をかけて、温度を低下させるのだ。「窒息法」は、家庭やオフィスで最も一般的に常備されているABC消火器に利用されている。消火剤とそれを押し出す二酸化炭素や窒素によって酸欠にさせるのである。

ところで、ABC消火器の「ABC」とは、いったい何を意味しているのだろうか。これは、火災時に燃焼する物質の分類で、**Aは普通火災**（**木材、紙などの火災**）、**Bは油火災**（**石油や油脂類などの火災**）、**Cは電気火災**（**電気設備などの火災**）のこと。火災の際には、原因がこれらのどの火災なのかを見極め、適切な薬剤の詰まった消火器を利用することが重要だ。しかし、一般家庭にその判断を求めるのは無理である。そこで、どの火災にも効果的な薬剤が詰まった消火器が求められる。それが「ABC消火器」なのだ。

家庭やオフィス用のABC消火器のほとんどは、消火剤の粉末が勢いよく飛び出す粉末消火器だが、どのように粉末を飛び出させているのだろうか。そのしくみには2通りある。

加圧式消火器は、レバーを握ると内部の加圧用ガス容器が壊れ、**高圧ガス**（**二酸化炭素や窒素**）**が消火薬剤とともに吐出《としゅつ》**する。一方、蓄圧式消火器は、**消火薬剤と高圧ガス**（**二酸化炭素や窒素**）**が一緒に封入**されているタイプだ。

加圧式消火器と蓄圧式消火器

家庭やオフィスなどに置かれた消火器は、多くは消火薬剤の粉末が飛び出す粉末消火器。その方式は加圧式と蓄圧式に分けられる。

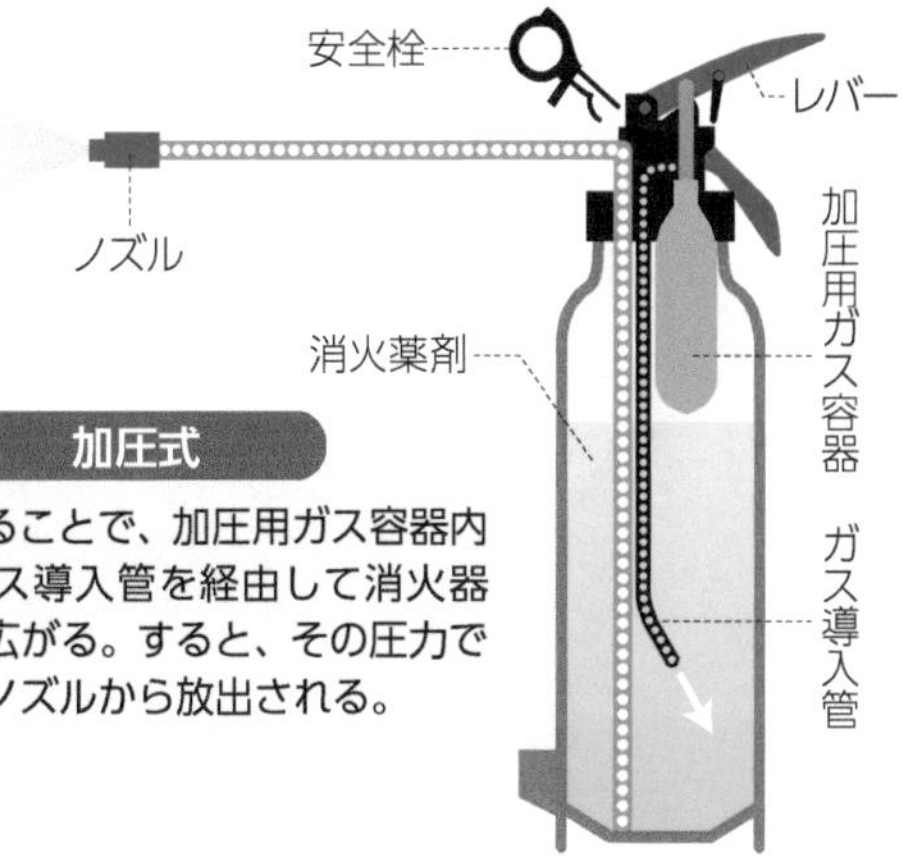
安全栓
レバー
ノズル
加圧用ガス容器
消火薬剤
ガス導入管

加圧式

レバーを握ることで、加圧用ガス容器内のガスがガス導入管を経由して消火器内部全体に広がる。すると、その圧力で消火薬剤がノズルから放出される。

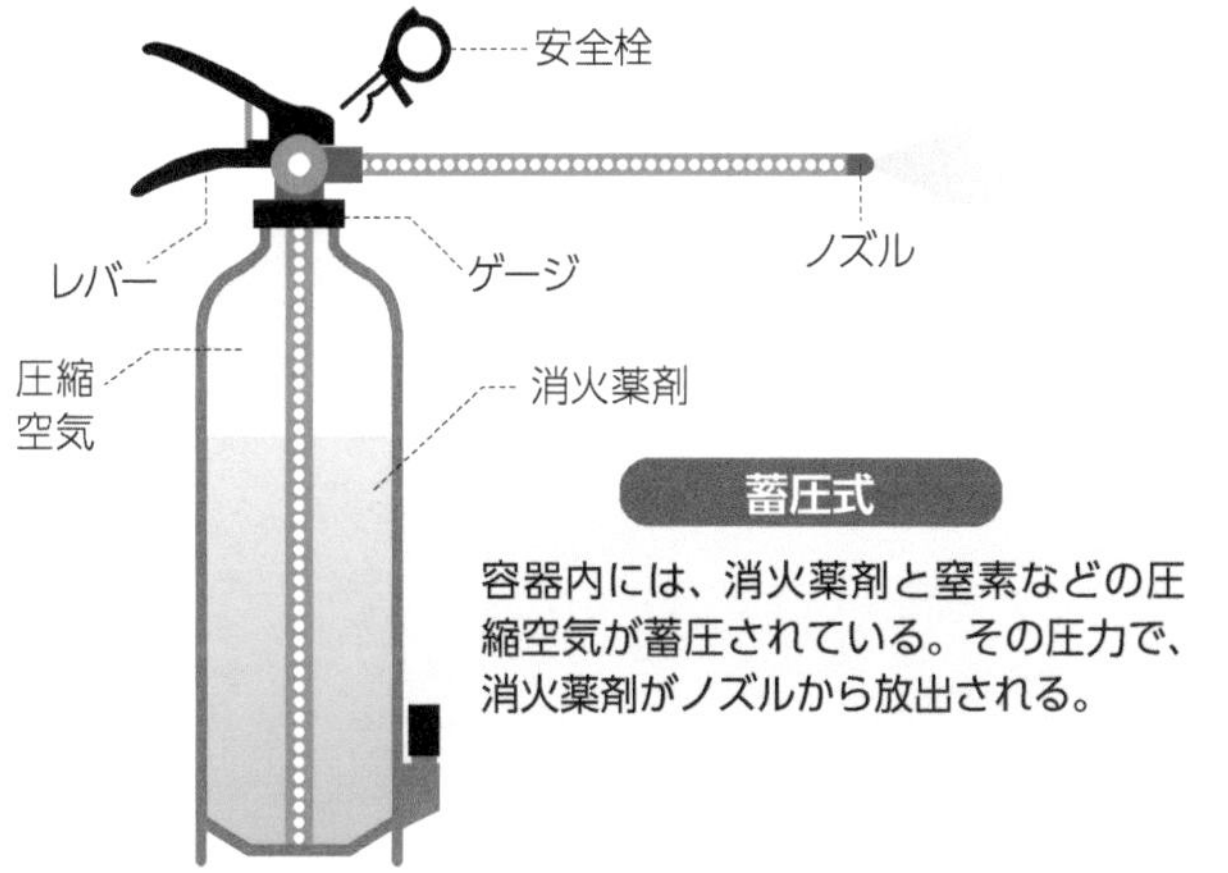
安全栓
レバー
ゲージ
ノズル
圧縮空気
消火薬剤

蓄圧式

容器内には、消火薬剤と窒素などの圧縮空気が蓄圧されている。その圧力で、消火薬剤がノズルから放出される。

technology 012

トンネル工事

山腹や地中を貫くトンネルは、地山(岩や土)の硬さや場所によって掘り方が違う。代表的なのが、「シールド工法」だ。

トンネルをつくる工法は開削《かいさく》工法、シールド工法、NATM《ナトム》工法、沈埋《ちんまい》工法の四つが代表的だが、地下などにトンネルを掘る工事で、現在、**最も多く採用されているのがシールドマシンを使ったシールド工法**である。

シールド工法によるトンネル掘削《くっさく》は、まず、鉄道駅などをつくる際に、開削工法で地面を大きく掘った穴からマシンの部品を運び入れ、地下で組み立てることから始まる。開削工法は、地面を掘り返して地下鉄の構造物をつくり、土砂を埋め戻す方法だ。

シールド工法ではその後、シールドマシンを使って地中を横方向に掘り進めていく。マシン前方のカッターヘッドには、超合金のビット(刃)が無数についていて、それが**回転しな**

代表的なトンネルの種類

トンネルの種類は、地勢などによってさまざまである。ここでは、代表的な山岳トンネル、シールドトンネル、開削トンネルの断面図を見てみよう。

山岳トンネル

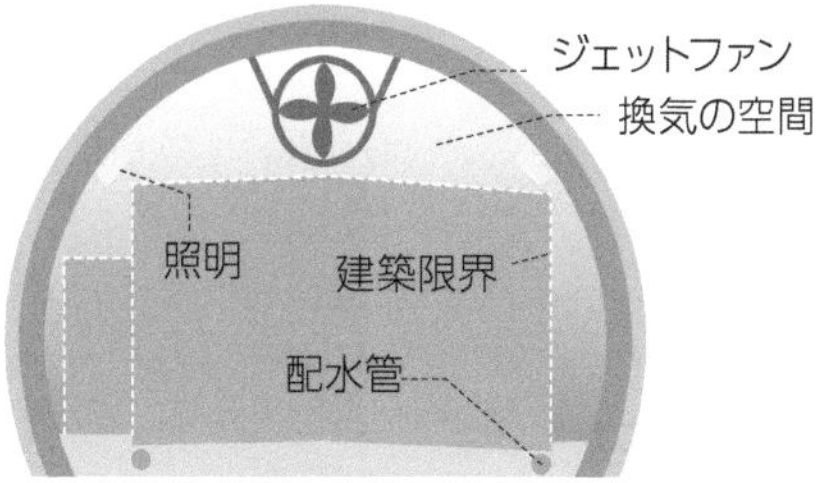
ジェットファン
換気の空間
照明
建築限界
配水管

おもに山岳地帯に建設される。断面はアーチ状をしている。

シールドトンネル

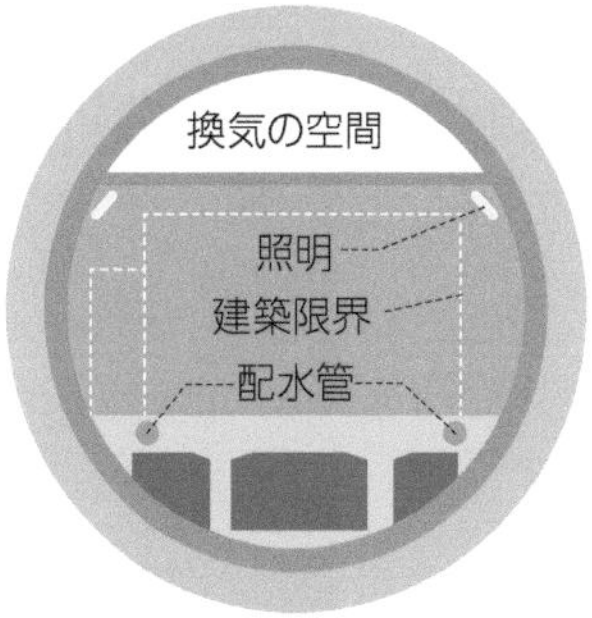
換気の空間
照明
建築限界
配水管

巨大なシールドマシンで掘り進める工法。柔らかい地盤を掘るのに最適。

開削トンネル

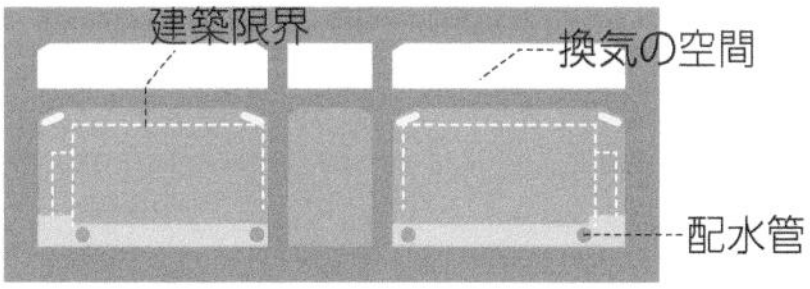
建築限界
換気の空間
配水管

地面を掘り下げてトンネルをつくり、埋め戻す。地表に近い場合などに用いられる。

がら堅い岩盤を削っていく。1日5〜10メートル程度、掘り進めることができる。

この動きと並行して、削り取った土砂はトンネル内部を通るトロッコなどで地上へと運ばれる。さらに、掘削が終わった部分全体には**セグメントと呼ばれる鉄筋コンクリート製のブロックが壁に取りつけられ、円形のトンネルがつくられていく**。

トンネルが完成すると、カッターヘッドや内部の部材が取り外され、シールドマシン自体がトンネルの一部になるしくみだ。

一連の作業はすべてコンピューター制御で行なわれているため、行き先に迷うことなく、安全に掘削を進めることができる。

通常、シールドマシンは強い圧力にも耐えられるように円形断面でつくられているが、**四角い断面やだ円形のシールドマシンも開発**され、掘削するトンネルの状況に応じて使用されている。

これまでは一つのマシンで1本のトンネルしか掘ることができなかったが、カッターヘッドを3枚並べることで3本のトンネルが一度に掘れる3連型シールドマシンも開発され、地下鉄工事などで活躍している。

アーチ効果で土砂の重さを圧縮力に

アーチ状の断面をしたトンネルは、周囲の土砂の重さを圧縮力に変える特性がある。力学的に強いこの特性を「アーチ効果」といい、トンネルだけでなく、さまざまな建築物で利用されている。

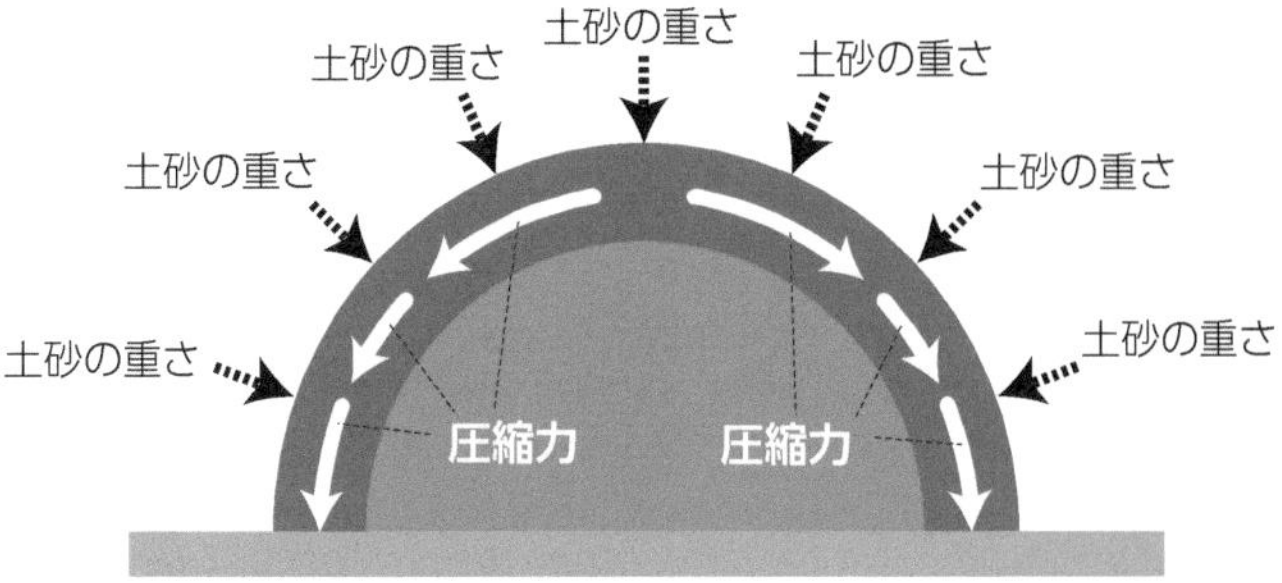

トンネルを掘削するシールドマシン

円筒形をした鉄のシールドマシンで掘削し、シールドマシンの中でセグメント（分割されたブロック）を組み立てる。この手順を繰り返すことで、トンネルが完成するのである。

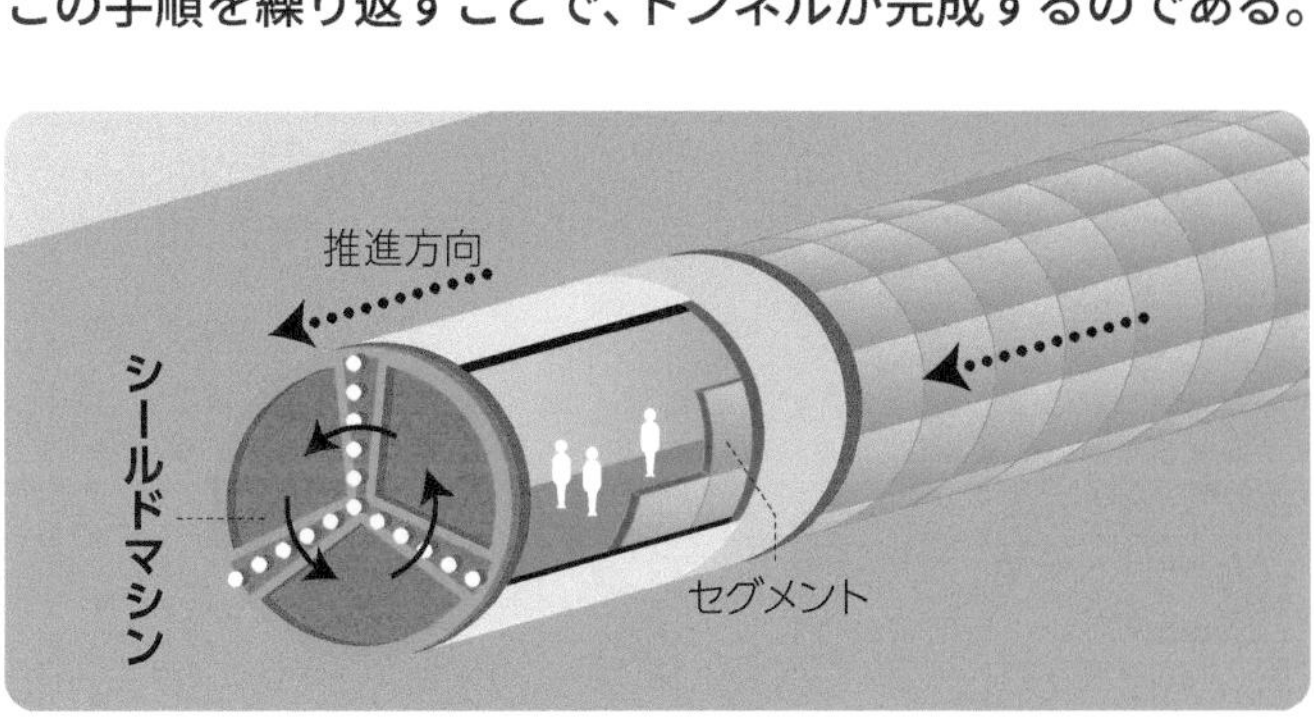

technology 013

ダム

富山県の黒部《くろべ》ダムのように、巨大なダムには人を引きつける魔力がある。ダムに託《たく》された役割とは何なのだろう。

巨大建築物の例にもれず、大きなダムは人を魅了する。緑に囲まれた湖と巨大なコンクリートの人工物、その二つのコントラストが織り成す景観は、観光地になる条件を備えている。ダムには、美しいアーチを描いたダムや、単に岩が積み上げられたダムなど、さまざまな種類がある。その代表的な形を見てみよう。

重力式コンクリートダムは、**コンクリート自身の重さによって、水がダムを押す力に耐えられるようにつくられたダム**だ。堅い岩盤のところにつくられ、日本では最も多く見られる。

アーチ式コンクリートダムは、上流側に弓なりになったダム。**水がダムを押す力をこの形によって両岸で支える。**両側の岩盤は堅くなければならないが、コンクリートの量が重力式ダ

代表的なダムの種類

ダムには、重力式コンクリートダム、アーチ式コンクリートダム、フィルダムなどさまざまな種類がある。ここでは、それぞれの特徴を調べてみよう。

重力式コンクリートダム

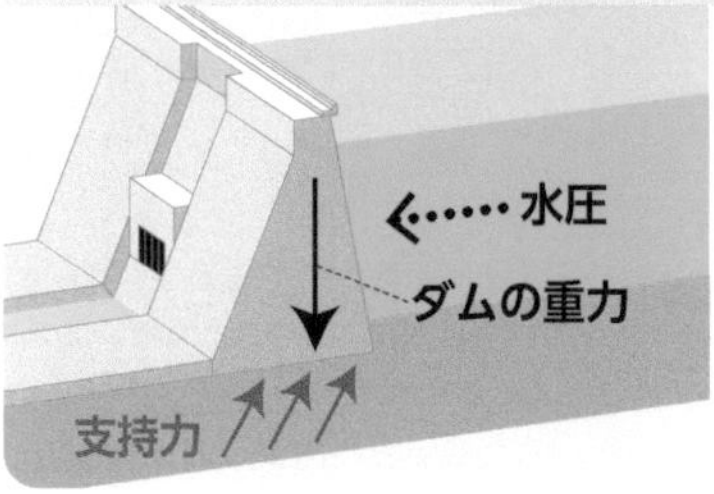

コンクリート自身の重さによって、水がダムを押す力に耐えられるようにつくられたダム。

アーチ式コンクリートダム

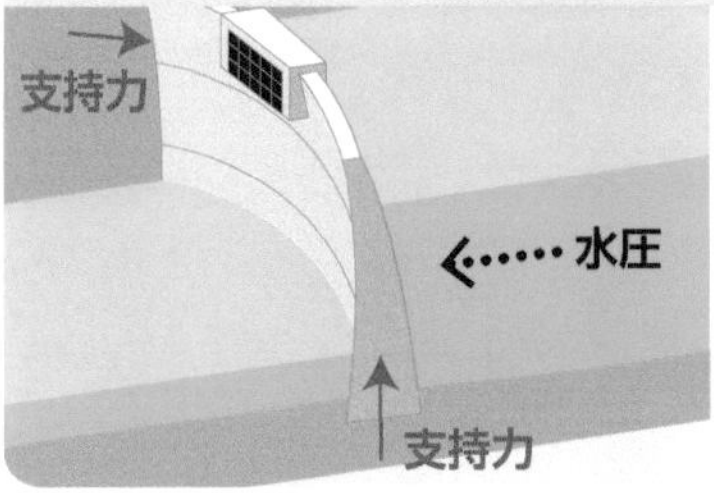

水がダムを押す力を、アーチの形によって両岸で支えるダム。

フィルダム

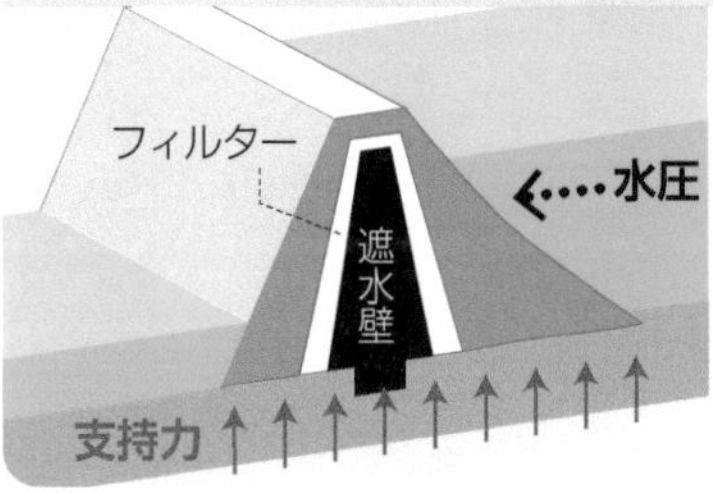

土や岩のかたまりを積み上げてつくられたダム。ロックフィルダムが有名。

ムの3割程度ですむため経済的だ。フィルダムは、土や岩のかたまりを積み上げて造られたダム。**中心部に土で遮水壁《しゃすいへき》を設けたり、表面をコンクリートなどで遮水したりしている**。基礎地盤があまり堅くないところでも建設できる。

ダム建設には、おもに三つの目的がある。**利水、治水、そして発電**である。単一の目的で建造されたダムもあるが、多目的ダムといって、複数の目的を持つダムもある。ここでは治水用ダムに焦点を当ててみよう。

日本の川は急峻《きゅうしゅん》で、上流に大量の雨が降ると、膨大《ぼうだい》な水量が一気に下流に流れて洪水になる危険がある。そこで、流入する水量の一部を一時的にため込んで下流へ流す水量を減じ、下流における洪水被害の防止を図る。これが治水用ダムの役割だ。

この調整機能を洪水調節という。簡単にいえば、豪雨でたくさん水が流れてきたら、それをダムでいったん受け止め、**安全な量だけ下流に流す**ということである。この機能を働かせるためには、流入する水の量を監視したり、大量の雨が予想される前には水を流したりと、常に周囲に気を配らなければならない。

ダム管理は、日本の国土を影で守っているのだ。

ダムの洪水調節機能

ダムには、膨大な水量が下流へと一気に流れるのを防ぐため、下流に流れる水量を調整する機能がある。

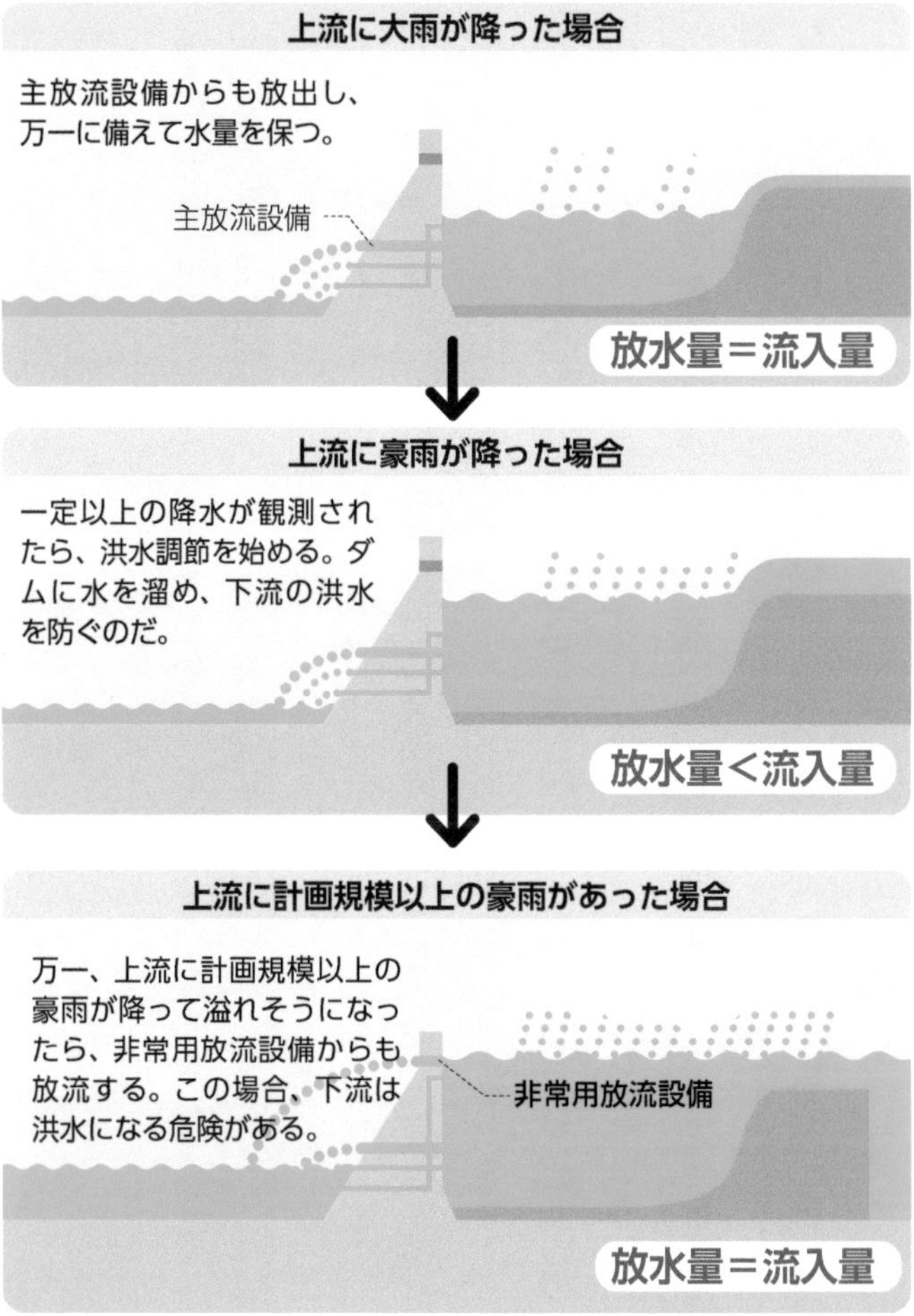
上流に大雨が降った場合
主放流設備からも放出し、万一に備えて水量を保つ。
主放流設備
放水量＝流入量
上流に豪雨が降った場合
一定以上の降水が観測されたら、洪水調節を始める。ダムに水を溜め、下流の洪水を防ぐのだ。
放水量＜流入量
上流に計画規模以上の豪雨があった場合
万一、上流に計画規模以上の豪雨が降って溢れそうになったら、非常用放流設備からも放流する。この場合、下流は洪水になる危険がある。
非常用放流設備
放水量＝流入量

technology 014

自動販売機

自動販売機だけのコンビニがあるという。それくらい親しまれている自販機だが、その進歩は、いまもなお止まらない。

自動販売機（略して自販機）の歴史は古い。**世界最古の自販機は、2000年以上昔に遡《さかのぼ》る**という。コインを投入すると水が出てくる装置で、エジプトの寺院に置かれていたそうだ。

そしていま、自販機だけのコンビニエンスストアがあるほど、その普及には目を見張るものがある。飲料や食物だけでなく、花や下着など、じつにさまざまなモノが売られている。

海外ではそれほど目立たない自販機だが、普及台数だけを見ると日本はアメリカ、ヨーロッパよりも少ない。海外で目立たないのは、露出度が低いからだ。海外ではビルの中など、防犯対策が施《ほどこ》せる場所に設置されていることが多いため、日本ほどは目立たない。

自販機の普及の裏では、さまざまな努力がなされている。例えば、省エネの工夫が挙げら

世界初の自動販売機は神殿の聖水

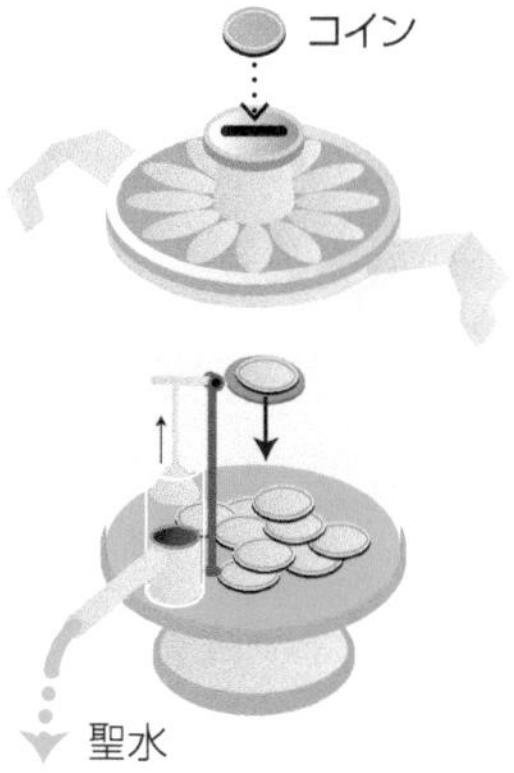
コイン
聖水

世界最古の自動販売機は、紀元前3世紀頃のエジプトの神殿に設置された「聖水販売機」だという。上部の口から硬貨を投入すると、その重みで受け皿が傾く。硬貨が落下して受け皿が元の状態に戻るまでの間、出口の栓が開いて水が出る仕掛け。

缶の自動販売機の基本構造

横から見た図。温冷する装置は取り出し口付近にあり、すぐに売れるところだけを温冷する。取り出し口には爪が2本あり、1本ずつ取り出せるようになっている。

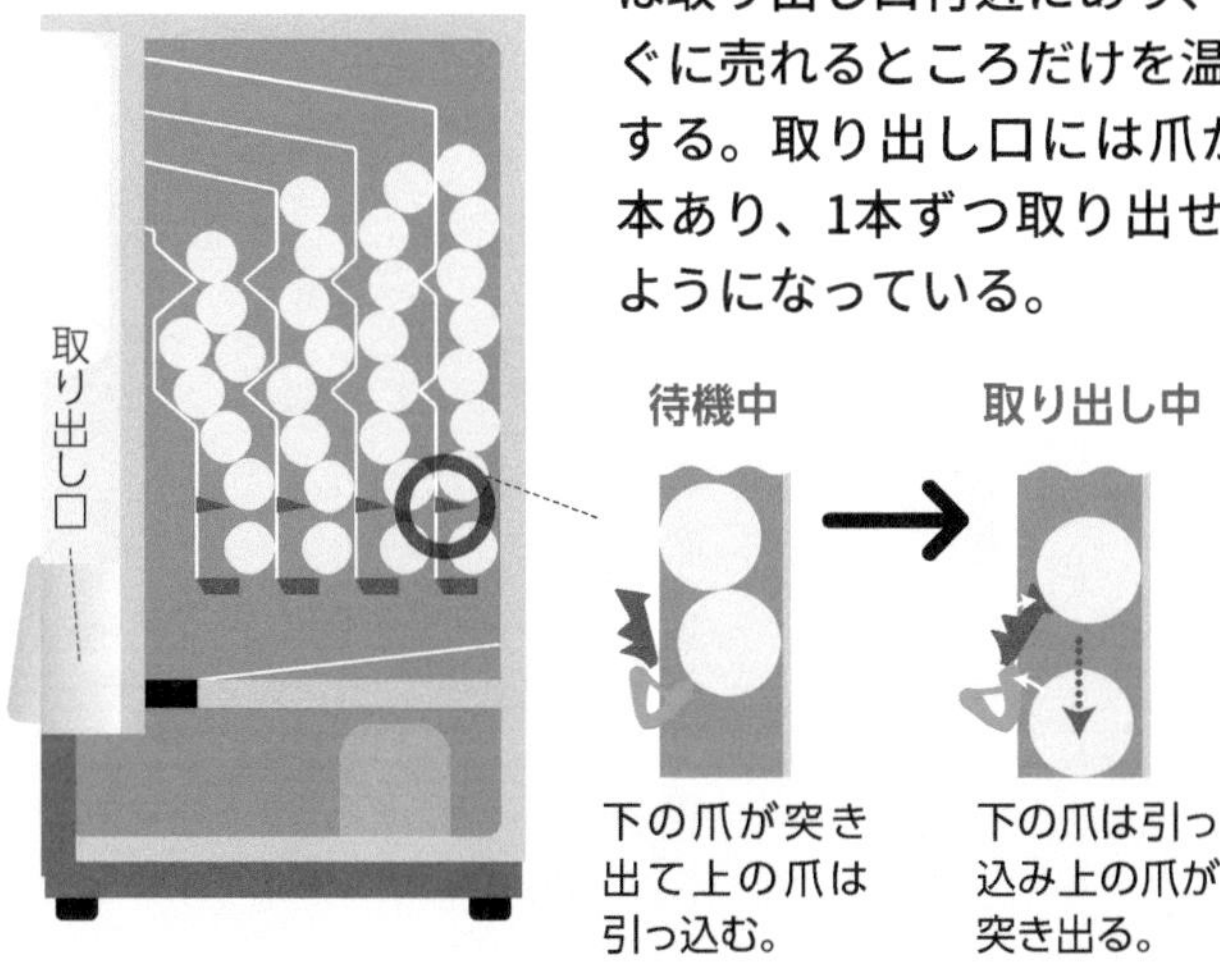
取り出し口
待機中
取り出し中
下の爪が突き出て上の爪は引っ込む。
下の爪は引っ込み上の爪が突き出る。

れる。**この四半世紀で電力消費量は7割以上削減**された。照明をLED《エルイーディー》にし、センサーを備えて照度を調整。さらには、取り出し口付近だけを冷却、加温し、すぐに売れるものだけを温め、冷やしている。

最近、エコベンダーと呼ばれる自販機をよく目にする。これは**「ピークシフト」機能を搭載《とうさい》した自販機**だ。電気が最も使われる夏場の午後には冷却運転を停止し、その前にしっかり飲食物を冷却しておく機能が備えられているのだ。こうすることで、発電所の負担を軽減することができる。

おもしろいことに、**一つの自販機で暖かいものと冷たいものを同時に売る機能があるのは日本固有**だという。狭いスペースを有効利用し、冷却の排熱をムダにしない「もったいない」を心がける日本人の特性が現れている。

ところで、自販機の正面に、設置場所を示すステッカーが貼られているのをご存じだろうか。これは、2005（平成17）年から始められたサービスだ。災害時などに、すぐに居場所がわかり心強い。また、災害時には中の飲料等を無料で提供する機能が付いているものもある。自販機はインフラ的な存在でもあるのだ。

温かい缶と冷たい缶を同時に売る自動販売機

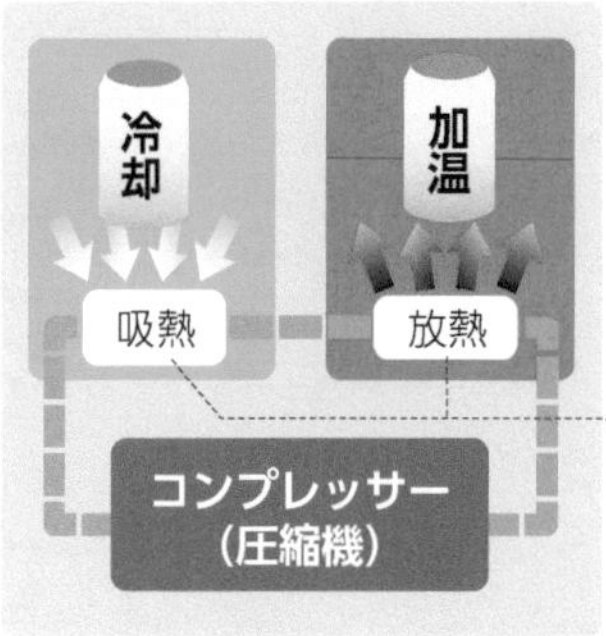
冷却
加温
吸熱
放熱
コンプレッサー
（圧縮機）
熱交換器

エアコンを自動販売機に組み込んだ構造になっている。「室内機」で冷やし、「室外機」で暖めるのである。この方式を「ヒートポンプ方式」という。

コインの判別方法

硬貨の金種識別は、形や重さなどをチェックするのは当然として、硬貨の模様をセンサーが瞬時に読み取ったり、磁力を当てて成分の違いから生まれる磁気の乱れを感知するなどして行なわれる。

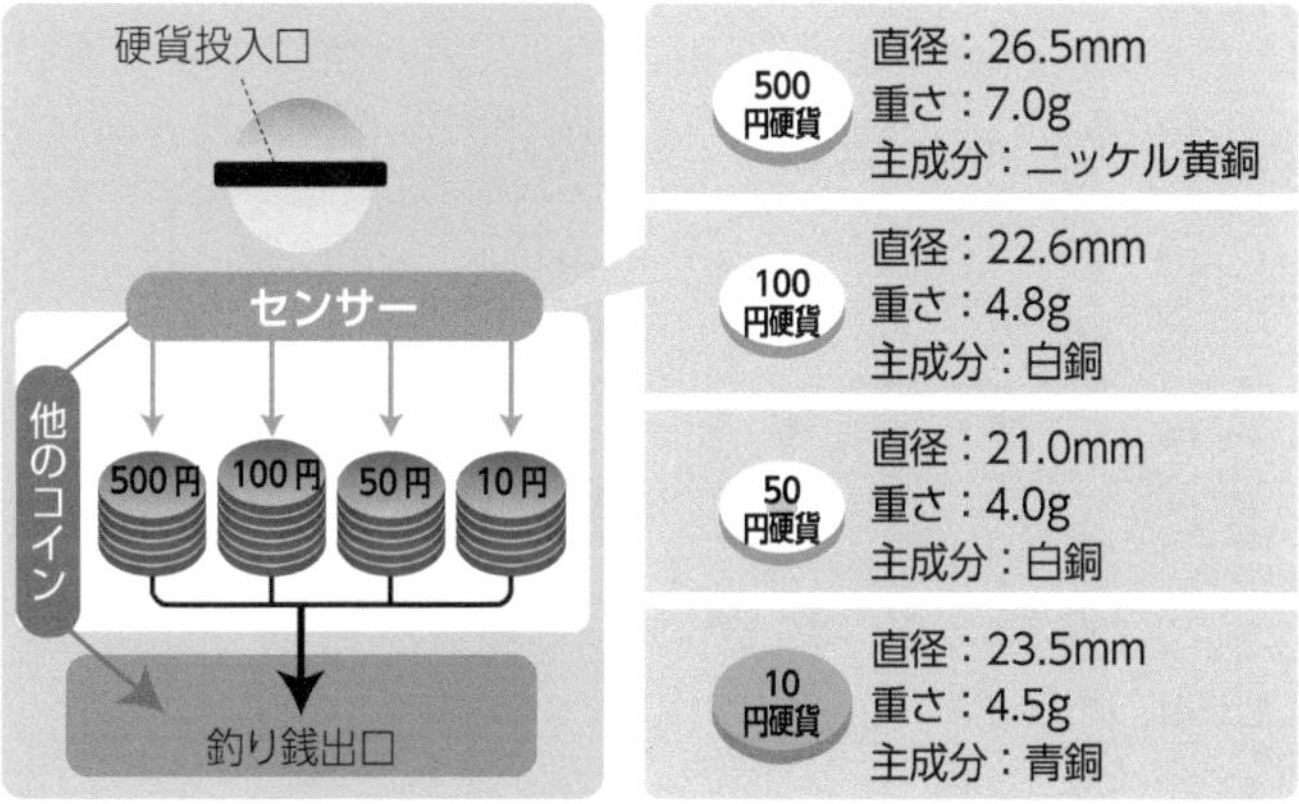
硬貨投入口
センサー
他のコイン
500円
100円
50円
10円
釣り銭出口
500円硬貨
直径：26.5mm
重さ：7.0g
主成分：ニッケル黄銅
100円硬貨
直径：22.6mm
重さ：4.8g
主成分：白銅
50円硬貨
直径：21.0mm
重さ：4.0g
主成分：白銅
10円硬貨
直径：23.5mm
重さ：4.5g
主成分：青銅

technology 015

ゴルフボール

ゴルフボールの表面を見ると、ブランドによってくぼみの形状が微妙に異なる。この形状は、じつは特許のかたまりなのだという。

ゴルフは年齢を問わず、スポーツ界の華《はな》といえる。近年は、若手プロゴルファーの活躍がスポーツニュースの一面をよく飾っている。

さて、ゴルフボールのくぼみ（ディンプル）を見てみると、ブランドによって模様や深さが異なることに気付く。たかがくぼみと侮《あなど》ってはいけない。この違いには大きな理由がある。

ディンプルの効果としては、大きく二つのことが挙げられる。**「揚力《ようりょく》の増加」**と**「空気抵抗《ていこう》の軽減」**である。まず「揚力の増加」を見てみよう。球技一般にいえることだが、ボールを打つときには回転（スピン）をかけるのがふつうだ。ボールを曲げたい、遠くに飛ばしたいなど、都合に応じてスピンをかける。そのとき、表面に凹凸《おうとつ》があれば、それだけ周囲の空気との抵

スピン効果で揚力が発生

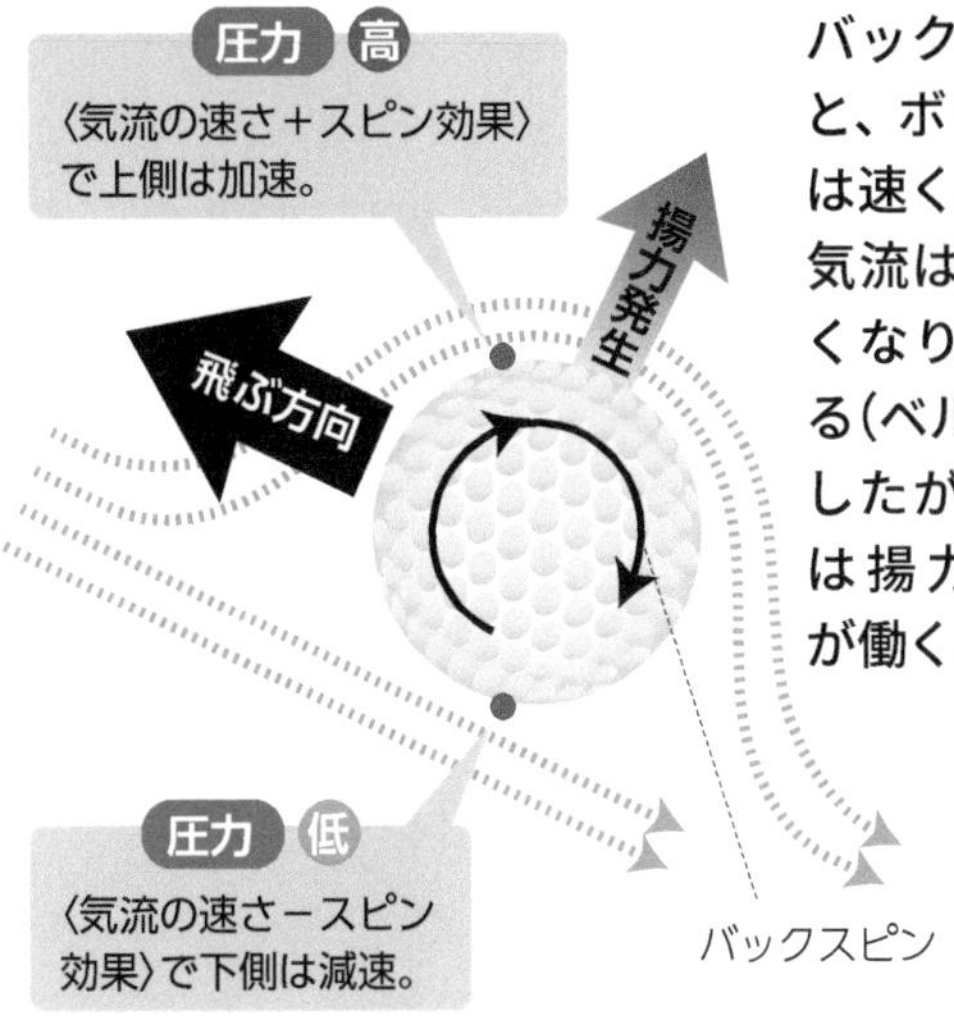
圧力 高
〈気流の速さ＋スピン効果〉で上側は加速。
揚力発生
飛ぶ方向
圧力 低
〈気流の速さ－スピン効果〉で下側は減速。
バックスピン

バックスピンをかけると、ボールの上の気流は速く、下は遅くなる。気流は速いと気圧が低くなり、遅いと高くなる（ベルヌーイの定理）。したがって、ボールには揚力（上に働く力）が働くことになる。

エネルギーを吸収するカルマン渦

ゴルフボールは高速で飛ぶため、ボールの後方にぽっかりと圧力の小さい部分ができ、そこに「カルマン渦」と呼ばれる渦が発生する。この渦がボールを引き戻し、直進運動のエネルギーを吸収してしまう。

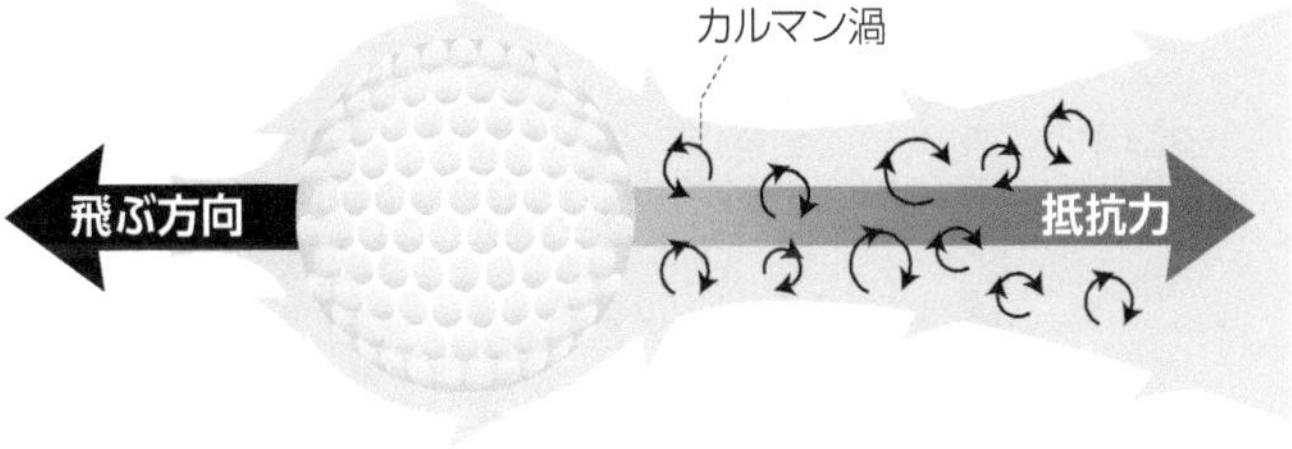
カルマン渦
飛ぶ方向
抵抗力

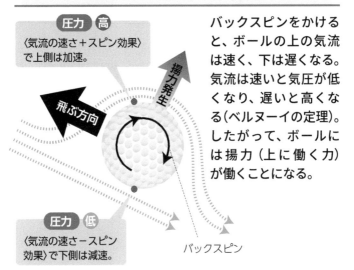

抗が増え、スピンの効果が増大する。

ではここで、スピンをかけて揚力が得られるしくみを考えてみよう。バックスピンをかけると、ボールの上の気流は速く、下は遅い。**気流は速いと気圧が低くなり、遅いと高くなる性質がある**（ベルヌーイの定理と呼ぶ）。したがって、ボールには揚力が働く。ディンプルがあると、上下の気流のスピードの差は平らな球よりも大きいため、それだけ強い揚力を受け、ボールは遠くに飛ぶことになる。打球の軌跡《きせき》は初速、打出角、スピンの三つで決定される。これを飛びの三要素と呼ぶ。ディンプルはこの三つ目に関与するのだ。

次に「空気抵抗の軽減」の効果について見てみよう。物体は空気中を運動するときに抵抗力を受けるが、その最大の原因はカルマン渦《うず》である。**空気の流れが物体から剥《は》がれて渦ができ、この渦が物体の動きを止めようとする**のだ。

ディンプルがあると、空気の流れがボール表面から剥がれるのを防ぎ、カルマン渦の発生を抑えられるため、ボールは遠くに飛ぶのである。

このように、ディンプルの大小や浅深はボールの飛び方を左右する。そこで、ボールメーカーはさまざまな研究からその模様や形を定めているのだ。

ディンプル効果で飛距離がアップ

ゴルフボールにディンプルがあると、気流の剥がれが抑えられ、カルマン渦の大きさを抑えることができる。このため、ツルツルのボールよりも遠くに飛ぶことになる。

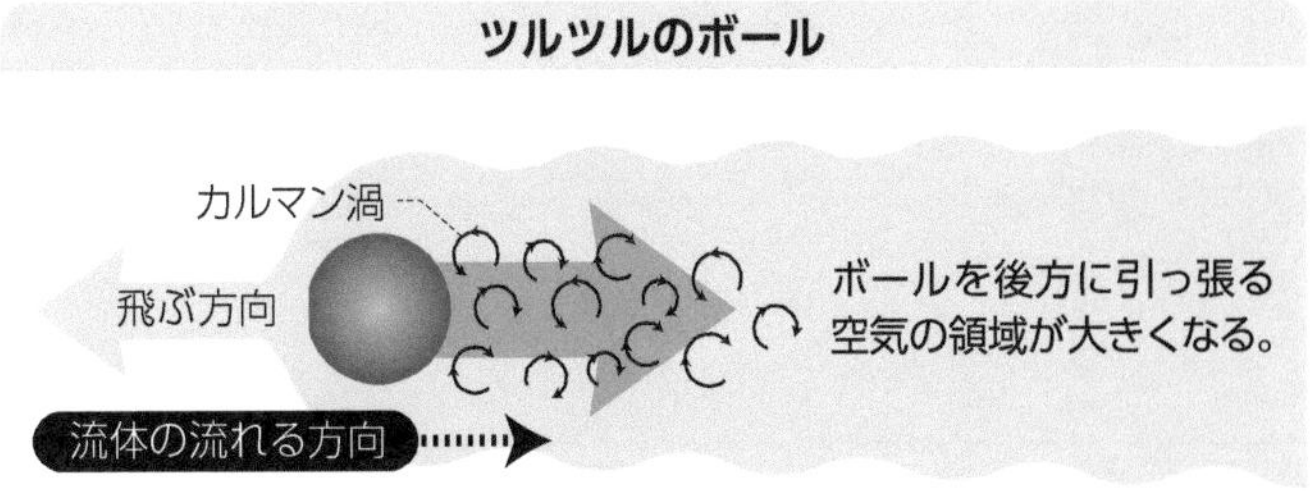
ツルツルのボール
カルマン渦
飛ぶ方向
ボールを後方に引っ張る空気の領域が大きくなる。
流体の流れる方向

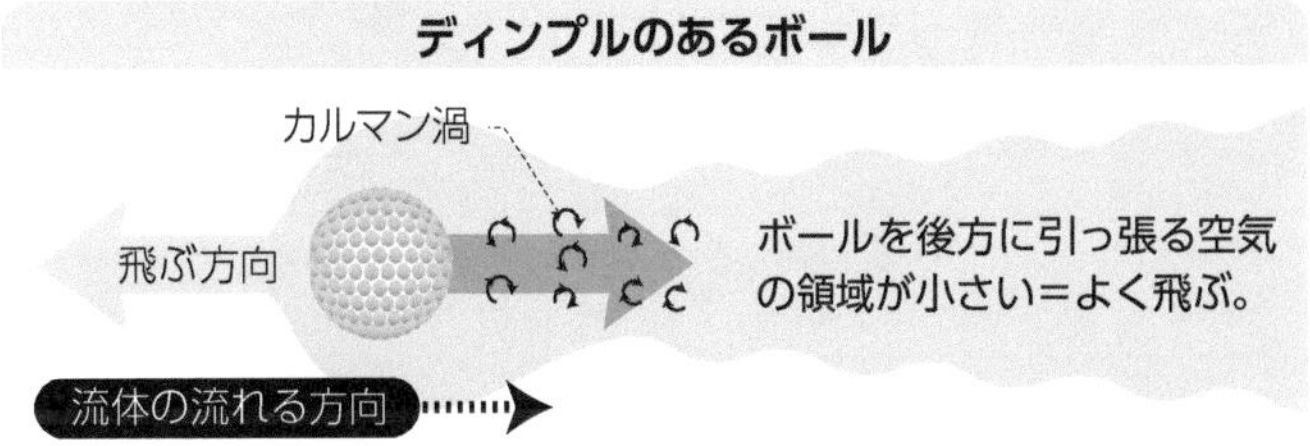
ディンプルのあるボール
カルマン渦
飛ぶ方向
ボールを後方に引っ張る空気の領域が小さい＝よく飛ぶ。
流体の流れる方向

ディンプルの深さと飛距離の関係

ディンプルがないボールは、高く上がらず距離も出ない。だが、ディンプルがただあればいいというわけではない。深すぎず、浅すぎない最適な深さのディンプルのボールが最大飛距離を出すのだ。

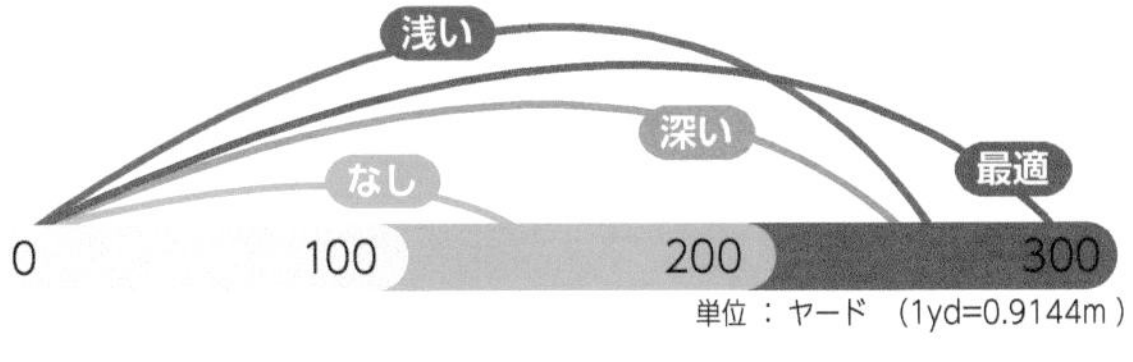
浅い
深い
なし
最適
0
100
200
300
単位：ヤード（1yd=0.9144m）

technology 016

花火

夜空に色とりどりの「花」が咲く、夏の風物詩・花火。さまざまな色で表現できる秘密は、火薬玉に詰められた「元素」にある。

煙火筒で打ち上げられた花火は、空中で割薬《わりやく》が爆発し、時間の経過とともにさまざまな色に変化して光り輝く。こうした色鮮やかな花火の色は、**「星」と呼ばれる火薬玉に詰められた金属の種類によって決まってくる。**星は真ん中にある芯に向かって、異なる金属を用いた火薬をまぶしてつくられる。上空で星は外側から徐々に燃えていくため、花火の色がだんだんと変化していくのだ。

金属には加熱すると光を出す性質があり、その色は金属の種類（元素）によって決まっている。これは炎色《えんしょく》反応と呼ばれる現象で、ナトリウムなら黄色、銅なら青緑色というように、**金属の種類によってさまざま**だ。花火で使われるおもな金属は、値段が安く手に入りやすい

花火のしくみ

花火は、以下の❶～❸の手順で打ち上げられる。

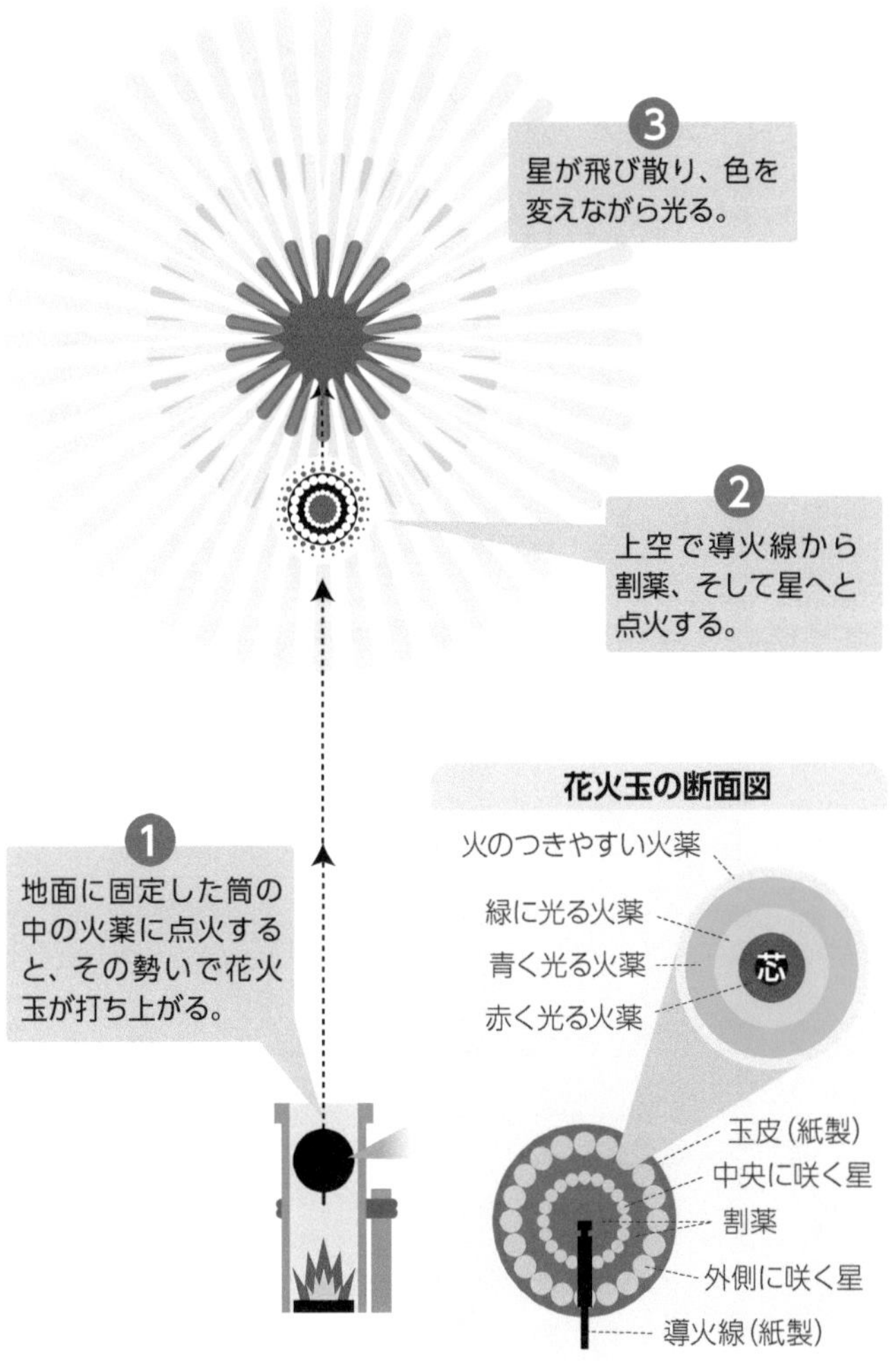
❸
星が飛び散り、色を変えながら光る。
❷
上空で導火線から割薬、そして星へと点火する。
❶
地面に固定した筒の中の火薬に点火すると、その勢いで花火玉が打ち上がる。
花火玉の断面図
火のつきやすい火薬
緑に光る火薬
青く光る火薬
赤く光る火薬
芯
玉皮（紙製）
中央に咲く星
割薬
外側に咲く星
導火線（紙製）

ストロンチウム、銅、ナトリウム、バリウム。**これら4種類の金属をうまく組み合わせることで、さまざまな色を出している。**

では、なぜ炎色反応が起こるのかというと、電子の動きがそのカギを握っている。

金属は、非常に小さな原子が集まってできていて、1個の原子には、中心に1個の原子核があり、その周りをいくつかの電子が回っている。通常、電子は決まったコースを回るが、原子が加熱されるとその熱エネルギーを吸収し、外側にある別のコースにジャンプする。しかし、新しいコースは原子核から遠く離れて、不安定であることから、電子はもとの安定したコースにすぐに戻ってきてしまう。このとき電子は、**吸収していた熱エネルギーを放出し、それが光となって見えている**のだ。

花火が燃えるときの温度は2000℃とされるが、この熱エネルギーを受け取って別の場所へ移動する電子の動きは元素によって異なり、放出される光のエネルギーも違ってくる。

光のエネルギーが違えば、光の波長も違うため、金属の種類によって見える光の色も変わってくるわけだ。江戸時代に流行していた花火が暗赤色の単色だったのは、**当時の火薬の主成分が硝石と硫黄と木炭だったからだ。**

炎色反応とは？

金属には、加熱すると光を出す性質（炎色反応）がある。

❶ 金属は小さな「原子」がたくさん集まってできている。1個の原子には中心に 1個の原子核があり、その周りの決まったコースをいくつかの電子が回っている。

原子核
電子

❷ 原子が加熱されると、電子は熱のエネルギーを吸収して外側の別のコースにジャンプ（励起）する。

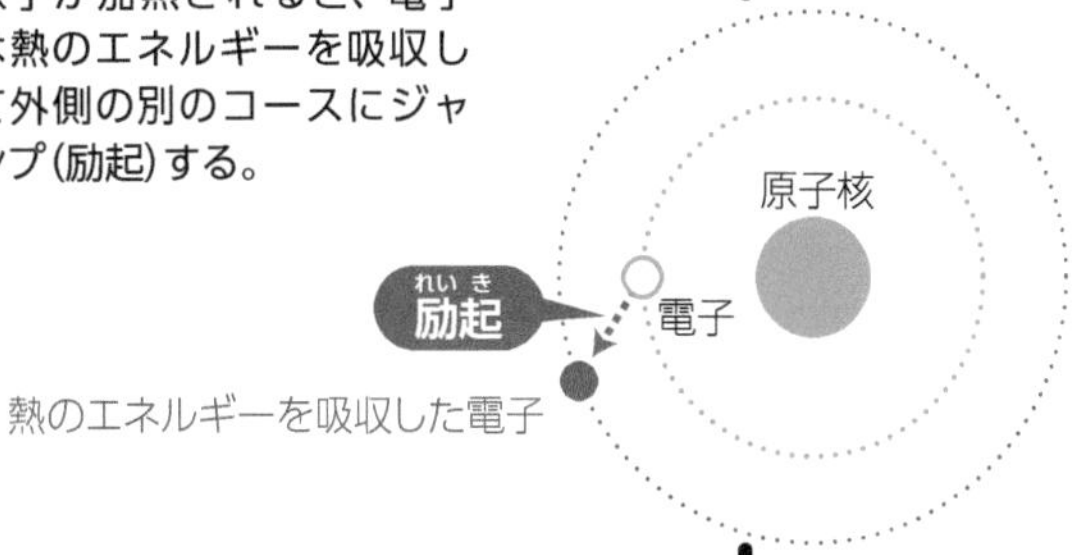
原子核
励起《れいき》
電子
熱のエネルギーを吸収した電子

❸ 新しいコースは不安定なので、原子はもとの安定したコースにすぐ戻る。このとき、吸収していたエネルギーを光として放出する。

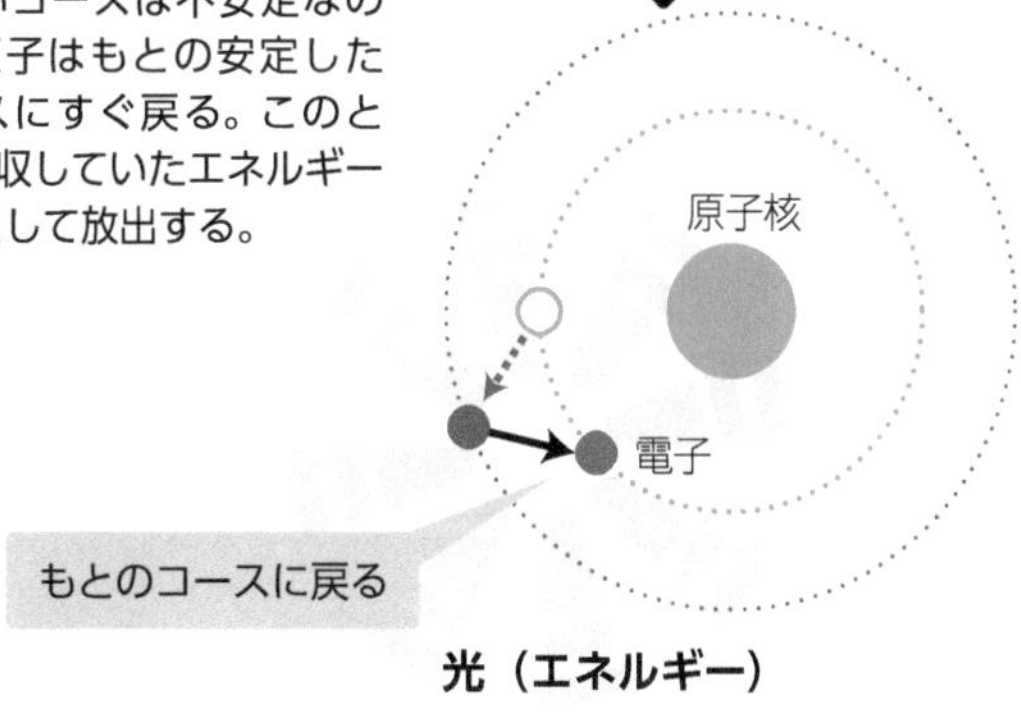
原子核
電子
もとのコースに戻る
光（エネルギー）

Column スマホの声は“本当の声”!?

スマホや携帯電話では、通話音声をデジタル化し、モバイル回線で送信している。しかし、音声を忠実にデジタル化すると、そのデータ量は非常に大きくなってしまう。そこで、データを圧縮して小さくする必要があるが、しかし、そうすると通話の音質も悪くなり、聞き取りにくくなってしまう。

そこで、音質を下げずにデータ量を小さくする技術が開発された。「ハイブリッド符号化方式」である。この方式では、音声に対応した２種の音の辞書（コードブックという）をスマホの中に用意する。声が入力されると、スマホはそれに適応した２種のコードを探し、受信者に送る。受信側スマホは、これら２種のコードをハイブリッドして声を組み立てる。これが送信者の音声として受信者に届けられるのだ。

スマホの時代、電話の音声を耳にすることは少なくなったが、響く音声の妙を味わうのもおもしろい。

第2章

身近な家電のすごい技術

家庭で使う身近な電化製品には、
どのような技術が隠されているのだろうか？
冷蔵庫や洗濯機など、どの家庭にもある
電化製品のテクノロジーを調べてみよう。

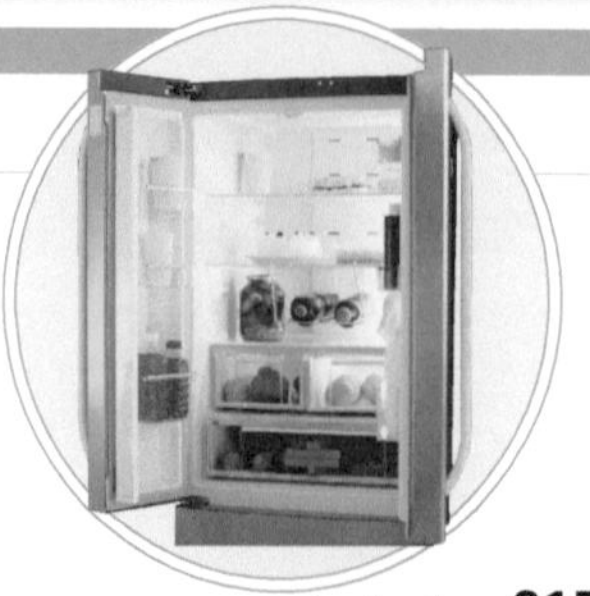

technology 017

冷凍冷蔵庫

かつて「三種の神器《じんぎ》」の一つとしてもてはやされた冷蔵庫。現在でも白物《しろもの》家電の代表として重要な役割を担っている。

1930（昭和5）年、国産第1号の電気冷蔵庫が発売された。標準価格は720円、当時としては小さな家が1軒建てられるほど高価で、業務用か富裕層《ふゆうそう》にしか売れなかった。しかし現在、冷蔵庫の普及率はほぼ100パーセント。隔世《かくせい》の感がある。

冷蔵庫の冷却原理はいたって単純である。水を肌に塗って「フッ」と息を吹きかけると清《せい》涼感《りょうかん》が得られるのと同じ原理だ。**水が水蒸気に変化するときに気化熱を奪い、周囲の温度を下げる性質**を用いているのだ。冷蔵庫でこの水の働きをするものを冷媒《れいばい》という。

実際に構造を見てみよう。冷凍冷蔵庫は圧縮器（コンプレッサー）と二つの熱交換器（冷却器と放熱器）からできている。庫内に置かれた「冷却器」で冷媒は蒸発して気化熱を奪い、庫

冷蔵庫のしくみ

液体から気体に物質が変化するときに、周囲の熱を奪う。これを「気化熱」という。冷蔵庫が内部を冷やすカラクリは、この気化熱にある。

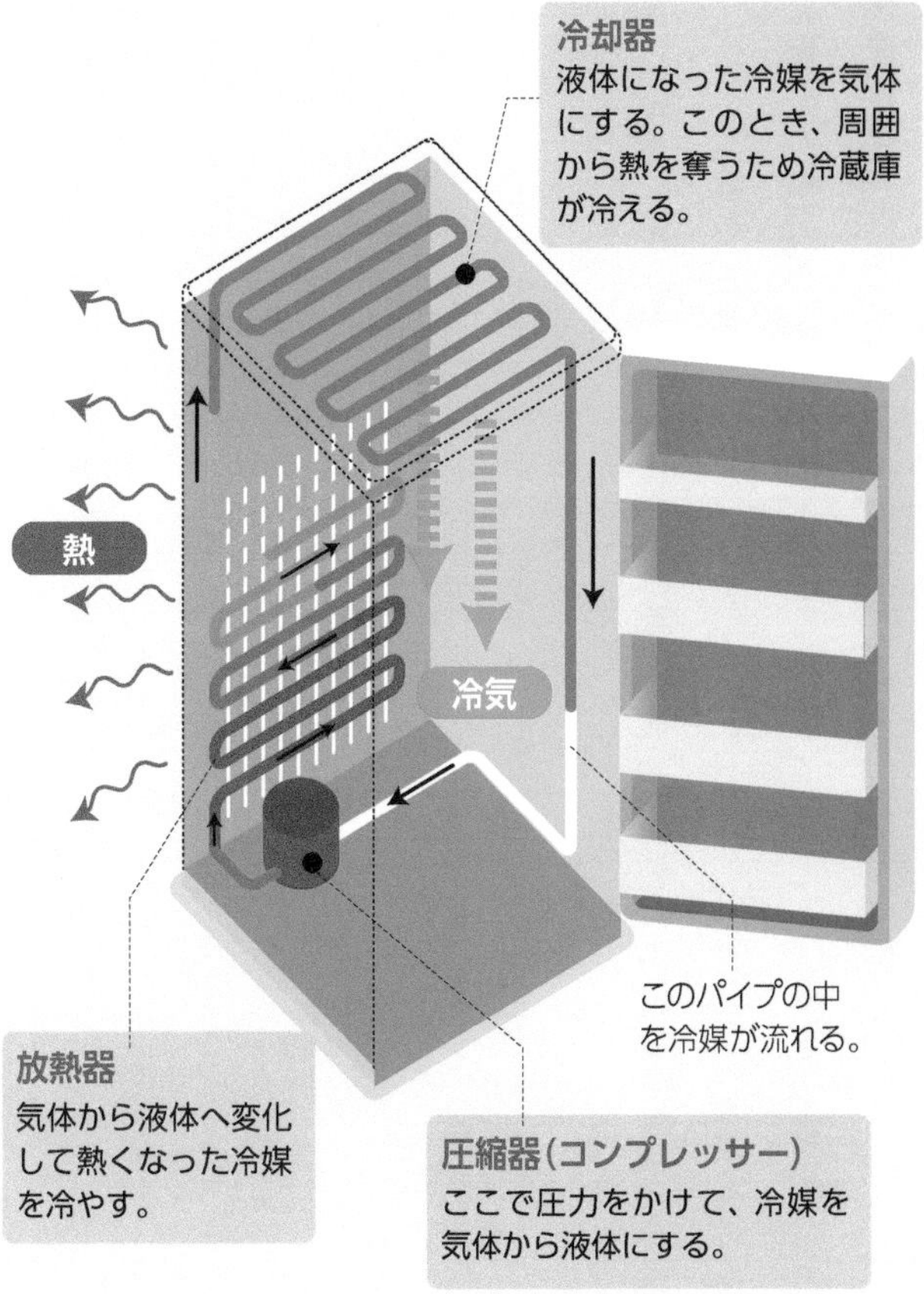
冷却器
液体になった冷媒を気体にする。このとき、周囲から熱を奪うため冷蔵庫が冷える。
熱
冷気
このパイプの中を冷媒が流れる。
放熱器
気体から液体へ変化して熱くなった冷媒を冷やす。
圧縮器（コンプレッサー）
ここで圧力をかけて、冷媒を気体から液体にする。

内を冷やす。気体になった冷媒は**コンプレッサーの力で液化されて放熱器に運ばれ、庫内で奪った熱を放出する**。この繰り返しが冷却のしくみである。

家庭用の冷蔵庫は、冷凍室、パーシャルケース、チルドケース、冷蔵室、野菜室などに分けられている。それぞれマイナス15～20℃、マイナス1～3℃、0～2℃、2～5℃、3～8℃くらいで、格納する食品の特性で温度が調整されているのだ。

「冷たい空気は下に落ちる」という性質を利用して、以前の冷蔵庫は冷凍庫が最上段にあり、パーシャルケース、チルドケース、冷蔵室、野菜室の順に下に配置されていた。しかし、取り出し頻度《ひんど》の高い野菜室が下では使いにくいので、現在では冷凍庫が最下段にあるものが多い。

これを実現するために、**冷やした空気を強制的に循環させ、それぞれの領域を最適に冷やす構造**になっている。この方式を間冷式と呼ぶ。

一方、アウトドアで冷蔵庫を使いたい場合に重宝するのが、ペルチェ方式の冷蔵庫だ。「**異種の導体や半導体の接点に電流を流すと、熱の発生または吸収が行なわれる**」というペルチェ効果が利用されている。構造が単純なので、省電力と小型化が可能だ。

直冷式と間冷式

従来の冷蔵庫は、ほとんどが直冷式だった。だが、冷凍室、冷蔵室、野菜室を最適な場所に配置するために、最近は間冷式が多くなっている。

直冷式

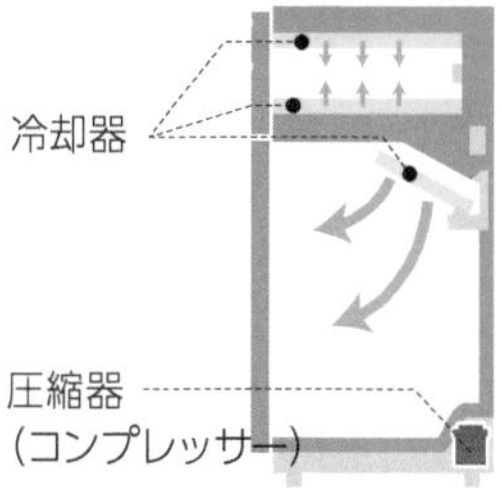

冷蔵庫内に冷却器を設置し、直接冷やす方式。自然対流で冷却するのが一般的で、冷凍庫、冷蔵庫にそれぞれ専用の冷却器を置く。

間冷式

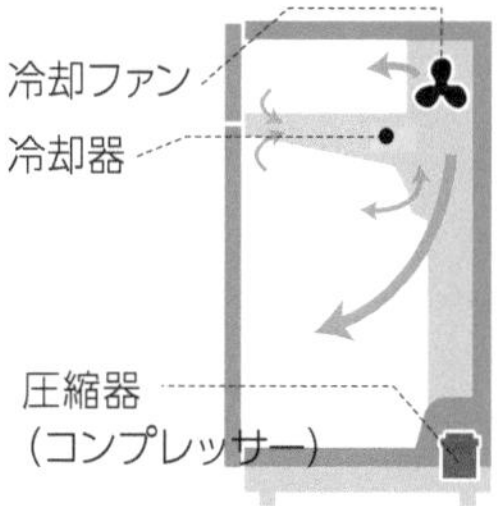

冷蔵庫奥の冷却器でつくられた冷気を、冷却ファンで冷凍室、冷蔵室に送る方式。

ペルチェ方式の構造

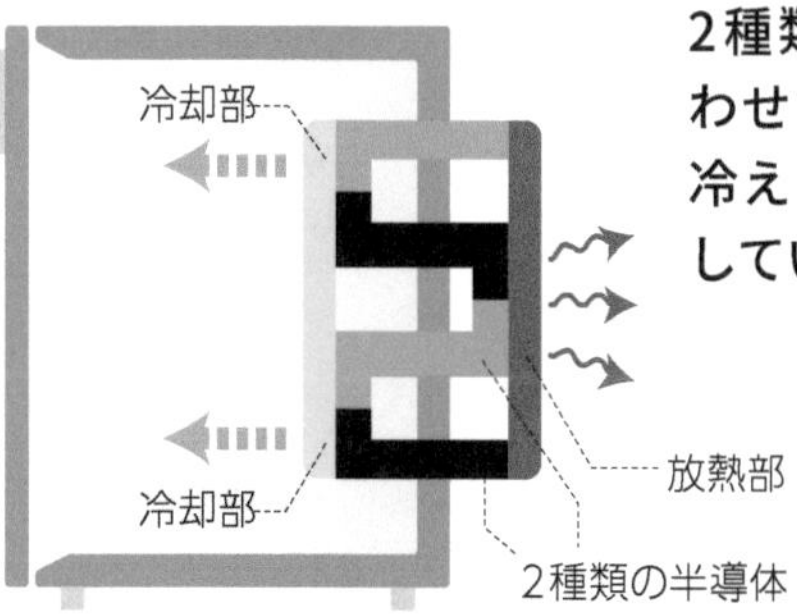

ペルチェ方式の冷蔵庫は、2種類の半導体を貼り合わせて通電すると一方が冷えるという特性を利用している。

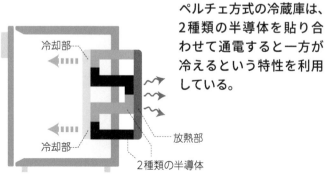

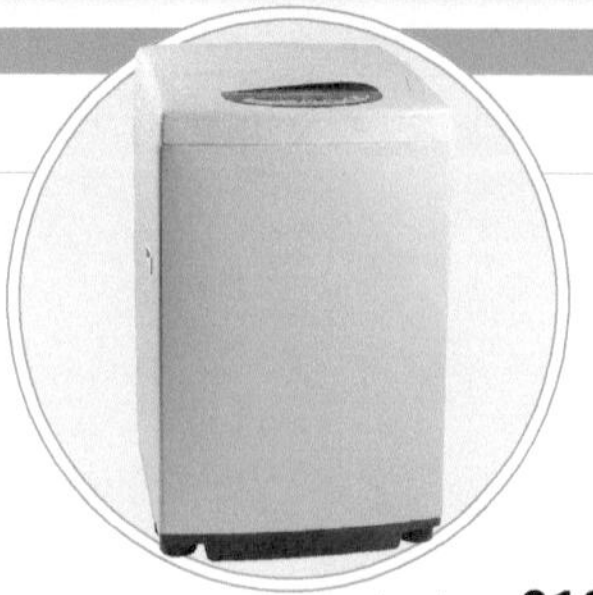

technology 018

洗濯機

昭和中期、洗濯機は冷蔵庫、白黒テレビとともに「三種の神器《じんぎ》」としてあこがれの的《まと》だった。そして現代、新たな進化を続けている。

国産初の噴流《ふんりゅう》式洗濯機が発売されたのは1953（昭和28）年。大卒国家公務員の初任給が8000円に満たなかった時代に3万円近い価格だったが、大ヒットした。それほど洗濯は、たいへんな家事だったのだ。

ところで、どうして洗濯機で衣類がきれいになるのだろうか。それは、洗剤とのコラボレーションにある。洗濯機は水の動きで衣服の汚れを振り払って落とすので、水に溶ける汚れなら、それだけで落ちる。問題は水に溶けない油汚れである。そこで、洗剤の力を借りるのだ。

洗濯洗剤は界面《かいめん》活性剤からできている。これは水になじむ親水基《しんすいき》となじまない疎水基《そすいき》から

洗濯機で汚れが落ちるしくみ

洗濯洗剤は界面活性剤からできている。その界面活性剤が油汚れを覆い、洗い流してくれるのだ。

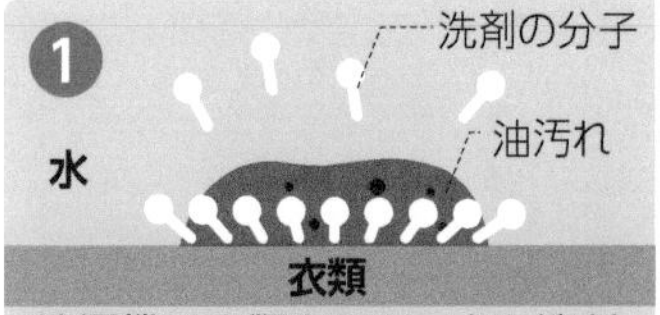

洗濯機に衣類を入れ、水と洗剤を入れると、洗剤の分子が油汚れにまとわりつく。

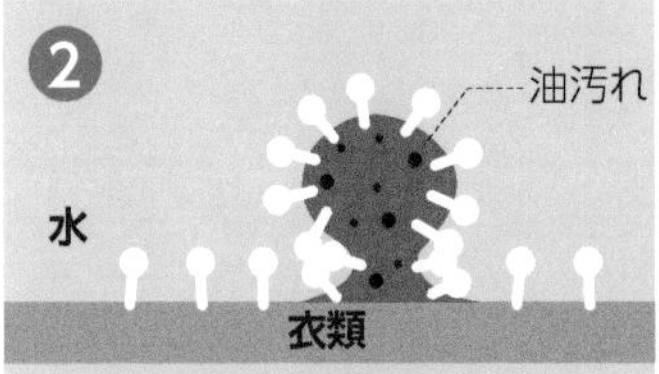

水をかき回すうちに、洗剤の分子が油汚れを取り囲む。

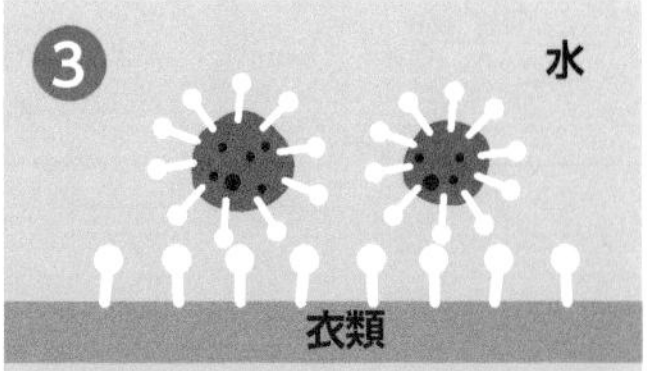

最後は、油汚れが水の中に溶け出す。

3つの洗濯方式

洗濯機は、噴流式、攪拌式、ドラム式の3種類に大きく分けられる。日本で最も普及している洗濯機は噴流式である。

噴流式

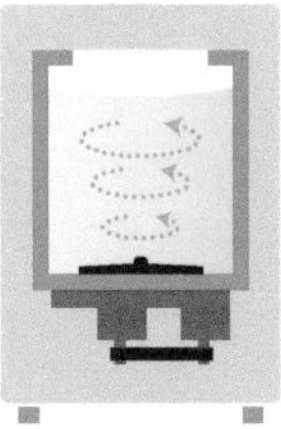

おもな使用国：日本
特徴：もみ洗い

攪拌式

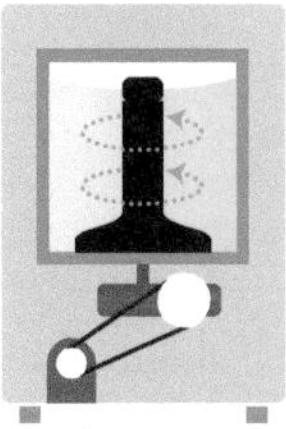

おもな使用国：アメリカ
特徴：ふり洗い

ドラム式

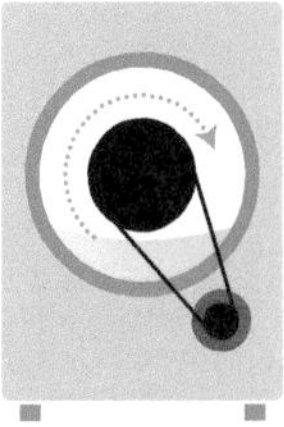

おもな使用国：ヨーロッパ
特徴：たたき洗い

なる細長い分子からできている。洗濯槽の中では、水に溶けない油汚れに疎水基を突っ込み、親水基部分を水側にする。**界面活性剤に覆《おお》われると、水に溶けない油汚れは水に溶ける玉になり、洗い流せる**のである（詳しくは154ページを参照）。

洗濯機は現在、次の3種の形式に大きく分けられる。

噴流式（水流式、渦巻き式ともいう）は水の豊富な日本で普及しているタイプ。水流で洗濯する方式で、**「もみ洗い」を擬《ぎ》した洗い方**だ。軽量・コンパクトにでき、洗面所に置くのに適しているが、水流が強いので洗濯物が絡んだりよじれたりして傷みやすい。

攪拌《かくはん》式は北米で普及したタイプで、攪拌翼と呼ばれる板を往復運動させて洗濯する方式。「棒でかき混ぜる」洗い方を擬している。一度にたくさん洗濯ができるが、大型で重くなる。

ドラム式はヨーロッパで普及したタイプ。横向きのドラムが回転して洗濯する方式で、**「たたき洗い」を擬している**。生地《きじ》が傷まず水量も少なくてすむという利点があるが、洗濯時間は長めだ。また、横向きに安定させるために重い。近年、日本でもドラム式が人気だ。乾燥機と一体の洗濯機が売れているからだ。従来の乾燥機と同様に、ドラム式は乾燥時に風を衣類に通しやすい。いまではメーカーが改良を進め、各方式の欠点は克服《こくふく》されつつある。

全自動洗濯機(噴流式)の基本構造

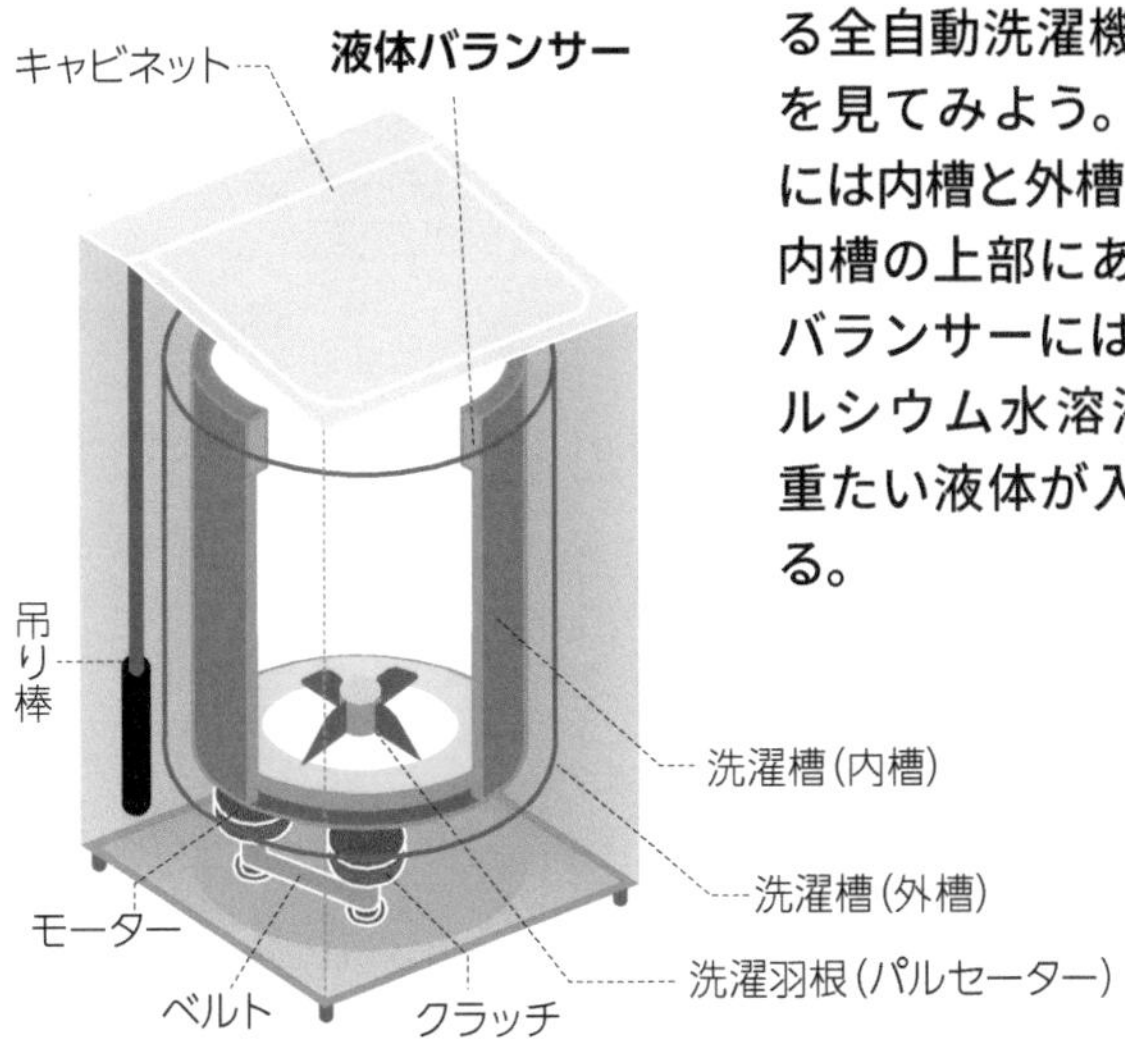
キャビネット
液体バランサー
吊り棒
洗濯槽(内槽)
洗濯槽(外槽)
モーター
ベルト
クラッチ
洗濯羽根(パルセーター)

日本で主流となっている全自動洗濯機の構造を見てみよう。洗濯槽には内槽と外槽があり、内槽の上部にある液体バランサーには塩化カルシウム水溶液など、重たい液体が入っている。

液体バランサーで「バランス」を保つ

液体バランサーの内部は空洞になっており、ここに入れられた重い液体が、洗濯する際に洗濯槽のバランスを保つしくみになっている。

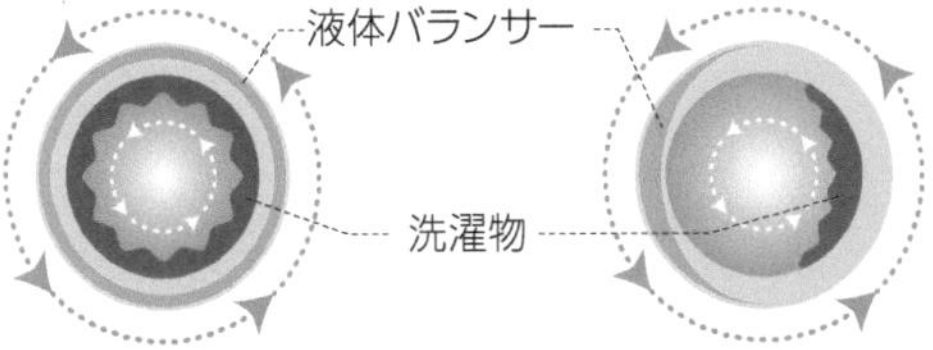
液体バランサー
洗濯物

バランスが取れているときは、液体バランサーの液体が遠心力で均等に壁に押し付けられている。

洗濯物がかたよると、洗濯物の反対側に移動して「揺れ」を消す。

technology 019

電気ストーブ

寒い季節に家電量販店に行くと、さまざまな電気ストーブが並べられている。どれを買えばいいのか、迷ってしまう。

一般に、暖房器具は**伝導型、対流型、放射型の三つのタイプ**に分けられる。近年、家庭用暖房の定番となったエアコンやファンヒーターは対流型だが、これらの人気に隠れて目立たないものの、電気ストーブもよく売れている。手軽に持ち運べ、暖めたい場所をすぐ暖めてくれる。また、空気を汚さないため、狭い密閉《みっぺい》した場所でも暖をとれる。そんな性質が、家庭用の暖房器具として支持を集めているのだろう。

「昔ながら」の電気ストーブは**石英管《せきえいかん》ヒーターを熱源にしている**。石英管ヒーターはクォーツヒーターとも呼ばれるが、ニクロム線を石英ガラスの管で覆《おお》ったものだ。いまはトースターなどの電熱器でよく利用されている。この古典的なヒーターには、暖まるのに時間がか

暖房器具の分類

暖房器具はその性質によって、伝導型、対流型、放射型の3つに分類できる。それぞれの特徴と代表的な器具を紹介しよう。

伝導型

熱が物体内を伝わり、高温部から低温部へと移動する。

対流型

熱せられた気体・液体が上部へと移動し、周囲の低温の流体が流れ込む。この循環によって熱が伝わる。

放射型

熱との直接の接触、温風を経由することなく放射熱で物体に熱を伝える。

アンカ

エアコン

コタツ

電気毛布

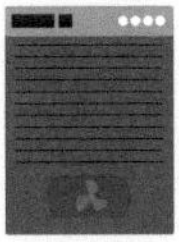
ファンヒーター

電気ストーブ

電気カーペット

かり、寿命が短いという欠点がある。そこで、これを改良したさまざまな電気ストーブが開発されている。

石英管ヒーターを改良して寿命を長くしたのがシーズヒーターだ。電気ケトルなどにも使われるヒーターで、10年以上は利用できる。ただし、高価というのが難点だ。

石英管ヒーターの、速暖性に欠けるという欠点を克服《こくふく》したのがハロゲンヒーターである。**ハロゲンガスを封入し、タングステンという金属をフィラメント（発熱体）にした石英管がヒーター源**だ。スイッチONと同時にすぐに赤く輝き、暖房を始める。しかし、粗悪品による火災事故や、カーボンヒーターなどの登場で人気が下火になった。

カーボンヒーターは、ピュアタンヒーターとも呼ばれて人気を集めている。**カーボンフィラメントを不活性ガスとともに石英管に封入したヒーター**である。速暖性に優《すぐ》れ、暖かさを感じさせる遠赤外線を豊富に放出する。グラファイトヒーターと呼ばれるストーブもこれと同属だ。

カーボンヒーターやグラファイトヒーターなどを遠赤外線ヒーターと宣伝するメーカーもあるが、その定義は明確ではない。ヒーターは、多少なりとも遠赤外線を出しているからだ。

石英管ヒーターの構造

電熱器の熱源として最もよく利用されているのが、石英管ヒーター。ニクロム線を石英ガラスの管で覆った古典的なものだ。

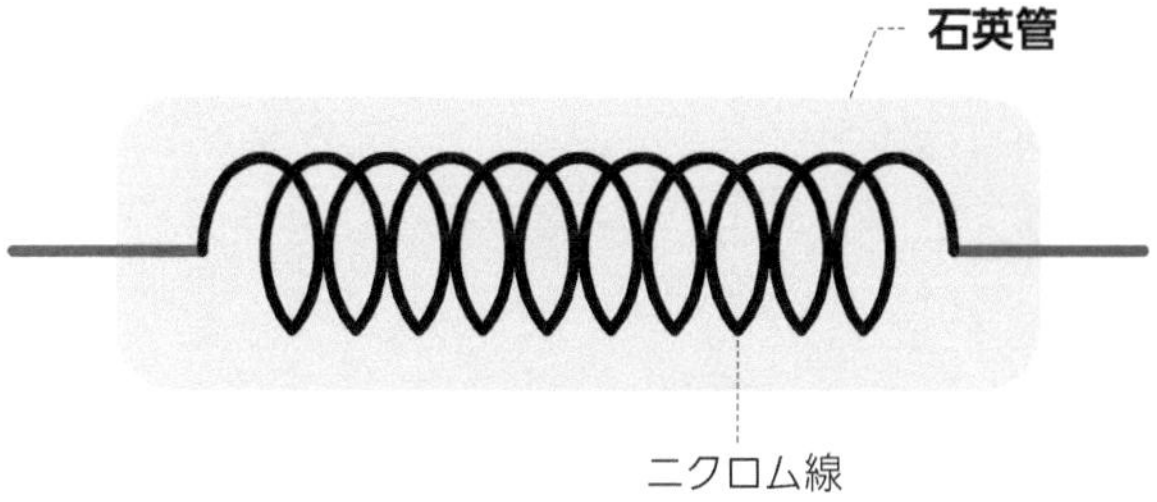

赤外線の分類

遠赤外線の部分がおもに体を温める。したがって、この赤外線を豊富に出すストーブが暖かいストーブということになる。そのイメージを利用したネーミングが「遠赤外線ストーブ」だ。

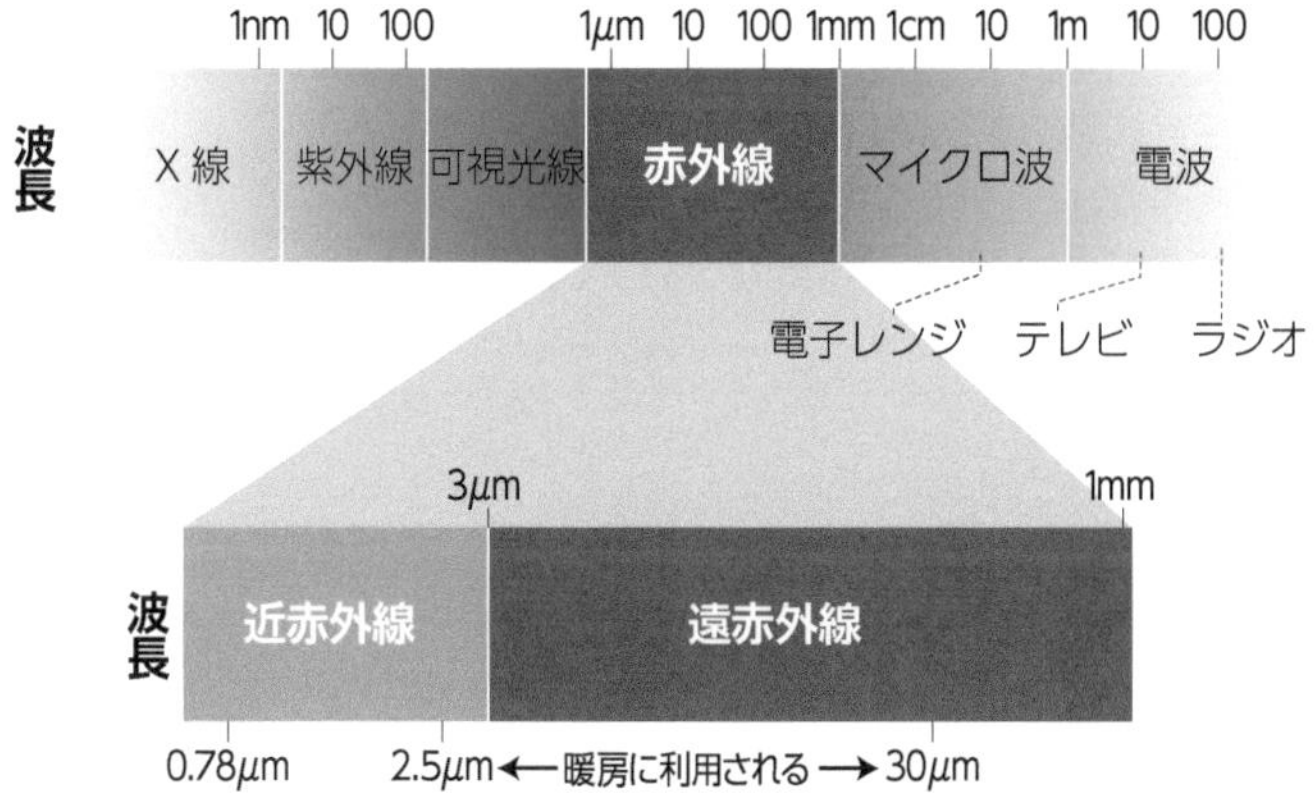

technology 020

除湿機と加湿器

洗濯物の部屋干しに、冬の結露《けつろ》対策に、除湿機は便利だ。この除湿機の反対の動作をするのが、加湿器である。

密閉性の高い現代の住環境では、除湿機が大活躍する。使ってみると、じつによく水がたまるのだが、どうやって空気から水を取り出すのだろう。

家庭用に市販されている除湿機には2種類ある。**コンプレッサー方式とデシカント方式**である。また、これらを組み合わせた方式もある。

コンプレッサー方式の除湿機はエアコンの冷房機能と同じしくみだ。エアコンの室内機と室外機をコンパクトにまとめた構造になっている。空気を冷やすと結露するが、その**結露を取り出して排出する**ことで除湿するのだ。実際、エアコンも、冷房時にはしっかりと除湿してくれるのは周知《しゅうち》のことだ。

コンプレッサー方式とデシカント方式

現在、市販されている除湿機は、コンプレッサー方式とデシカント方式の2種（両方を組み合わせたものもある）。それぞれのしくみを見てみよう。

コンプレッサー方式

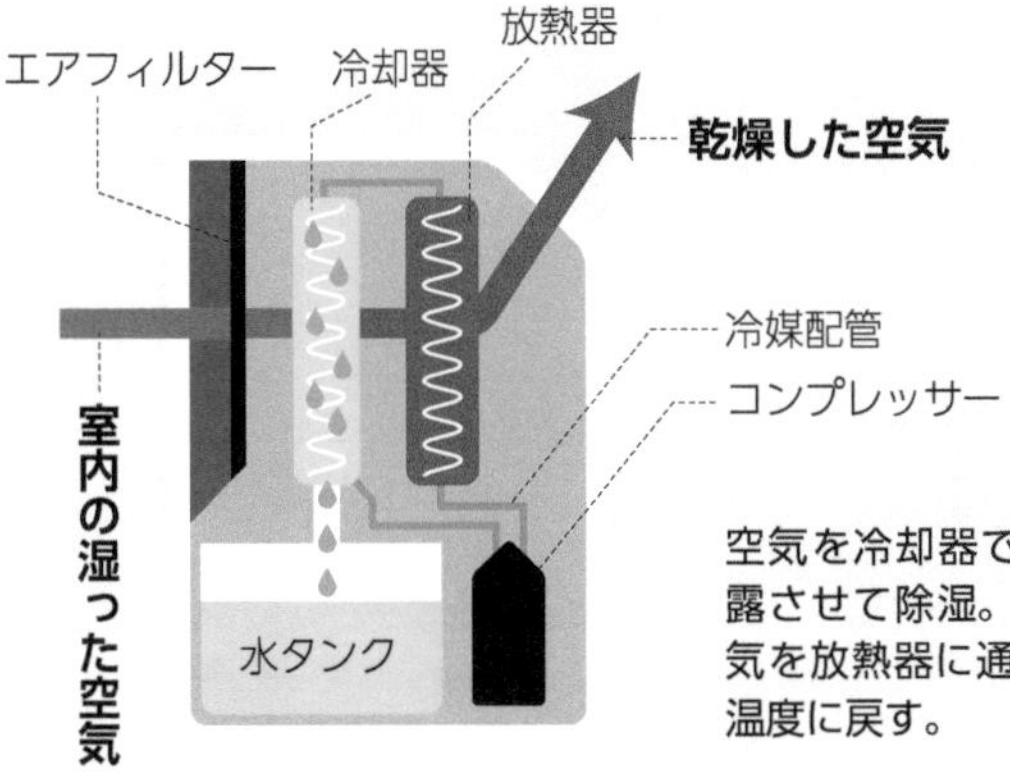
放熱器
エアフィルター
冷却器
乾燥した空気
冷媒配管
コンプレッサー
室内の湿った空気
水タンク

空気を冷却器で冷やし、結露させて除湿。除湿した空気を放熱器に通して室内の温度に戻す。

デシカント方式

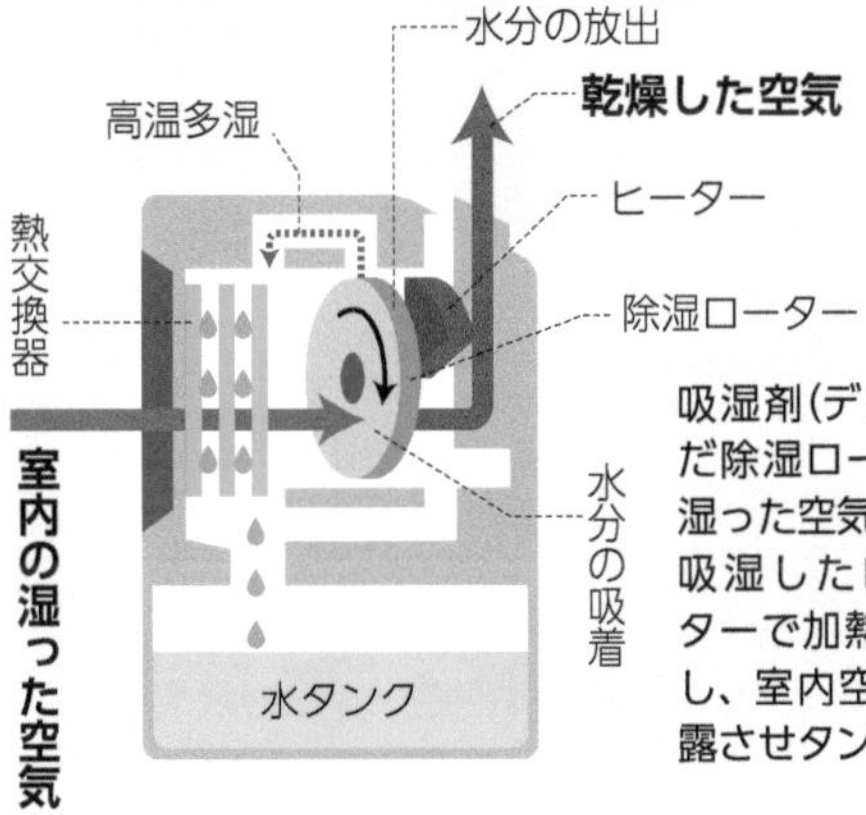
水分の放出
乾燥した空気
高温多湿
ヒーター
熱交換器
除湿ローター
水分の吸着
室内の湿った空気
水タンク

吸湿剤（デシカント）を含んだ除湿ローターで、室内の湿った空気を吸着して除湿。吸湿したローターをヒーターで加熱して水分を放出し、室内空気で冷やして結露させタンクに溜める。

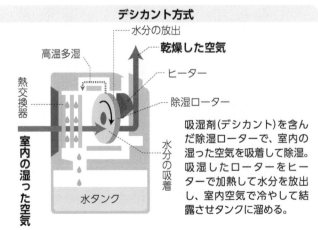

デシカント方式の「デシカント（desiccant）」とは「乾燥剤」の意味で、この方式には**実際に乾燥剤が利用されている**。その乾燥剤で吸い取った空気中の水分はヒーターで熱せられて乾燥剤を離れるが、**熱交換機で室温に冷やされ、結露・排出**される。

両者とも、一長一短がある。コンプレッサー方式は除湿能力が高く大きな部屋にも使えるが、冷却が基本原理なので低温時にはその能力が落ちる。デシカント方式はシンプルな構造のため軽量・静音で、乾燥材を利用するので冬にも強い。しかし、電気代がかかる。

これらの構造からわかるように、**両者の方式とも、利用すると室温を高める**ことになる。特にデシカント方式はヒーターを利用するため部屋を暑くする。冬はいいが、夏場は困る。夏の除湿にはエアコンが最適なのである。

一方、**除湿機の反対の動作をするのが加湿器**である。冬場にエアコンで暖房すると空気がカラカラになるので、備えておくと風邪対策に効果的である。加湿器の方式は左ページに示す三つが代表的。昔は超音波式が人気だったが、この方式でつくられる水の粒子が粗いということで、近年はスチーム式や気化式が人気だ。こうすることで、自然に近い加湿が可能になるのだ。

さまざまな加湿方式

加湿器の加湿方式は、大きく超音波式、スチーム式、気化式の3つに分類される。それぞれの特徴を見てみよう。

<table>
<tr><th>加湿方式</th><th>原理イメージ</th><th>方式概要</th></tr>
<tr><td>超音波式</td><td>
微細な水滴（霧）を出す。</td><td>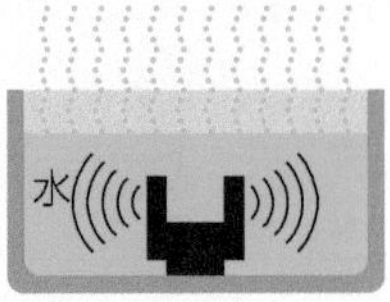
圧電振動子で微細な霧にして放出。</td></tr>
<tr><td>スチーム式</td><td>
お湯を沸かして蒸気を出す。</td><td>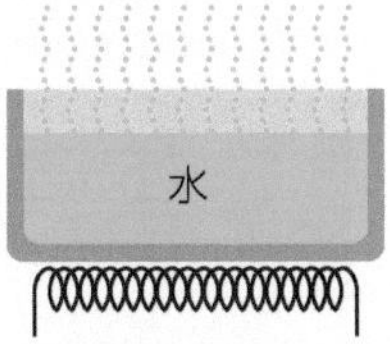
ヒーターで加熱し、蒸気にして放出。</td></tr>
<tr><td>気化式</td><td>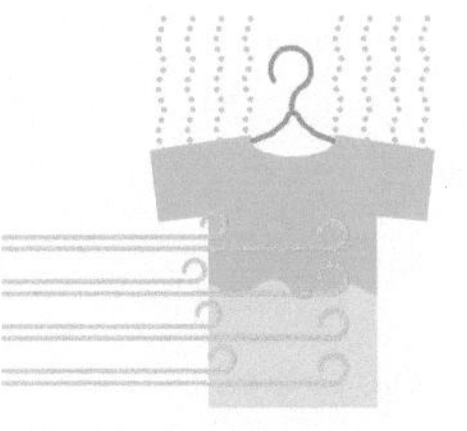
Ｔシャツを強い風で乾かす。</td><td>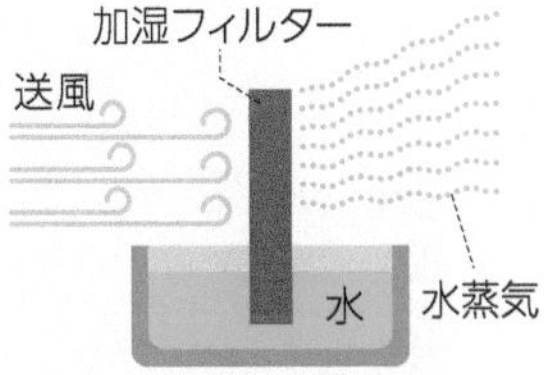
濡れたフィルターに風を当てて、水分が蒸発（気化）。</td></tr>
</table>

technology 021

FM・AM放送

ラジオ放送には、FM放送とAM放送があるが、FMのほうが音質がいいのは、そもそもなぜなのだろう。

放送の世界ではデジタルたけなわの現代だが、アナログで頑張っているものがある。ラジオ放送だ。災害にも強く、深夜族の若者にも人気だ。

ラジオ放送には、**ＦＭ放送とＡＭ放送**がある。どう違うのだろう。大きな違いは、次の三つである。

最初に挙げられるのは変調方式である。音声は物理的にいうと音の波（音波）だが、そのままでは放送電波に変換できない。音波の周波数が電波の周波数に比べて、あまりにも小さいからだ。そこで、**音波を電波に変換するのではなく、サーフィンのように電波の上に乗せて放送**する。これが変調である。乗せる電波を搬送波《はんそうは》という。ＡＭとＦＭとはその変調の方

FMとAMの変調方式

FMとAMには、搬送波、つまり電波への音波の乗せ方に違いがある。FMは周波数変調、AMは振幅変調と呼ばれている。

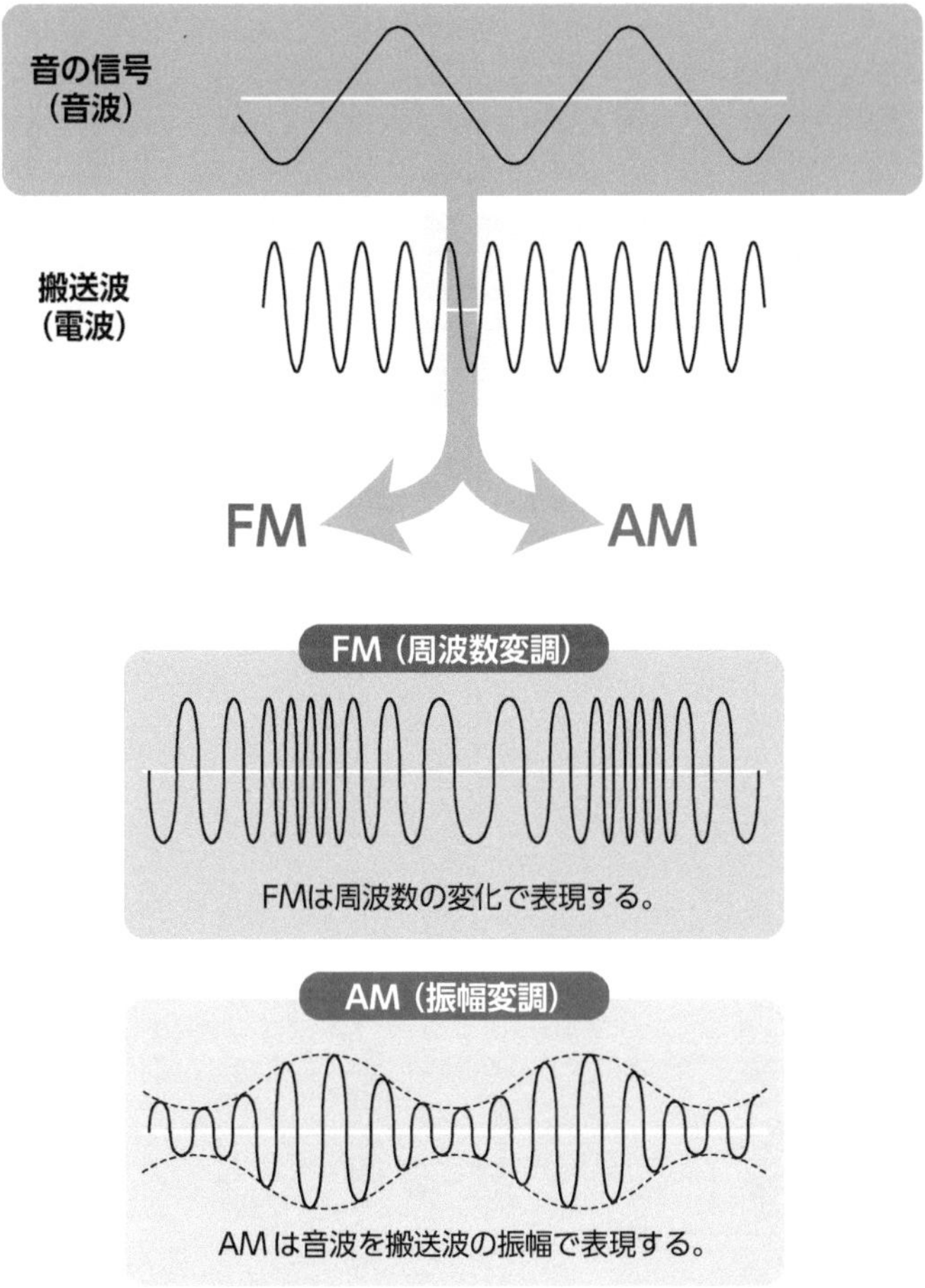
音の信号
（音波）
搬送波
（電波）
FM
AM
FM（周波数変調）
FMは周波数の変化で表現する。
AM（振幅変調）
AMは音波を搬送波の振幅で表現する。

式名だ。

ＡＭとは振幅《しんぷく》変調を、ＦＭは周波数変調を略したもの。その言葉どおり、**ＡＭは音波を「搬送波の振幅の変化」で表現し、ＦＭは音波を「搬送波の周波数の変化」で表現する。**雑音電波はおもに電波の振幅に影響する。したがって、ＡＭの電波は雑音の影響をもろに受けることになる。これが、ＦＭ放送のほうが音質のいい理由の一つだ。

二つ目の違いはチャンネルの幅である。**ＦＭ放送のほうがＡＭ放送よりも広い設定になっている。**放送情報を水にたとえると、チャンネルはその水を送るパイプにたとえられる。この比喩《ひゆ》を用いるなら、ＦＭ放送のほうがＡＭ放送よりもパイプが太いのである。そこで、ＦＭ放送のほうがＡＭ放送よりも原音を忠実に再現できることになる。

三つ目の違いは、一部を除いて現在のＦＭ放送がステレオ放送、ＡＭ放送はモノラル放送、ということだ。ＦＭ放送のほうが臨場感を伝えられるのはこのためである。

ステレオ放送は**左右の音声を主信号と副信号に分け、副信号はさらに副搬送波に乗せてから搬送波に乗せる。**主信号は客室に、副信号は車に乗せ、まとめてフェリー（搬送波）に乗せて送るようなものである。こうして、左右の音声を混線させることなく放送できるのだ。

搬送波の役割

音声は電波に比べて低周波なので、扱いやすい高周波の電波に乗せる。この電波を搬送波という。音声を人にたとえると、搬送波はさしずめ人を運ぶフェリーといえる。

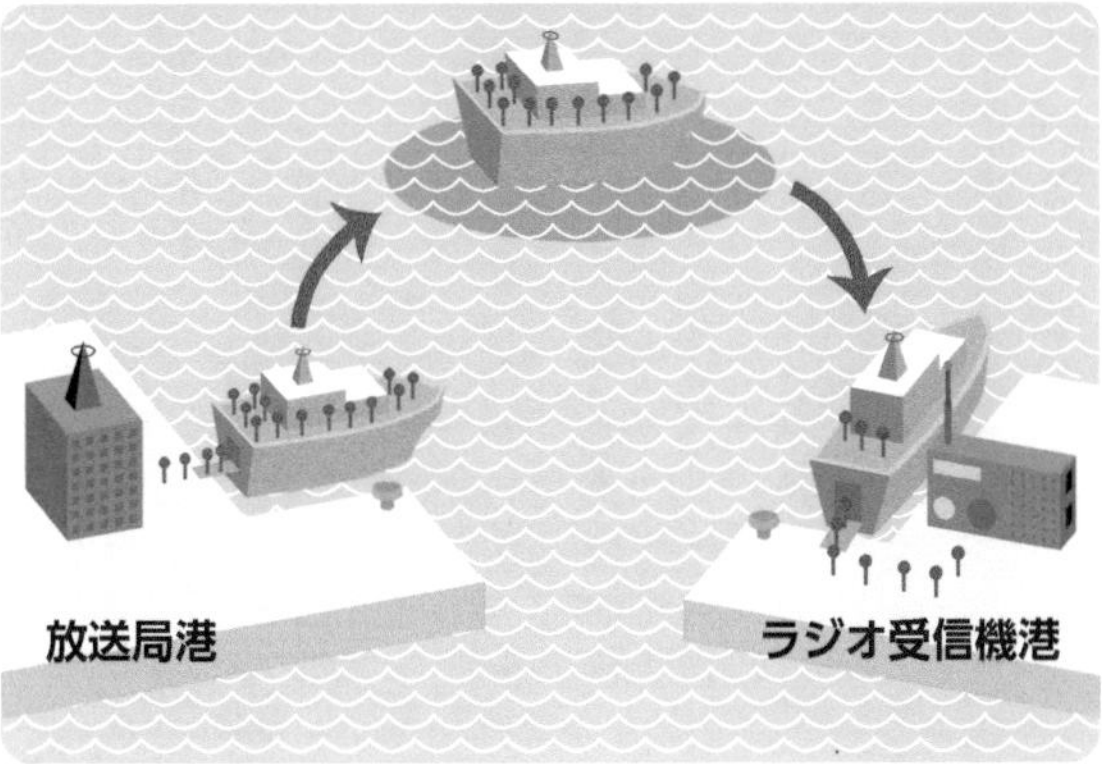
放送局港
ラジオ受信機港

FM放送のしくみ

放送局は右と左の音声を加え合わせた信号（主信号）と、差し引いた信号（副信号）をつくる。次に副信号に「下駄」を履かせ、主信号と混じらないようにする。こうして区別のできる2つの信号を1つの電波に乗せるのである。

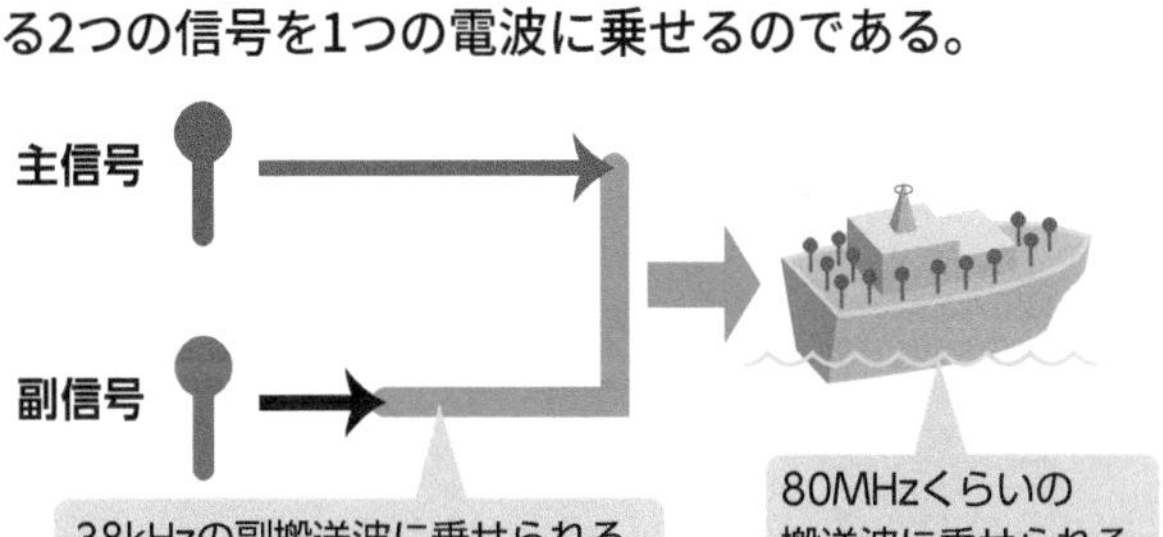
主信号
副信号
38kHzの副搬送波に乗せられる。
80MHzくらいの
搬送波に乗せられる。

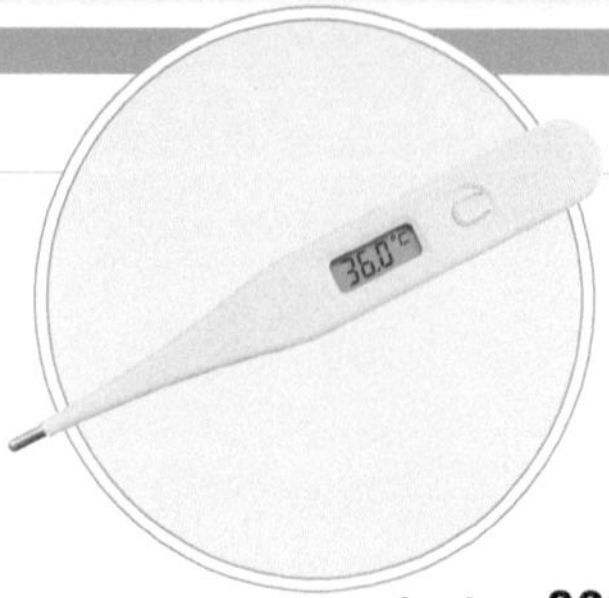

technology 022

電子体温計

病院でも家庭でも、体温計は電子式が用いられることが多い。安全で高速だからである。近年は耳式も普及している。

最近はあまり使われなくなったが、昔ながらの体温計といえば水銀体温計である。**水銀の熱膨張《ねつぼうちょう》を利用して、体温を測定する温度計**だ。

しかし、どうして水銀なのだろう。それは、表面張力が強いからである。水銀槽（水銀溜《だ》まり）と毛細管《もうさいかん》は非常に細い管でつながっている。これを留点《りゅうてん》というが、この点を通って毛細管に出た水銀は、**強い表面張力のために元の水銀槽に戻れなくなる**。これがポイントである。測定後でも表示している体温が変わらないからだ。ちなみに、温度表示を戻すには「振る」「回す」などして、強引に力を加えなければならない。

水銀体温計の欠点は有害な水銀を使用していること、割れやすいこと、そして測定時間が

水銀体温計のしくみ

水銀槽と毛細管とを結ぶ所には「留点」と呼ばれる場所がある。ここから一度、毛細管に出た水銀は元に戻れなくなる。そのため、温度表示がずっと保たれる。水銀を水銀槽に戻すには、何度も強く振る必要がある。

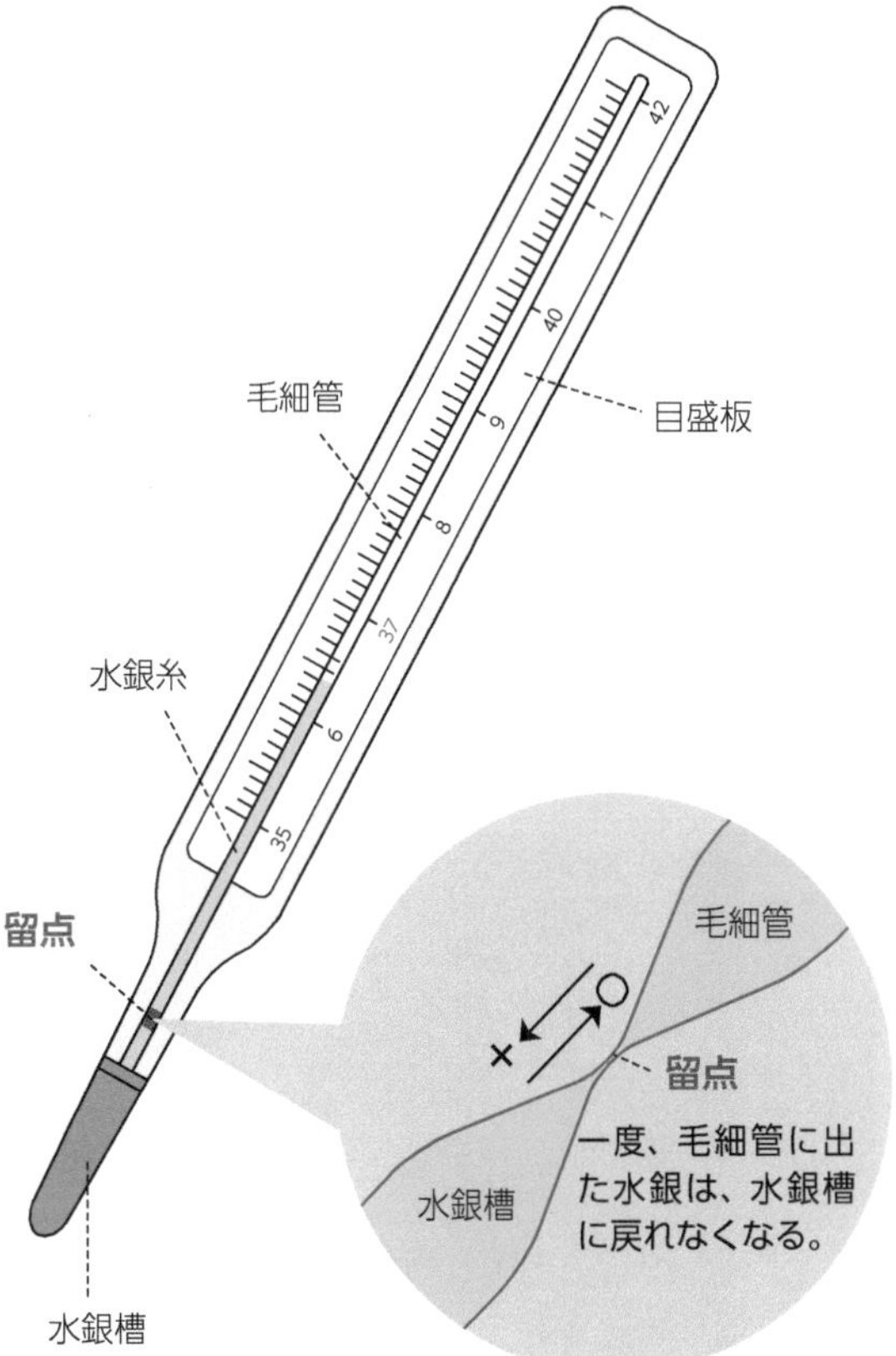
42
1
40
9
8
37
6
35
毛細管
目盛板
水銀糸
留点
水銀槽
毛細管
×
○
留点
一度、毛細管に出た水銀は、水銀槽に戻れなくなる。
水銀槽

10分と長いことだ。小さな子どもや病人に10分もじっとしてもらうのはたいへんである。

そこで登場したのが、電子体温計だ。電子体温計は、**温度によって電気抵抗《ていこう》が大きく変化するサーミスタを温度センサーとして利用する。**抵抗を測れば温度がわかるのである。サーミスタは、万一壊れても有害ではない。

多くの電子体温計には予測機能が備わっている。15～20秒分程度測定すれば、その温度上昇カーブから実際の体温をマイコンが予測する機能である。おかげで、水銀体温計のように長時間じっとしている必要はなくなった。

最近は耳式体温計も人気だ。これも電子体温計の一種で、**鼓膜《こまく》とその周辺から出ている赤外線を測定する。**数秒で検温ができるのが売りで、温度センサーには、接触しなくても瞬時に測定できるサーモパイルを利用している。

耳式体温計は、本体プローブを耳の穴に挿入《そうにゅう》して利用する。鼓膜の近くは、外気等の影響を受けにくく、体内の安定した温度を示すという。

なお、コロナ禍の折には、建物入り口で検温が求められた。その際、非接触型の体温計が活躍している。発熱者が赤外線を多く放出するという性質を利用して体温を調べているのだ。

電子体温計のしくみ

温度センサーにサーミスタを利用。温度の変化を電気抵抗の変化で感知する。

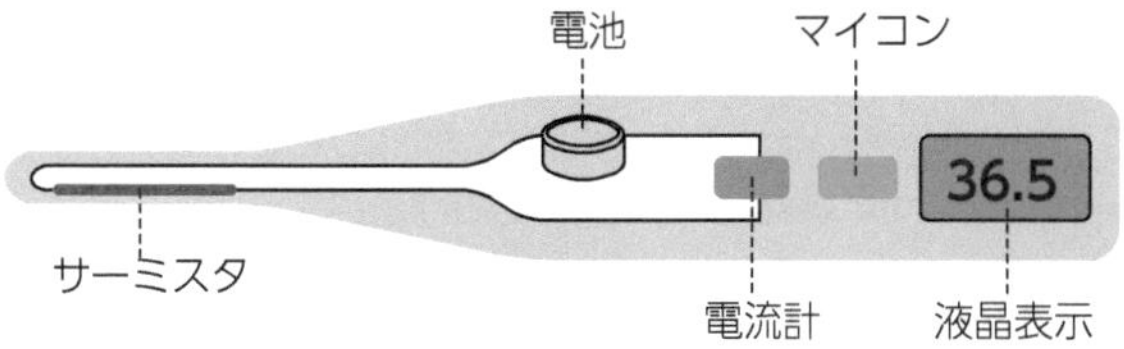

予測機能で測定時間を短縮

電子体温計は1分程度で体温が測れる。それは、10分後の体温（平衡温）を予測するからだ。

脇下の温度の変化モデル

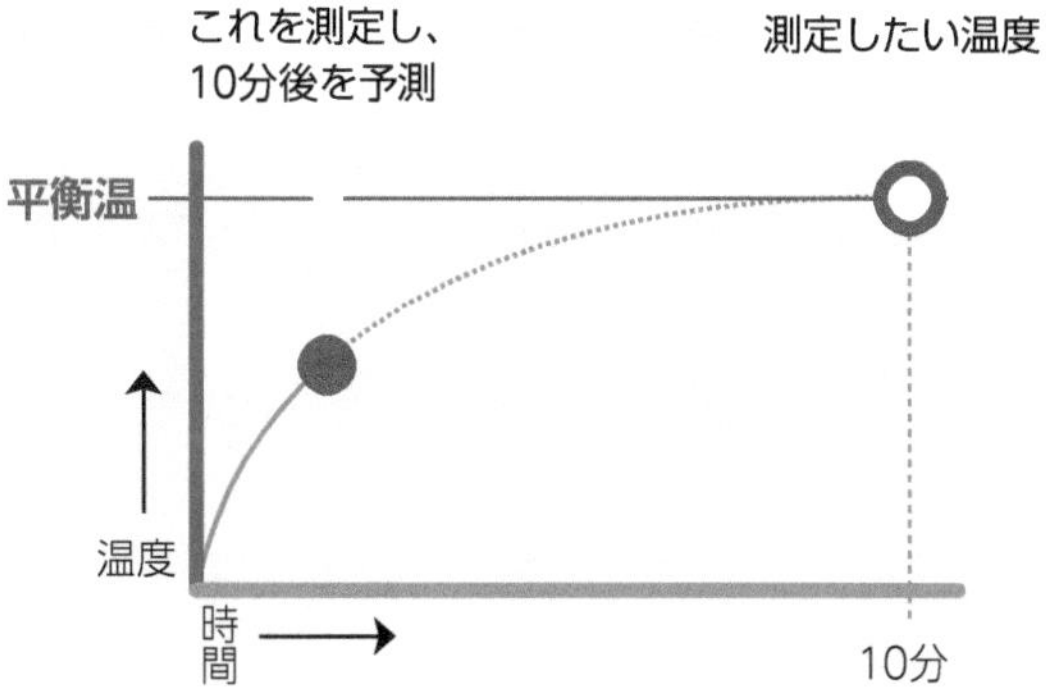

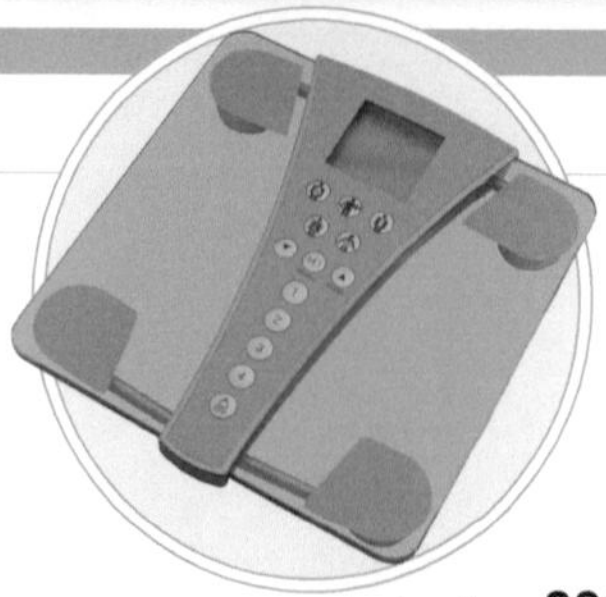

体《たい》脂肪計

健康ブームに乗って、体脂肪計が多くの家庭で利用されている。いったいどうやって体脂肪を計測しているのだろう。

体脂肪とかメタボリックなどという言葉が新聞や週刊誌の広告欄によく見られる。健康ブームの中で、こうした見出しが購買欲をそそるからだろう。体脂肪を測る測定器として人気なのが体脂肪計である。

体脂肪計は**体に含まれる脂肪の量を体脂肪率として表示する器具**である。体脂肪率とは体重全体に占める脂肪の割合をパーセントで表したものだ。

体脂肪率は、通常ＢＩＡ法（生体インピーダンス測定法）と呼ばれる方法で測定される。**体内に微弱な電流を通して電気抵抗《ていこう》を測定し、脂肪の割合を導き出す方法**である。筋肉は水分を多く含むため電気を通しやすく、水分を含まない脂肪は電気を通さない性質がある。した

体脂肪計の測定方法

体に微弱な電流を流し、体内の電気抵抗を測る。

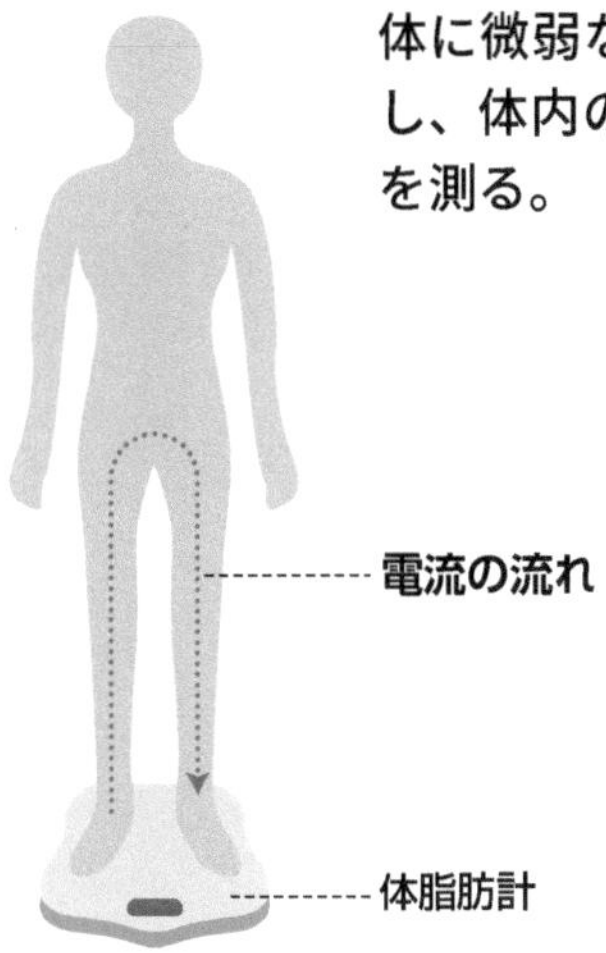
電流の流れ
体脂肪計

体脂肪計の測定のしくみ

脂肪細胞が多いところでは電気抵抗が大きく、筋肉の細胞（筋細胞）が多いところでは抵抗が小さい。そこで、同じ条件ならば、抵抗が大きいほど体内脂肪が多いことになる。

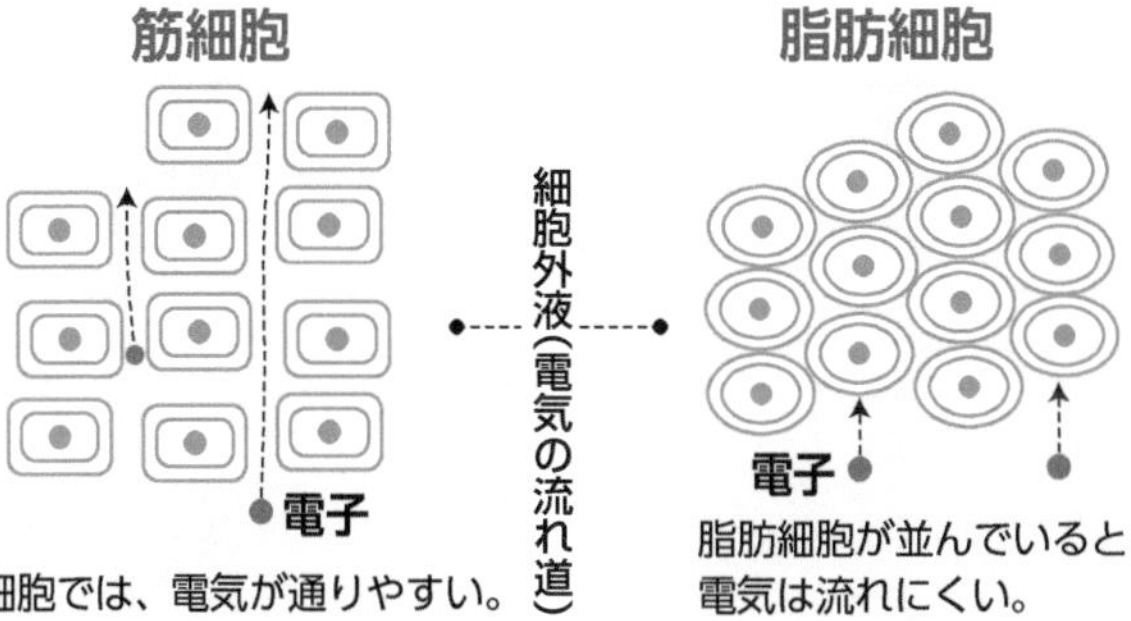
筋細胞
脂肪細胞
細胞外液（電気の流れ道）
電子
電子

筋細胞では、電気が通りやすい。

脂肪細胞が並んでいると、電気は流れにくい。

がって、同一性別・同一体型ならば、抵抗値が高いほど体脂肪率が高くなる。この性質を用いて体脂肪率を測定するのである。

では、具体的にどのように体脂肪率を導き出しているのだろうか。それには、さまざまな年齢・身長・体重の人から体脂肪率と電気抵抗値の実データを取得し、**統計的に電気抵抗値と体脂肪率との関係を公式化しておく**のである。この公式を体脂肪計に記憶させておけば、測定した電気抵抗値から体脂肪率を求められる。

同じ体脂肪計を利用しているのに、測るたびに数値が違う場合がある。体脂肪の量が1日で大きく変動するはずがないのに、こうした変化が起こるのは、生体の電気抵抗値に、**就寝中に上昇し、起きて活動しているときには低下する性質があるから**だ。食事や摂水《せっすい》、運動、入浴による体内水分量の変動も、電気抵抗値を変化させる要因になる。そこで、測定に際しては、リラックスした決まった時間帯で測定することが望ましい。そうしないと、測定値に振り回され、一喜一憂《いっきいちゆう》することになる。

周知《しゅうち》のように、体脂肪の過剰《かじょう》な蓄積は生活習慣病・成人病を誘発する。しかし、体脂肪は体温保持やホルモンバランスの調整など、大切な働きもしていることに留意したい。

体脂肪率の日内変動

実際の体脂肪量は朝と夜であまり変らない。しかし、電気抵抗は就寝中に上昇し、活動中は低下する性質がある。さらに、摂水や運動、入浴による変動なども複合される。

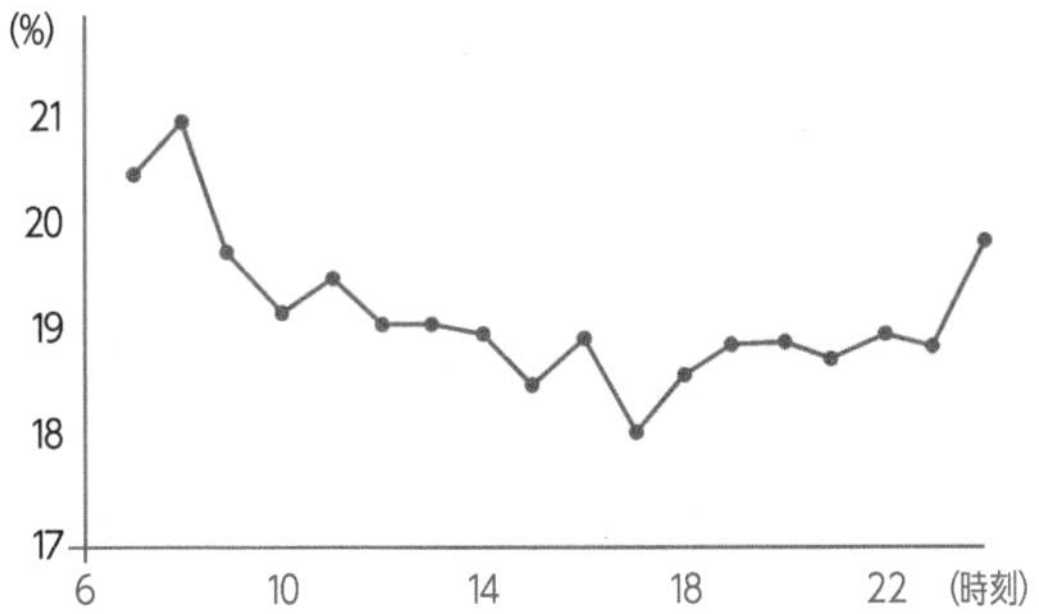

体脂肪率の算出法

さまざまなデータから体脂肪率と電気抵抗値との関係公式を作成しておく。この公式から体脂肪率が算出されるのである。

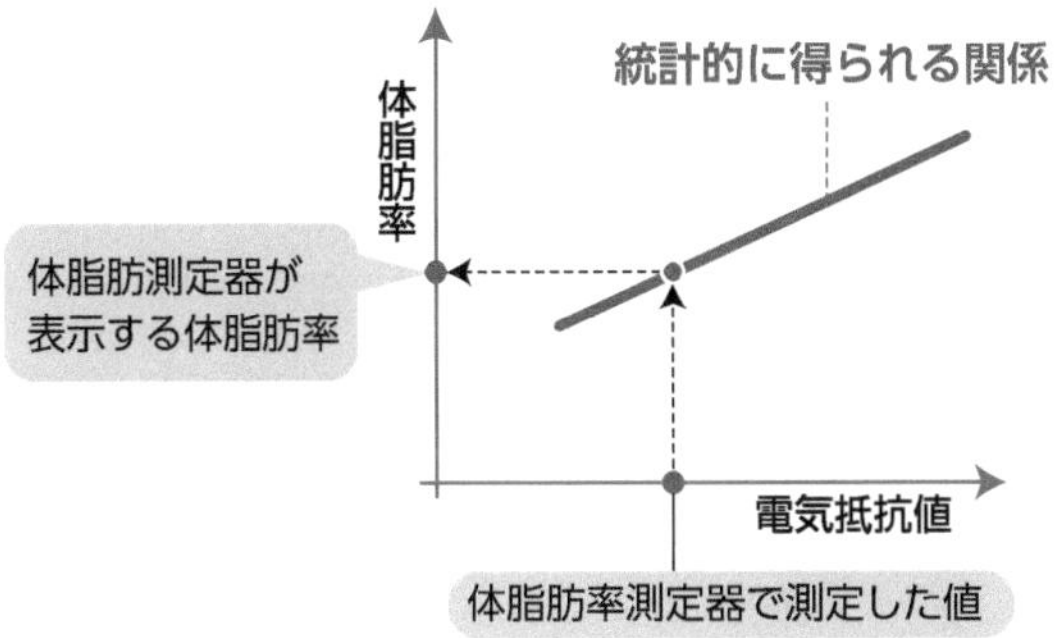

technology 024

電子レンジとIH《アイエイチ》調理器

水分なくして電子レンジは使えない。
また、鉄なくしてIH調理器は使えない。その理由を探ってみよう。

電子レンジもIH調理器も電気の力で煮炊きするという意味では同じだ。しかし、**しくみからすると、まったくの別物**である。

まず電子レンジを見てみよう。電子レンジのことを英語で「Microwave oven」というが、その英語名が示すとおり、電子レンジは**マイクロ波を発生させて食品を加熱**している。マイクロ波とは、波長が0・1〜100センチくらいの電磁波をいう。電子レンジは波長12センチくらいのマイクロ波を利用する。この電磁波は食品の中に入り、含まれる水の分子を回転させる性質がある。水分子同士が揺り動かされると、互いにこすれ合い、摩擦《まさつ》熱が生じる。その**摩擦熱で食品が加熱される**のだ。

電子レンジの構造

マグネトロンとそれに電気を供給する高圧トランスが基本部品。マグネトロンで発生したマイクロ波が食物中の水分子を加熱する（ターンテーブルがない製品もある）。

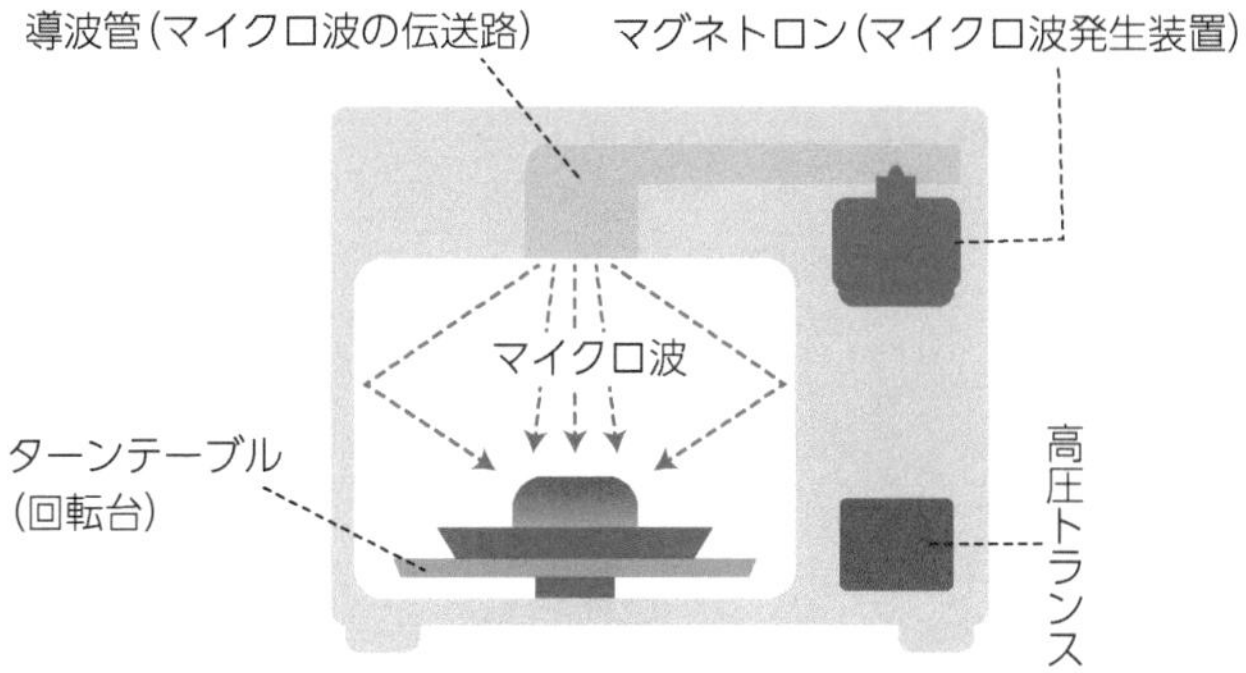
導波管（マイクロ波の伝送路）
マグネトロン（マイクロ波発生装置）
マイクロ波
ターンテーブル
（回転台）
高圧トランス

マイクロ波が食品を加熱するしくみ

電子レンジのつくり出すマイクロ波は調理物の中の水分子と共鳴し、水分子を回転させる。回転した水分子同士が擦れ合い、摩擦熱が発生する。これが発熱の原理である。

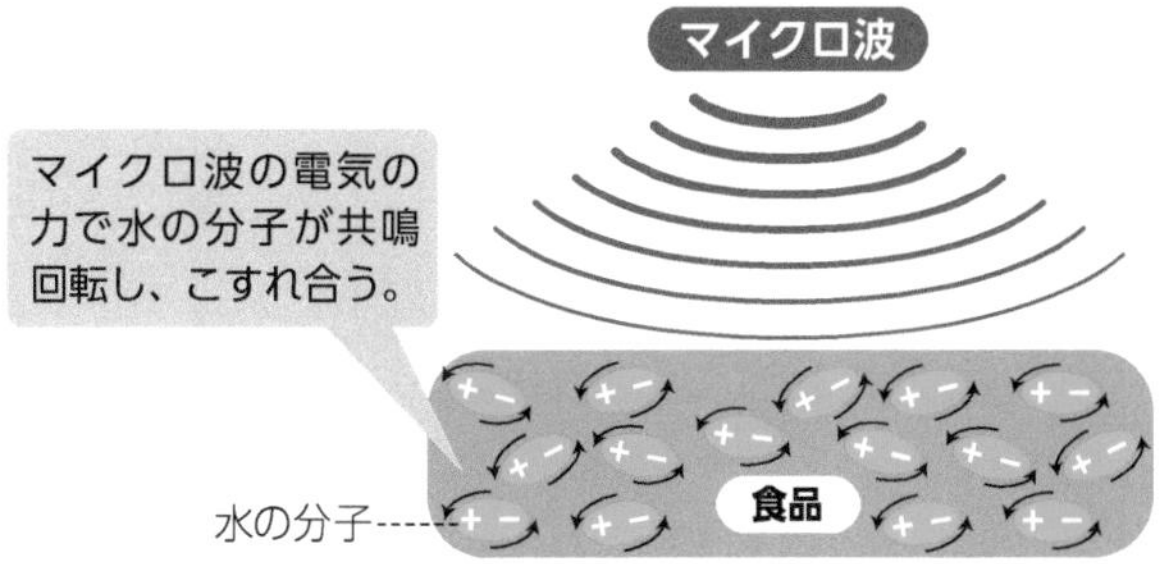
マイクロ波
マイクロ波の電気の力で水の分子が共鳴回転し、こすれ合う。
水の分子
食品

次にＩＨ調理器を見てみよう。ＩＨ炊飯器《すいはん》、ＩＨクッキングヒーターなどさまざまな種類があるが、このＩＨとは誘導加熱（Induction Heating）の略語である。「誘導」とは電気の世界で有名な電磁誘導からきた言葉である。**電磁誘導とは、磁気が変動すると電気が生まれるという自然法則**だ。

誘導加熱で調理するしくみを調べてみよう。装置はコイルと高周波電流発生装置からできている。このコイルに高周波（20～30キロヘルツ）の電流を流すと、電磁石《でんじしゃく》の原理で磁気がつくられるが、それは鉄鍋や鉄釜に吸い取られる。鉄は磁気を吸収しやすいからだ。高周波電流のつくり出す磁気は大きく変動するため、「電磁誘導」が働く。**鍋や釜の底や壁面で誘導電流が生じる**のだ。この電流が熱を発生させるのである。誘導電流が熱を発生する原理は、ニクロム線ヒーターが熱を発生するのと同じである。

このように、電子レンジやＩＨ調理器は、**電磁波や磁気を発生・吸収させて、食品や容器の内部に熱を発生させる調理器**なのである。したがって、外側から食品を煮炊きする方法に比べて、調理時間が短く光熱費も節約できる。直接火を使わないので安全なことから、超高層マンションのオール電化生活を支える立役者になっている。

IH調理器のしくみ

コイルからつくられる高周波の磁力が鉄の鍋底に吸収され、そこで渦電流が生まれる。この電流が鍋の分子と衝突して高熱を発生させる。鍋自体が加熱されるので、エネルギーの無駄が少なく、省エネで高速な調理が可能になる。

内部構造

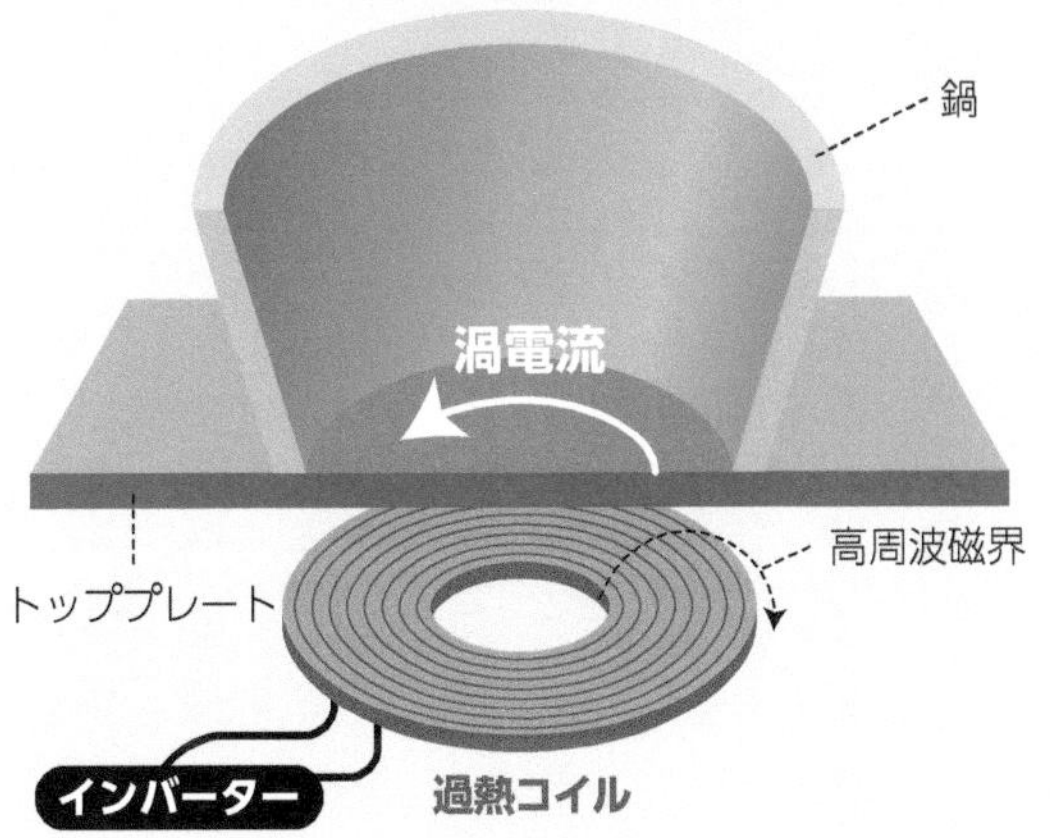
鍋
渦電流
高周波磁界
トッププレート
インバーター
過熱コイル

加熱の原理

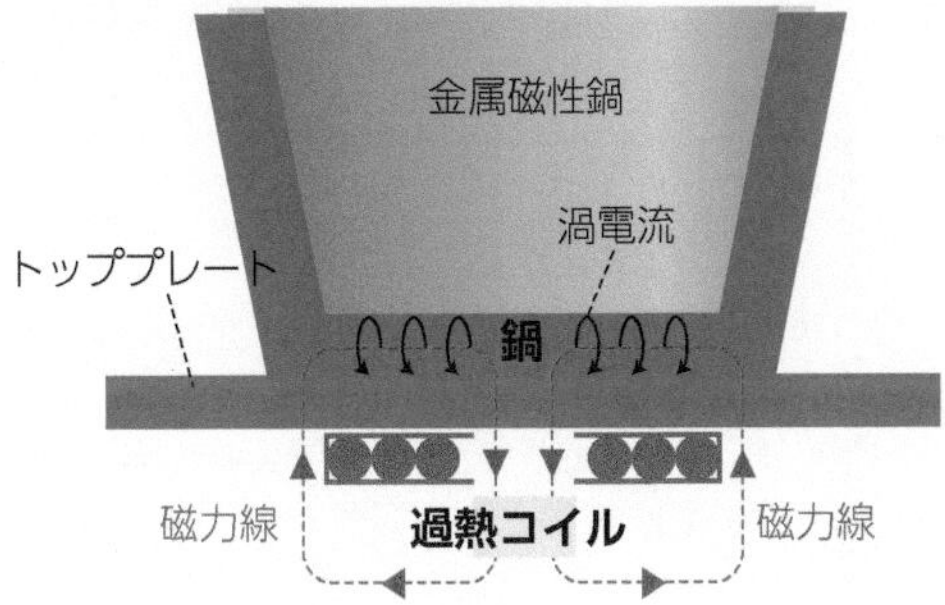
金属磁性鍋
渦電流
トッププレート
鍋
磁力線
過熱コイル
磁力線

ＬＥＤ《エルイーディー》照明

電力不足対策として、電球や蛍光灯《けいこうとう》をＬＥＤ照明に切り替えるのが最近のトレンド。長寿命・省電力が特徴だからだ。

電気は私たちの生活に多大な利便性を提供している。その筆頭が「明かり」であろう。２０１１（平成23）年３月に発生した東日本大震災で停電が起こり、暗闇《くらやみ》の中で人はそのことを強く実感した。

その電気の「明かり」として長い間、白熱電球が使われてきた。そもそも、家庭用電気製品として最初に普及したのはエジソンが発明したこの白熱電球である。しかし、周知《しゅうち》のように**白熱電球はエネルギーのムダが大きい**。その代わりとして蛍光灯が普及したが、白熱電球ほどではないにしてもエネルギーのムダが大きかった。

そこでホープとして登場したのがＬＥＤ照明である。**ＬＥＤ（発光ダイオード）を光源とした**

白熱電球の構造

ガラス球内のフィラメントを熱し、その熱の光で照明する。ただし、電力のほとんどは、光ではなく熱になってしまう。

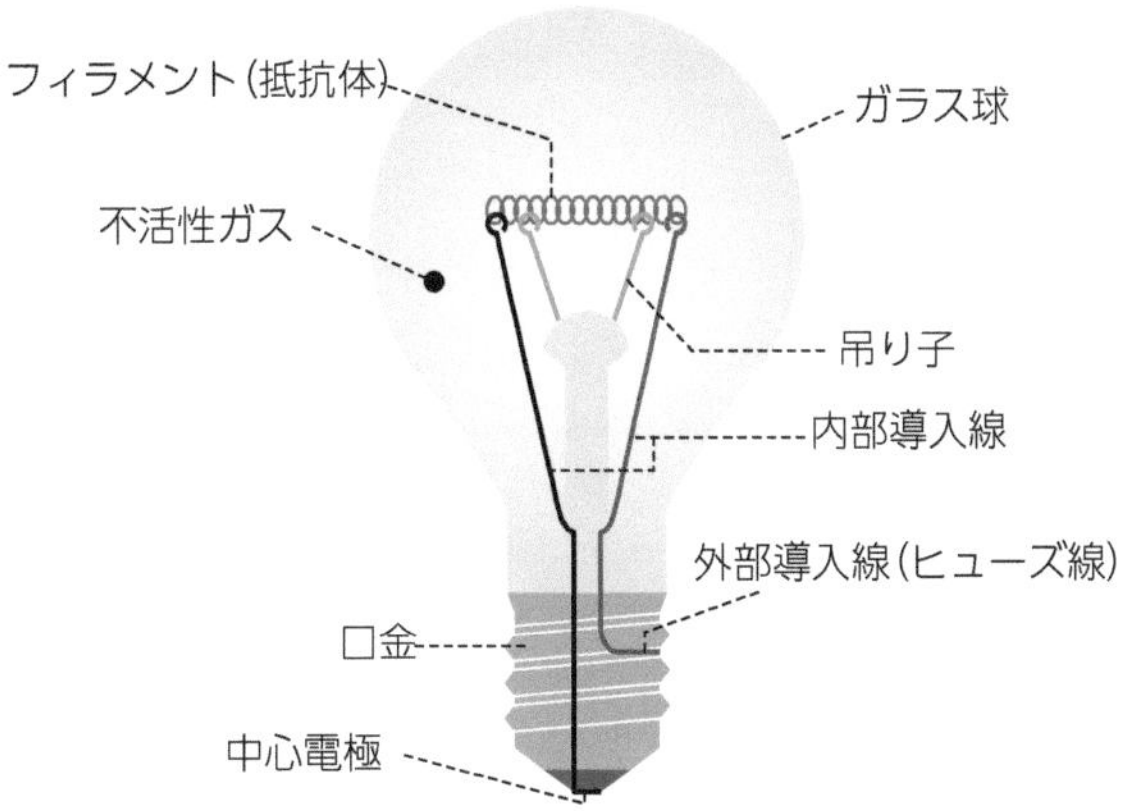
フィラメント(抵抗体)
ガラス球
不活性ガス
吊り子
内部導入線
外部導入線(ヒューズ線)
口金
中心電極

蛍光灯のしくみ

左右のフィラメント電極から出た電子が加速されて、管中の水銀原子とぶつかり紫外線を放つ。その紫外線が管に塗られた蛍光体に当たり、可視光を放出する。

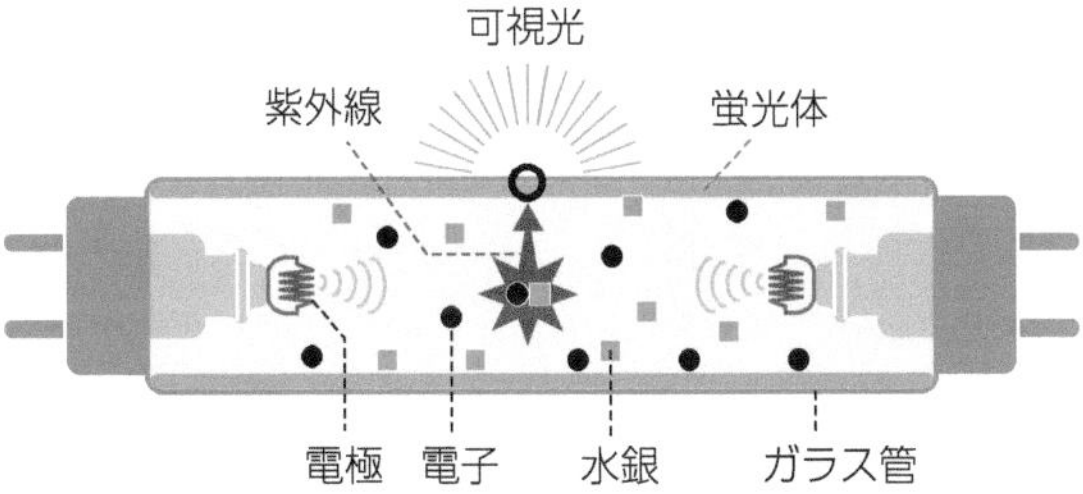
可視光
紫外線
蛍光体
電極
電子
水銀
ガラス管

照明器具の総称である。消費電力は一般的な白熱電球の約1割、蛍光灯と比べても約3割だ。また、寿命は約4万時間と、**白熱電球と比べて数十倍も長持ちする**。

ＬＥＤは以前からさまざまな製品に組み込まれ、利用されてきた。ＣＤやＤＶＤ、ＢＤが製品化できたのもＬＥＤのおかげだし、カーナビや液晶パネルなどのバックライトとしても活躍している。

ここにきて照明としてのＬＥＤが脚光を浴びたのは、技術革新のおかげ。その明るさが増し、十分な照度が得られるようになったからである。また、青色や白色のＬＥＤが安価に供給されるようになり、自然な光が再現できるようになったことも寄与《きょ》している。

今後はますます多くの「明かり」にＬＥＤが利用されるだろう。実際、**交差点の信号や自動車のヘッドライト、テールライトなどでも、LEDが主役**になりつつある。

では、これから照明はＬＥＤ一色かというと、そうではない。有機ＥＬ《イーエル》照明という強力なライバルが現れている。これは**ホタルの発光の原理（328ページ）を電気的に実現させたもの**。

ＬＥＤ照明は点光源の集合体のため明かりにムラができやすいが、有機ＥＬ照明は面が光るのでやさしい光になる。天井一面が光るといった、未来的な照明が可能になるのだ。

LED照明の構造

近年、主流となってきている発光ダイオードを使用したLED照明は、白熱電球や蛍光灯よりも省エネで長持ち。白熱電球のようなフィラメントを必要としないため、衝撃に対しても強い。

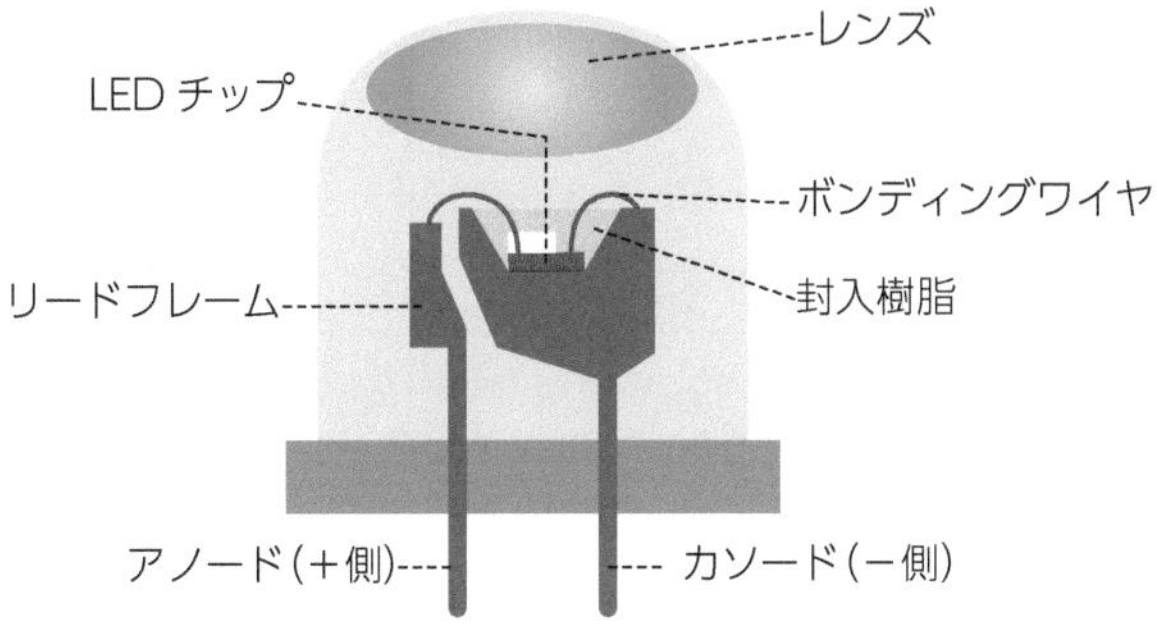

LED素子のしくみ

LED照明は、LED素子をいくつか組み合わせてつくられている。LED素子の主役は発光ダイオードだが、2種の半導体を重ねた構造をしている。片方は正の電気を運び、もう片方は負の電気を運ぶ。これら正負の電気が境界面で衝突して消滅する際に、そのエネルギーが光になるのだ。

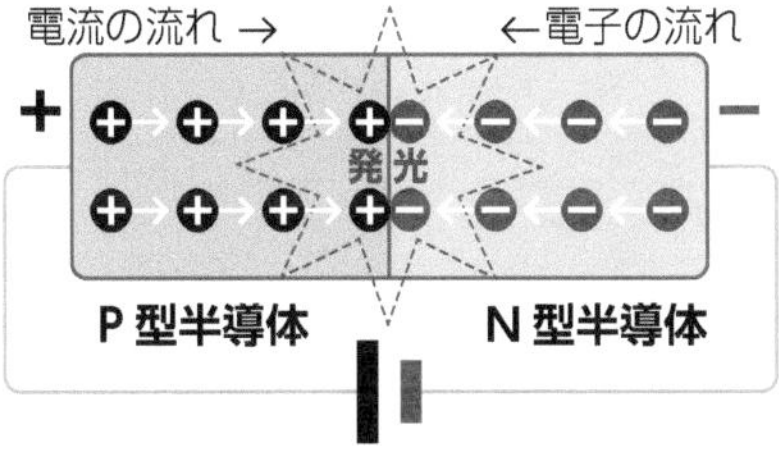

technology 026

インスタントカメラ

デジタル主流の現代に、昔ながらのインスタントカメラが人気だ。人気商品「チェキ」は、フィルムの生産が追いつかないほどだという。

「写真はスマホで」がふつうの現代。フィルムカメラ自体に触ったこともない若者もいる。そのような中、なぜか昔ながらのインスタントカメラが世界中で愛されている。

インスタントカメラは１９４７（昭和22）年に発明された。翌年、米国ポラロイド社が製品化。従来のフィルムカメラは**撮影後に現像という処理が必要で、その処理は現像所に依頼するのがふつう**だった。インスタントカメラはその過程を省いた便利さがヒットし、人気を博した。しかし、２００１（平成13）年、ポラロイド社は経営破綻する。デジタルカメラの普及が原因だった。ところが、である。富士フィルムは果敢に「チェキ」などの新商品を開発し、再びインスタントカメラを表舞台に登場させたのだ。

「チェキ」の構造

下図はチェキの構造図。チェキは❶〜❹の手順で現像される。

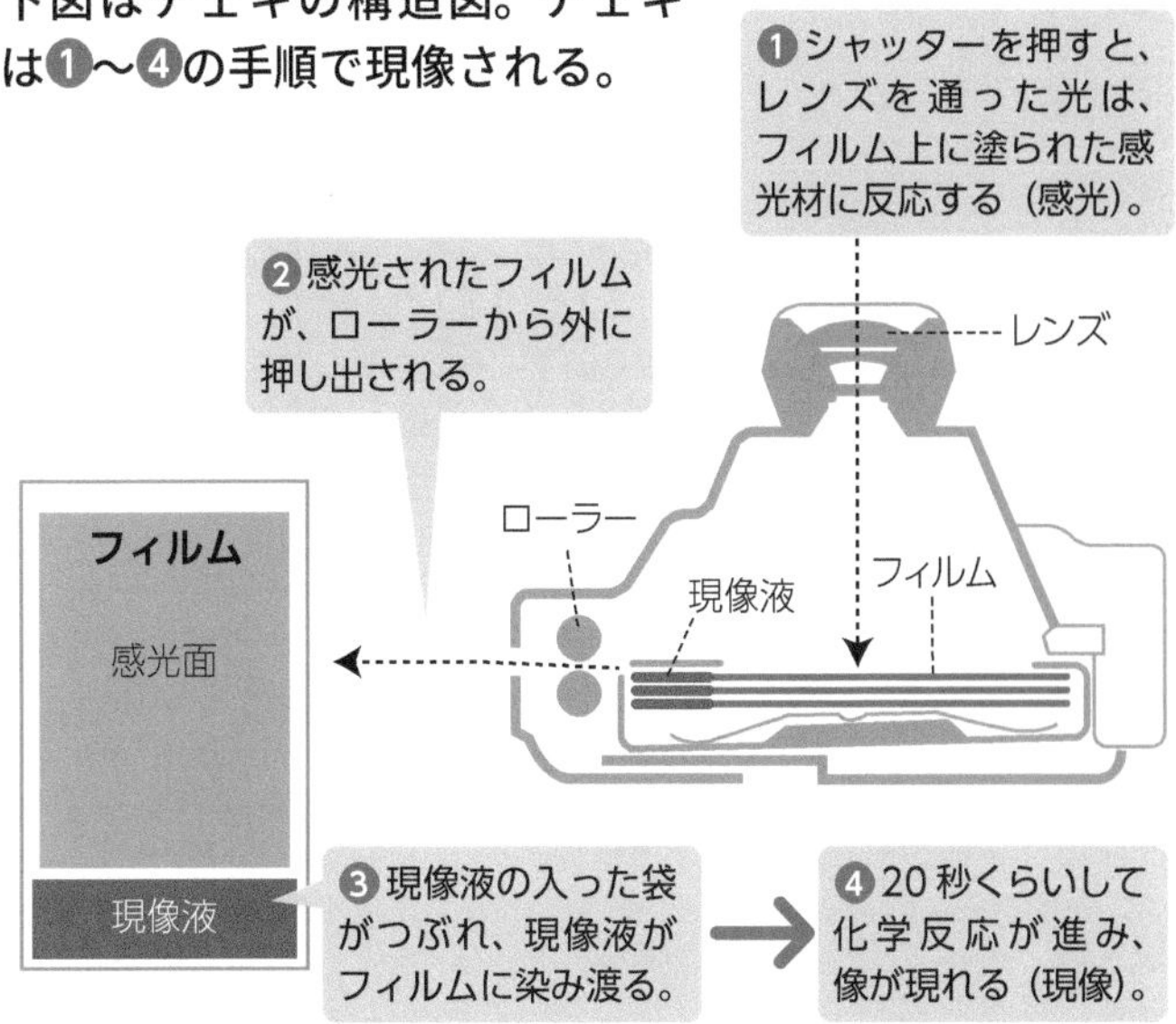
❶シャッターを押すと、レンズを通った光は、フィルム上に塗られた感光材に反応する（感光）。
❷感光されたフィルムが、ローラーから外に押し出される。
レンズ
ローラー
現像液
フィルム
フィルム
感光面
現像液
❸現像液の入った袋がつぶれ、現像液がフィルムに染み渡る。
❹20秒くらいして化学反応が進み、像が現れる（現像）。

「光の三原色」と「色の三原色」

光の三原色はRGBで、色の三原色はCMYで表される。

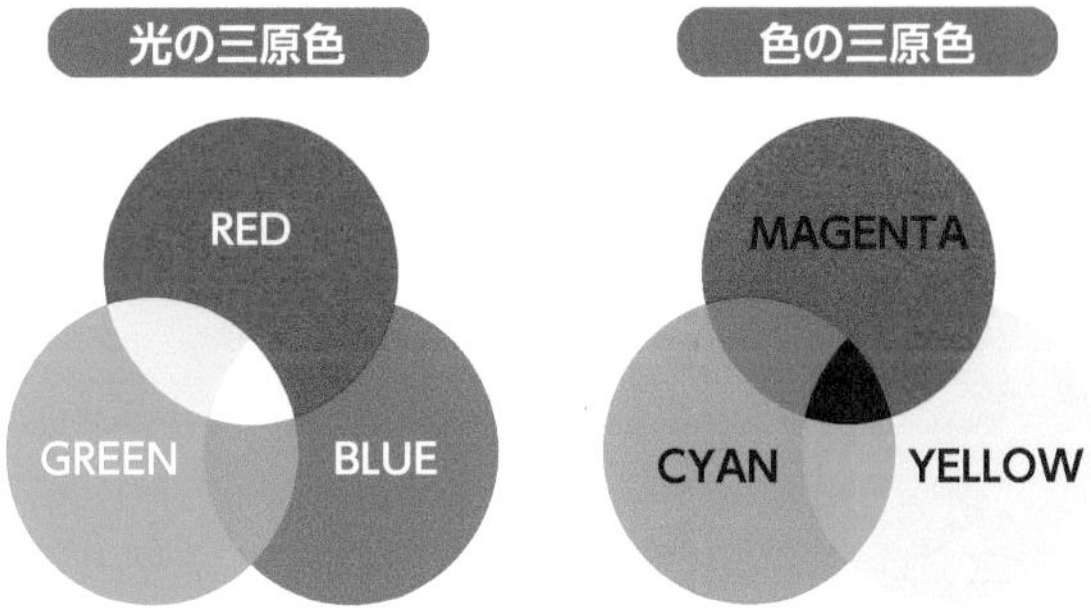
光の三原色
RED
GREEN
BLUE
色の三原色
MAGENTA
CYAN
YELLOW

インスタントカメラはシャッターを押すと、ほどなく処理されたフィルムが出てくる。最初は真っ白だが、20秒くらいで画像が徐々に浮かび上がる。どんなしくみなのだろう。

このしくみを理解するには、まず**光の三原色と色の三原色**について知る必要がある。

「光の三原色」とは光の色の基本で、**赤**(**Red**)、**緑**(**Green**)、**青**(**Blue**)**から構成**される。これらを適当に混ぜると、すべての光の色を発色できる。「色の三原色」は印刷する際のインクの基本色だ。**シアン**(**Cyan** ＝**青緑色**)、**マゼンダ**(**Magenta** ＝**赤紫色**)、**イエロー**(**Yellow** ＝**黄色**)で、これらを適当に混ぜるとすべての色を出すことができる。

準備が整ったので、チェキを例にしてフィルムのしくみを調べてみよう。

チェキのフィルムは基本3層で構成されている。それをC層、M層、Y層と呼ぶことにする。各層は左ページ上図に示すような性質を持つ。左ページ下図がフィルムのカラクリだ。

例えば、青の光がレンズを通過したとしよう。すると、Y層にある薬剤が分解される。そこに現像液が染みるとCとMの層は変化していないので、各々シアンとマゼンダに発色する。ここで「色の3原色」を見てみよう。シアンとマゼンダが混ざると青になる。光の青がフィルム上の青として再現されたのだ。ほかの色も同様。デジカメのしくみよりかなり難しい。

フィルムの構造と各層の性質

フィルムは基本、C層、M層、Y層の3つの層からなる。

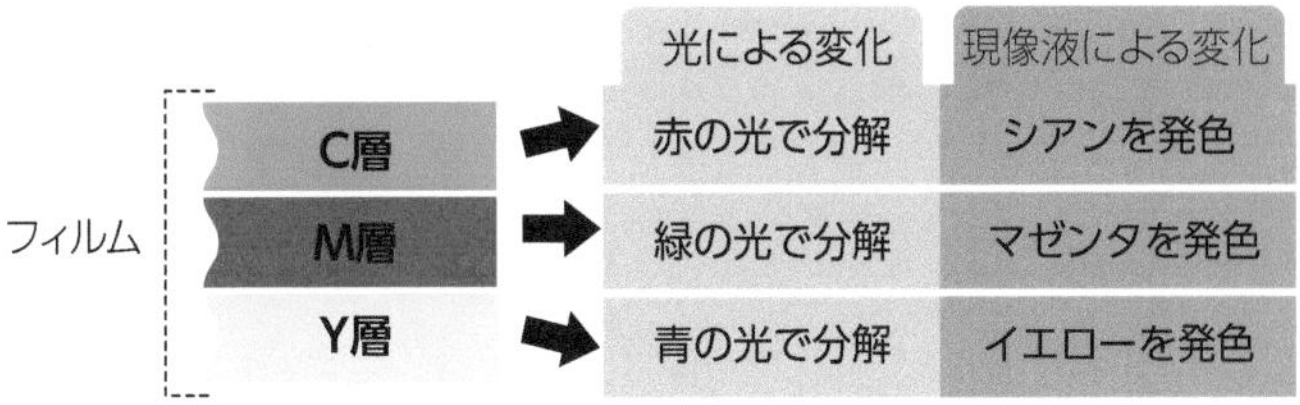
光による変化
現像液による変化
フィルム
C層
M層
Y層
赤の光で分解
緑の光で分解
青の光で分解
シアンを発色
マゼンタを発色
イエローを発色

青、緑、赤、黄の光をフィルムが再現するしくみ

青や緑、赤、黄色の光は、3つの層を通ってフィルムに再現される。黒は光がない状態である。

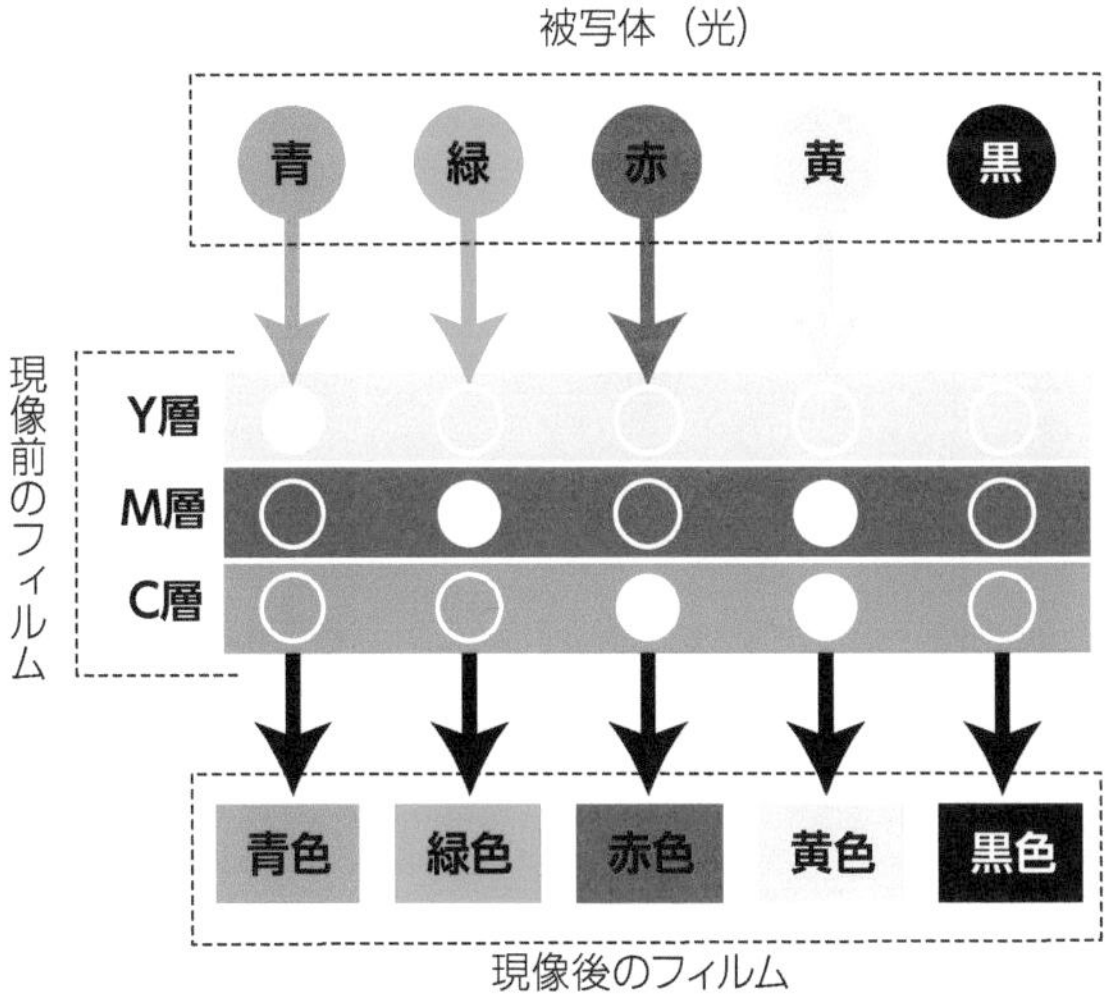
被写体（光）
青
緑
赤
黄
黒
現像前のフィルム
Y層
M層
C層
青色
緑色
赤色
黄色
黒色
現像後のフィルム

technology 027

薄型テレビ

外見は同じでも、薄型テレビには二つの方式が普及している。「液晶方式」と「有機ＥＬ《イーエル》方式」だ。どう違うのだろう。

放送のデジタル化に合わせるように、薄型テレビが普及した。薄くてコンパクト、デザイン的にもすっきりして部屋に調和する。

薄型テレビのパネル前面は、細かく格子《こうし》状に区切られた画素で構成されている。その**画素の構造の違いから、「液晶テレビ」と「有機ＥＬテレビ」に分類される。**

液晶テレビの画素には、液晶と呼ばれる物質が利用される。液晶とは液体と結晶との中間の性質を持つ物質で、**ミクロに見ると細長く曲がりにくい分子でできている。**１８８８年に見つけられたが、それから１世紀近くたった１９６３年、電気的な刺激に対して光の通し方を変えることが発見された。これが液晶応用の契機《けいき》になったのだ。この液晶を利用して、ど

液晶の分子構造

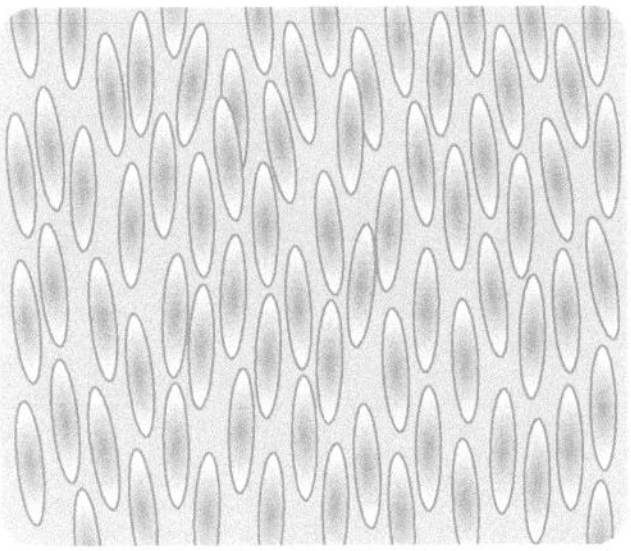

液晶は、細長く曲がりにくい分子からできている。電圧を加えると向きを変える性質がある。

液晶テレビの画素の構造

画面は格子状に区切られた画素で構成されている。下に示したのはTN型の構造。表裏ペアとなる偏光板の偏光方向は直角になっている。

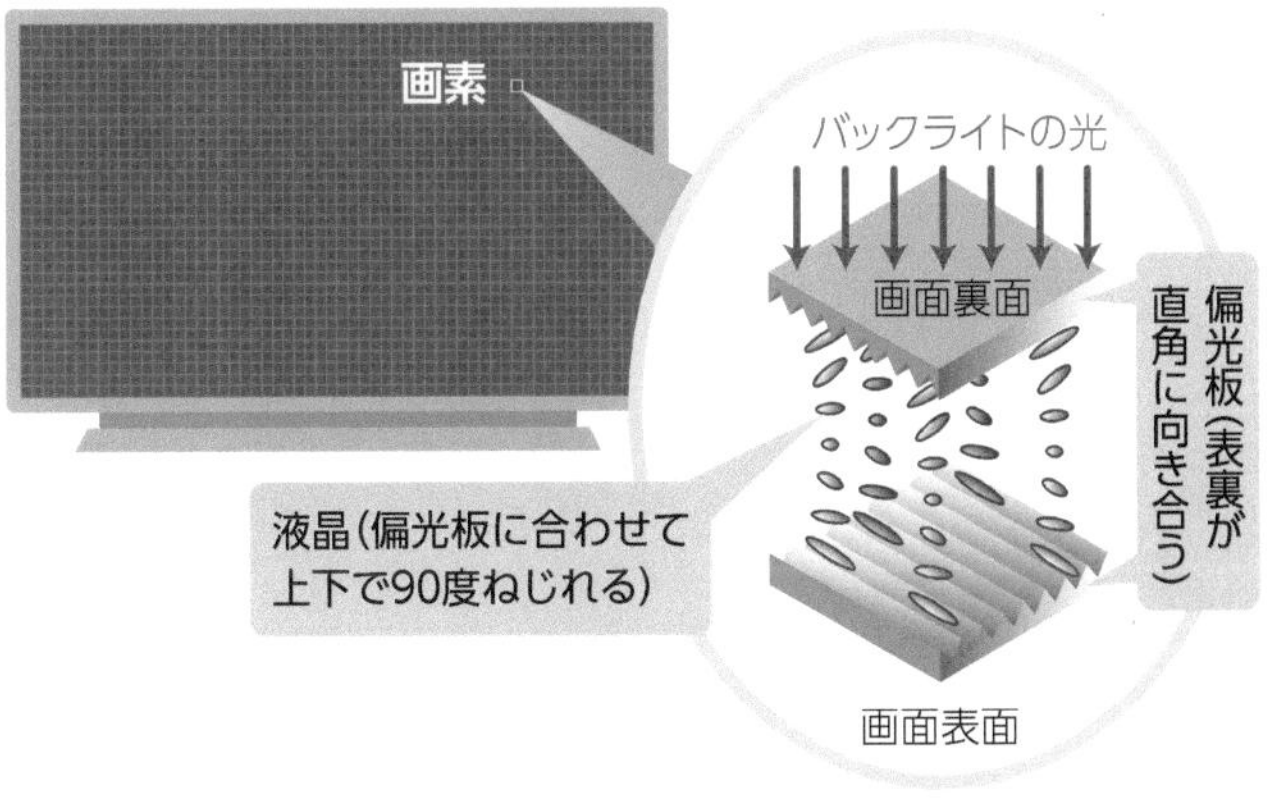
画素
バックライトの光
画面裏面
偏光板（表裏が直角に向き合う）
液晶（偏光板に合わせて上下で90度ねじれる）
画面表面

のように映像を表示するのだろうか。代表的なTN型と呼ばれる画素のしくみを見てみよう。TN型は同方向に並べた2枚の偏光板《へんこうばん》で液晶を挟み、片方の偏光板を直角によじった構造を持つ。バックライトの光は、パネル裏面で偏光されて液晶に入るが、細長い分子の並びに誘導されて偏光方向を変え、パネル前面の偏光板から遮《さえぎ》られずに出ていけるようになっている。

画素に電圧をかけると、液晶はねじれを戻す性質がある。裏面からの光は偏光を変えず、反対側の偏光板で遮断《しゃだん》されてしまう。こうして、**電気のオン・オフで光の点滅が制御《せいぎょ》できる**ことになる。これが液晶テレビのしくみだ。

次に、有機ELテレビを見てみよう。有機ELテレビは、**電流を流すと光る有機物**(**有機EL**)**を発光体に利用**している。画素自らが発光するので、フィルターを通す液晶テレビに比べて画像が鮮やかになり、また構造も簡単になる。市販の有機ELテレビが薄いのはこのためだ。また、原理的にエネルギーのムダが少なく、使用電力が小さくてすむ。

ちなみに、有機物が光るのは奇異に感じられるが、ホタルが光ることを思えば納得がいく。ホタルは体内の電気を光に変えているのである。

液晶テレビの画素制御

液晶は長い分子の向きに合わせて光を直角によじる。そこで、バックライトの光は透過できる(右下)。しかし、電圧を加えると、よじれをなくしてしまう。すなわち、バックライトの光は透過できない(左下)のである。

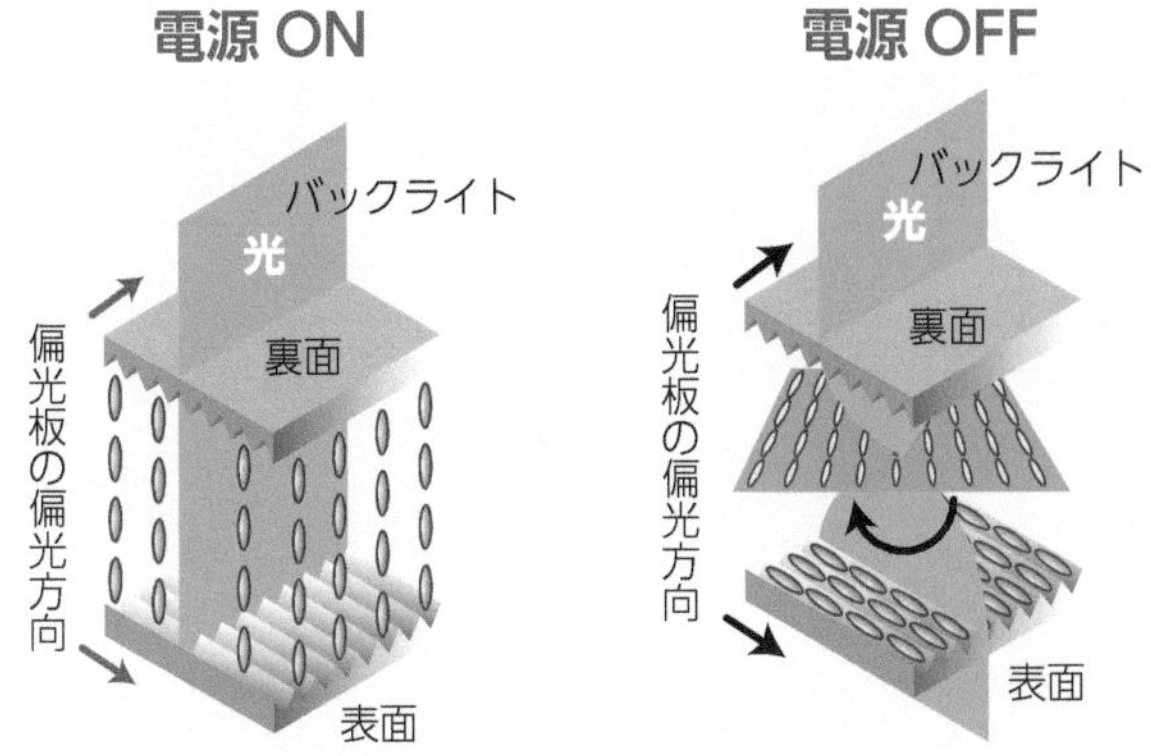

有機ELテレビの画素

有機ELテレビの画素は赤緑青(RGB)の3つの有機ELから構成され、極間に電流を流すと発光する。

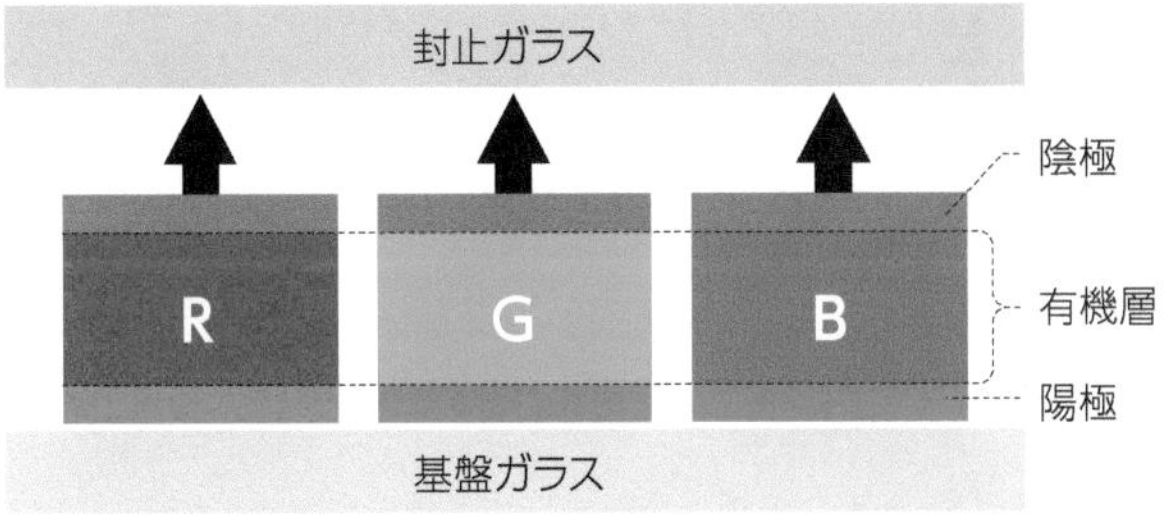

technology 028

DVDとBlu-ray《ブルーレイ》

ハイビジョン画質をそのまま保存できるBlu-rayが普及している。CDやDVDと、どこが違うのだろう。

デジタルテレビが普及し、自宅で映画館画質の映像を楽しむのが当たり前になっている。自宅で録画するホームビデオにも、当然、高画質が求められる。これを可能にした立役者がBlu-ray Disc（略してBD）だ。CDやDVDと同一の直径12センチのディスクだが、**記憶容量は単純に比較するとDVDの5倍以上**にもなる。地上デジタル放送なら、片面1層で3時間以上の番組を録画できる容量である。

CD、DVD、BDはまとめて光ディスクと呼ばれる。**記録情報が円盤状のくぼみ（すなわちピット）の模様で表現され、それをレーザー光で読み取る**というしくみが共通のため、一つの名称でくくられているのだ。

光ディスクの読み取りのしくみ

CD、DVD、BDはいずれも光ディスクで、その読み取り方法はみな同じ。レーザー光を当て、くぼみ(ピット)からの反射の違いを情報として検知するのである。

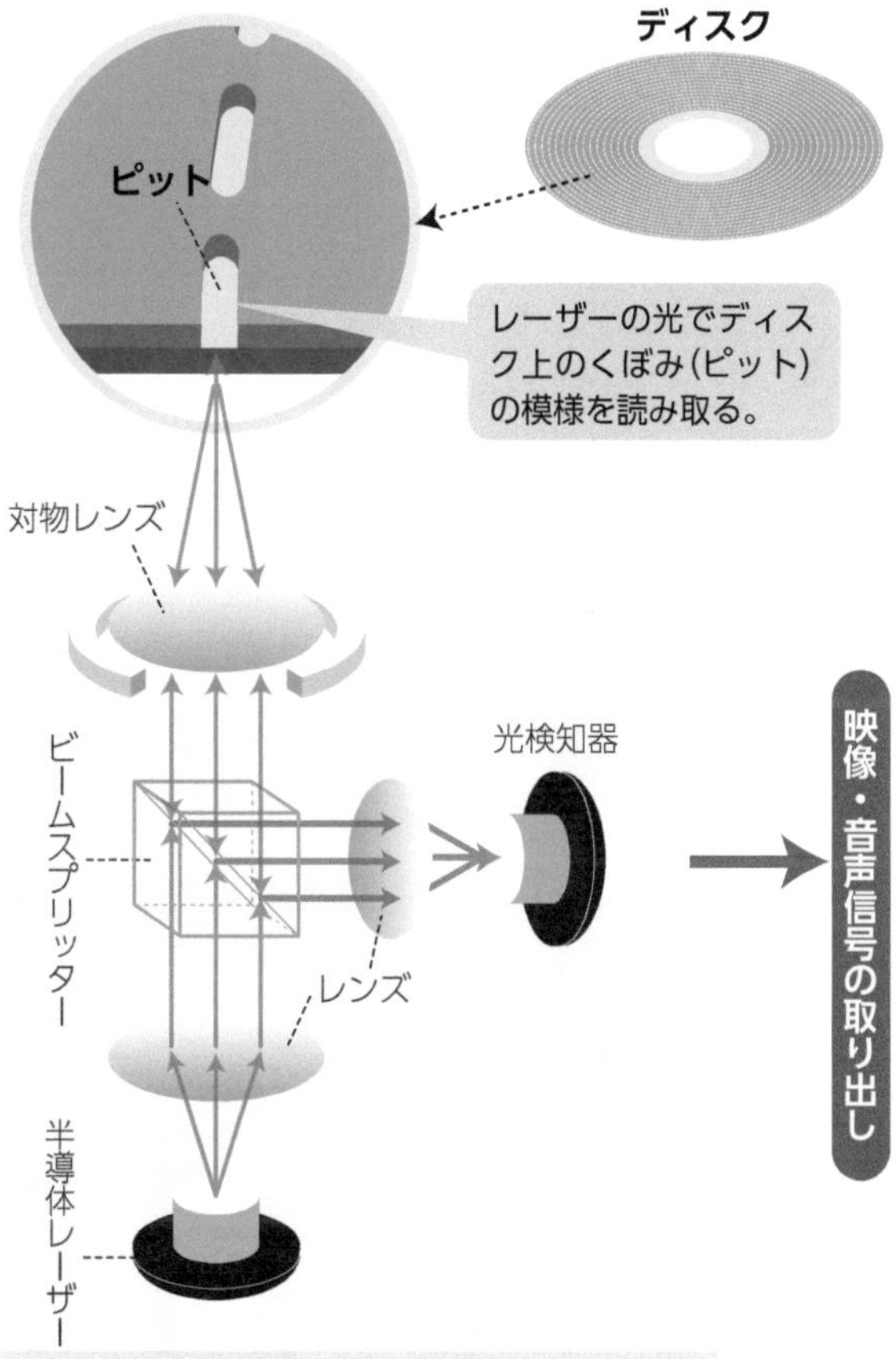
ディスク
ピット
レーザーの光でディスク上のくぼみ(ピット)の模様を読み取る。
対物レンズ
ビームスプリッター
光検知器
映像・音声信号の取り出し
レンズ
半導体レーザー

ピックアップと呼ぶ

情報を読み取るしくみが同じであるCD、DVD、BDは、いったいどこが違うのだろうか。それはディスク上の**ピットの大きさと密度**である。ディスクの面積が同じでも情報量が豊富になるぶん、BDの記録密度はCDやDVDよりも当然高い。そのため、ピットはより小さくなる。

さらに、これらのディスクを読み取る部分（ピックアップという）も、このピットの差異から構造の違いが生じる。**細かいピットを正確に読み取るには短い波長の光が必要になる**からだ。ピット模様の粗《あら》いCDは波長の長い赤色レーザーで読めたが、模様の細かいBDは波長の短い青紫色レーザーでないと読み取れない。

また、細かいピット模様の読み取り精度を高めるために、BDでは読み取り面がディスク表面近くにある。こうして、ディスクの反《そ》りによる読み取り誤差を小さくしているのである。CDはディスクの裏面に、DVDは表裏の中間面にピット模様が刻まれている。

ちなみに、「Blue-ray」ではなく「Blu-ray」なのは、前者にすると、英語圏の国で「青色光」を意味する一般名詞と解釈されて、商標としての登録が認められない可能性があったためだ。

CD、DVD、BDの違い

CD、DVD、BDの情報を読み込むしくみは同じだが、ピットの大きさと密度、レーザー光の長さと記録位置が異なる。

ピット密度

CDのピット密度は低い。一方、BDは記録容量が大きいぶん、ピットが小さく、密度が高い。

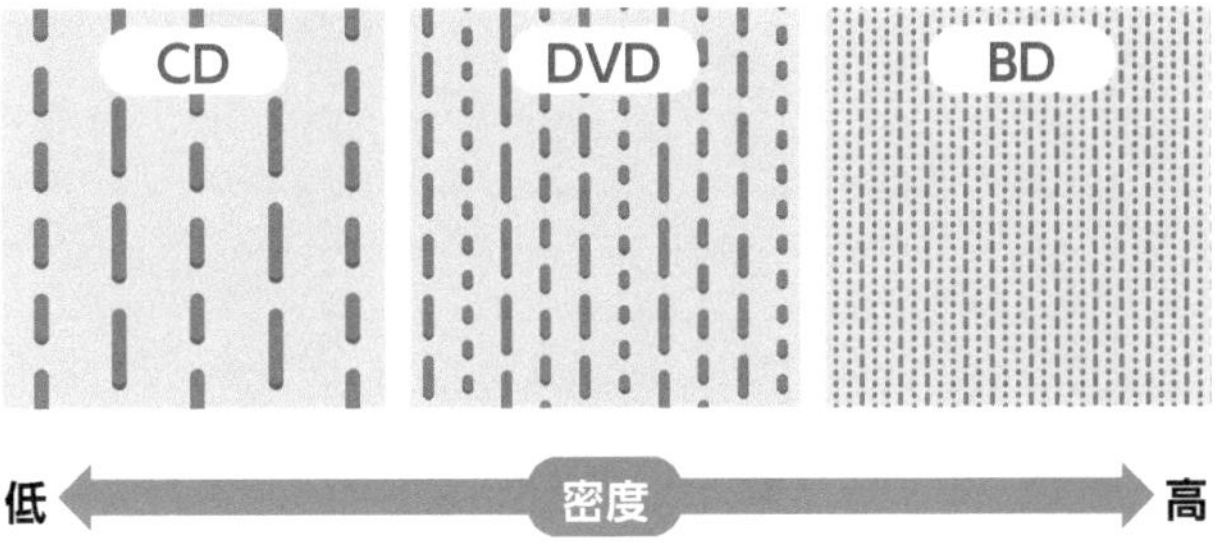

レーザーと記憶位置

記録密度の高いBDには、短い波長のレーザーが利用される。また、基盤のゆがみの影響を少なくするために、BDは基板表面近くに情報記録層が位置している。

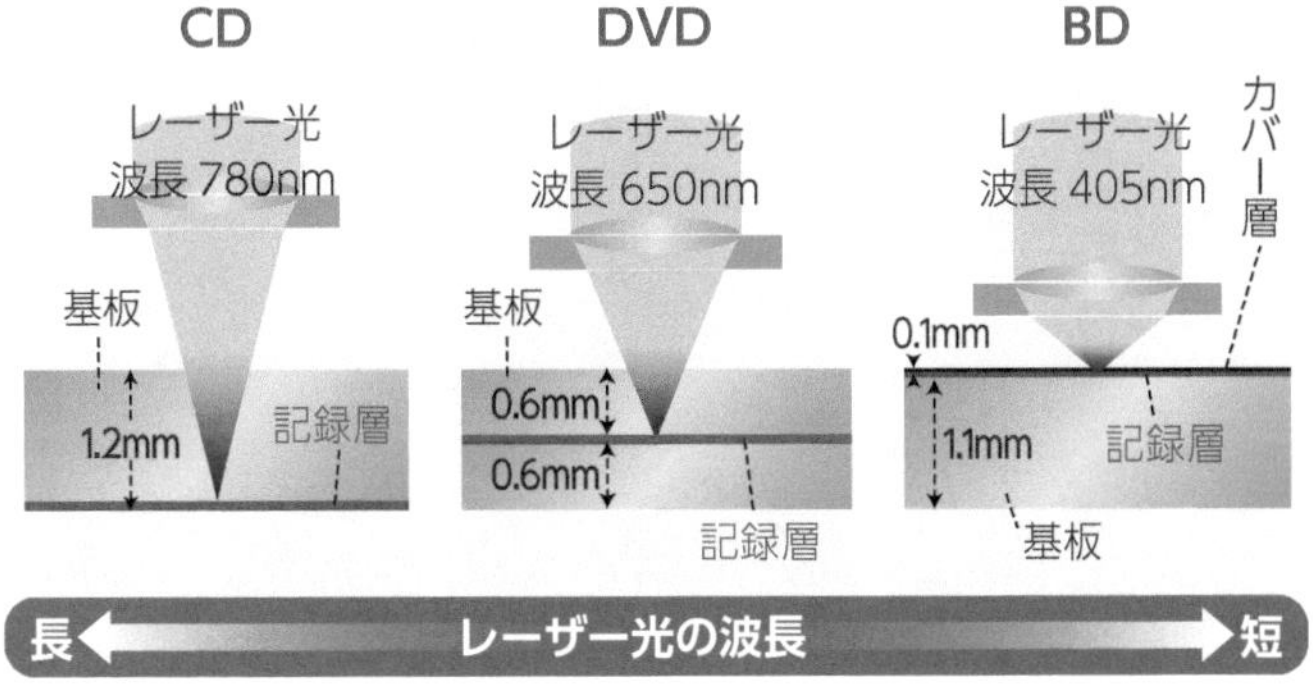

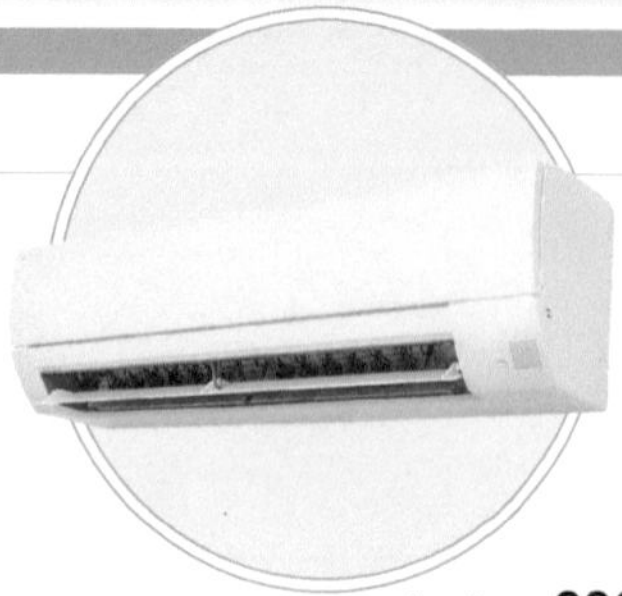

technology 029

エアコン

暖房時、エアコンは消費電力以上の熱を放出し、冷房時は消費電力以上の冷房効果を発揮する。どうしてだろう。

ふだん何気なく利用しているエアコンだが、不思議がいっぱいである。電熱器がないのにどうして暖房ができるのだろう。また、カタログには1キロワットの電気代で5キロワットの冷暖房ができるなどと書かれている。**消費電力よりも冷暖房の能力のほうが大きい**のだ。

この秘密を解くために、まずエアコンが部屋を冷やすしくみを見てみたい。この原理はいたって簡単。水を肌に塗り、「フッ」と息を吹きかけると清涼感《せいりょうかん》が得られるのと同様である。**水が液体から気体に変化するときに気化熱を奪い、周囲の温度を下げるという原理**を用いているのだ。エアコンでこの水の働きをするものを冷媒《れいばい》という。

では、実際に冷やすしくみを見てみよう。エアコンは圧縮器（すなわちポンプ）と二つの熱

エアコンの冷暖房能力

エアコンのカタログを見ると、消費電力以上に冷暖房能力が高いことがわかる。

冷暖房能力の一例

	畳数の目安	能力(kW)	消費電力(W)
暖房	6〜8畳 (10〜13m²)	2.8 (0.7〜5.5)	535 (95〜1500)
冷房	7〜10畳 (11〜17m²)	2.5 (0.9〜3.5)	520 (130〜870)

冷房の原理は「気化熱」

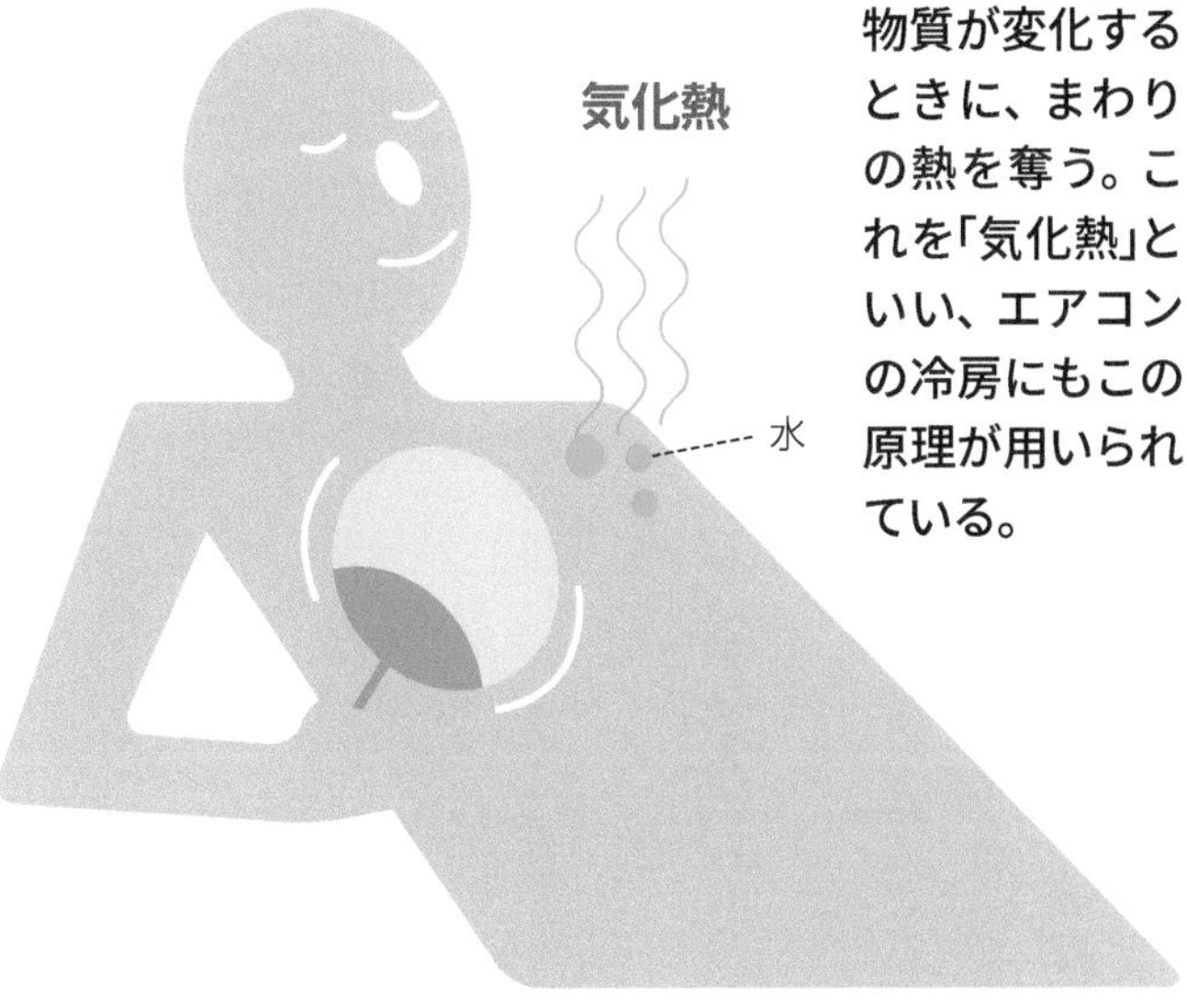

液体から気体に物質が変化するときに、まわりの熱を奪う。これを「気化熱」といい、エアコンの冷房にもこの原理が用いられている。

交換器からできている。一方を凝縮器《ぎょうしゅく》、もう一方を蒸発器《じょうはつ》というが、しくみは同一である。冷房の際、室内機の中の「蒸発器」で冷媒は蒸発して気化熱を奪い室内を冷やす。気体となった冷媒はポンプの力で「凝縮器」に運ばれ、室内で奪った熱を放出して液体になる。この繰り返しが「冷房」である。

注目すべきは、**ポンプは室内の熱を室外に運ぶだけ**、ということだ。運ぶだけなら大きな電力は不要である。こうして、消費電力以上に、部屋の空気は冷やされることになる。

次は暖房のしくみを考えてみよう。先ほどの冷房時のエアコンを逆に回してみる。すると、冷房時とは逆に、ポンプは室外の熱を室内に運ぶことになる。これが暖房のしくみである。電熱器など不要なのだ。冷房時と同様、熱を運ぶだけなので、**消費電力以上に暖房効果が得られる**ことになる。

以上のように、ポンプは冷媒を介《かい》して室内から室外へ、また室外から室内へ熱を運ぶ役割をする。これは水槽の水をポンプで循環《じゅんかん》させるのに似ている。そこで、このしくみをヒートポンプと呼ぶ。このヒートポンプのおかげで、エアコンはたいへん効率のいい省エネ空調機になったのである。

冷暖房のしくみ

「冷房」の際、蒸発器の中で冷媒は蒸発して周りの熱を奪い、気体となる。気体となった冷媒は圧縮器の力で凝縮器に運ばれ熱を発散させて液化される。これを繰り返すことで、エアコンは室内の空気を冷やしている。ポンプを逆に回せば装置の働きは逆になり、室内の「暖房」に切り替わる。

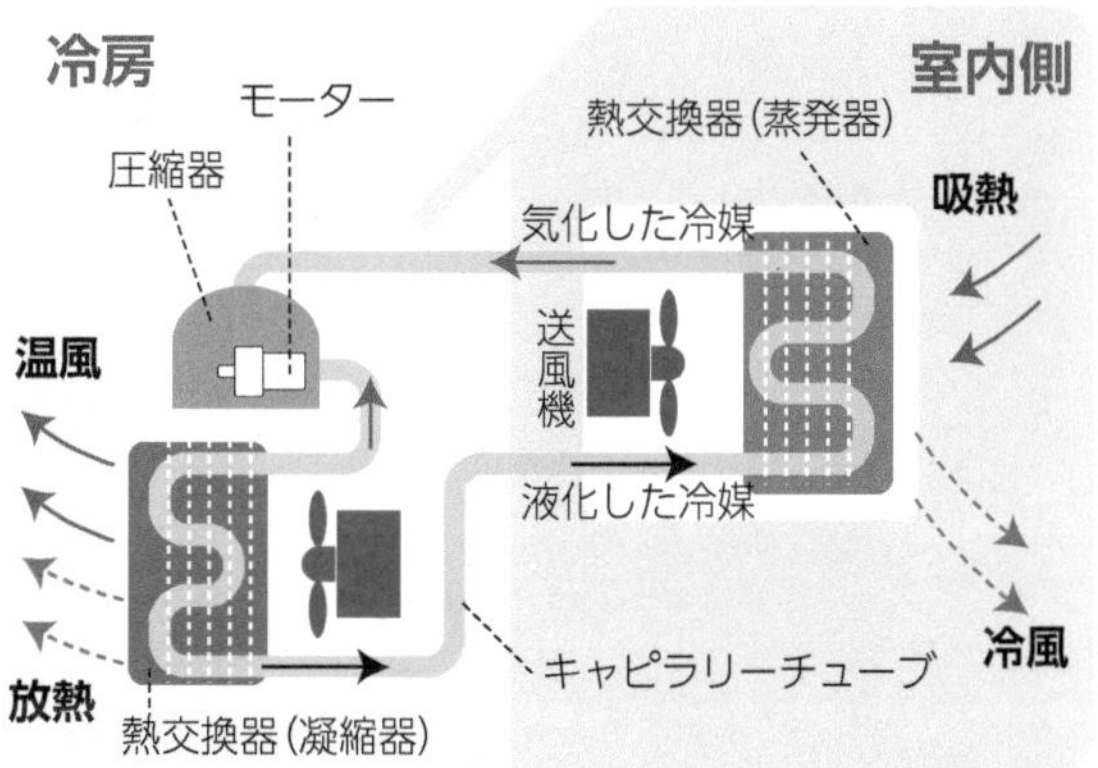

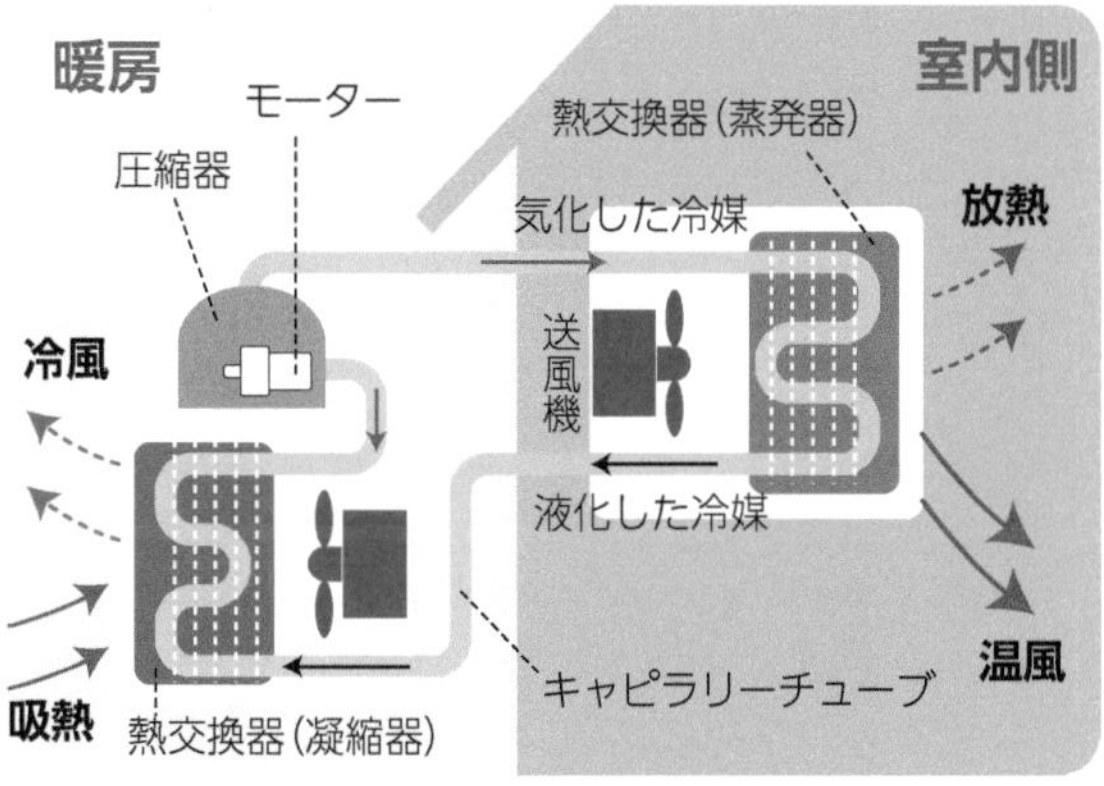

technology 030

デジカメ

日々進化するデジカメ。その心臓部にあたるものが撮像素子《さつぞうそし》である。現在、その主役はＣＣＤからＣＭＯＳ《シーモス》に移行している。

デジカメとはデジタルスチルカメラの略称で、映像をメモリーカードに記録するカメラである。写した画像をすぐにモニターでチェックでき、パソコンに移せばプロのような加工も可能、いらない画像は消去できる。こうした特徴が、従来のフィルムカメラを圧倒したデジカメ人気の理由だ。スマホのカメラ機能もデジカメをコンパクトにしたものである。

デジカメの主要構成はレンズ、撮像素子、メモリーカード、およびそれらを制御するシステムＬＳＩである。その中で、従来のカメラのフィルムに相当するのが、**レンズにより結像された画像を電気信号に変換する撮像素子**だ。この素子のおかげで、光の情報が電気情報として扱えるようになる。

デジタルカメラのしくみ

従来のフィルムに相当するのが撮像素子。撮像素子は光の情報を電気信号に変換し、メモリーやモニターに送る。

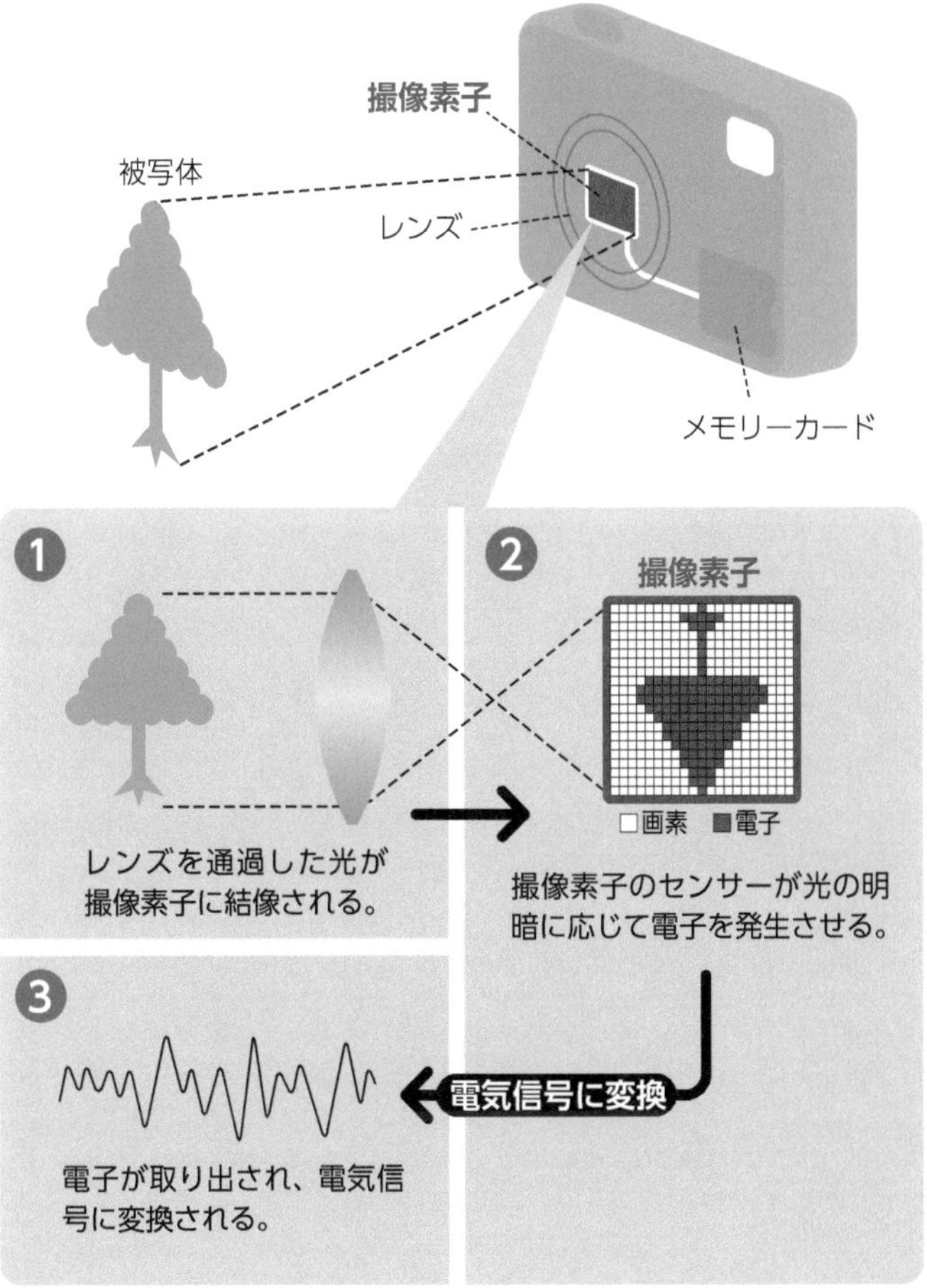
撮像素子
被写体
レンズ
メモリーカード
1
レンズを通過した光が
撮像素子に結像される。
2
撮像素子
□画素　■電子
撮像素子のセンサーが光の明
暗に応じて電子を発生させる。
電気信号に変換
3
電子が取り出され、電気信
号に変換される。

撮像素子は細かい格子《こうし》に区切られ、その1区画を画素と呼ぶ。同じ大きさの撮像素子ならば、画素数が多いほど解像度は向上する。画素の受光部は**カラーフィルターと光センサーが受け持つ**。カラーフィルターは光を三原色に分解する。光センサーはフォトダイオードでできていて、光を電子に変換する。**この電子を電気信号に変えてメモリーに送る**のである。

電気信号への変換法の違いによって、撮像素子は大きく2種に分けられる。**CCD型とCMOS型**である。この違いを、画素が整然と並んだ机に見立て、その机に当たる光の量（すなわち電子の量）をかたわらに座る測定係が報告する様子にたとえて解説しよう。

CCD型は、各画素の測定係が席順に起立し、整然と列をつくって光の量を報告する。整然としているので誤りが少ないが、そのぶん時間を要してしまう。この様子はしばしば「**バケツリレーで電荷を送る**」と表現される。

一方のCMOS型は、各画素の測定係が持ち場の机で呼び出しに応じて光の量を報告する。列をつくる動作が不要なため読み出しは速いが、報告の際に誤りが発生する可能性がある。

デジカメの普及初期にはCCD型が主流だったが、現在では構造の単純なCMOS型が主流。生産数において9割以上をCMOS型が占めている。

画素の構造

画素の受光部にはカラーフィルターと光センサーがあり、前者は光を三原色に分解し、後者は光を電子に変換する。

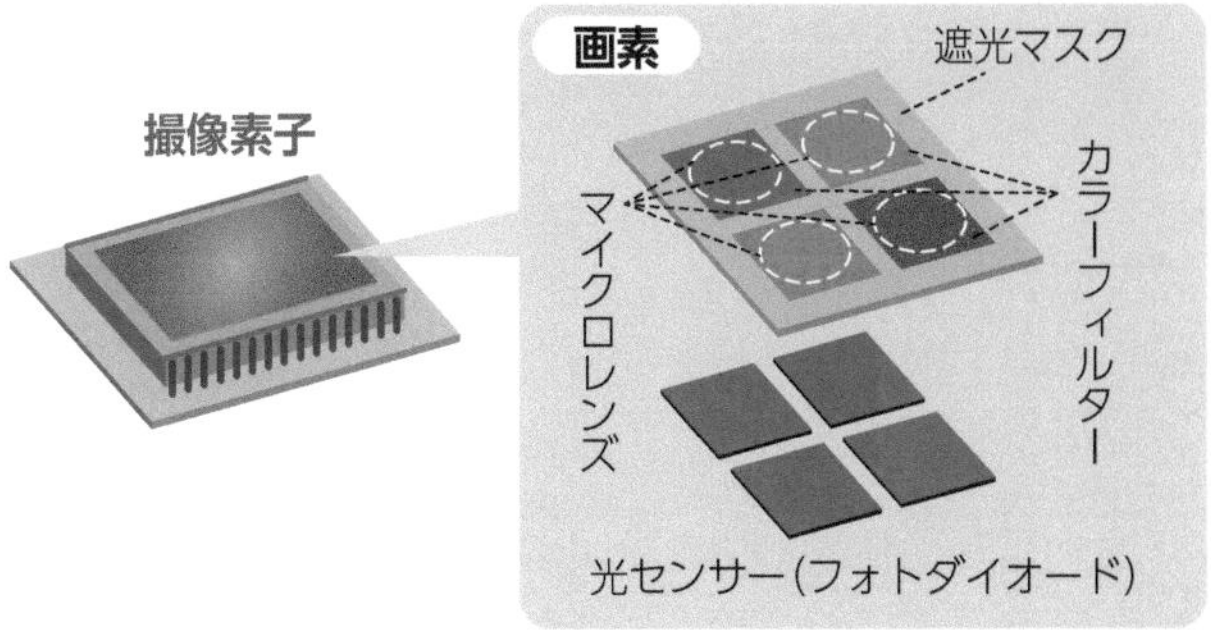
撮像素子
画素
遮光マスク
マイクロレンズ
カラーフィルター
光センサー（フォトダイオード）

画素の構造

画像を升目に区切ったとき、一つひとつの区画を画素という。この画素で光は電子に変換されるが、その電子の取り出し方によって、CCD型とCMOS型の2つに分類される。

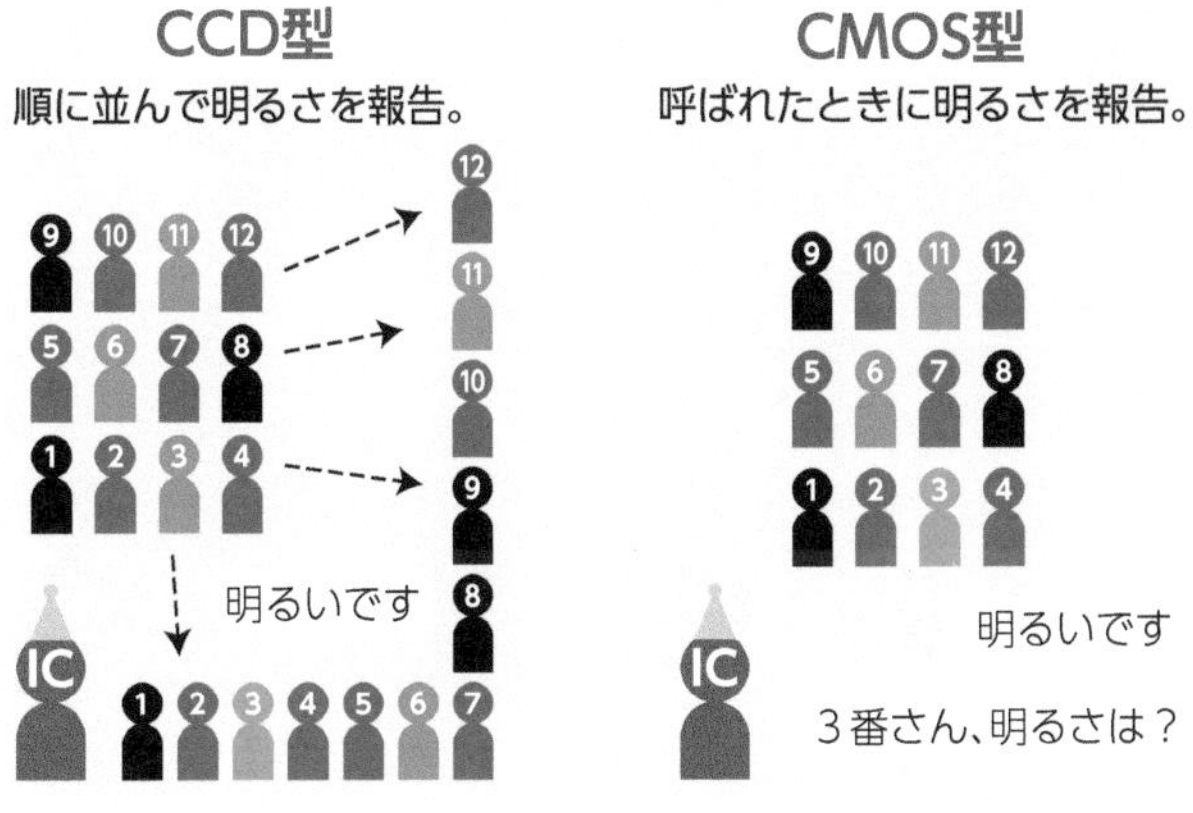
CCD型
順に並んで明るさを報告。
明るいです
IC
CMOS型
呼ばれたときに明るさを報告。
明るいです
3番さん、明るさは？
IC

technology 031

オートフォーカス

カメラでいちばん面倒なのはピント合わせ。それを瞬時に行なうのが自動焦点《しょうてん》（オートフォーカス）だ。

世界で初めて自動焦点カメラが発売されたのは１９７７（昭和52）年。当時のコニカが「ジャスピンコニカ」という商品名で売り出して大ヒットした。それからカメラの電子化はすさまじい勢いで進んだ。そして、いまもデジカメやビデオカメラの進化は止まらない。笑顔になったときにシャッターを切るスマイルシャッター、モニター上の画像から人の顔を認識してそこにピントを合わせる顔検出、あらかじめ登録しておいた被写体の顔に焦点を合わせる顔認識など、一昔前にＳＦの世界で描かれたような機能が実現されている。

話を最初の自動焦点（ＡＦ）に戻し、そのしくみを見てみよう。いくつかの方式があるが、**コントラスト検出方式**と**位相《いそう》検出方式**が有名である。

コントラスト検出方式のしくみ

レンズを遠い方から移動していき、コントラストの高い所でピントが合ったと判定する方式。コンパクトデジカメで多く採用されている。

❶

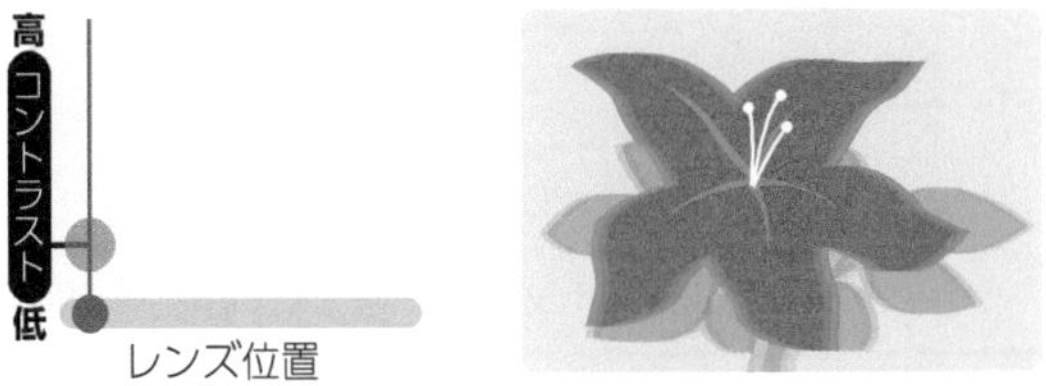

レンズが遠いところから近いところへ移動。コントラストが低いため、ピントは合っていない。

↓

❷

コントラストが高いため、ピントが合ったと判定される。

↓

❸

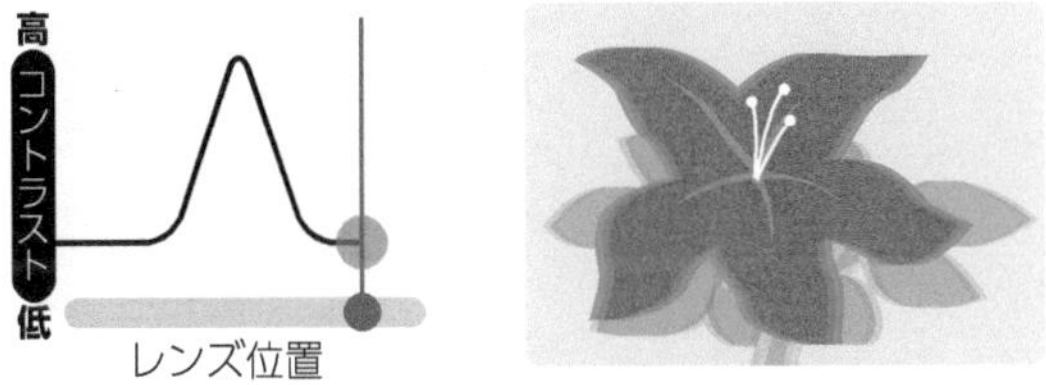

コントラストが低いため、ピントは合っていない。

コントラスト検出方式とは、**撮像素子《さつぞうそし》上のコントラストの状態を検知して距離を測る方式**である。撮像素子とAFセンサーを共用できるので小型化が可能であり、コンパクトデジカメで広く使われている。ただし、レンズを動かしながらピントを探るため、ピント合わせに時間がかかるのが難点だ。

位相検出方式とは、**被写体からの光の差を検知して距離を測る方式**。レンズから入った光を二つに分けて専用のセンサーへ導き、結像した二つの画像の間隔からピントを合わせる。高速のピント合わせが可能だが、専用のイメージセンサーと光の分岐《ぶんき》構造が必要なので小型化が難しく、ミラーレス一眼カメラや一眼レフカメラでの採用がほとんどである。

最近のデジカメやビデオカメラには、被写体の動きに合わせて焦点を合わせ続けてくれる機能がつけられている。運動会で子どもの動きを追うときなどに便利である。この機能は「追っかけフォーカス」などとメーカーによって呼び名が異なるが、一般的にはコンティニュアスAFという。**顔認識などのパターン認識機能をAF機能と組み合わせている**のである。

この機能はミサイルのロックオン技術と共通するが、地上の複雑な対象を追うぶん、ミサイル追尾《ついび》よりも複雑だ。

位相検出方式のしくみ

レンズから入った光を2つに分けて専用のセンサーへ導き、結像した2つの画像の間隔からピントを合わせる。

後ピンの場合

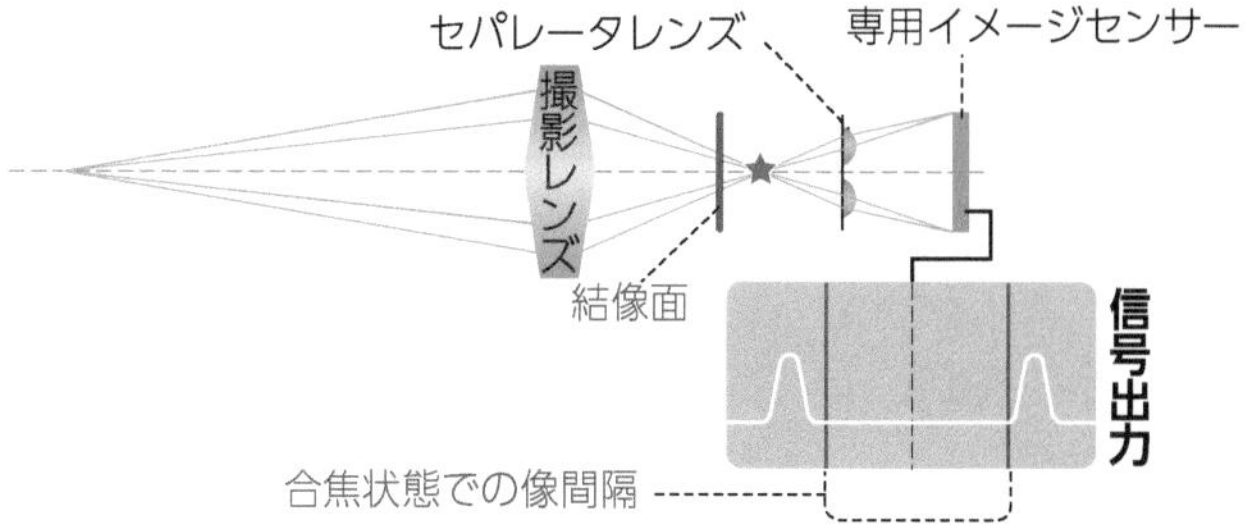
セパレータレンズ
専用イメージセンサー
撮影レンズ
結像面
信号出力
合焦状態での像間隔

前ピンの場合

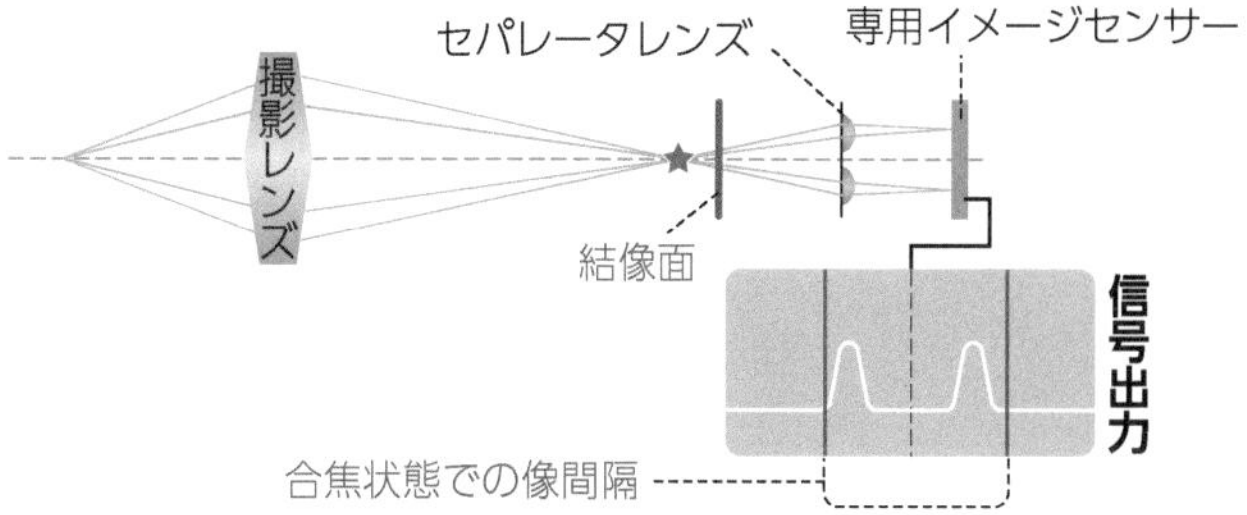
セパレータレンズ
専用イメージセンサー
撮影レンズ
結像面
信号出力
合焦状態での像間隔

合焦の場合

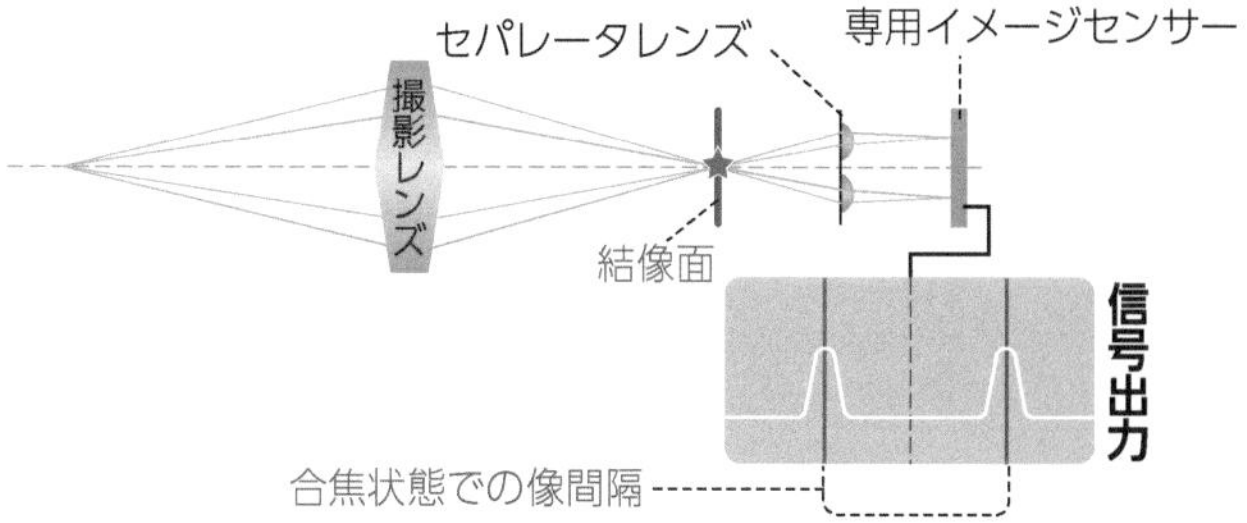
セパレータレンズ
専用イメージセンサー
撮影レンズ
結像面
信号出力
合焦状態での像間隔

technology 032

デジカメの手ブレ補正

ピンボケ、そして手ブレ。この二つが、失敗した写真の典型である。しかしいまは、これらをカメラが解決してくれる。

政治演説などでは、相手を批判する文句として「ブレる」という言葉がよく用いられるが、カメラの世界でも「ブレている」写真は失敗写真の典型だ。これは、シャッターを押すときにカメラを動かしてしまう「手ブレ」が原因だが、カメラマンとしてはピンボケと同様、不名誉なことだろう。

ピンボケに対しては、「自動焦点《しょうてん》」という機能がカメラに付与されている。**撮像素子《さつぞうそし》（CCDやCMOS《シーモス》センサー）上の画像をコンピューターが解析**し、ボケの発生を判断してレンズの位置などを補正してくれる機能だ。

手ブレに対しても、カメラは手ブレ補正という機能で対処してくれる。おかげでカメラ初

手ブレ補正の代表的な方式

デジカメの手ブレを補正する代表的な方式は、レンズシフト方式とイメージセンサーシフト方式である。前者はレンズ側、後者はボディー側で手ブレ補正をする。

レンズシフト方式

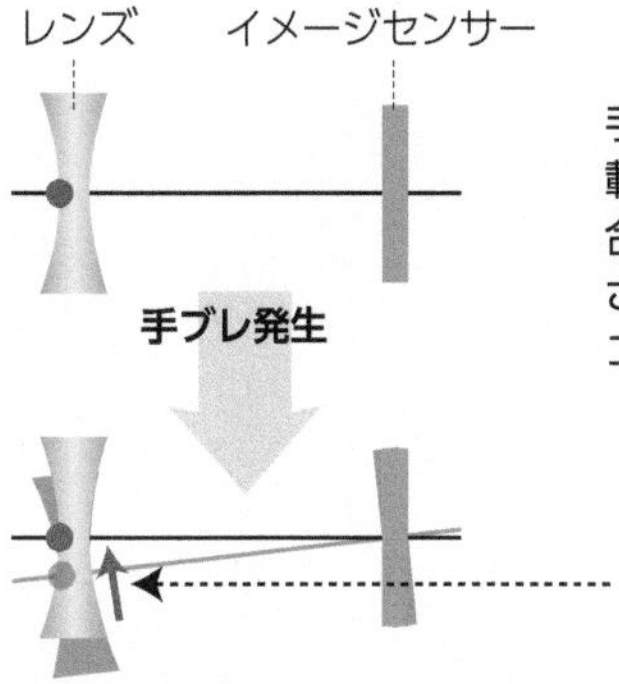

手ブレ補正機構がレンズ側に搭載されている。カメラのブレに合わせて補正用のレンズを作動させ、手ブレを軽減させる。ニコンなどが採用している方式。

イメージセンサーシフト方式

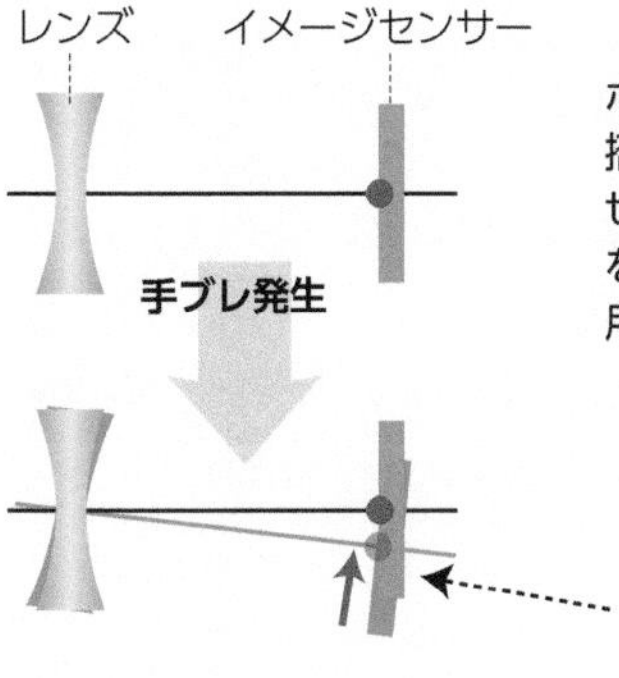

ボディー側に手ブレ補正機構が搭載されている。手ブレに合わせて撮像素子を動かし、手ブレを軽減させる。ソニーなどが利用している方式 。

心者でも「シャッターを押すだけ」できれいな写真が撮れるようになった。特に、望遠レンズを利用するときには手ブレが起こりやすいため、高倍率でカメラを利用する場合にはありがたい機能だ。

手ブレ補正の代表的な方式には、**レンズシフト方式とイメージセンサーシフト方式がある。**「レンズシフト方式」は**手ブレ補正機構がレンズ側に搭載《とうさい》**されている。カメラのブレに合わせて補正用レンズを作動させ、手ブレを軽減させる。ニコンなどが採用している。一方、「イメージセンサーシフト方式」は**ボディー側に手ブレ補正機構が搭載**されている。手ブレに合わせて撮像素子を動かし、手ブレを軽減させる方式で、ソニーなどが採用している。

手ブレ防止機能の実現には、センサーが重要。その情報をもとにレンズや撮像素子を動かすのだ。このセンサーとして「ジャイロセンサー」が主要な役割を担う。左ページ上図のように、**手ブレはカメラの回転として感知される**からだ。このジャイロセンサーの小型化が手ブレ防止機能の実現を可能にしたといっても過言ではない。左ページ下図は、村田製作所がつくる振動ジャイロセンサーのしくみ。振動する物体が回転すると慣性力（コリオリの力）が働く。これを検知することで回転速度を検出しているのだ。

ジャイロセンサーの原理

手ブレは上下(ピッチ)と左右(ヨー)の回転の動きに分けられる。下図は、左右の回転(ヨー)を検知するジャイロセンサーの原理図である。あらかじめ振動しているセンサーの中の物体mに回転は慣性力(コリオリの力)を与え、振動を変化させる。この変化を電気信号に変換するのがジャイロセンサーだ。

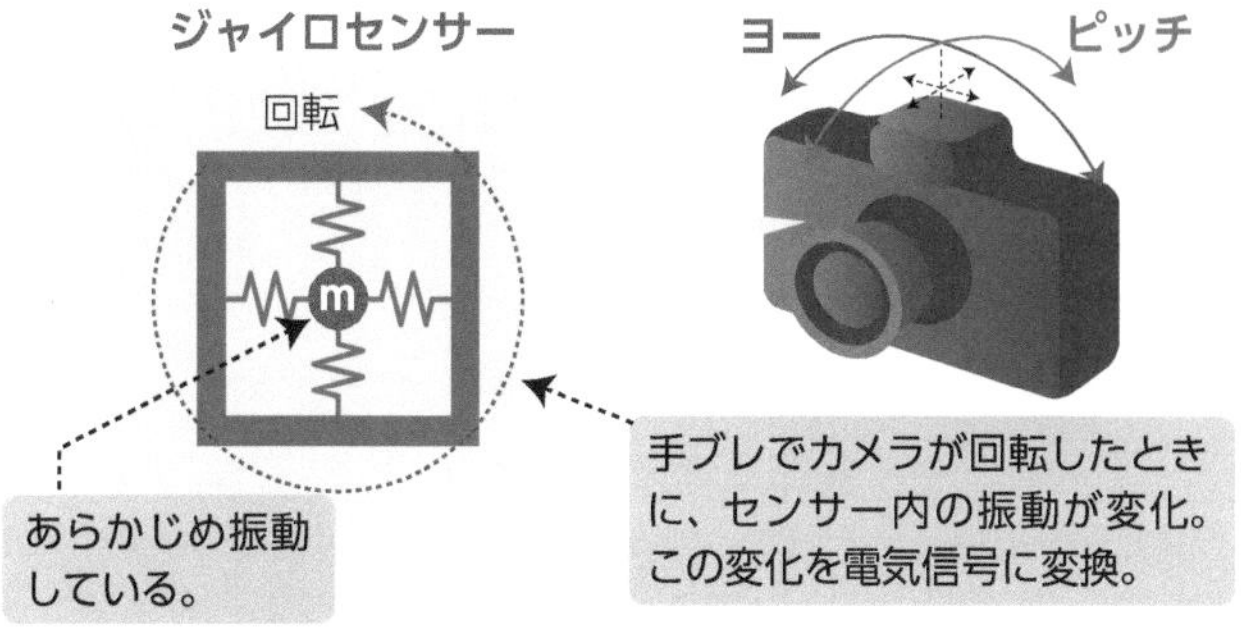
ジャイロセンサー
回転
m
あらかじめ振動している。
ヨー
ピッチ
手ブレでカメラが回転したときに、センサー内の振動が変化。この変化を電気信号に変換。

実際のジャイロセンサー

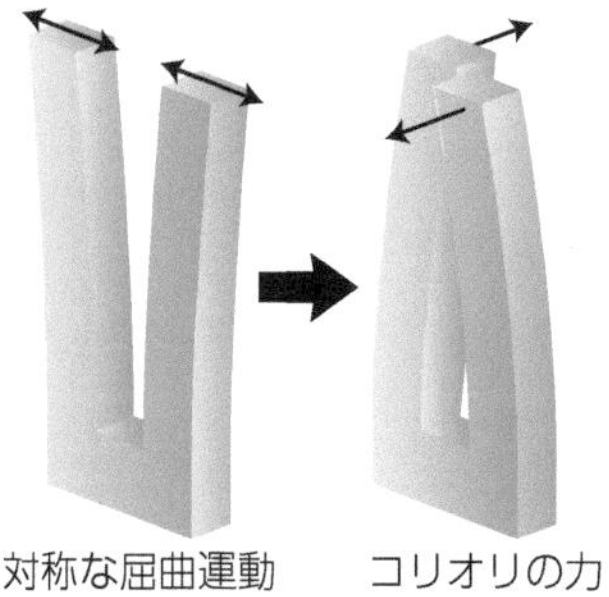
対称な屈曲運動
コリオリの力

上図の物体mとバネの役割は、音叉のようにカットされた水晶が担う。水晶は圧電素子で、電気を与えると振動し、力が加わると電気が生まれる。そこで、あらかじめ電気を与えて対称な屈曲運動をさせておく。手ブレはこの振動に変化を生む。これを電気信号で取り出すのである。

Column

コンセントの穴の大きさが異なる理由

意外と気にされていないが、コンセントの左右２つの穴の大きさは異なっている。よく見ると、左側のほうが大きいのだ。

穴の大きさが違うのは、アースされている側と、そうでない側とを区別するためである。大きな穴のほうがアースされている側である。電気工事の人はこれをもとにアース作業ができる。

「アースされている」とは電線が大地につながっていることをいう。実際、電柱から家庭に来る配電線は２本がペアになっているが、そのうち片方はアースされているのだ。したがって、仮に大きい穴のほうだけに指を差し込んだとしても（正しく工事がなされていれば）感電することはない。それに対して、小さい穴のほうに指を突っ込むと感電する（実際にはやらないように！）。

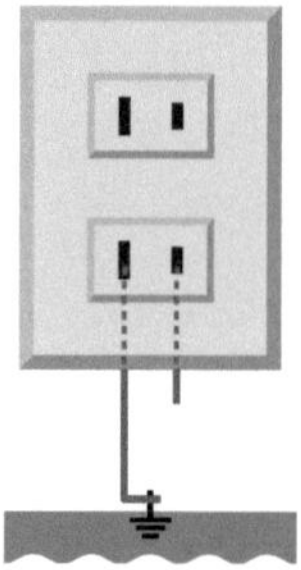

第3章

生活用品のすごい技術

リンスインシャンプーはなぜ、

シャンプーとリンスの効果が同時に得られるのか？

石けんやカップ麺など、

身のまわりの生活用品の技術を紹介しよう。

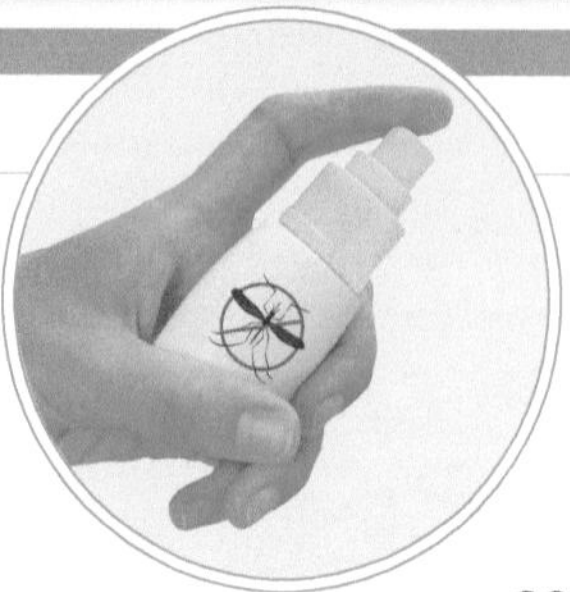

technology 033

殺虫剤

家庭用に市販される殺虫剤の多くにピレスロイドが用いられている。虫には効くが、人には無害という不思議な薬剤だ。

都市化が進んだためか、虫嫌いが増えているという。日本には毒蜘蛛《ぐも》などあまりいないのに、大きな蜘蛛が出ると家中が大騒ぎになる。その是非はともあれ、虫嫌いの救世主が殺虫剤だ。家庭用に限っても、多様なものが販売されている。

多くの家庭用殺虫剤の**主成分はピレスロイド系薬剤**だ。１８９０（明治23）年、現在の大日本除虫菊株式会社が蚊取《かと》り線香《せんこう》として売り出したのが最初である。当初は除虫菊《じょちゅうぎく》の成分を用いていたが、いまは化学的につくられる。この薬剤は多くの虫退治に効く。しかも、市販開始から1世紀を過ぎても薬害の報告がほとんどない。たいへんありがたい薬剤だ。

さて、この「ピレスロイド」、どのようにして虫を殺し、なぜ人には無害なのだろう。

「選択毒性」とは？

「選択毒性」とは、特定の生物だけに著しく作用する毒性。ピレスロイドは虫には毒だが、人にはほとんど毒性がない。

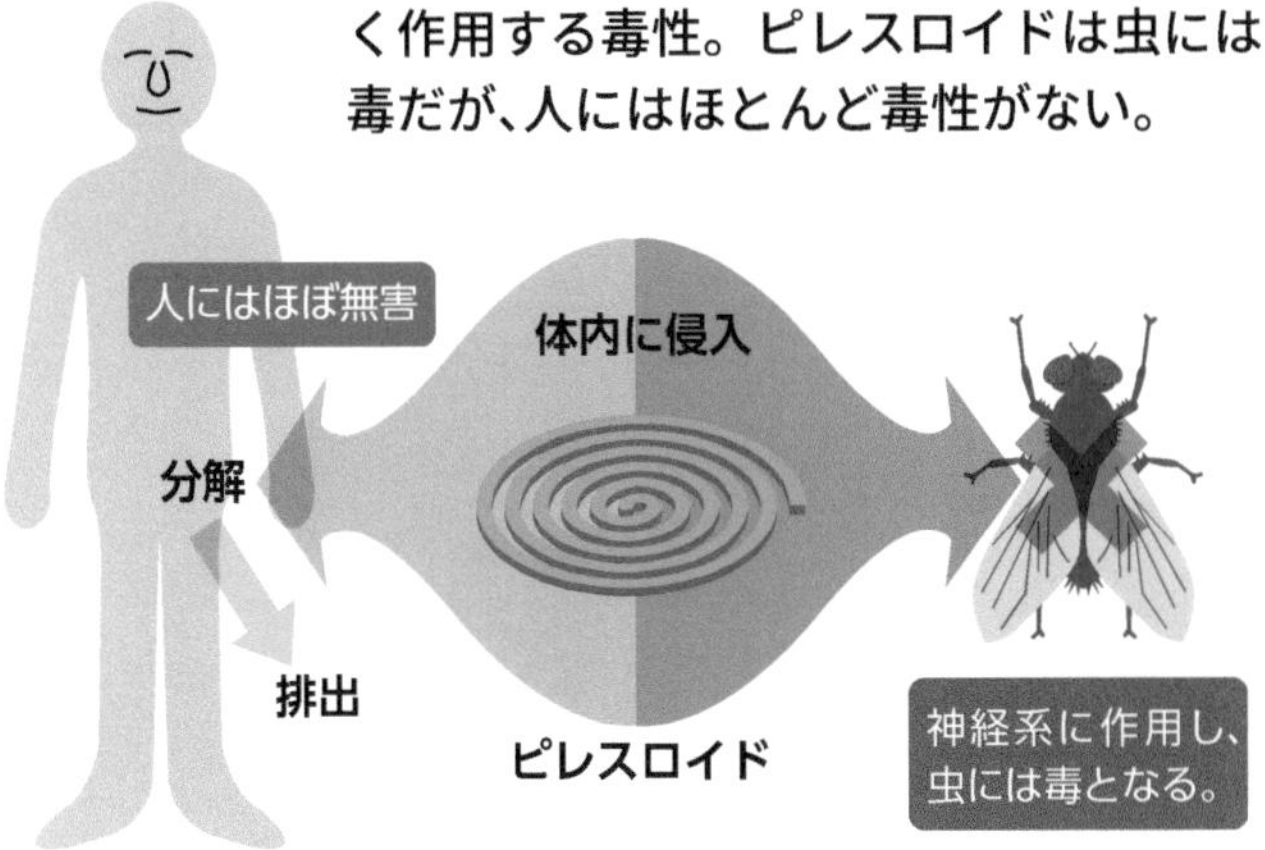
人にはほぼ無害
体内に侵入
分解
排出
ピレスロイド
神経系に作用し、虫には毒となる。

ピレスロイドが虫に効くしくみ

殺虫スプレーを噴射すると、ピレスロイドが虫の気門から直接体内に入る。少量でも神経に作用しマヒさせて虫を殺すのはこのためだ。

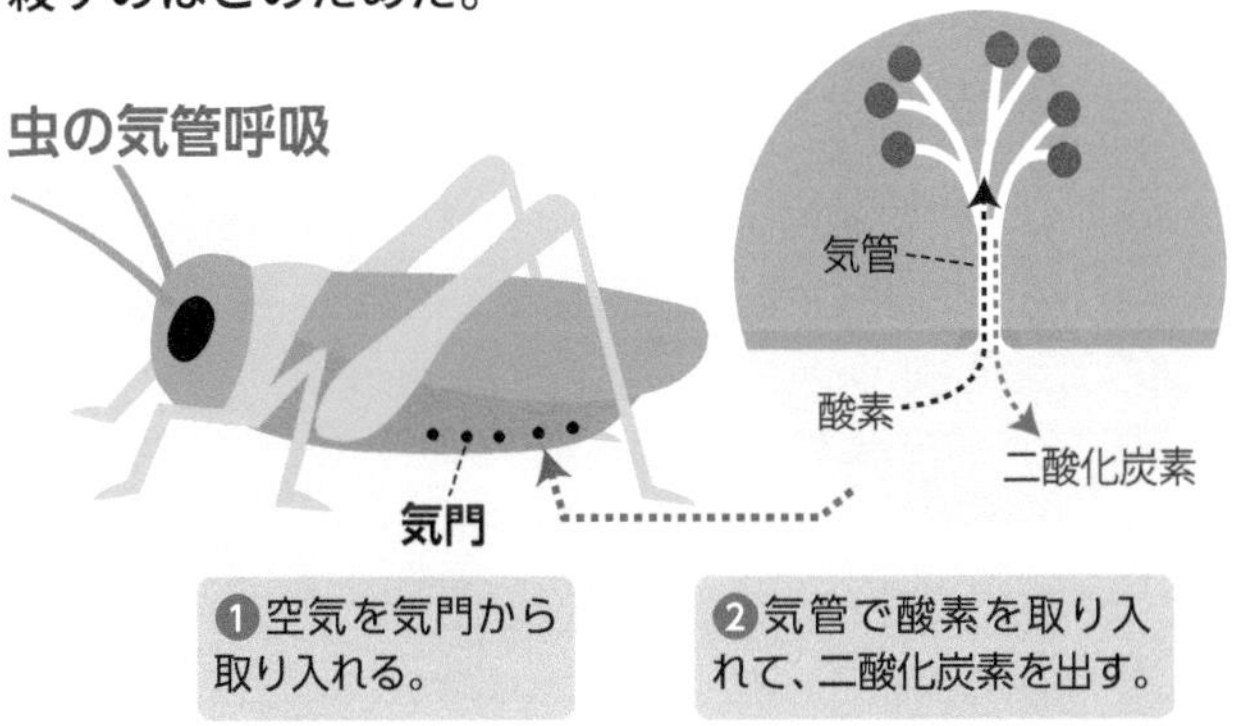
虫の気管呼吸
気管
酸素
二酸化炭素
気門
❶空気を気門から取り入れる。
❷気管で酸素を取り入れて、二酸化炭素を出す。

虫の場合、ピレスロイドは皮膚《ひふ》や口から入って**少量でも神経に作用し、マヒさせて殺す**。それに対して哺乳類・鳥類など恒温動物では、入ったピレスロイドは**すみやかに分解され、すぐに体外へ排出**されてしまう。虫には効くが人には無害という性質の秘密はここにある。このように、対象によって毒性の有無が異なる性質を「選択毒性」という。

ピレスロイドが昆虫によく効くというのは、昆虫の呼吸の仕方によるという。昆虫には胴の部分に気門《きもん》という穴があり、そこから空気が体内に入る。そして、**その空気は全身に張り巡らされた気管に取り込まれ、細胞に送られる**。人のように、血を媒介にして細胞に送られるのではない。ピレスロイドが虫の神経にすぐに作用するのはこのためだと考えられる。

ところで、殺虫剤の容器にはさまざまな形態がある。ここでは、おなじみのスプレー缶の構造を左ページ上図に示しておこう。捨てる際に「つぶして」「穴をあけて」などと面倒なことが要求されるが、その中を見ることはまずない。

殺虫剤と似て非なるものに虫よけスプレーがある。その**代表的な成分はディート**。害虫の多くは温度や湿度、ニオイなどから人を感知する。ディートはその**感知能力を攪乱《かくらん》し、迷惑行動を阻止する効果**を持っている。ただし、殺虫効果はない。

スプレー缶のしくみ

このしくみは、1927年にノルウェーで発明された。第二次世界大戦中に米軍が熱帯の国々で戦う中、蚊などの害虫対策としてスプレー缶が大量生産された。

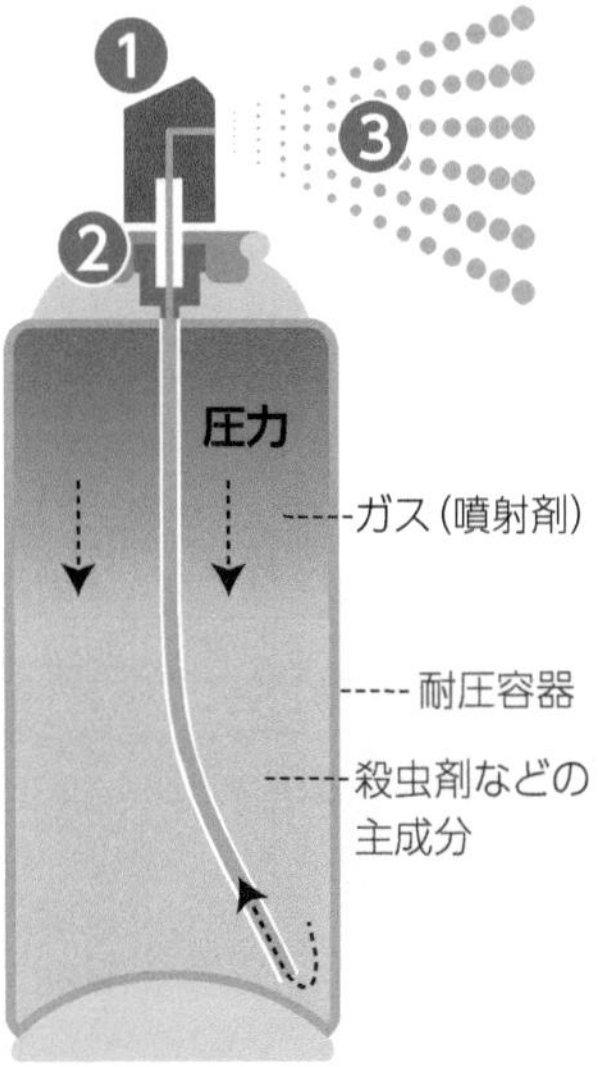
①
②
③
圧力
ガス（噴射剤）
耐圧容器
殺虫剤などの
主成分

❶ボタンを押す

❷バルブが開く

❸内容物がガスの圧力で霧状に噴射される

虫よけスプレーの主成分「ディート」

多くの虫よけスプレーの主成分は「ディート」。これは昔話「耳なし芳一」の「お経」のようなもの。塗られていないと、虫はそこを攻める。ディートに毒性はない。

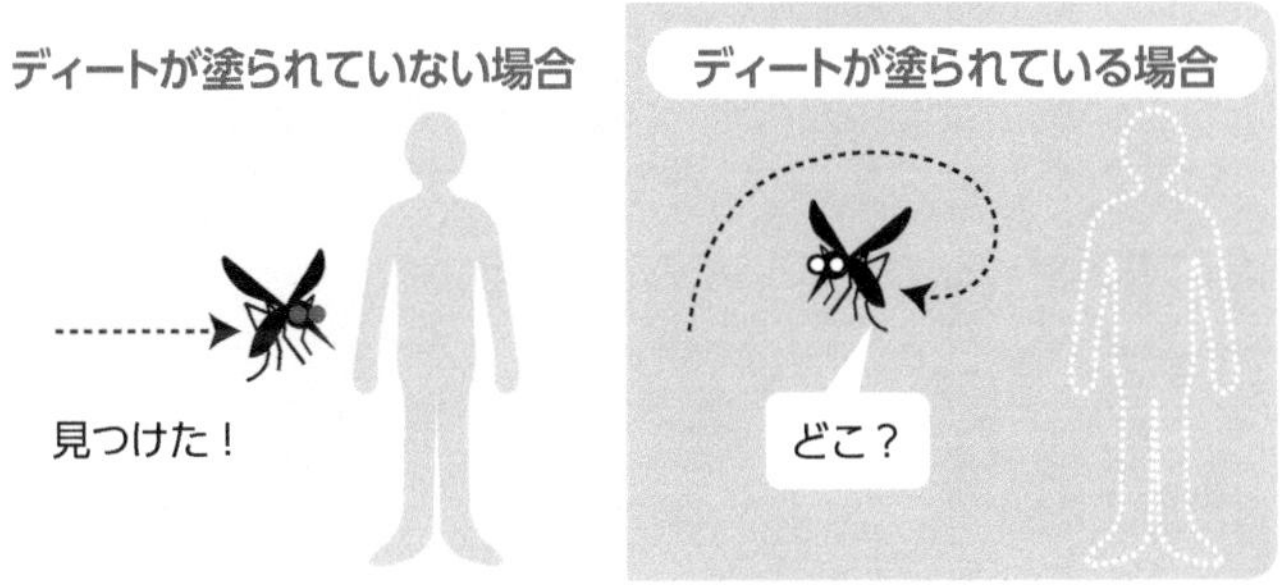
ディートが塗られていない場合
見つけた！
ディートが塗られている場合
どこ？

technology 034

無《む》洗《せん》米《まい》

研《と》がなくても、おいしいご飯が炊《た》ける「無洗米」。従来の米とどう違うのか。また、どのようにつくられているのか。

古来、日本人は習慣として、米を炊く前にまず研いでいた。しかし近年、研がなくてもいい無洗米が市販され、人気を博している。忙しい現代人にはたいへんありがたい商品だ。

無洗米の製法を理解するには、米が精米される過程を知っておく必要がある。まず、稲から刈り取られて脱穀《だっこく》された籾《もみ》から始めよう。籾から殻を剥《は》がし、中身を取り出すことを「籾摺《す》り」と呼ぶ。取り出された中身が玄米《げんまい》だ。玄米は栄養価が高く、そのままでも炊いて食べられるが、**通常はさらに表面から糠《ぬか》を剝がして白米《はくまい》にする**。この過程を精米《せいまい》と呼ぶ。**この白米が米穀店やスーパーなどで売られるふつうの米**だ。

白米も、玄米と同様にそのまま炊いても食べられるが、白米に残っている糠成分（肌糠《はだぬか》）

精米過程と肌糠

籾から中身を取り出したものが玄米、それから糠(胚芽を含む)を剥がしたものが白米である。その白米に付着する肌糠を機械的に剥がしたものが無洗米だ。

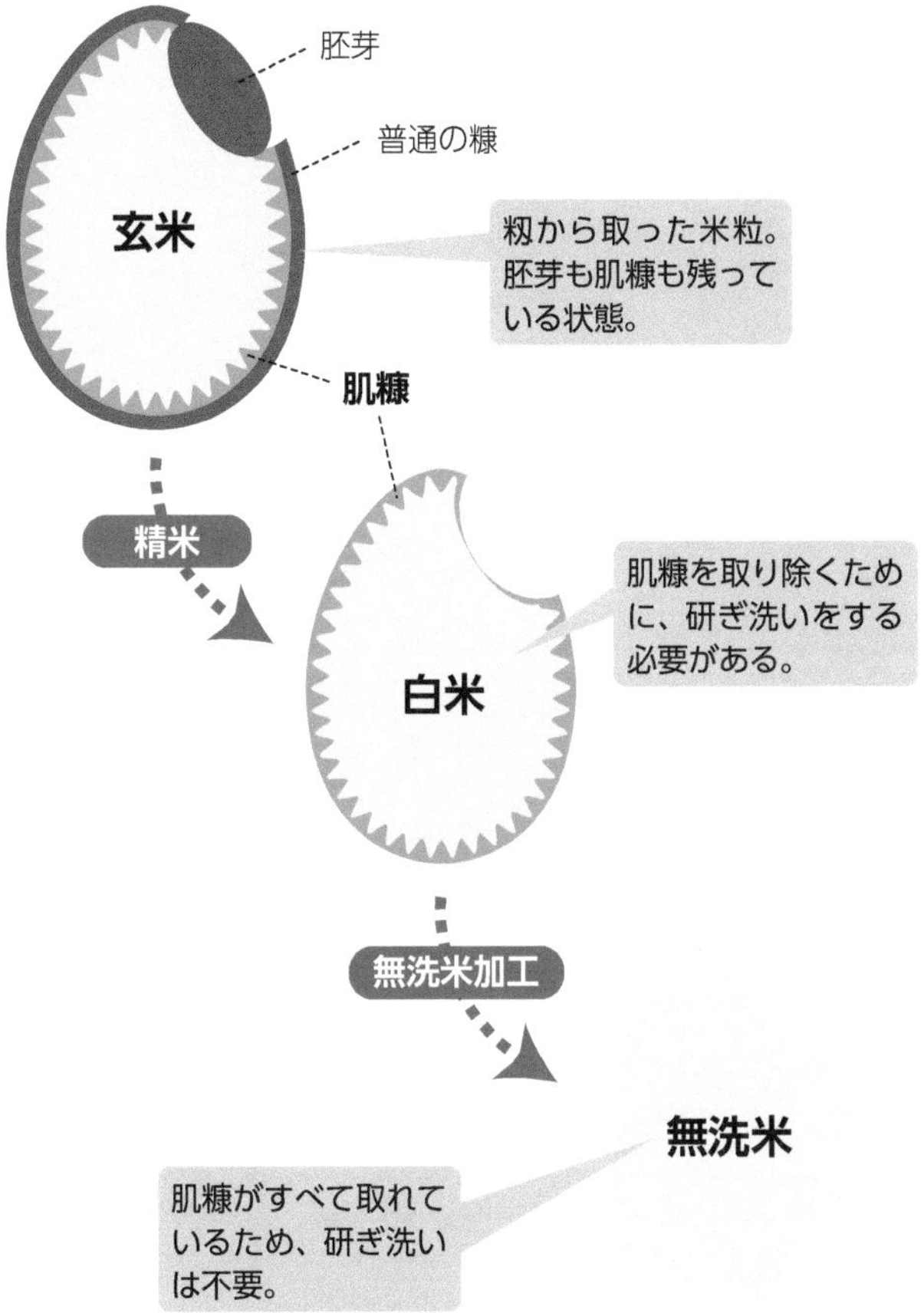
胚芽
普通の糠
玄米
籾から取った米粒。胚芽も肌糠も残っている状態。
肌糠
精米
白米
肌糠を取り除くために、研ぎ洗いをする必要がある。
無洗米加工
無洗米
肌糠がすべて取れているため、研ぎ洗いは不要。

を剝がすとさらにおいしく炊けるようになる。この**「肌糠剝がし」**の過程が**「米を研ぐ」という行為**なのである。無洗米は、白米に着いた**肌糠をあらかじめ剝がしておく**ことで、私たちが「米を研ぐ」手間を省いてくれているのだ。では、どうやって剝がすのだろうか。

いくつもの方法が開発されているが、ここでは大きなシェアを占めている「BG精米製法」を紹介しよう。これは糠で糠を削り取る方法で、**「糠と糠、そして糠と金属が付着しやすい」という性質**を巧みに利用している。

しくみはそれほど複雑ではない。白米をステンレス製の筒内に入れて攪拌《かくはん》しているのだ。白米が攪拌されると、肌糠がステンレス壁に付着する。この付着した肌糠にほかの米粒の肌糠が次々と付着し、ほとんどの肌糠が米から分離されるのである。

ちなみに、玄米を白米にする精米機も似たしくみを利用している。精米機の中で玄米同士をすり合わせ、その摩擦《まさつ》で糠をこすり取っているのだ。

無洗米というネーミングに「米は『研ぐ』ものであって『洗う』ものではない」と異議を唱える人も多い。現在では、「米を洗う」と言う人も増えており、どちらを使っても許されるようだ。

無洗米機の一例

白米をステンレス製の筒内に入れて高速で攪拌すると、肌糠がステンレス壁に付着する。付着した肌糠に他の米粒の肌糠が次々と付着し、分離される。

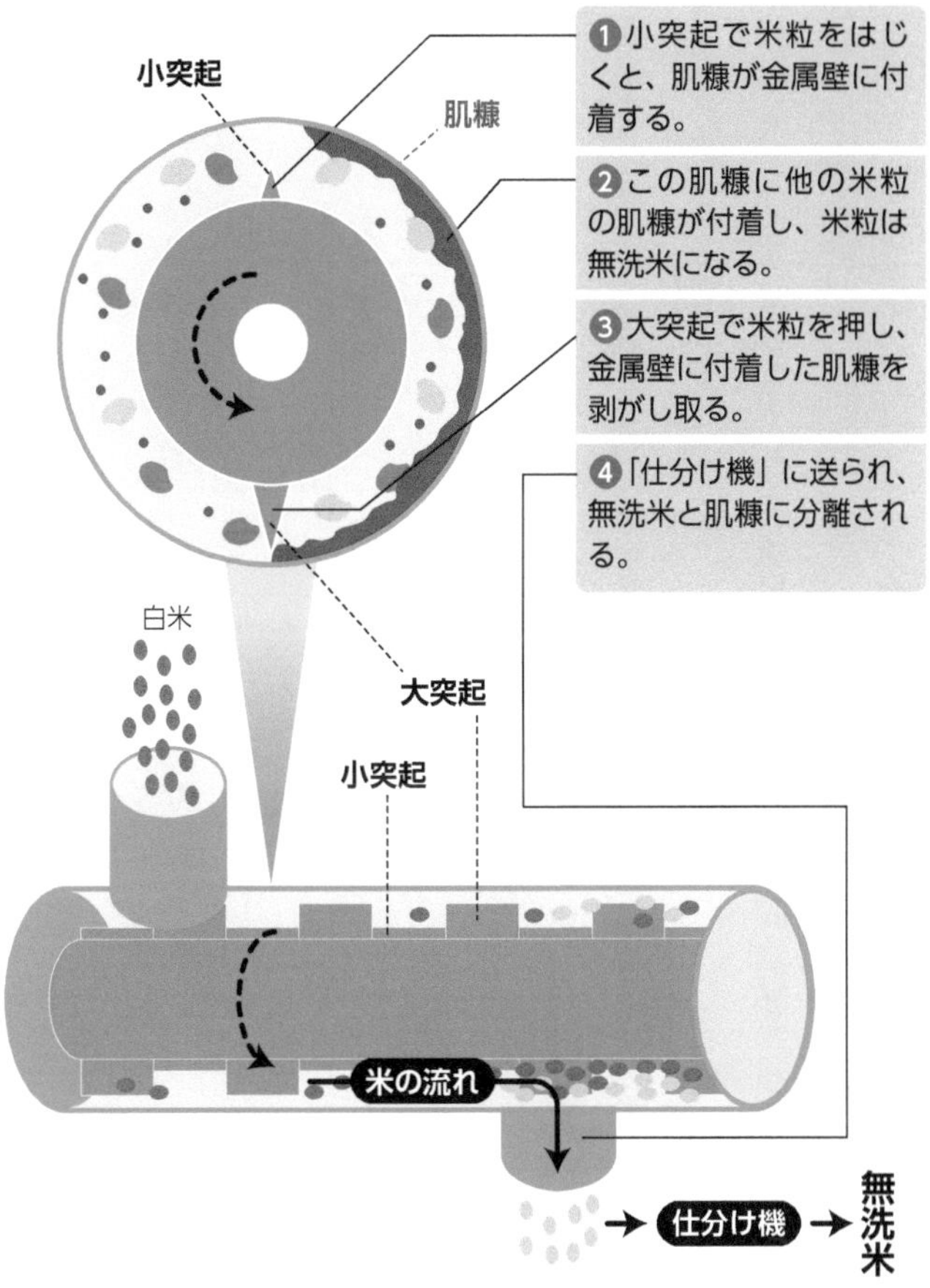
小突起
肌糠
❶小突起で米粒をはじくと、肌糠が金属壁に付着する。
❷この肌糠に他の米粒の肌糠が付着し、米粒は無洗米になる。
❸大突起で米粒を押し、金属壁に付着した肌糠を剥がし取る。
❹「仕分け機」に送られ、無洗米と肌糠に分離される。
白米
大突起
小突起
米の流れ
仕分け機
無洗米

technology 035

石けんと合成洗剤

石けんや合成洗剤は生活に欠かせないものだが、これらが汚れを落とすしくみを考えたことがある人は少ないだろう。

ふだん何気なく使っている石けんだが、どうして石けんは汚れを落とせるのだろう。その秘密は分子の不思議な構造にある。

石けんの分子は、マッチ棒のような形をしている。その**分子の片方は水に反発し、もう片方は水になじむ性質**がある。水に反発する側を疎水基《そすいき》、水となじむ側を親水基《しんすいき》と呼ぶが、この二つの基が共存する分子構造が重要なのである。

石けんの分子は水中でミセルと呼ばれる分子の集団になっている。**疎水基が水と反発するため、親水基を外側にして集まる**のだ。「頭隠して尻《しり》隠さず」という言葉があるが、石けんの分子はまさにその状態になっている。もっとも、図で表現するときには疎水基を棒、親水

石けん分子の構造

細長い形をしており、一方は水を嫌う性質（疎水性）、もう一方は水を好む性質（親水性）がある。一般的に、このような分子構造を持つ物質を界面活性剤という。親水基は電気を帯びている。

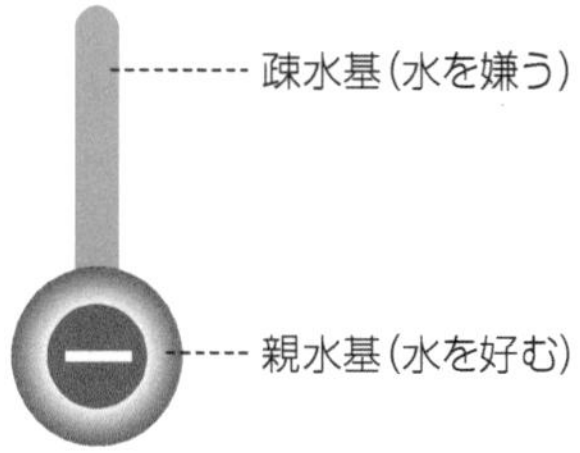

石けん分子は水中で円陣をつくる

石けんの分子はミセルと呼ばれる状態で水中に存在する。疎水基が水嫌いだからである。石けんの疎水基ができるだけ水に触れたくないから円陣をつくるのである。

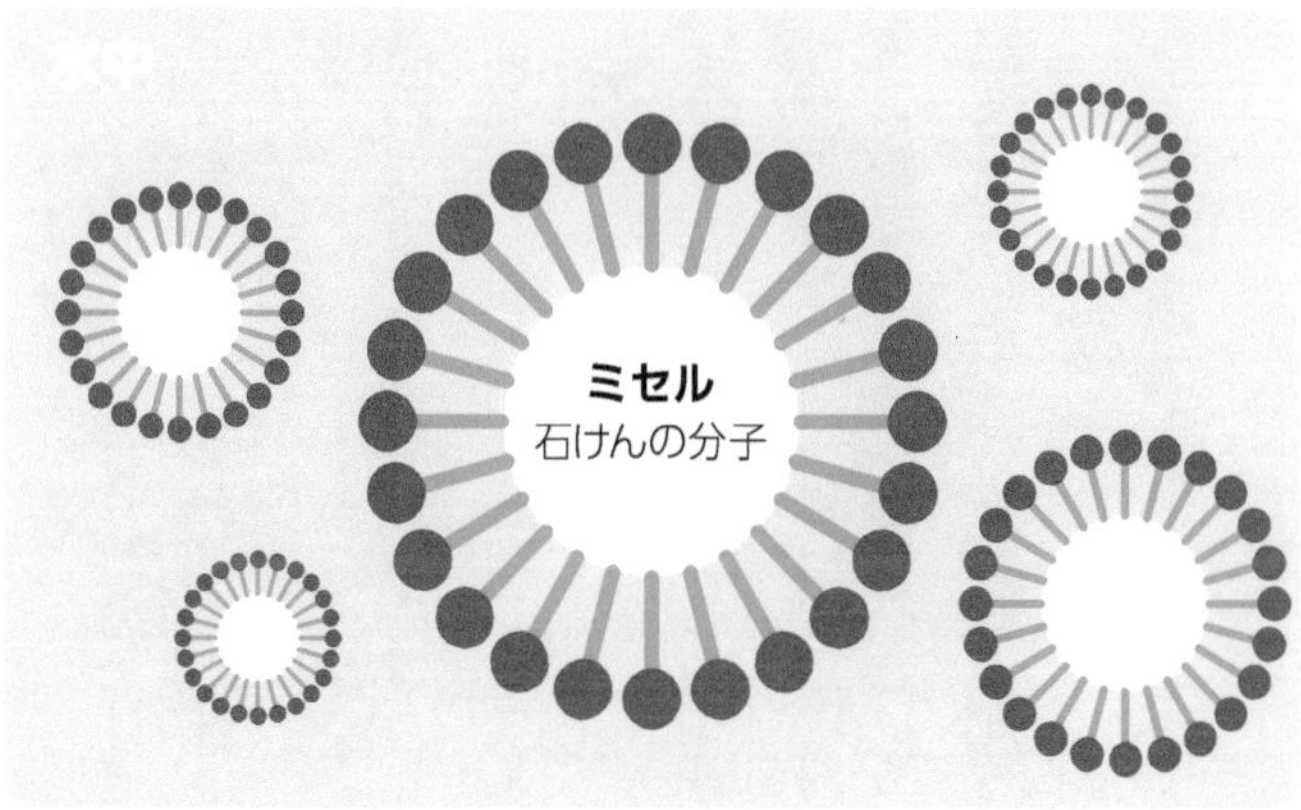

基を丸で表現するので、「尻隠して頭隠さず」となるが……。

ここに油を入れてかき回すと、どうなるだろう。ミセルを形づくっていた石けん分子はバラバラになるが、再び疎水基の隠れ場所を探そうとする。この新たな隠れ場所が、水に溶けない油である。**油も疎水性**なのだ。

石けん分子の疎水基は、**親しい関係にある油の表面を取り囲む**。油は石けん分子にびっしりと覆《おお》われるが、外側は親水基。つまり、水に溶けるのだ。油が水に溶け出す秘密はここにある（これを乳化《にゅうか》という）。水ですすげば、油が洗い落とせることになる。

以上が石けんで油汚れが落ちるしくみである。親水基と疎水基が両端《りょうたん》に並んでいる分子構造が本質的な意味を持つ。この構造を持つことで、石けんは油汚れを落とせるのである。石けん分子のように、**親水基と疎水基をあわせ持つ分子からできた物質を、界面活性剤《かいめん》という**。

石けんは植物油脂からつくられるが、分子構造が判明している現在、これを石油から化学的に合成することができる。それが合成洗剤だ。

また、洗剤以外にも、界面活性剤は静電《せいでん》防止剤や柔軟《じゅうなん》剤など、生活のさまざまなところで利用されている。

洗浄のしくみ

洗濯槽に入れた洗剤が、布に着いた油汚れを取るしくみを見てみよう。

❶

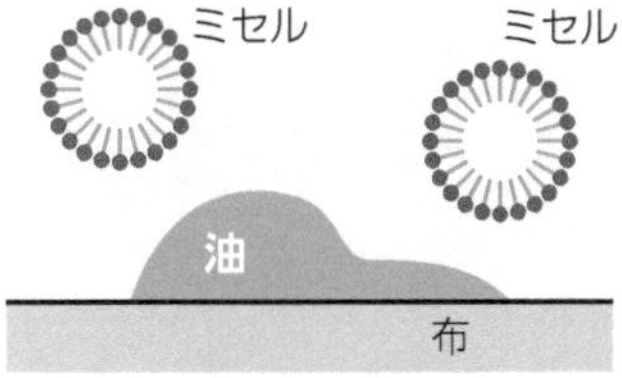

洗濯槽に洗剤を入れる。水の中で、石けん分子はミセルの形になっている。

❷

攪拌するとミセルはバラバラになるが、石けん分子は水の嫌いな疎水基を油に突っ込ませることになる。

❸

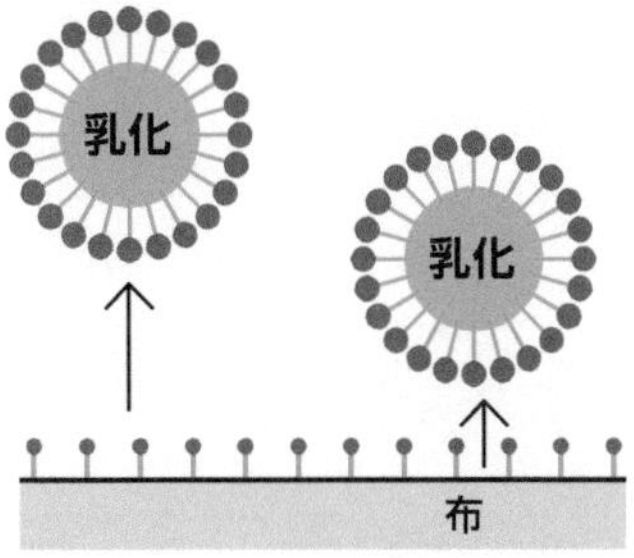

油は石けん分子に取り囲まれた団子になる。表面は水に親しい親水基に覆われているため、団子は水の中に溶け出す。これが「乳化」である。

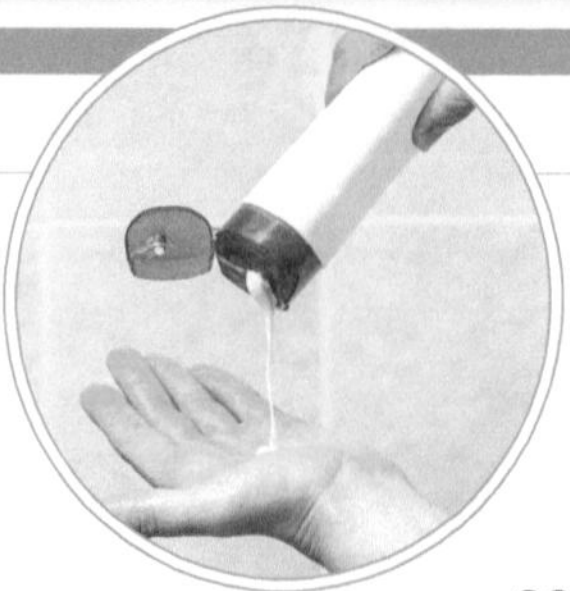

technology 036

リンスインシャンプー

忙しいときには入浴の時間を節約したいこともある。そんなときに便利なのが、リンスインシャンプーだ。

リンスインシャンプーとは、リンスの効能をあわせ持ったシャンプーである。シャンプーは髪から脂《あぶら》汚れを取るもので、髪をパサパサにする性質がある。それに対してリンスは髪に潤いを与えてくれる。この**相矛盾する性質を一つのボトルで実現するリンスインシャンプー**とは、どのようなものなのだろう。

本論に入る前に、まずはふつうのシャンプーとリンスのしくみを調べよう。シャンプーは石けん（154ページ）と同様に、**親水基《しんすいき》と疎水基《そすいき》をあわせ持つ分子**から成り立つ。油汚れに対して疎水基を突っ込み、親水基で表面を覆《おお》って、水で洗い落とせるようにするのだ。

リンスも基本的に石けんと同一構造である。違うのは、親水基の電荷《でんか》である。水中におい

ふつうのシャンプーとリンスの分子

似た構造だが、電気の帯び方が異なる。また、リンスの分子はシャンプーの分子よりも長い。

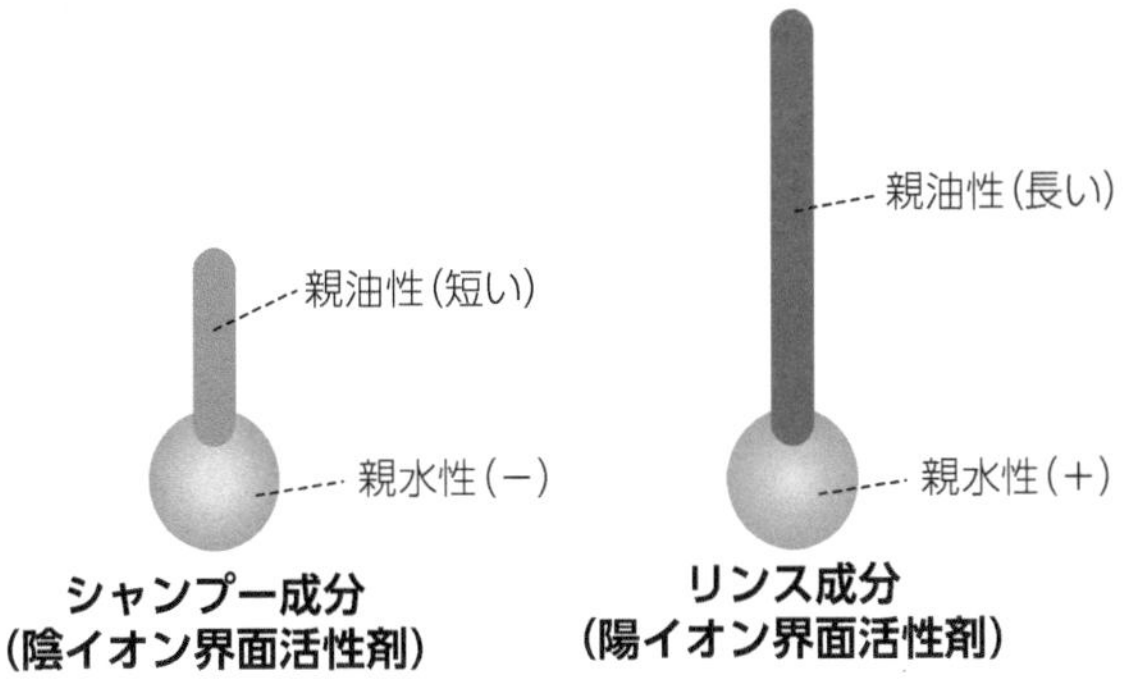
親油性（短い）
親水性（－）
シャンプー成分
（陰イオン界面活性剤）
親油性（長い）
親水性（＋）
リンス成分
（陽イオン界面活性剤）

ふつうのリンスのしくみ

髪にとりついたリンス分子は髪がもつれるのを防ぎ、サラサラ感、しっとり感を出してくれる。

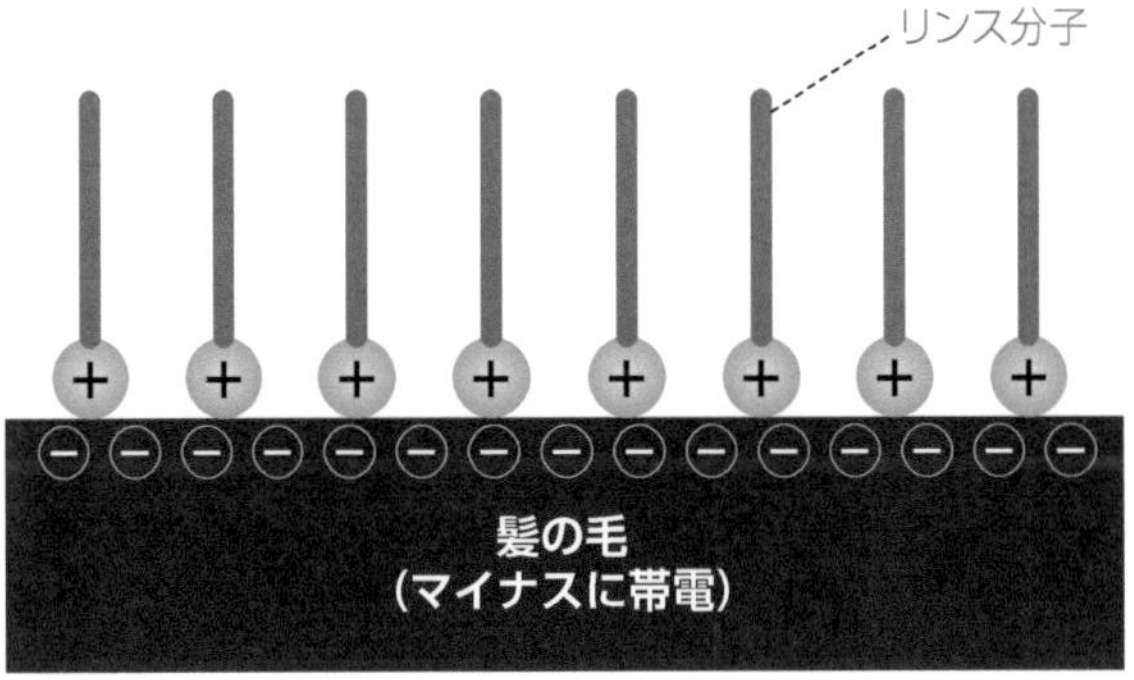
リンス分子
髪の毛
（マイナスに帯電）

て、**石けんの親水基がマイナスなのに対して、リンスはプラス**なのである。そのため、シャンプー後にリンスを利用すると、マイナスの電気を帯びている髪の毛にまとわりつき、しっとり感を出すのである。また、リンスは長い疎水基を持つため、髪がまとわりつくのを防ぎ、髪のサラサラ感を演出してくれる。

以上がシャンプーとリンスのしくみだ。しかし、これらを単純に混ぜてはシャンプーとリンス成分のプラスとマイナスが打ち消し合って元も子もなくなってしまう。そこで、リンスインシャンプーには工夫が必要なのである。

代表的なのが、**リンス成分として陽イオン性ポリマーを利用する方法**である。陽イオン性ポリマーは、陽イオンをところどころに配した長い紐《ひも》のような分子である。原液中では、リンスの陽イオンとシャンプーの陰《いん》イオンが結合している。水に解かれると分解し、小ぶりのシャンプー分子がまず先兵となって髪の汚れを落とす。髪をすすいだ後には、マイナスの電気を持つ髪に**プラスの電気を持ったリンス成分が取りつき、リンス効果を発揮**するのだ。

忙しい現代人には便利なリンスインシャンプーだが、シャンプーとリンスを別々に使うほどの効果は得られにくい。応急的に利用するといいだろう。

リンスインシャンプーの分子

リンスインシャンプーのリンス分子は、通常のリンスよりも長いもの(ポリマー)を利用する。

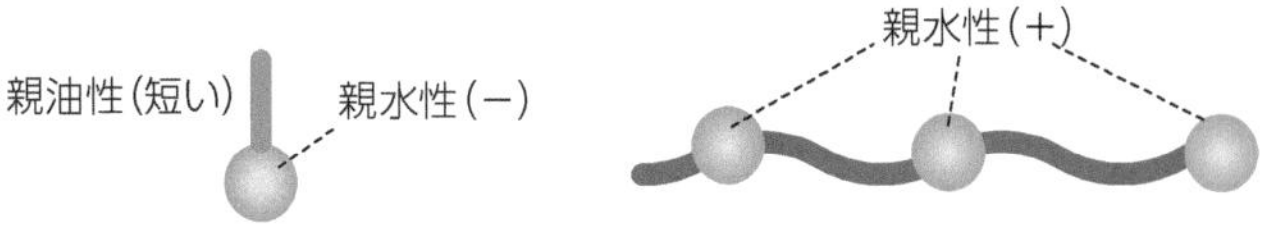
親油性(短い)
親水性(−)
親水性(+)

シャンプー成分
(陰イオン界面活性剤)

リンス成分
(陽イオン界面活性剤)

リンスインシャンプーのしくみ

汚れを落とすシャンプー効果と、しっとり感やさらさら感を出すリンス。2つの効果が得られる不思議なしくみを解明しよう。

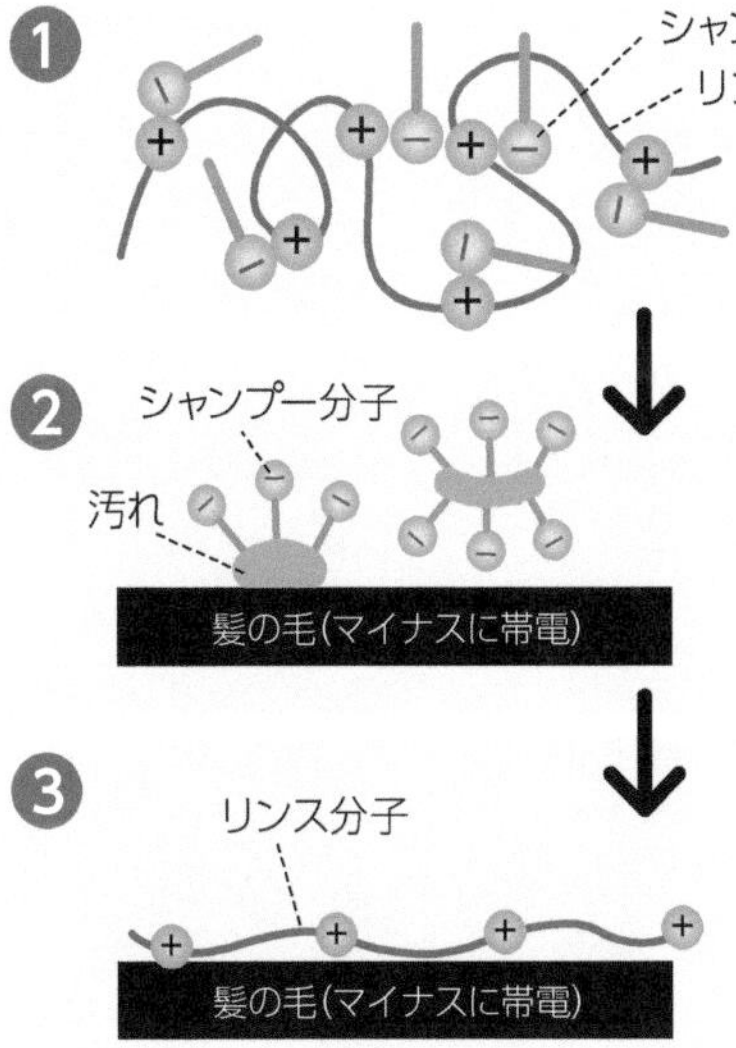
❶
シャンプー分子
リンス分子
❷
シャンプー分子
汚れ
髪の毛(マイナスに帯電)
❸
リンス分子
髪の毛(マイナスに帯電)

容器中。リンス成分は紐のようになって、シャンプー成分とくっついている。

洗っているときには、身軽なシャンプー分子が真っ先に汚れを取り囲み、水に溶かし出す。

すすぐときには、電気的に髪にとりついたリンス分子が残り、リンス効果を発揮する。

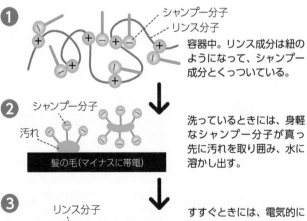

technology 037

抗菌グッズ

抗菌グッズが世の中に氾濫《はんらん》している。抗菌タオル、抗菌歯ブラシなど挙げればきりがないが、そもそも抗菌とはなんだろう。

抗菌グッズが人気だ。サニタリー用品、衣類、文具など、身のまわりのほとんどを抗菌グッズで揃《そろ》えられるほど品数は豊富だが、本当に菌の繁殖を抑える力があるのだろうか。

抗菌に類する言葉に「殺菌」「滅菌」「除菌」がある。これらには**菌を積極的に殺すという意味**がある。一方、**「抗菌」の意味は少し異なる。**

経済産業省の「抗菌加工製品ガイドライン」によると、「抗菌加工した当該《とうがい》製品の表面における細菌の増殖を抑制すること」を「抗菌」と定義している。したがって、「抗菌」と表示されていても、殺菌や滅菌の効果は期待できない。あくまで、抗菌加工を行なった製品表面での**「細菌の増殖を抑える効果」**が期待された製品なのである。

抗菌剤で抗菌加工した繊維の例

繊維の上に「バインダー」と呼ばれるコーティングを施し、それに抗菌剤を付着させる。

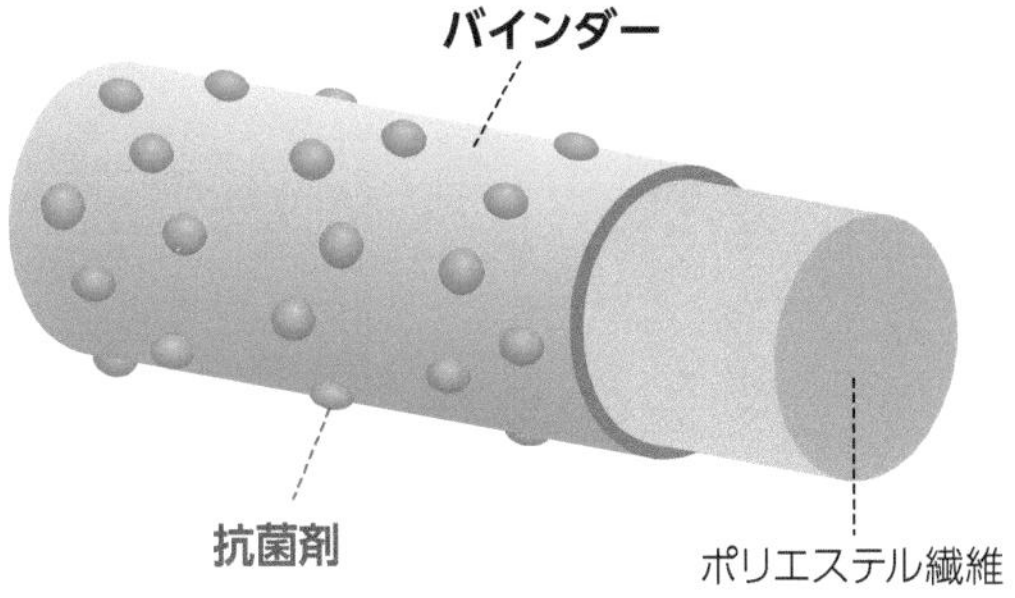

「銅」が細菌を除去する

大腸菌の「O157」を培養させる実験をすると、銅片を置いたところだけ菌が増殖していないことがわかる。

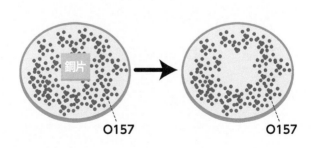

抗菌グッズは、抗菌作用のある物質を素材に練り込んだり、化学反応で結合させたりすることで製造されている。抗菌剤を用いる方法と金属を用いる方法が有名だ。抗菌剤は**細菌の生命機能を乱したり破壊したりするもの**で、茶の成分のカテキンが有名である。金属を用いる方法では、銅や銀、チタンがよく利用される。**細菌にこれらの金属を嫌う性質があるから**だ。実際、10円玉から病気が感染したという話は聞かない。この性質を生かして、金属を直接に利用したり、その化合物やイオンを散りばめたりして抗菌作用を引き出すのである。

先述したように、抗菌とは「細菌の増殖を抑制する」ことである。しかし、さまざまな消費者センターがテストし、いくつかの製品は眉唾物《まゆつばもの》であるという結果が得られている。そこで、業界が自主的な基準をつくり、その基準に合致した抗菌作用を持つものにマークを付与《ふよ》している。**繊維《せんい》ではSEKマーク、繊維以外ではSIAAマーク**である。

一部の抗菌剤が有害であるという話も聞かれるが、こうしたマーク制度では機能性と安全性の両立が図られている。抗菌ブームは「不潔恐怖症」と呼ばれる現代人のヒステリーの現れともいわれる。かえって体によくない結果をおよぼすかもしれないので注意したい。抗菌関係の認証マークがついた製品を適切に使用するのも有用と考えられる。

金属で抗菌加工した繊維の例

繊維の中に酸化チタンを埋め込んで抗菌作用を持たせている。酸化チタンは光触媒作用で菌を殺す性質がある。

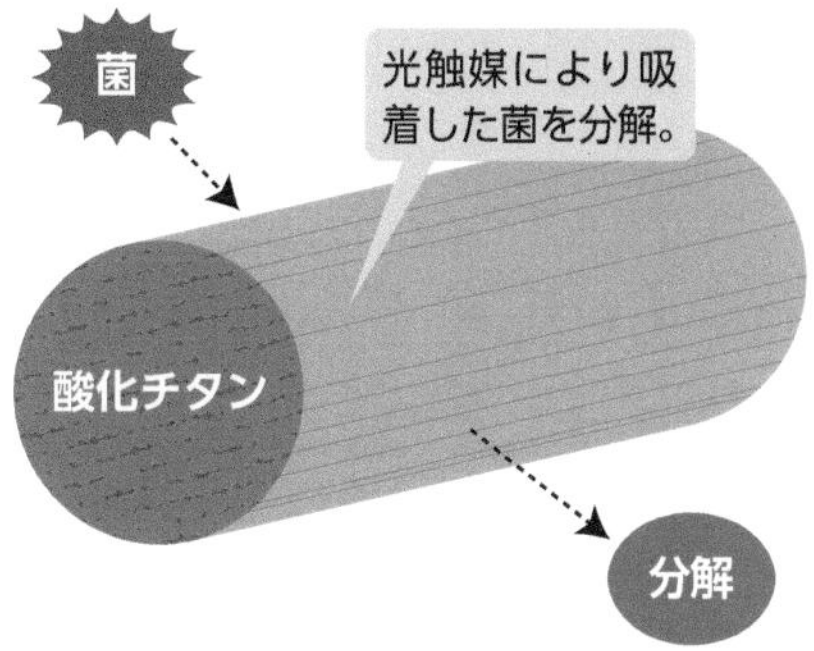

抗菌に関わる「製品認証マーク」

抗菌マークは業界が自主的に調べ、効果のあるものにつけることが許されている。繊維製品には「SEK」、それ以外は「SIAA」マークをつける。

繊維

SEK

抗菌防臭加工

※細菌の増殖制御・防臭効果を示す。

繊維以外

SIAA

ISO 22196

抗菌加工

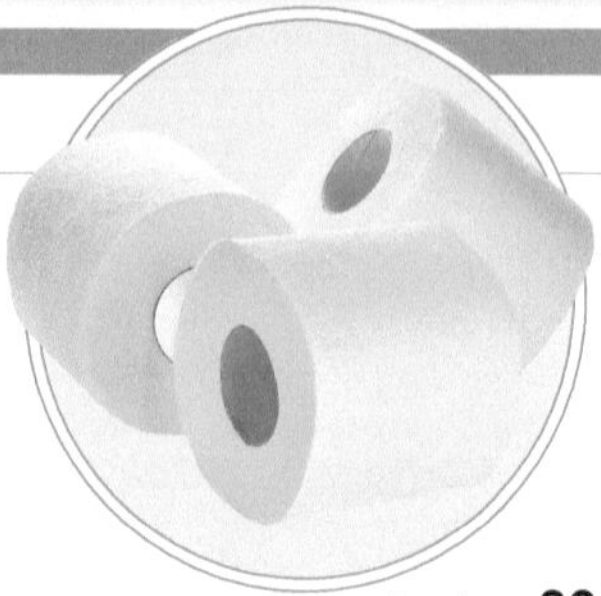

ティッシュペーパーとトイレットペーパー

トイレでは、ティッシュペーパーではなくトイレットペーパーを使う。原料はどちらも同じなのに、何が違うのだろうか。

ティッシュペーパーもトイレットペーパーも薄くて柔らかい紙だが、**トイレットペーパーは水に溶けやすく、ティッシュペーパーは水に溶けにくい**。紙が水に溶けるということは、食塩などが水に溶けるように溶けるのではなく、パルプ繊維《せんい》が水でばらけることを指す。

しかし、じつは材料は同じで、**パルプという木材からつくられた原料を使用しており、大まかなつくり方も同じ**だ。パルプには、マツやスギなど針葉樹からなるN材と、ユーカリやブナなど広葉樹からなるL材の2種類があり、N材が多いほど丈夫で固く、L材が多いほど柔らかくなる。ティッシュもトイレットペーパーも、この2種類を混ぜてつくられる。その後の製造段階で、それぞれの役割に応じた工夫が施《ほどこ》され、違いが現れるのである。

ティッシュペーパーが2枚重ねであるワケ

2枚重ねるメリットには、以下のようなものがある。

❶ 1枚の厚い紙よりも、2枚重ねたほうが柔らかくなる。

❷ 2枚の紙の間の空気層で水分を吸収する。

❸ 裏のザラザラしているほうを内側にすることで、肌に触れる外側がなめらかな面になる。

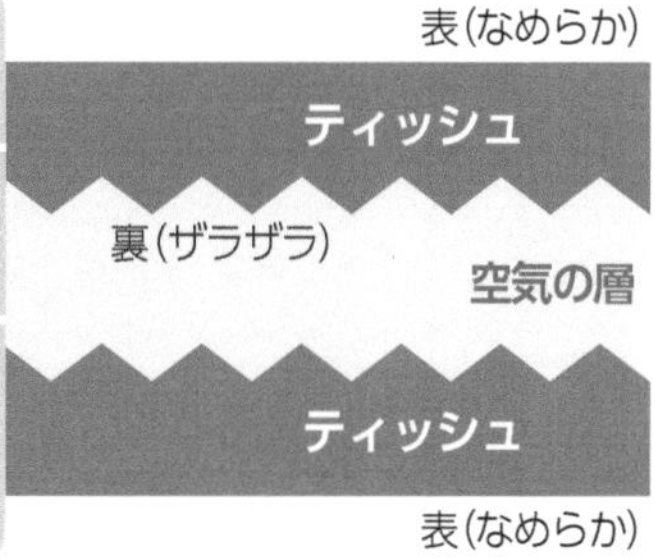
表(なめらか)
ティッシュ
裏(ザラザラ)
空気の層
ティッシュ
表(なめらか)

1枚ずつ取り出せるティッシュペーパーの工夫

段違いに重ねることで、1枚ずつ取り出せる。

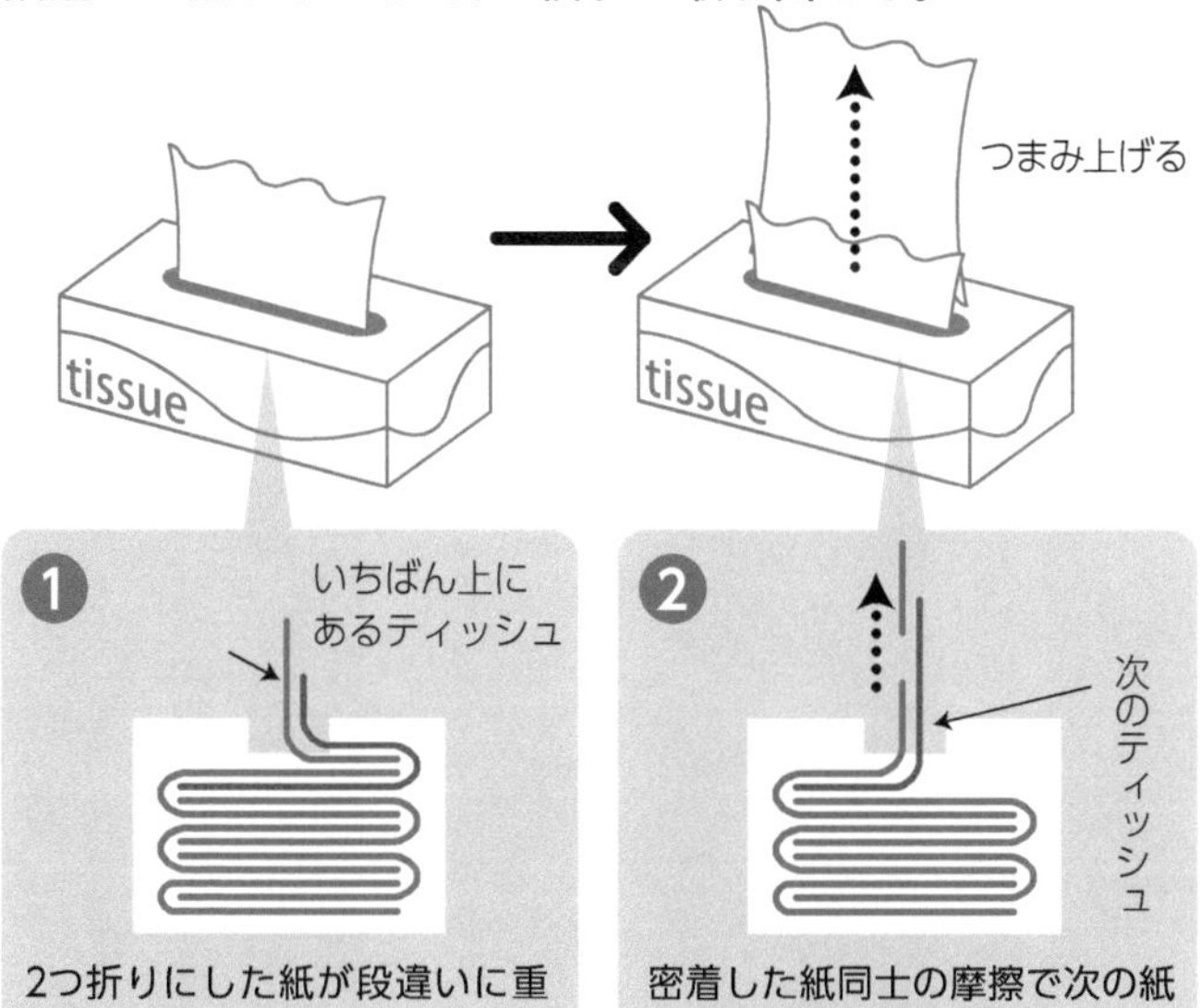
つまみ上げる
tissue
tissue
1
いちばん上にあるティッシュ
2
次のティッシュ

❶ 2つ折りにした紙が段違いに重なっている。

❷ 密着した紙同士の摩擦で次の紙が引き上げられる。

ティッシュペーパーには、鼻をかんだり、ちょっとした水を拭き取ったりしたときに破れにくいことが求められる。そこで、ティッシュペーパーを製造するときには、水に濡《ぬ》れても破れにくくするため、**紙の繊維と繊維のつながりを強くする湿潤紙力増強剤がパルプに混ぜられる**。この薬剤によってパルプ繊維が化学的に結合され、濡れても破れにくくなるのだ。

一方、トイレットペーパーは、トイレを詰まらせないため、水でほぐれやすいことが求められる。そこで製造するときには、**湿潤紙力増強剤のような薬剤は使わず**、水に入れて混ぜるとすぐにほぐれ、トイレにスムーズに流せるよう仕上げられている。ちなみに、トイレットペーパーは、ダブルよりシングルのほうが溶けて流れやすい。

トイレットペーパーのほぐれやすさは、日本工業規格（ＪＩＳ）で定められている。その基準は、水を回転させたビーカーの中に紙を入れ、紙の抵抗《ていこう》によりいったん水の回転が遅くなったあと、紙がほぐれて再び回転が速くなるまでの時間が１００秒以内であること。

ただし、日本のトイレットペーパーの多くは、トイレの水に流した場合、10秒ほどでバラバラになってしまうそうだ。また、海外製の安価なトイレットペーパーの中には水に溶けにくいものがあり、トイレを詰まらせる場合もある。

ティッシュペーパーとトイレットペーパー

似ているようで違う、両者の特徴を見てみよう。

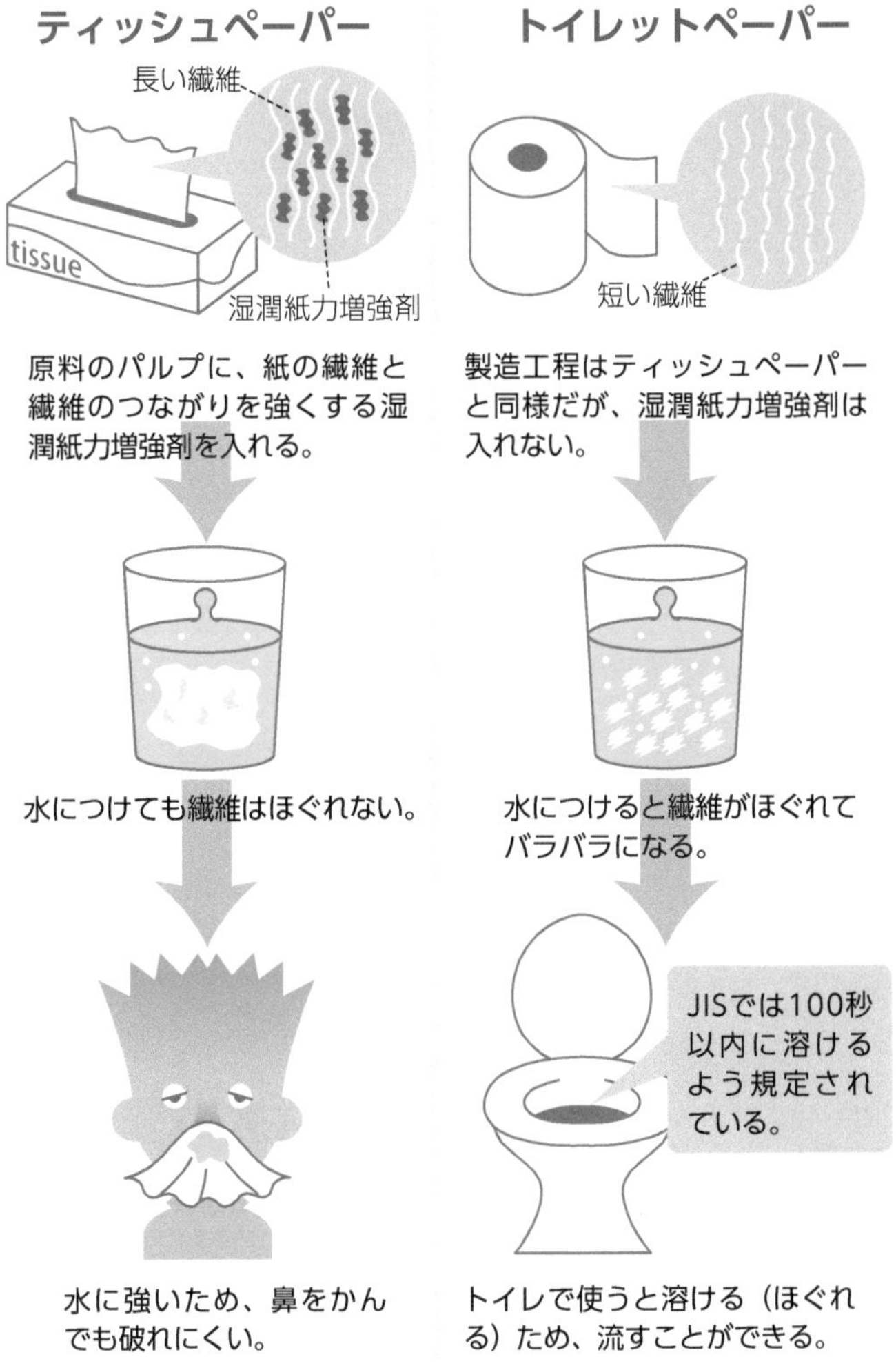
ティッシュペーパー
長い繊維
tissue
湿潤紙力増強剤
原料のパルプに、紙の繊維と繊維のつながりを強くする湿潤紙力増強剤を入れる。
水につけても繊維はほぐれない。
水に強いため、鼻をかんでも破れにくい。
トイレットペーパー
短い繊維
製造工程はティッシュペーパーと同様だが、湿潤紙力増強剤は入れない。
水につけると繊維がほぐれてバラバラになる。
JISでは100秒以内に溶けるよう規定されている。
トイレで使うと溶ける（ほぐれる）ため、流すことができる。

technology 039

食品用ラップ

食品を保存したり、電子レンジで温めたりするときに活躍するのが食品用ラップ。お皿とラップがピッタリとくっつくのはなぜだろう。

食品用ラップが食器にくっつくのは、おもに三つの力が作用しているためである。

一つには、物質の分子と分子が近接すると分子間の引力が働き、**お互いにくっつこうとする「ファンデルワールス力」**が作用していることが挙げられる。ファンデルワールス力は分子間力の一種で、分子と分子との間に働く弱い引力のこと。相互距離の7乗に反比例する。接する面積が大きいほど強く作用するが、ラップの表面はとても平らで面積が広いことから、この力がより強く働いている。

次に、家庭で使われている食品用ラップの多くは、ポリ塩化ビニリデンからできているが、この材料の約70パーセントは塩（塩化ナトリウム）由来である。ポリエチレンなどでできたラッ

ポリ塩化ビニリデンが空気を通さないワケ

酸素などが通りにくいのは、塩素原子が存在するからだ。

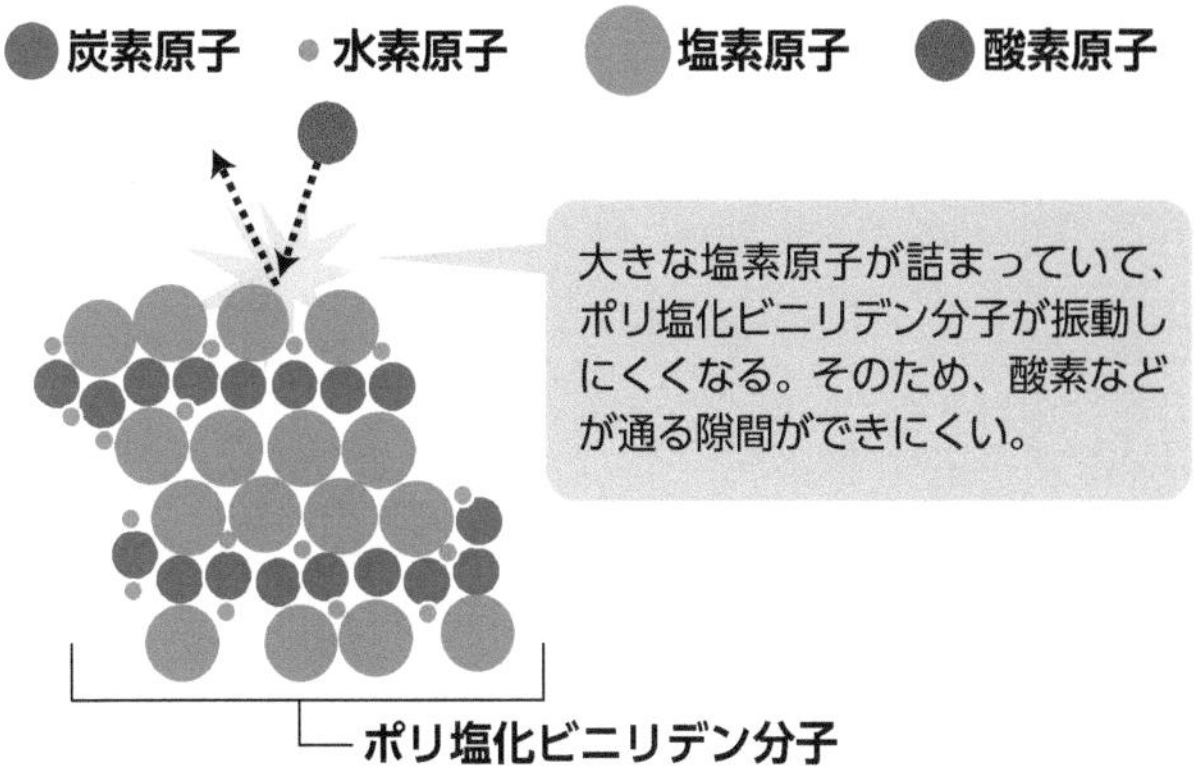
炭素原子
水素原子
塩素原子
酸素原子
大きな塩素原子が詰まっていて、ポリ塩化ビニリデン分子が振動しにくくなる。そのため、酸素などが通る隙間ができにくい。
ポリ塩化ビニリデン分子

くっつく理由は「ファンデルワールス力」

ファンデルワールス力は「くっつこうとする力」である。

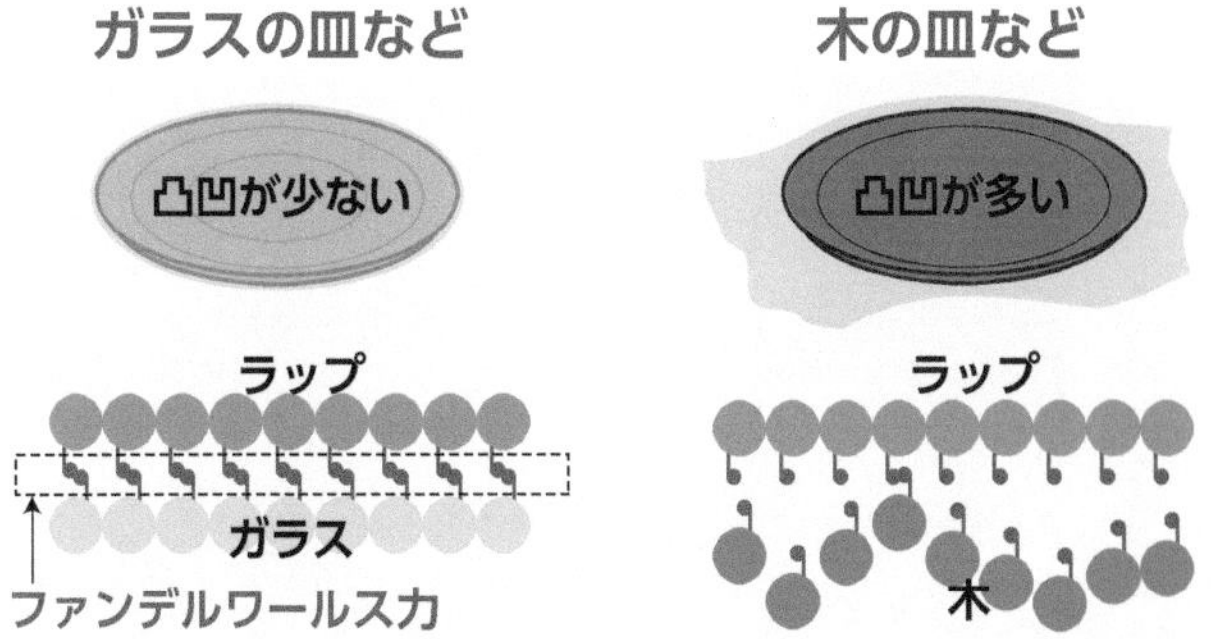
ガラスの皿など
凸凹が少ない
ラップ
ガラス
ファンデルワールス力
木の皿など
凸凹が多い
ラップ
木

ラップもガラスも凸凹が少ないため近づくことができる。そのためファンデルワールス力が強く働き、ぴったりとくっつきやすい。

つるつるに見えても表面を拡大すると凸凹している。そのため、近づくことができず、ファンデルワールス力があまり働かない。

プもあるが、ポリ塩化ビニリデンのほうがくっつく性質が強い。また、酸素や水分を通しにくく、食品の鮮度を保つという点でも、ポリ塩化ビニリデンは優《すぐ》れている。

塩には塩素という元素が含まれており、マイナスの電気を引き寄せやすい特性がある。その結果、**ラップの表面はマイナスの電気を帯び、プラスの電気を帯びる食器などと結びつこうとする「静電気《せいでんき》的結合」という現象**が起こっている。

最後に、**ラップの柔軟性によって生まれる減圧吸着の作用**も、食器にくっつく要因だ。減圧吸着とは、圧力の差によってものをくっつけること。吸盤がものにくっつくのもこの力が働いているためだ。

ラップのくっつきやすさには相性がある。ラップの表面には、人間がほとんど感じられない小さな粘り気があり、これが接着力を生むことに役立っている。

ガラスや陶磁器などにはぴったりくっつくのに対し、ステンレスや木製の食器にはくっつきにくくラップが受け流されてしまうのは、その表面積が原因とされる。一見、平らに見える食器でも、その表面を拡大してみるとじつは凸凹《でこぼこ》があり、**ラップと接触する面積が小さいために接着力を発揮できない**のだ。

食品用ラップの素材比較

ラップには種類がある。それぞれの特徴を見てみよう。

※数値は一般的な食品用ラップの例	**耐熱温度(℃)** 数字が大きいほうが耐熱性がある	**酸素透過度** 数字が小さいほうが酸素を通しにくい	**透湿度** 数字が小さいほうが水分を通しにくい
ポリ塩化ビニリデン製	140	592	12
ポリエチレン製	110	128,000	30
ポリ塩化ビニル製	130	148,000	150以上
ポリメチルペンテン製	180	494,000以上	150以上
ポリエチレン／ポリプロピレン製(多層)	150	197,000	45

食品用ラップの製造工程(インフレーション法)

ラップは、以下の❶～❹の手順でつくられる。

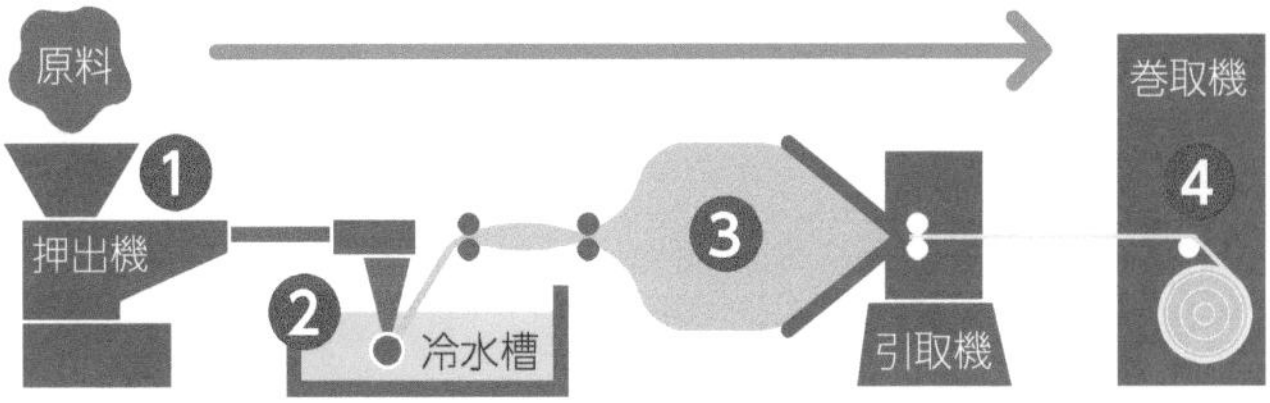

❶ 押出機で加熱溶解する。

❷ 円筒状に押出加工し、水槽で冷却。

❸ 再加熱して風船のように薄く引き延ばす。

❹ フィルムの形に巻き取る。

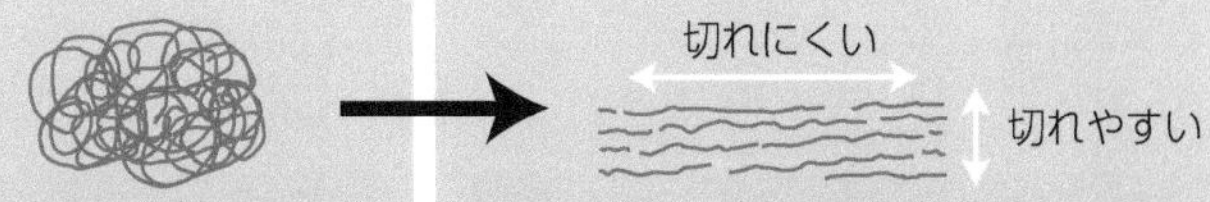

ポリ塩化ビニリデンの長い分子はもともと、糸鞠のようにからまり合っている。

膨らまされて引き延ばされると、長い分子がほどけて繊維状に並ぶ。この繊維に沿って切れやすくなるので、市販用ラップの箱についている「のこ刃」で簡単にカットできる。

technology 040

圧力鍋

ふつうの鍋の3分の1の時間で料理できる圧力鍋が人気だ。ガス代も節約できるし、味がよくしみておいしくなるのだ。

圧力鍋とは、文字どおり「圧力をかけて調理する鍋」のことである。調理時間を大幅に短縮できるだけでなく、ビタミンや素材の色を保て、おいしく料理できるので人気がある。圧力鍋の構造はいたってシンプル。鍋を密封する蓋《ふた》に小さな穴をあけ、その穴の閉じ具合をおもりやスプリングで調整する。**素材を入れて火にかけると鍋の内側の圧力は上昇し、この穴の調整加減で圧力は高く一定に保たれる。**例えば、家庭用の圧力鍋では、内部が2気圧程度になるように調整されている。ちなみに、1気圧とは平地で受ける大気の圧力である。

ではなぜ、圧力を高くすると調理時間が短縮されるのか。それは、**鍋の中の圧力が高いと水の沸騰《ふっとう》が抑えられ、高温調理が可能になるから**である。

おもり式とスプリング式

圧力鍋には「おもり式」と「スプリング式」がある。密閉する蓋の穴をふさぐのに、どれくらいの力を加えるかで、中の圧力が調整される。

圧力鍋の構造

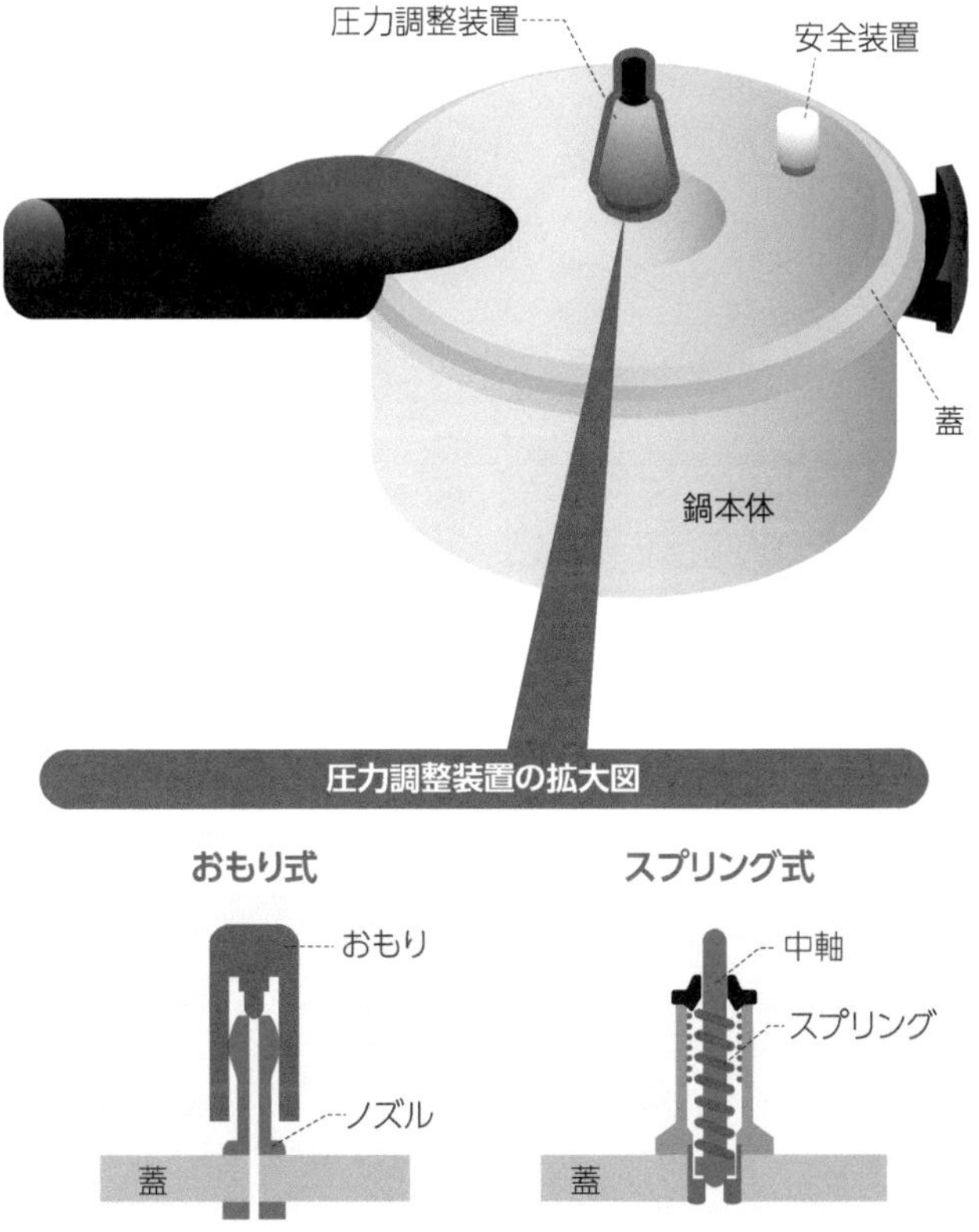
圧力調整装置
安全装置
蓋
鍋本体
圧力調整装置の拡大図
おもり式
おもり
ノズル
蓋
スプリング式
中軸
スプリング
蓋

沸騰とは、水の分子が熱のエネルギーをもらって勢いよく飛び出す現象だ。圧力が強いと分子はなかなか外に飛び出せない。そのため、圧力をかければ沸騰温度は高くなる。実際、圧力が1気圧なら水の沸騰温度は100℃だが、**2気圧にすると120℃くらいの高温になる**。つまり、圧力鍋では120℃での調理が可能なのだ。調理時間が短縮される秘密はここにある。

圧力鍋は高山でとても重宝する。高度が高くなって空気が薄くなると気圧は低くなり、水の沸騰温度も低くなってしまう。圧力鍋とは逆の現象が起きるのだ。例えば、富士山頂では空気の圧力は地上の3分の2ほどになり、**水は87℃程度で沸騰する**。これでは、食材はいくら火を通しても生煮《なまに》えの状態になってしまう。圧力鍋を利用すれば、この問題は解決するわけだ。

圧力と沸騰の関係は、**フリーズドライという食品の乾燥保存技術にも応用**されている。凍らせた物体を気圧がほとんどない部屋に置き、水分を一気に沸騰させて気化させ、乾かす方法である。栄養分の変化はほとんど起きず、水や熱湯をかければすぐに元に戻せるため、カップラーメンの具の製造などに利用されている。

高温調理が可能な理由

圧力鍋の内部は約2気圧。この状態では、通常100℃で沸騰する水が、120℃まで上昇しないと沸騰しない。つまり、120℃の高温調理が可能になり、調理時間が大幅に短縮できる。

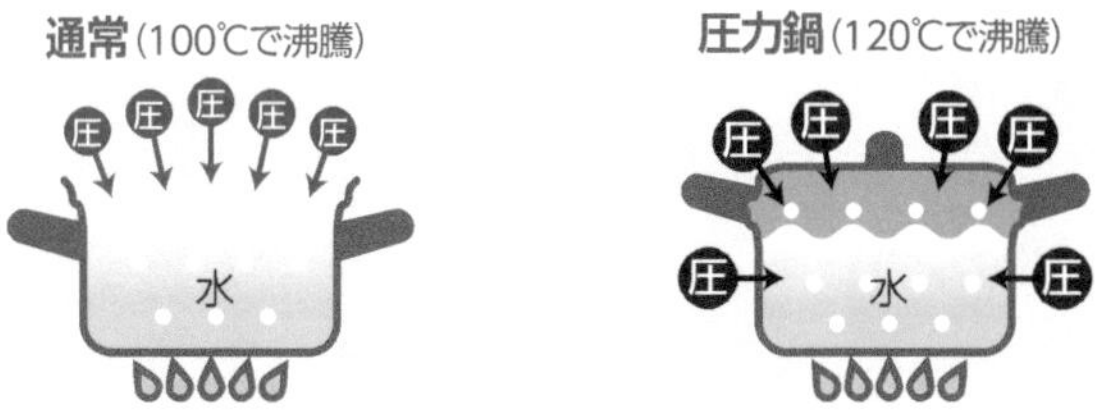

気圧が高いと沸騰温度は高くなる

圧力が高くなると沸騰温度も高くなる。逆に、圧力が低くなると沸騰温度も低くなる。圧力による沸騰温度の違いを見てみよう。

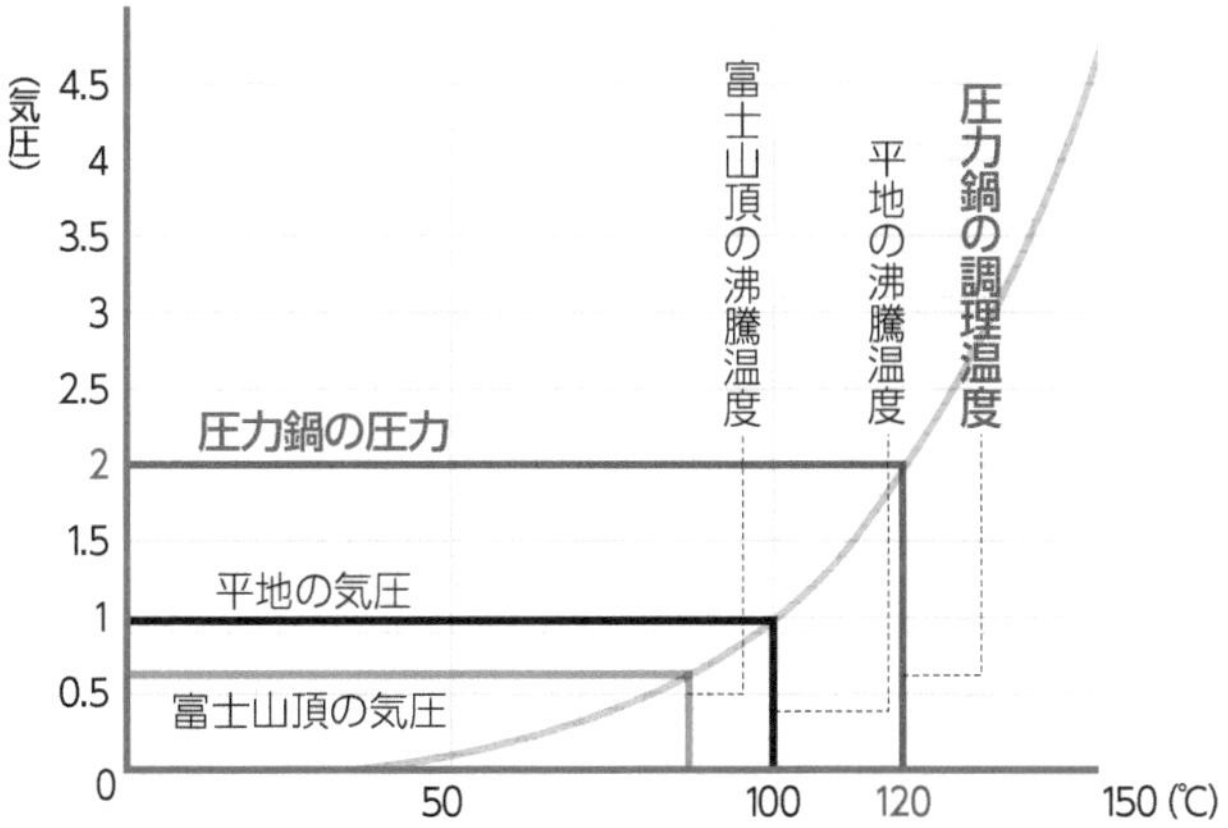

technology 041

魔法瓶

飲みごろの温度を保ってくれる魔法瓶。水筒にも使われる技術だが、なぜ保温・保冷が可能なのだろう。

温かいものは温かいまま、冷たいものは冷たいまま保温する魔法瓶は、開発当初はガラス製で割れやすさが最大の欠点だったが、1978（昭和53）年にステンレス製が日本で初めて開発され、問題が解決された。

魔法瓶はどのようなしくみで熱を保っているのか。そもそも熱というものは、金属やガラス、水などの物質を通して**温度の高いほうから低いほうへ移動する性質**がある。これは熱伝達と呼ばれ、**伝導、対流、放射（輻射《ふくしゃ》）という三つのタイプ**に分けられる。

この三つの中で魔法瓶のしくみに深く関わっているのが、伝導と対流だ。伝導とは、エネルギーの高い分子集団からエネルギーの低い分子集団へと熱が伝達される現象である。一方、

熱の運ばれ方には3つのタイプがある

熱伝達は、伝導、対流、放射(輻射)に分けられる。

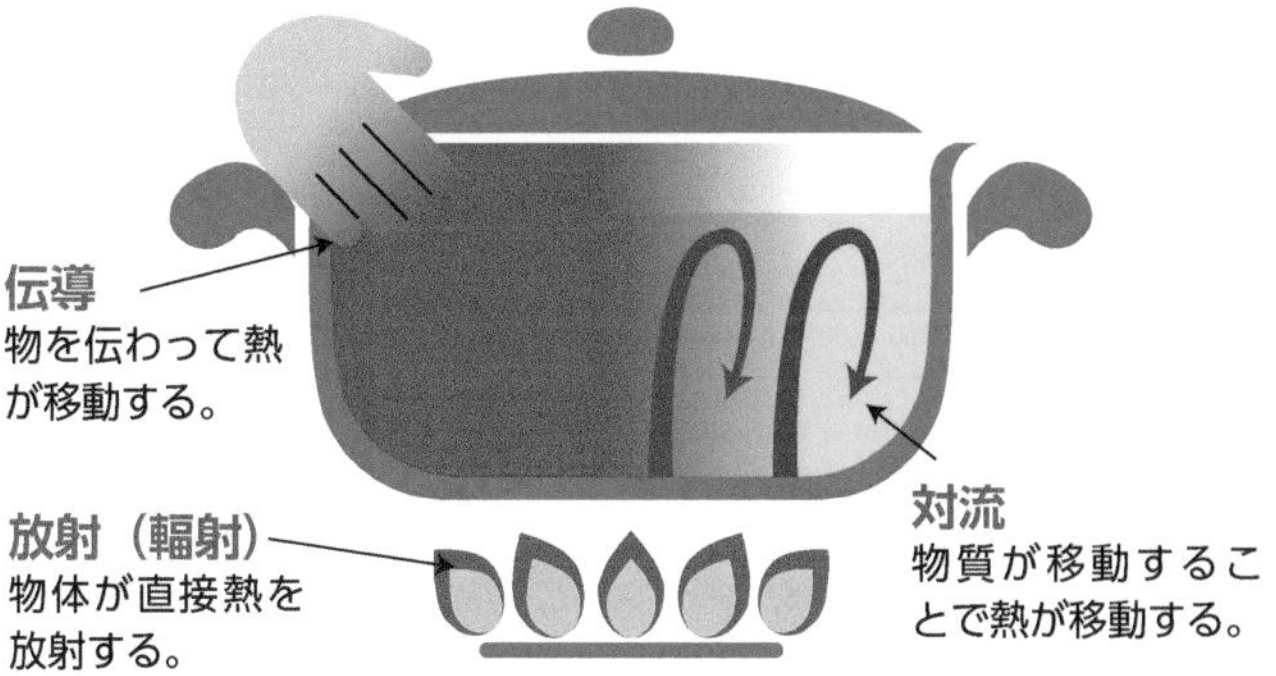
伝導
物を伝わって熱が移動する。
放射（輻射）
物体が直接熱を放射する。
対流
物質が移動することで熱が移動する。

圧力と熱伝導率の関係

圧力が低いと、分子密度が薄く熱の伝わり方が遅くなる。

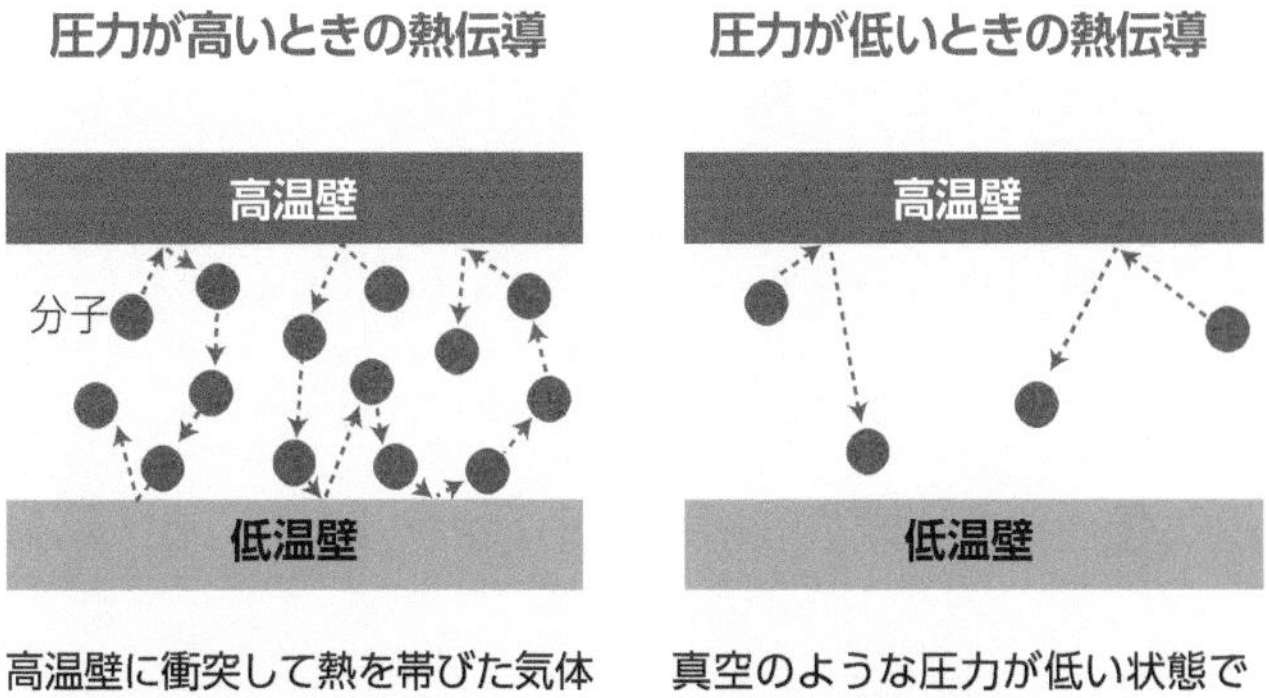
圧力が高いときの熱伝導
高温壁
分子
低温壁
圧力が低いときの熱伝導
高温壁
低温壁

高温壁に衝突して熱を帯びた気体分子は、ビリヤードの球のように他の分子に衝突して熱を移し、全体に広がっていく。

真空のような圧力が低い状態では分子密度が低く、熱を帯びても衝突する回数が少ないため、熱の伝わり方が遅い。

対流とは、加熱された物質が流動することで、周囲に熱が伝達されていく現象を表す。

これらの熱伝達は空気のない状態ではゼロになる。そこで魔法瓶では**内瓶と外瓶の間を真空構造にして、熱が外に逃げることを防いでいる**。一般的なステンレス魔法瓶の場合、外瓶と内瓶の間にある真空断熱層の幅は1ミリメートルから数ミリメートル程度で、空気を約100万分の1～1000万分の1気圧程度まで抜くことで、ほぼ宇宙空間と同じ真空状態をつくっている。日本工業規格（JIS）で定義された「真空」は「大気圧より低い圧力の気体で満たされた空間内の状態」であるため、**微量に分子は存在するが、熱伝導はほとんどゼロ**である。

ところが、放射（輻射）によって移動する熱は、真空にするだけでは防ぐことができない。放射とは、熱エネルギーが電磁放射によって伝達される現象のことで、太陽熱が地球に届くように、真空を通しても熱は伝わってくる。ストーブに手をかざすと温かいのも放射によるもので、ストーブの熱が直接手に当たり、温かさを感じているのだ。

そこで魔法瓶には、これを防ぐため内面を鏡面加工したり、真空層に銅箔《どうはく》を挟み込んだりして、**外に向かって放たれた熱を反射し、内部に熱を閉じ込める工夫**が施《ほどこ》されている。

魔法瓶が熱を伝えないワケ

魔法瓶には、伝導・対流・放射による熱伝達を防ぐ工夫が施《ほどこ》されている。

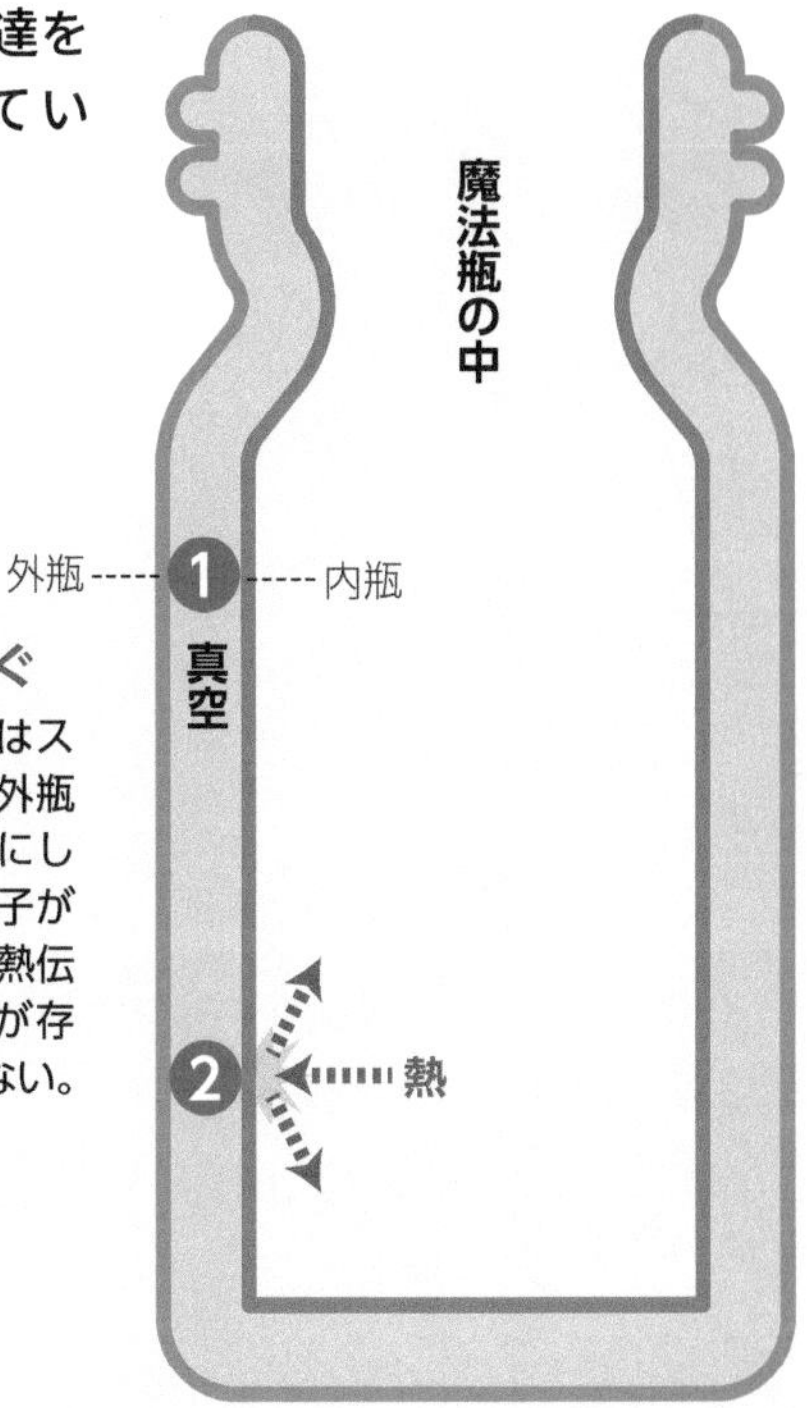

❶ 伝導・対流を防ぐ

ステンレス製の魔法瓶はステンレスの二重構造。外瓶と内瓶の間を真空状態にしている。真空状態で分子が（ほとんど）ないため、熱伝導がない。また、空気が存在しないので、対流もない。

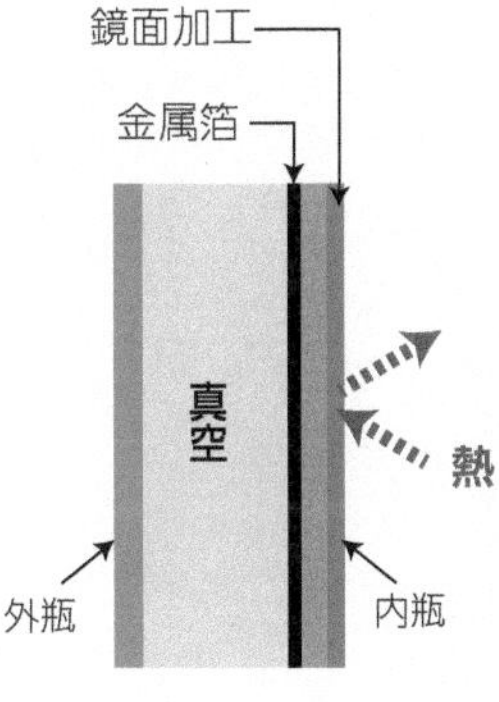

❷ 放射を防ぐ

放射は真空の空間を媒体にしても熱を伝えるが、魔法瓶の内面に鏡面加工を施したり、真空層に金属箔（銅箔など）を挟み込んだりすることで放射熱を反射させ、熱を内部に保つようにしている。

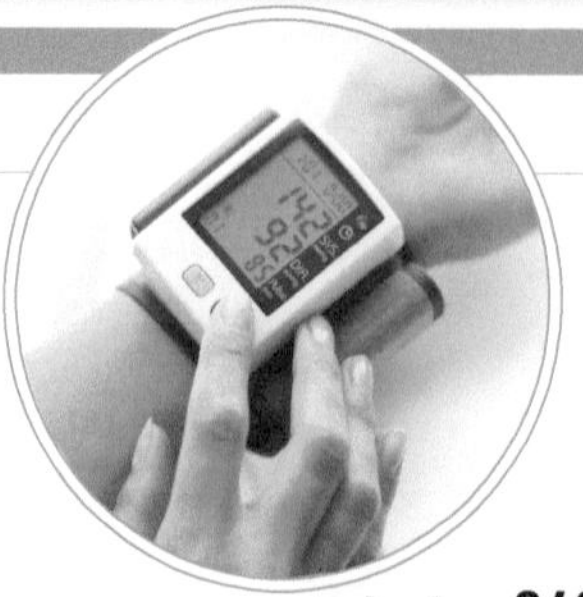

technology 042

家庭用血圧計

血圧が気になる人にはありがたい家庭用血圧計。病院で使われるものに比べてずいぶん小さいが、どのように測定しているのだろうか。

近年、家庭用血圧計が普及し、血圧を自分で測定するのが当たり前になった。おかげで、血圧チェックが毎日できるようになり、血圧が高い人の健康管理にも大いに役立っている。現在、この血圧計は指でも測れるように小型化されている。

では、伝統的な血圧計のしくみを見てみよう。上腕部に巻きつけたカフ（腕帯《わんたい》）に空気を送り込んで締めつけ、接続した**水銀柱《すいぎんちゅう》の圧力計で血圧を読み取る方式**である。このとき医師は、聴診器《ちょうしんき》で血管音（発見者の名にちなみ、コロトコフ音という）を聞き取る。締めつけたカフの空気をゆっくり抜くと、血液が流れて血管音が聞こえ始めるが、このときの血圧が最高血圧。やがて聞こえなくなるときの血圧が最低血圧である。この方法をコロトコフ法という。

コロトコフ法による血圧の測定

昔、病院で利用された血圧計は、コロトコフ法の測定が主流。聴診器で脈の音を聴いて最高血圧と最低血圧を測る。

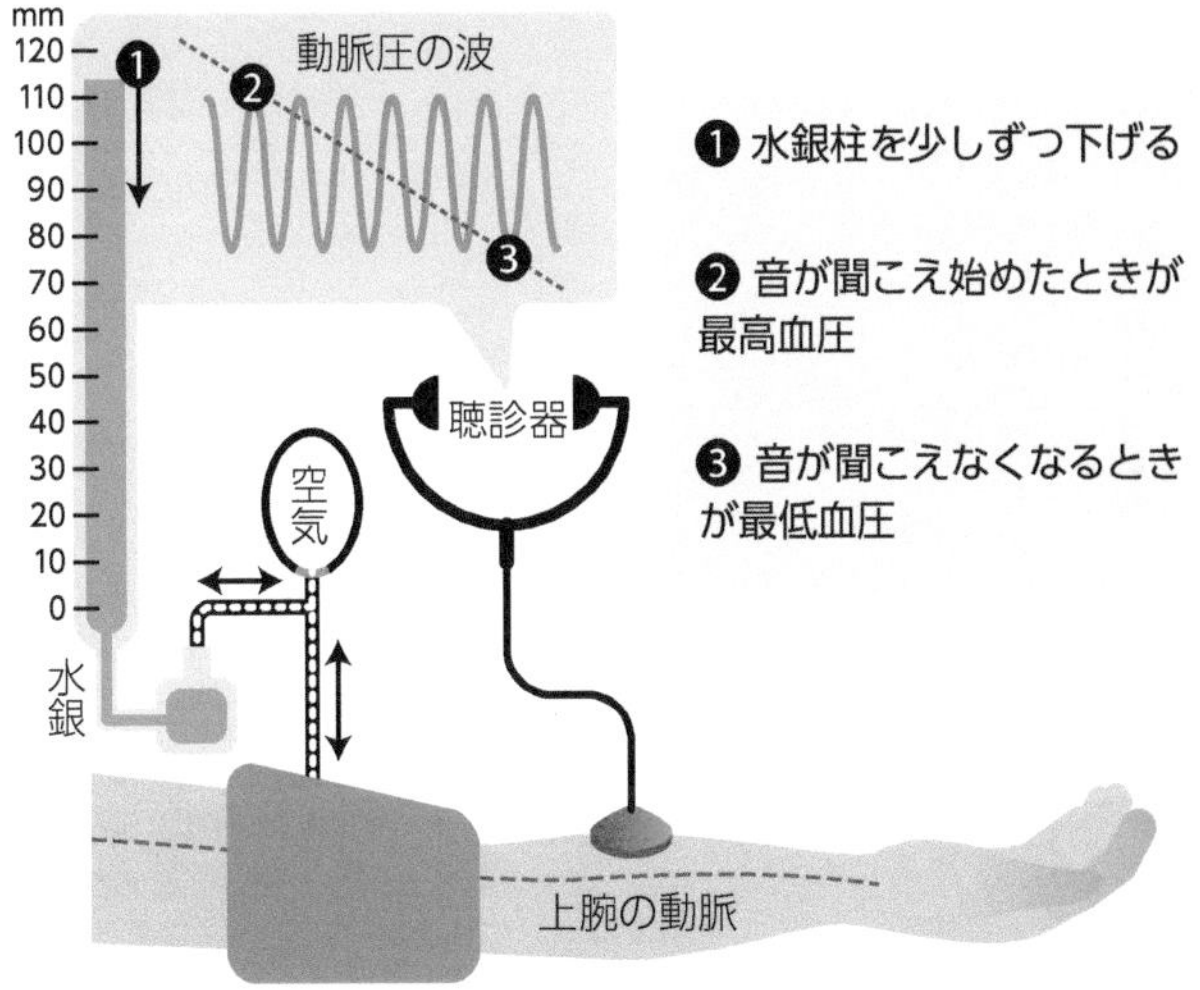

オシロメトリック法による血圧の測定

家庭用血圧計に採用されている。脈の振動を感知して数値にする。医療用より小さくコンパクト。

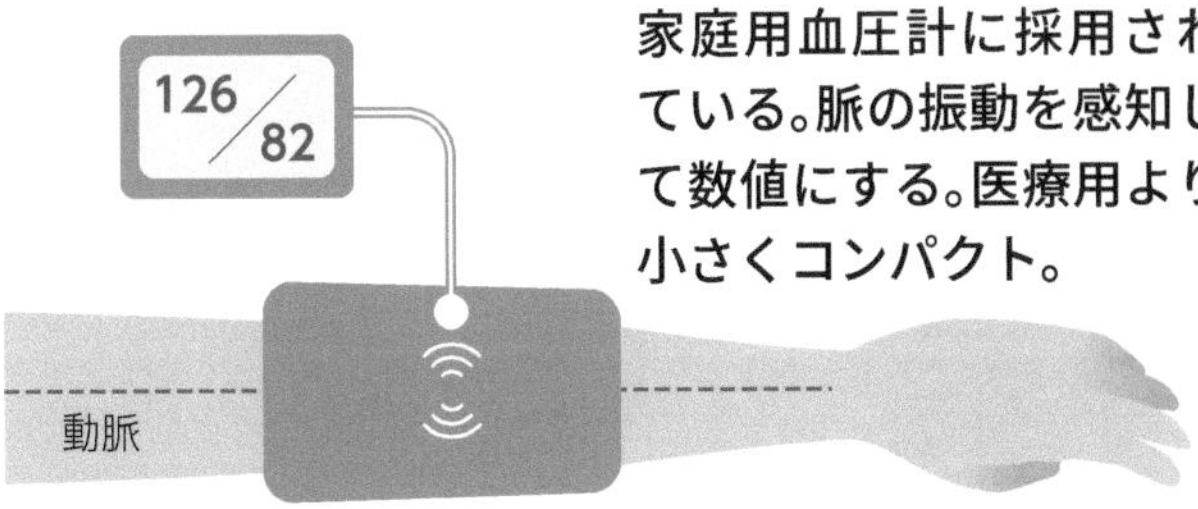

この血管音の聞き取りを圧力センサーに任せた血圧計が家庭用のものだ。つまり、**血液が流れるときの動脈壁の振動をセンサーでキャッチして測定する方法**である。血管音を圧力センサーに加わる振動として検知するのだ。これをオシロメトリック法という。家庭用血圧計にはカフを手首に巻きつける小型・軽量タイプも多い。オシロメトリック法を可能にしたのがピエゾ抵抗《ていこう》効果を利用した半導体圧力センサーだ。このセンサーをコンピューターと組み合わせることで、小さくても正しい血圧測定が可能になった。

ピエゾ抵抗効果とは**「圧力を加えると電気抵抗が変化する」性質**をいう。これを利用した圧力センサーは半導体を利用しているため小型化が可能だ。また、電子回路に直接組み込めるというメリットがある。ちなみに、ピエゾとは「押す・圧縮する」という意味のギリシャ語だ。

血圧計は使い方を知らなければ正しい測定ができない。例えば、指や手首で血圧を測るとき、心臓の高さと同じ位置で測定しなければ正確な値《あたい》は得られない。

誤って測っていると「自分は健康」と思っているのに高血圧だったり、またその逆だったりするのだ。

ピエゾ抵抗効果を利用した小型圧力センサー

圧力が加わると上部の薄いシリコン膜がゆがみ、歪みゲージがたわむ。このとき、ピエゾ抵抗効果を持った歪みゲージの抵抗値が変化し、圧力が検出される。

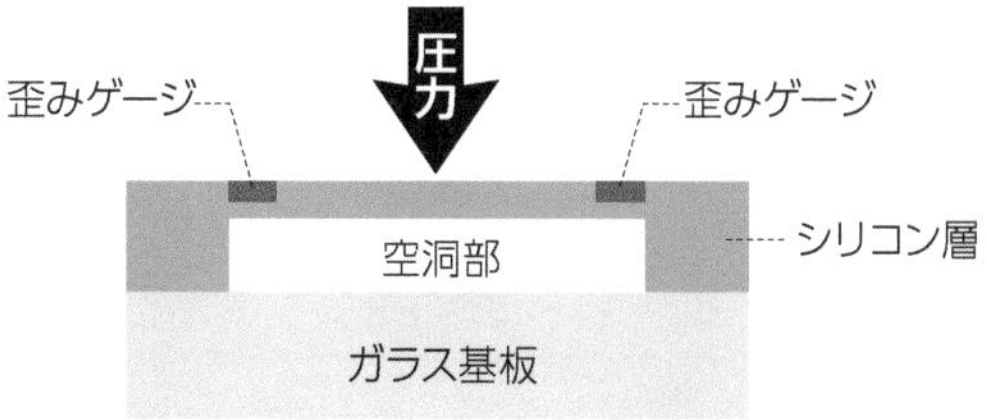

測定は正しい位置で

血圧計は心臓と同じ高さで測定する必要がある。正しい位置で測定しないと、正確な測定結果が得られないからだ。

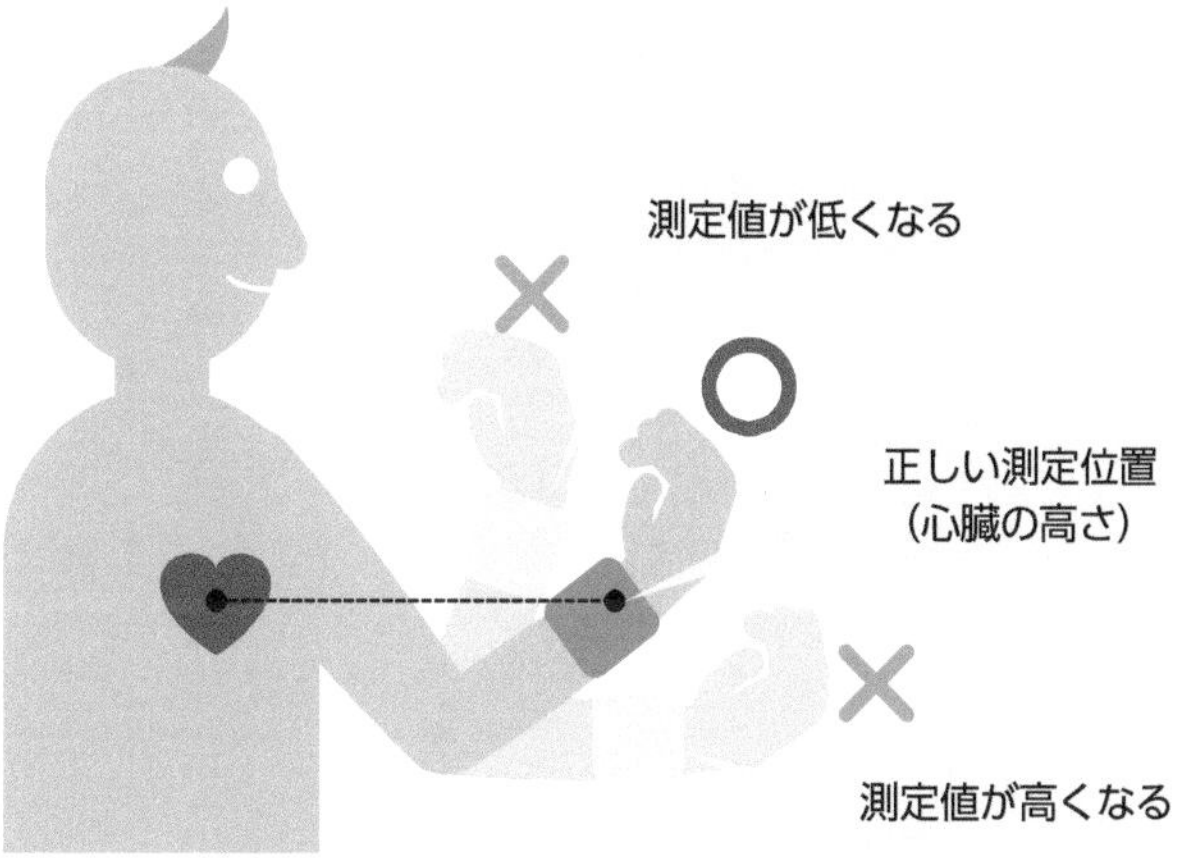

technology 043

ステンレス

昭和の高度経済成長期、ステンレスの流し台はあこがれの的だった。だが、この金属のしくみは意外と知られていない。

ステンレス製品は、いまや台所の必需品である。流し台、包丁《ほうちょう》、鍋など、枚挙《まいきょ》にいとまがない。また、最近の電車にもステンレス製が多い。保守が簡単で錆《さ》びないというステンレスの特徴が生かされているのだ。

「ステンレス」とは、ステンレス鋼《こう》（stainless steel）の略で、錆び（stain）ない鋼《はがね》（steel）の意味である。言葉どおり、**ステンレスは水に濡《ぬ》れても錆びない**。鋼はすぐ錆びるのに、どうしてステンレスは錆びないのだろうか。

ステンレスが錆びない秘密は、その成分にある。現在、最も一般的に使われているステンレスは、18パーセントのクロムと8パーセントのニッケルが含まれ、18－8ステンレスと呼

出荷直後のステンレス

ステンレスの表面にクロムの酸化被膜ができている。これが酸素から内部を守っている。

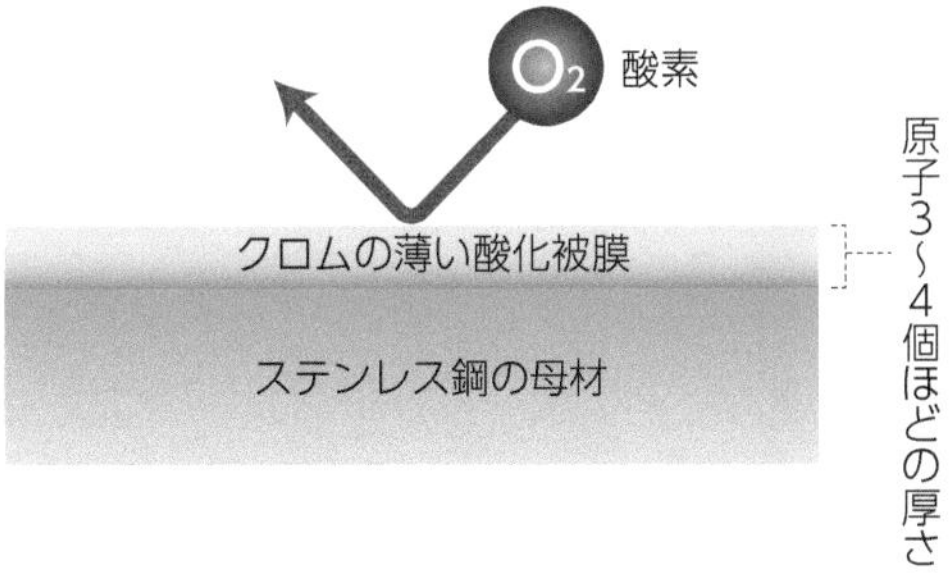

ステンレスの表面に傷がついたとき

ステンレスの表面に傷がつくと、その傷口でステンレスに含まれるクロムが先に酸化され、再度内部を被膜で覆ってくれる。多少の傷では、内部は腐食されないのだ。

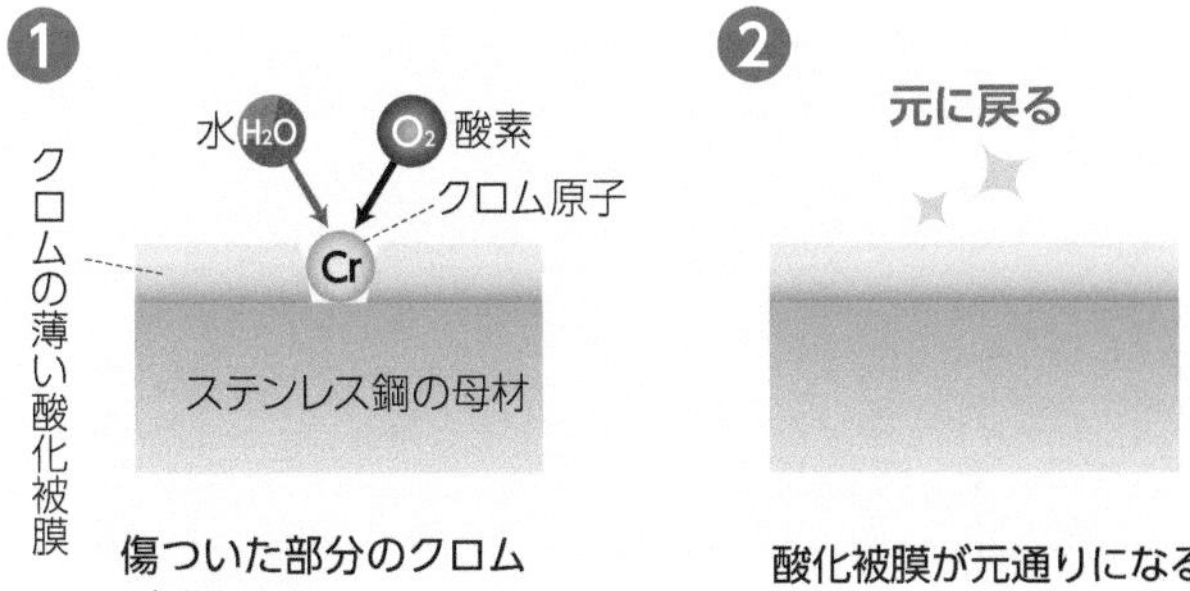

傷ついた部分のクロムが酸化する。

酸化被膜が元通りになる。

ばれている。このクロムが重要なのだ。

錆は空気中の酸素と化学反応して金属が酸化されてできる。**クロムの酸化物は非常に丈夫で酸素に強い**。そこで、ステンレスの表面をクロムの酸化膜で覆《おお》っておけば錆に強いことになる。それが出荷直後のステンレスだ。

ステンレス製品を使っていると、表面に傷がつくことがあるが、問題はない。**ステンレス中のクロムが先に錆び、その傷の表面を覆ってくれる**からだ。多少傷がついたくらいでは、ステンレス本体に錆がおよぶことはないのである。「錆をもって錆を制している」のだ。

クロムの酸化物のように、安定した酸化物を不動態《ふどうたい》と呼ぶ。不動態で身を守る技術はさまざまな金属加工に利用されている。例えば、窓枠などに使われるアルミサッシ。アルミサッシは風雨にさらされても錆びない。アルミは鉄と同様、本来は腐食しやすい金属だが、**表面を酸化物で覆うことで内部のアルミ金属を守る**のである。このようなアルミ製品をアルマイトと呼ぶ。アルマイトをつくるには、ステンレス同様、最初に化学的な処理をして表面に酸化被膜をつくる。だが、これだと表面の酸化被膜は孔《あな》だらけだ。そこで、さらに高温の蒸気を吹きつけたりして孔を酸化膜でふさぐ処理をしている。

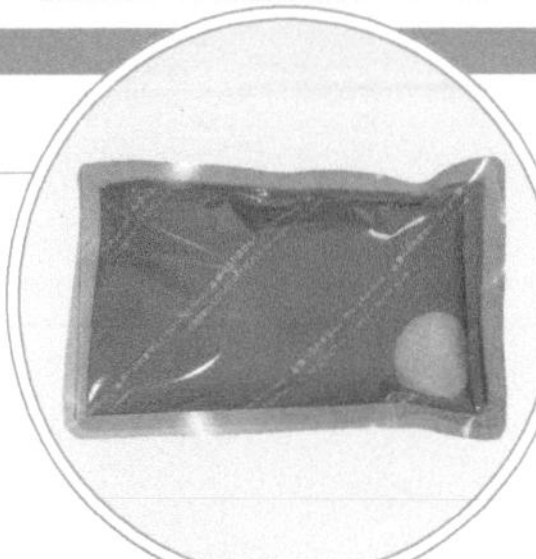

technology 044

冷却パック

モノをこすったり叩《たた》いたりすると熱が出る。だが不思議なことに、冷却パックは「冷える」。いったいどうしてなのだろう。

手をこすると熱が出る。逆に冷たくなったら不思議だ。しかし、その逆の現象が起きる商品がある。「冷却パック」である。パックを折ったり、押しつぶしたりすると、**熱が吸収されて冷える**のだ。

パックが周囲から熱を吸収する、つまり、「冷える」しくみを理解するには、理科の知識が必要だ。

化学反応には、発熱反応と吸熱反応がある。通常は発熱反応である。ガスに火をつけてお湯が沸くのは、発熱反応を利用したものだ。しかし、例外がある。例えば、塩を水に溶かすと、その逆の吸熱反応が起こるのだ。

この**吸熱反応を利用したのが冷却パック（アイスパックとも呼ばれる）**だ。パックの中には乾燥した硝酸《しょうさん》アンモニウムや尿素《にょうそ》、またはその両方の薬剤が水と分離されてパッケージされている。そのパッケージを押しつぶすと、分離されていた水と薬剤が混合して溶け合う。このときに吸熱反応が起こるのだ。

吸熱反応は、**物質を構成する原子や分子が周囲から熱エネルギーを奪い、束縛《そくばく》から解放されることで起きる**。固体が液体に自然に代わるときに、よく現れる現象だ。この吸熱反応は珍しいようにも思えるが、身近なところで見つけられる。例えば、ラムネ、ハッカ入りの菓子、キシリトールガムなどだ。食べるとスーッと感じるのは、吸熱反応を舌が感知しているからだ。

吸熱反応は、江戸時代末期にはすでに知られていた。**アイスクリーム製造に利用されていたのだ**。当時、江戸には氷はあったものの、アイスクリームをつくるための低温（マイナス10℃以下）の状態はつくり出せない。そこで、氷に塩を多量にかけてよく混ぜ、それでアイスクリームの入った容器を包むと、塩と氷が融けるときの吸熱反応で、マイナス10℃が達成できたのだ。

冷却パックが熱を吸収する

冷却パックの中の薬剤に水をしみ込ませるだけで、温度が下がる。「冷える」とは、周囲から熱を奪うことである。

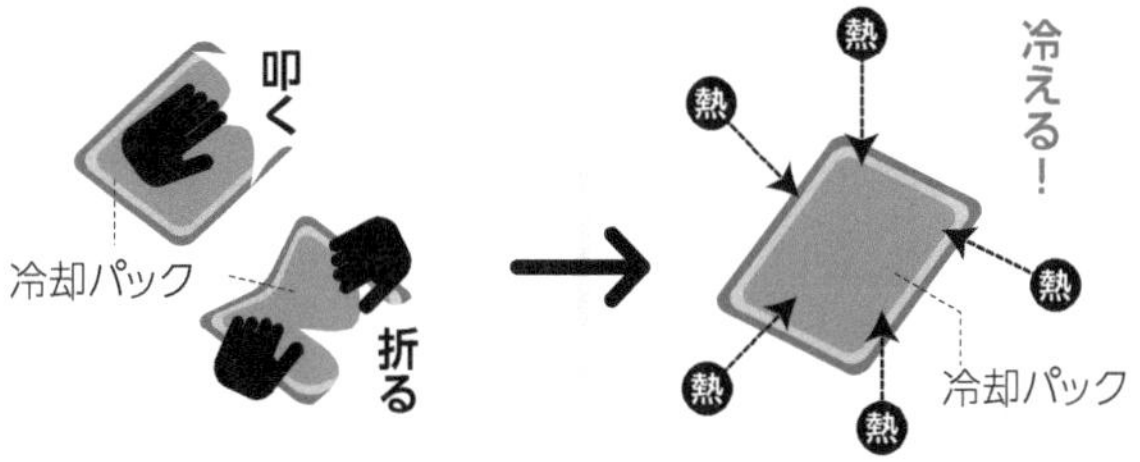

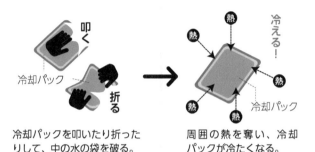

冷却パックを叩いたり折ったりして、中の水の袋を破る。

周囲の熱を奪い、冷却パックが冷たくなる。

吸熱反応のしくみ

物質が溶けるときに周囲から熱を奪うことがある。これが、典型的な吸熱反応である。

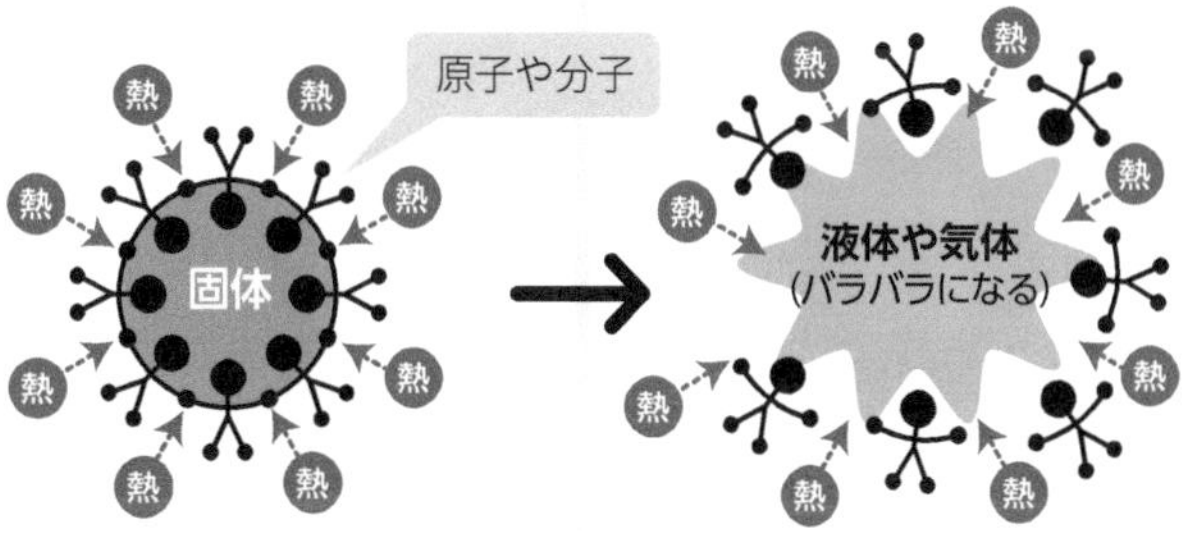

物質を構成する原子や分子が周囲から熱を奪う。

水に溶けることで原子や分子はバラバラになる。

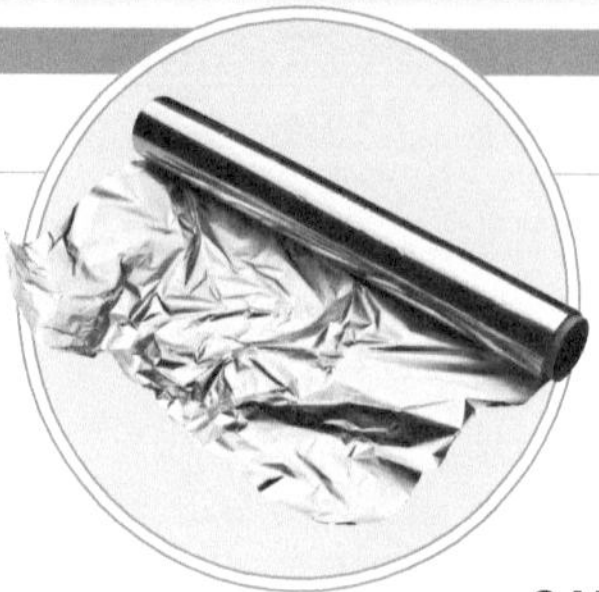

technology 045

くっつきにくいアルミホイル

不思議なアルミホイルが人気だ。焼き魚の身離れがよく、調理後は簡単に掃除ができる。油を使わずにすむのでヘルシーだ。

焼き魚はおいしいが、網に身や皮がくっついて取りにくいのであとの掃除がたいへんだ。餅を焼くときも同様、焦《こ》げついたりする。そのようなとき、「くっつきにくいアルミホイル」は便利だ。網やプレート、フライパンに敷くことで、すぐに調理物が取り出せる。

このアルミホイルのしくみは簡単。**片面をシリコーン樹脂でコーティング**しているのだ。シリコーン樹脂は、水分や油などをはじく性質がある（312ページ参照）。魚や餅なども、同じ理由でくっつきにくくしてくれる。

アルミホイルをコーティングして付加価値をつけるというアイデアは、後に石焼き芋《いも》用のアルミホイルを生み出す。東洋アルミが開発した「石焼き芋黒ホイル」という商品だ。

くっつきにくいアルミホイルの構造

片面がシリコーン樹脂でコーティングされている。

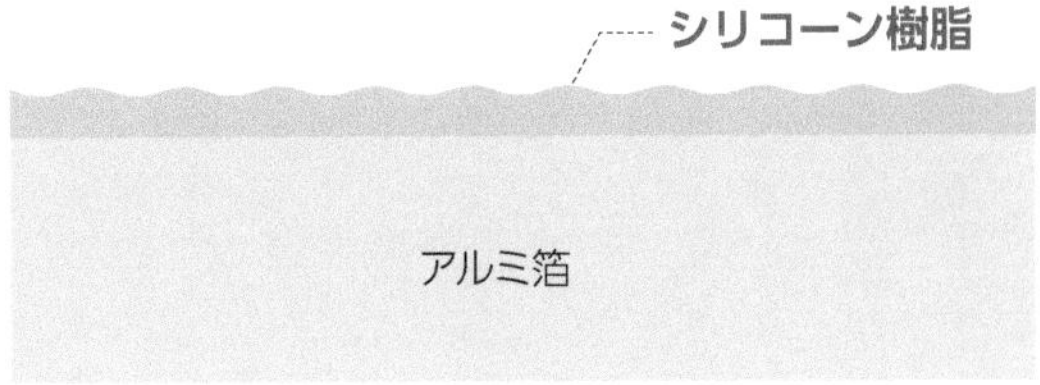

「黒ホイル」が調理時間を短縮する理由

黒色のホイルは、通常のホイルに比べて熱を効率よく吸収し、調理を短縮する。

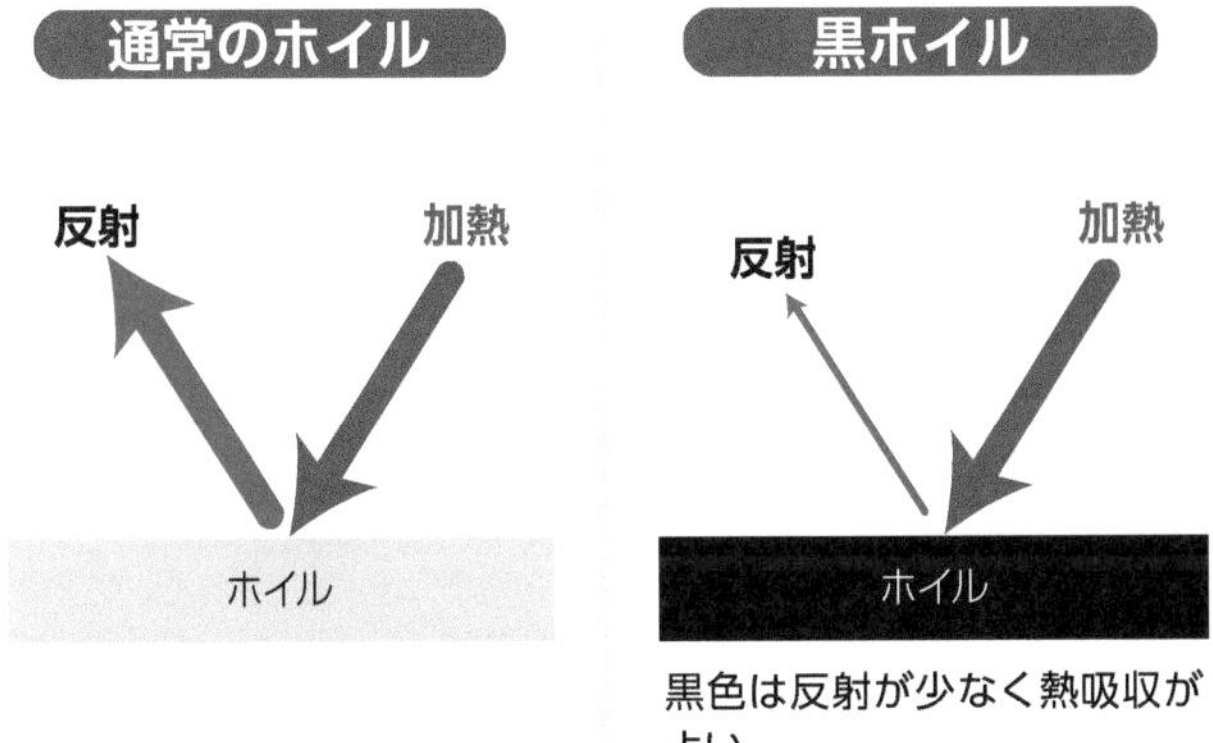

この「黒ホイル」は、アルミホイルの片面を特殊なインクで黒く印刷している。こうすることで、**熱吸収効果を高め、芋をおいしく焼き上げる**のだ。これは石焼き芋がおいしく焼けるしくみに似ている。また、調理時間をふつうのアルミホイルの約半分に短縮できる。

アルミホイルを黒くするアイデアは昔からあったようだ。そのアイデアを商品化できなかったのは、食べても害がなく、高熱になっても無害で、しかも剝《は》がれないインクを見つけるのに苦労したからだという。使用上注意すべきは、「くっつきにくいアルミホイル」も「黒ホイル」も、**表裏を間違えないで利用すること**だ。

ところで、ふつうのアルミホイルにも、つやのある面とない面があるが、表裏の区別があるのだろうか。

結論からいうと、加工はされておらず、両面の違いはない。**ふつうのアルミホイルの両面の光沢の違いは、その製法から生まれる**のであって、性質を変えるものではないのだ。

アルミホイルは、まずアルミ板を2枚重ねにし、次にローラーで挟んで薄く伸ばして製造される。そこで、ローラーに当たっていた面は光沢面となり、アルミ同士が重なっていた面はつやのない面となるのだ。2枚重ねにして伸ばすのは製造効率を高めるためだという。

黒ホイルで増加する麦芽糖

石焼き芋は、石で焼くことで麦芽糖が増える。「黒ホイル」は、この石焼き芋のように麦芽糖を増加させる。

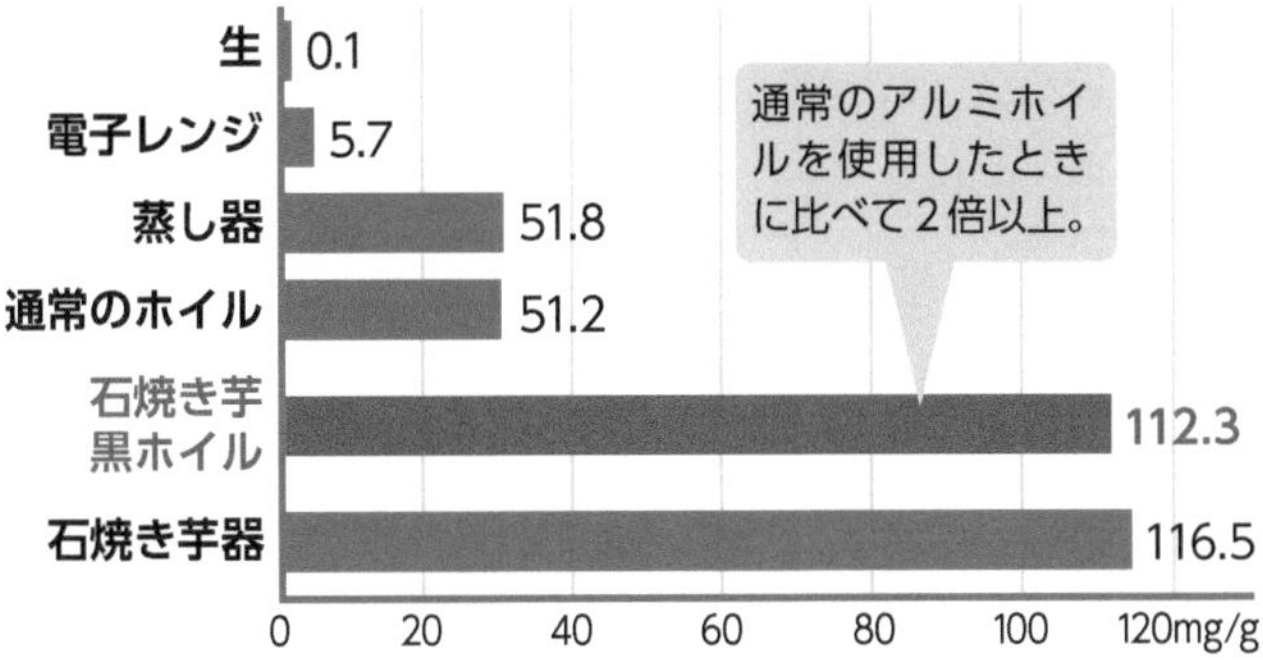
生
0.1
電子レンジ
5.7
蒸し器
51.8
通常のホイル
51.2
石焼き芋
黒ホイル
112.3
石焼き芋器
116.5
0
20
40
60
80
100
120mg/g
通常のアルミホイルを使用したときに比べて２倍以上。

アルミホイルの製造方法

アルミホイルは２枚重ねになっていて、ローラーと接している面だけに光沢が生まれる。

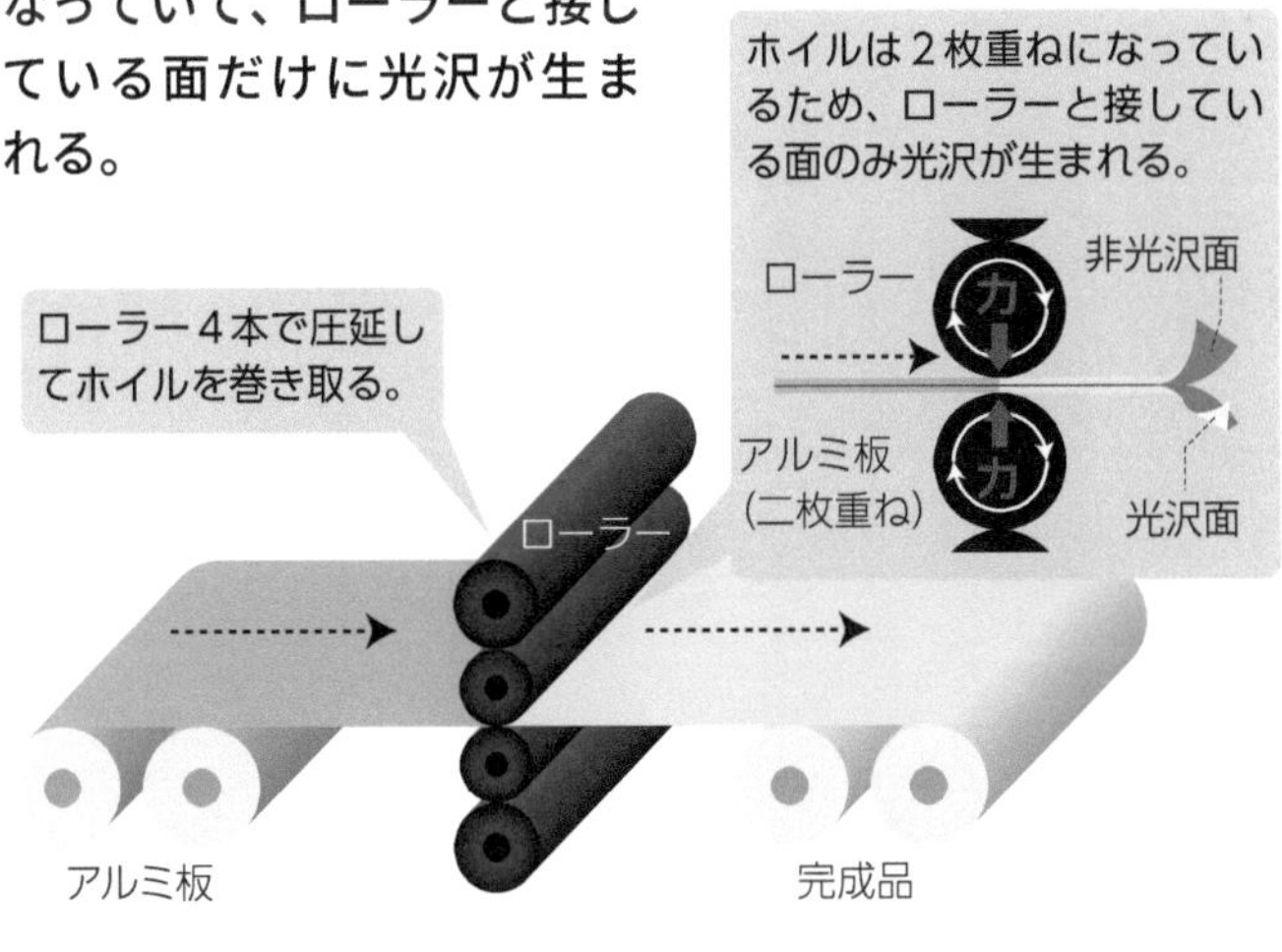
ホイルは２枚重ねになっているため、ローラーと接している面のみ光沢が生まれる。
ローラー
非光沢面
力
アルミ板
(二枚重ね)
力
光沢面
ローラー４本で圧延してホイルを巻き取る。
ローラー
アルミ板
完成品

technology 046

フッ素樹脂加工のフライパン

フッ素樹脂をコーティングしたフライパンは焦《こ》げつきにくく、あと片づけが簡単だ。いったいどんな加工なのだろう。

最初のフッ素樹脂加工フライパンはテフロン加工という名称で販売された。「テフロン」とは米国デュポン社の登録商標だが、「焦げつかないフライパン」として評判になり、急速に販売を伸ばした。油を引かなくても目玉焼きができたり、油を使わずに肉をサラッと焼けたりして、「ヘルシー」という評価も高い。しかし、そもそもフッ素樹脂加工とは何なのだろう。

フッ素とは原子の名で、塩素と同じハロゲン元素の仲間。一般に**ハロゲン元素と炭素が結合してできた物質は安定している**。例えば、上下水管に塩化ビニル樹脂が利用されているのは、そのためだ。塩化ビニル樹脂はハロゲンである塩素と炭素からできた樹脂である。この

フッ素樹脂加工のフライパンのつくり方

耐熱性をはじめ、さまざまな特性を備えたフッ素樹脂加工のフライパンは、どのようにつくられているのだろうか。

❶

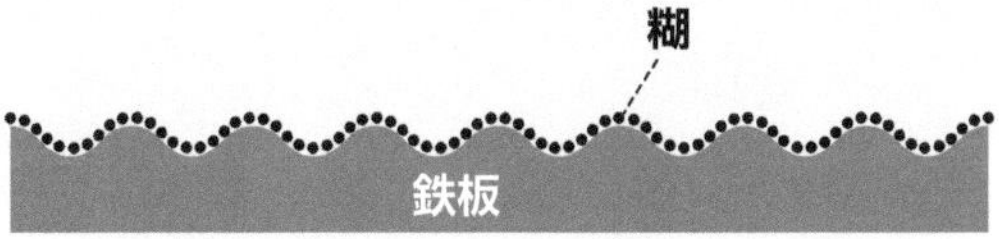

フッ素樹脂と鉄は直接くっつかない。そこで鉄板の上に、フッ素樹脂にも鉄にも相性のいい「糊」を敷く。

↓

❷

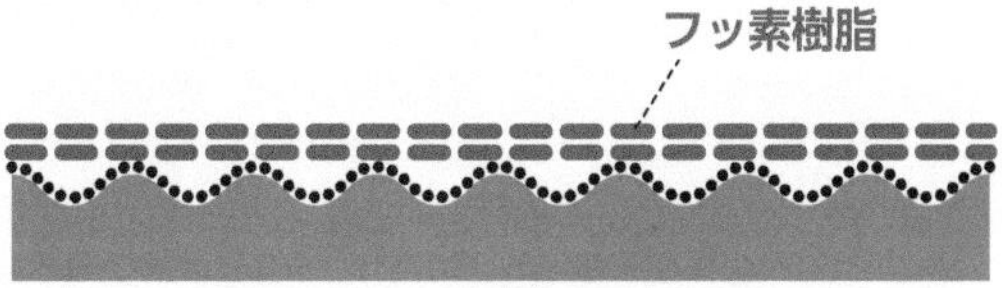

糊の上にフッ素樹脂を敷く。

↓

❸

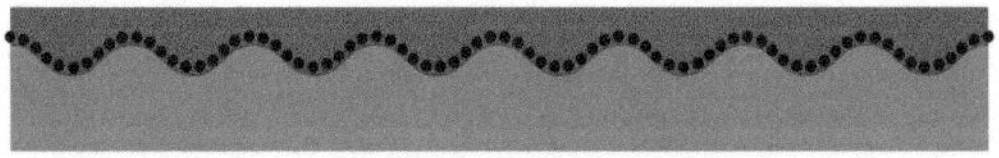

高温で焼きつけて、完成。

安定という性質は特にフッ素と炭素からできた樹脂、つまりフッ素樹脂に際立《きわだ》っている。

安定の秘密を分子レベルで見てみよう。フッ素樹脂の分子構造は、紐《ひも》状につながった炭素原子をフッ素が隙間《すきま》なく覆《おお》う形をしている。フッ素は**原子として小さく、炭素と引き合う力がたいへん強い**という性質があるからだ。フッ素にびっしり取り囲まれた炭素の鎖《くさり》は他の物質と反応できず、安定した性質を持つことになる。

ちなみに、フッ素樹脂以外でフッ素を原料にする有名な工業製品がある。フロンだ。これは、炭素とフッ素と塩素が結合した構造をしていて、テフロンと同様、化学的にきわめて安定している。冷蔵庫やエアコンの冷媒《れいばい》として利用されていたが、紫外線に当たると分解され、生成《せいせい》された塩素がオゾン層を破壊するということで、環境問題を引き起こした。最近は改良された代替《だいたい》フロンが利用されているが、今度は地球温暖化をもたらすということで、使用制限が求められている。

テフロンとフロンをここでは述べたが、これ以外にもフッ素を含む化合物にはおもしろい特性を持つものがいろいろある。従来の化学製品の分野はもちろん、**人工血液や制がん剤など、医療の分野でも注目されている。**

technology 047

カップ麺

日本最大の発明の一つといわれる、インスタントラーメンとカップ麺。これらが、世界の食文化さえ変えることとなった。

１９５８（昭和33）年、東京タワーが完成したその年にインスタントラーメンは誕生した。それから10年余り、今度はカップ麺が誕生する。おいしく手軽にその場で食べられるため、世界中で爆発的に普及していった。

カップ麺には、いくつもの不思議が詰まっている。例えば、なぜ麺が揚《あ》げられているのかというと、じつはそこに最大の発明がある。**麺を揚げることで水分が飛び、保存ができるようになる**のだ。また、**麺のアルファ化が促進**され、「お湯をかけて3分で食べられる」ようにもなる。アルファ化とは、人間が消化できるようにデンプンを転化することをいう。

ところで、なぜ「3分」なのだろう。1分で食べられる麺もつくれるが、当然伸びるのも早くなる。食べている間に麺が伸びてしまうのだ。しかし、長く待たされてはイライラする。その頃合いが「3分」なのである。**3分には人間工学的な経験則が凝縮《ぎょうしゅく》されているのだ**。

では、麺はなぜ縮れているのだろうか。それは、麺をそのまま揚げると麺同士がくっつき、揚げ上がりにムラができるからだ。麺を縮れさせれば、**隙間《すきま》ができて均等に揚げられる**。

ここで、カップ麺の容器を縦に切断してみよう。麺の下に隙間があることがわかるはずだ。また、上側の麺が密で、下側がそうでないことも見て取れる。なぜだろうか。なんの工夫もせずに麺を容器に入れて3分間放置すると、中心部までお湯の熱が伝わらない。そこで、**下に隙間をつくって熱湯が対流しやすくしている**のだ。こうして、熱い湯がまんべんなく行き渡ることになる。

カップ麺は具にも工夫がある。1950年代に軍の携行食として開発された「フリーズドライ」（176ページも参照）という技術を利用している。熱処理をしないですむため、食材の風味が生かされるのだ。

このように、カップ麺にはさまざまな技術が凝縮されている。そして現代、揚げない「ノンフライ麺」や、縮みのない「ストレート麺」の登場など、さらなる進化を続けている。

麺を揚げるメリット

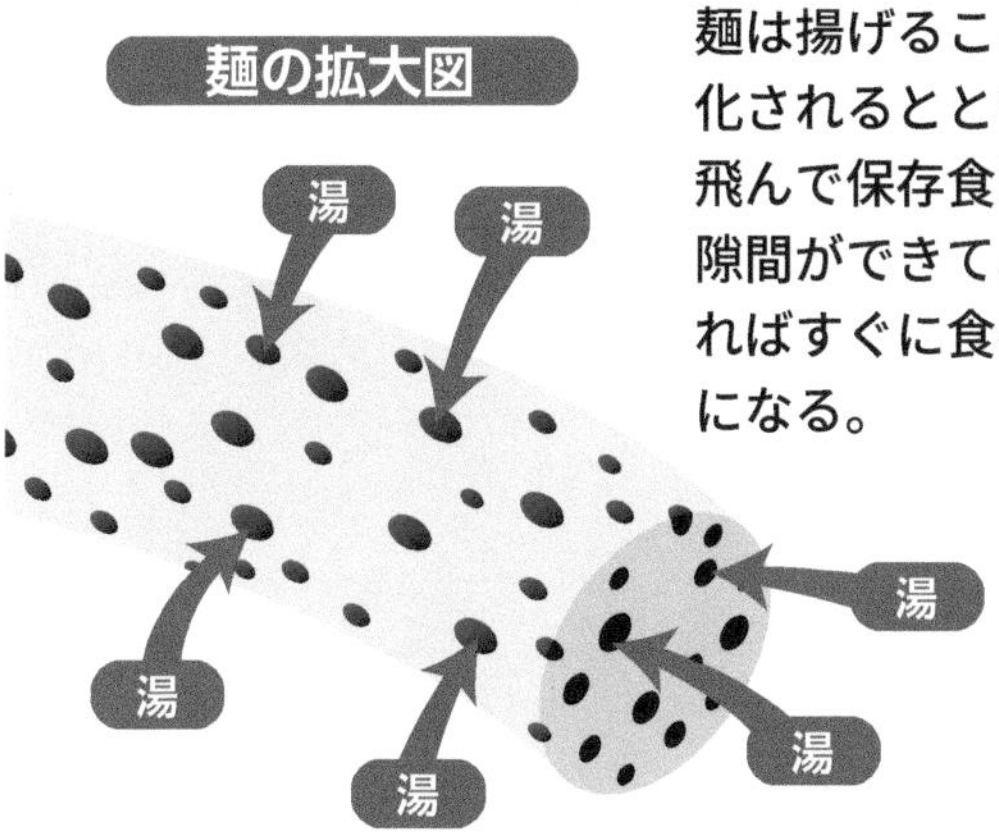

麺は揚げることでアルファ化されるとともに、水分が飛んで保存食になる。また、隙間ができて、お湯をかければすぐに食べられるようになる。

熱湯を行き渡らせる工夫

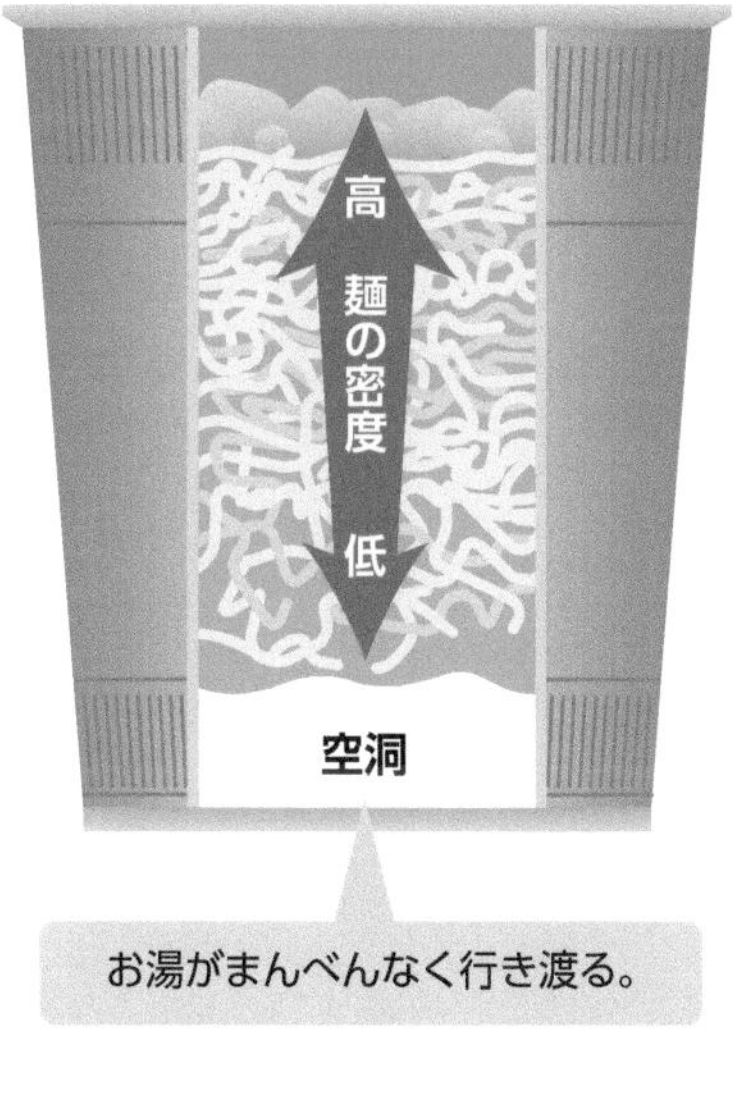

カップラーメンの断面図を見ると、熱湯をまんべんなく行き渡らせるために「底上げ」していることがわかる。麺の下のほうがまばらになっていることにも注目したい。

technology 048

ポテトチップスの袋

ポテトチップスが収められた袋には、おいしさを逃さない高度な技術が詰め込まれている。アルミコーティングもその一つだ。

ポテトチップスのおいしさは、何よりもパリッとした食感。しかし、この食感は湿気に弱い。油で揚げているので、光や酸素に当たっても劣化する。

このような劣化を引き起こす湿気や酸素、光に対して、ポテトチップスの袋にはいくつもの厳重な防御策が施《ほどこ》されている。その一つが袋の構造。**性質の異なる複数種類のプラスチックフィルムを上手に貼り合わせている。**

プラスチックフィルムには多くの種類があり、それぞれに長所や短所がある。そこで、異なるフィルムの層を重ねることで互いに長所を生かし、欠点を補っているのである。

特に目に付くのがアルミコーティング。**光や空気の侵入を完璧に遮断《しゃだん》するよう、真ん中の**

袋は5層構造

ポテトチップスの袋は下図のような5層構造からなり、これらの特徴がうまく生かされている。

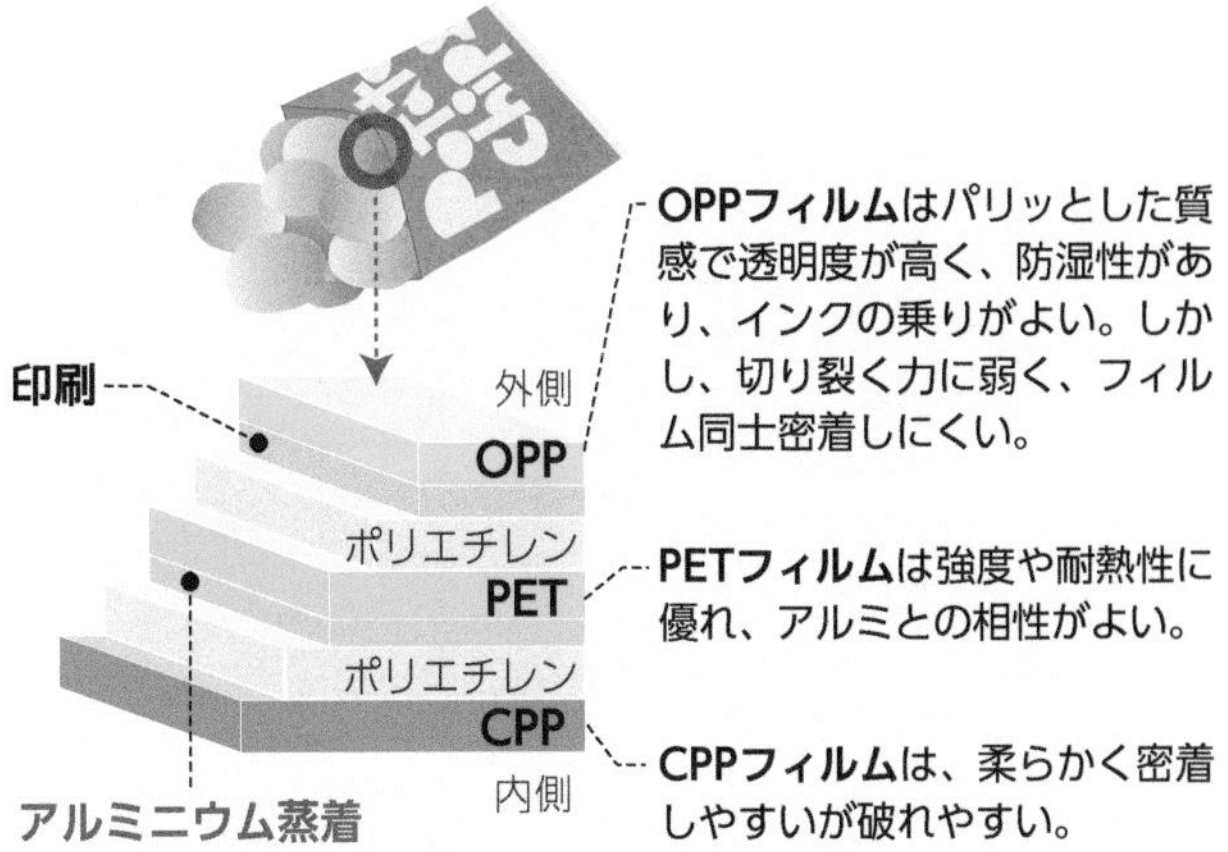
印刷
外側
OPP
ポリエチレン
PET
ポリエチレン
CPP
内側
アルミニウム蒸着
OPPフィルムはパリッとした質感で透明度が高く、防湿性があり、インクの乗りがよい。しかし、切り裂く力に弱く、フィルム同士密着しにくい。
PETフィルムは強度や耐熱性に優れ、アルミとの相性がよい。
CPPフィルムは、柔らかく密着しやすいが破れやすい。

「蒸着」のしくみ

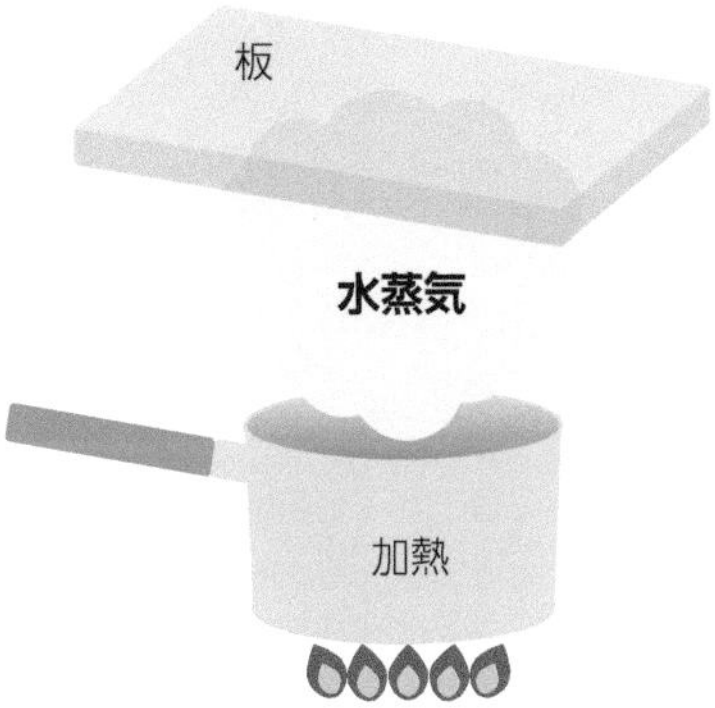
板
水蒸気
加熱

お湯を入れた鍋の上に板をかざしてみると、その板の表面に水蒸気が薄く付着する。これが蒸着である。

層のフィルムにアルミニウムをコーティングしているのだ。これはどうやってつくるのかというと、その答えは真空蒸着《じょうちゃく》。難しく聞こえるが、原理は水蒸気で考えると簡単だ。沸騰《ふっとう》したお湯をためた鍋の上にプラスチックの板をかざしてみよう。すると、その板の表面に水蒸気が薄く付着する。これが「蒸着」だ。お湯の代わりにアルミニウムを、板の代わりにフィルムを置けば、フィルム表面にアルミニウムが蒸着する。ただし、アルミニウムの蒸着は真空中で行なう。この蒸着を「真空蒸着」という。

キラキラするアルミニウムを蒸着したフィルムをポテトチップスの袋として利用するのに当初は抵抗《ていこう》があったという。「中身が見えないものは売れない」という声が営業現場であったのだ。また、コストが大幅に増えることも問題視された。しかし、この袋の実現のおかげで、いまはパリッとしたおいしいポテトチップが食べられる。

さて、真空蒸着に似た手法に、スパッタリングと呼ばれるものがある。これは**半導体製造で必須の技法**で、最近の経済ニュースの解説でもよく目にする。

半導体はシリコン結晶の上に薄い膜をつくり、そこに回路を描くが、その薄膜の作成にスパッタリングが利用される。真空蒸着よりも微細な薄膜づくりができるのが特徴だ。

アルミニウムの「真空蒸着」

真空状態でアルムニウムを加熱蒸発させ、その蒸気をフィルムの表面に付着させて薄い膜をつける。

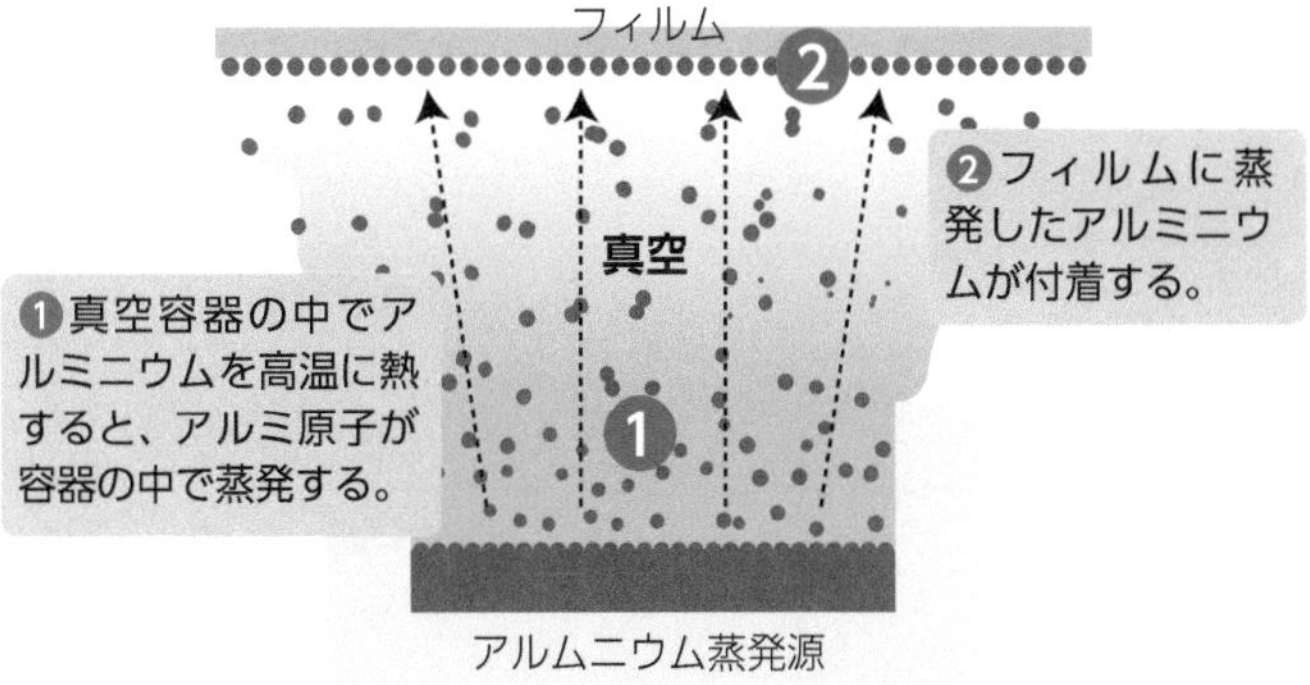
フィルム
②
真空
①
❶真空容器の中でアルミニウムを高温に熱すると、アルミ原子が容器の中で蒸発する。
❷フィルムに蒸発したアルミニウムが付着する。
アルムニウム蒸発源

アルミニウムをフィルムに蒸着させる装置

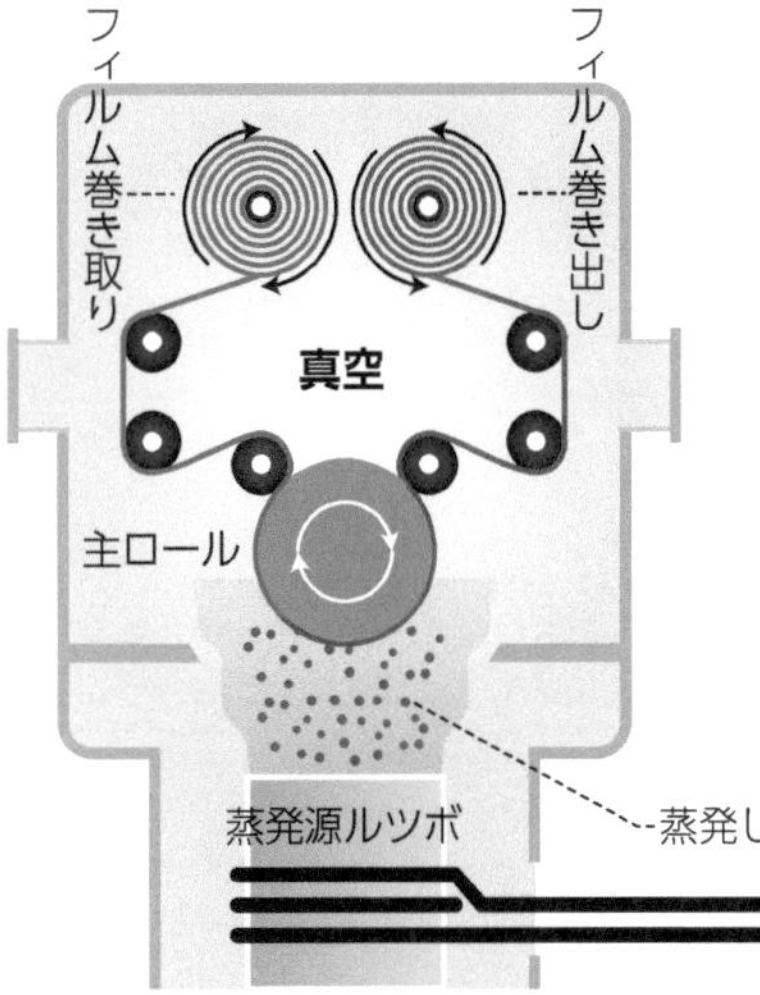
フィルム巻き取り
フィルム巻き出し
真空
主ロール
蒸発源ルツボ
蒸発したアルミニウム

この図は、スナック菓子のフィルムに膜を施す「巻き取り式真空蒸着」の装置。高周波コイルを巻きつけた蒸発源ルツボを加熱すると中に入っているアルミニウムが溶け出し、主ロールに接したフィルムに膜が形成される。

technology 049

クォーツ時計

現在、時計の主流といえば、クォーツ時計だ。クォーツの刻む時間は、スマホやカーナビなど、情報機器に不可欠となっている。

最も歴史のある時計は日時計だろう。太陽が南中《なんちゅう》するときを正午とし、1日の時を刻んだ。雨や曇りでは使えないが、近世まで最も正確な時計であった。時計の針が右回りなのは、**日時計の影が右回りであることに由来する**といわれている。

17世紀には、オランダのホイヘンスが画期的な時計を発明する。振り子時計である。ガリレオ・ガリレイが発見した振り子の等時性《とうじせい》、つまり**振り子が規則正しく往復するという特性を応用**したもので、誤差は10秒／日ほどである。この**振り子の動きをゼンマイで実現したものが機械式時計**だ。これで、誤差は数秒／日になった。そして20世紀、クォーツ時計の発明により、誤差は一気に0・5秒以下／日にまで縮まった。

「時計回り」は日時計に由来

時計回りが右回りというのは常識だが、これは古代の日時計が北半球で発明されたことに由来している。北半球では東から出た太陽が南の空を通って西に沈む。つまり、影の動きは右回りだ。もしも南半球で日時計が発明されていたら、時計回りは左回りになっていたかもしれない。

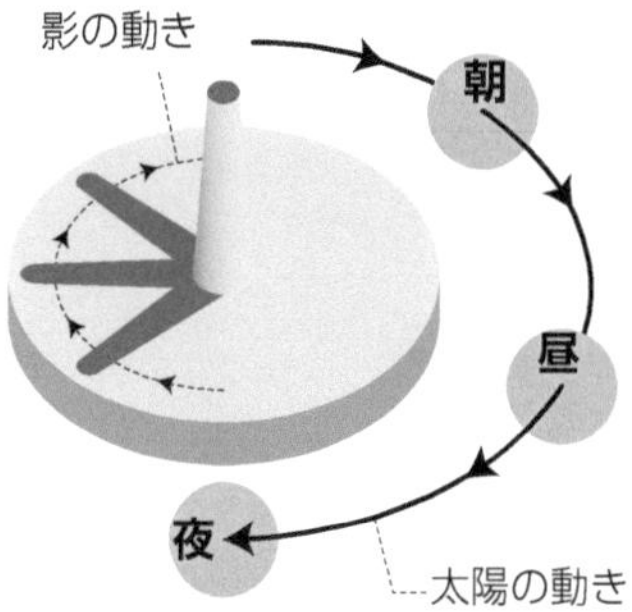
影の動き
朝
昼
夜
太陽の動き

機械式時計のしくみ

機械式時計は、電池ではなくゼンマイで動く。リューズを巻くと、ゼンマイがほどける力で香箱車《こうばこぐるま》が回り、それに合わせて２番車、３番車、４番車、ガンギ車が回るようになっている。分針が付いている２番車は１時間に１回転、秒針が付いている４番車は１分間に１回転する。

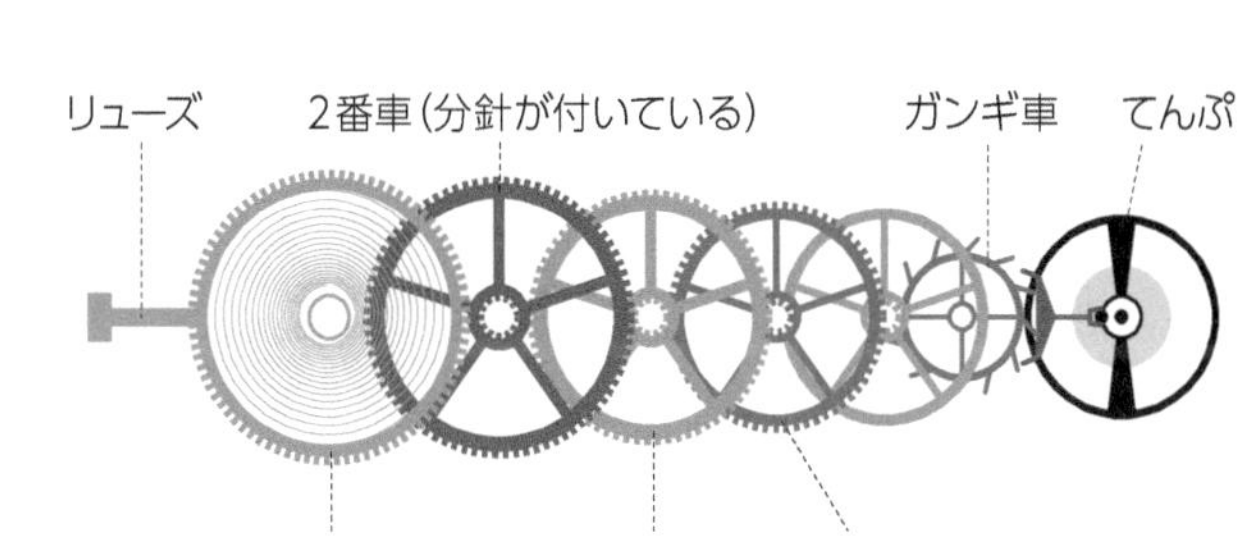
リューズ
2番車（分針が付いている）
ガンギ車
てんぷ
香箱車（ゼンマイが入っている）
3番車
4番車（秒針が付いている）

クォーツ時計の「クォーツ」とは、水晶《すいしょう》のことである。水晶には不思議な性質がある。力を加えると電圧が発生し（圧電効果またはピエゾ効果という）、逆に電圧を加えると固有のリズムで振動する（逆圧電効果という）のだ。これは1880年、フランスのキュリー兄弟によって発見された（弟ピエール・キュリーの妻はキュリー夫人）。

クォーツ時計は、この水晶の性質を利用する。水晶の細片《さいへん》に交流電圧を加えると、逆圧電効果によって特定のリズム（1秒間に約3万回）で振動する。この**固有の動き（固有振動）を電気信号に変え、時計の刻みに利用する**のだ。

水晶の固有振動から電気信号を取り出す素子を水晶振動子と呼ぶ。これは現代において「産業の米」とも呼ばれ、電子機器に不可欠なものである。時計に限らず、コンピューターや動作検知センサーの重要な部品となっている。例えば、携帯電話には10個余りの水晶振動子が組み込まれているのだ。

時計に話を戻そう。現代では、クォーツ時計よりもさらに正確に時を刻む時計も利用されている。セシウム原子時計である。**その誤差は3000万年で1秒以下**という驚異的なもので、日本の標準時を刻む電波時計にも利用されている。

水晶の性質

水晶には、「力を加えると電圧が発生する」という性質がある。この性質が発見されたのは、いまから140年以上前のことである。

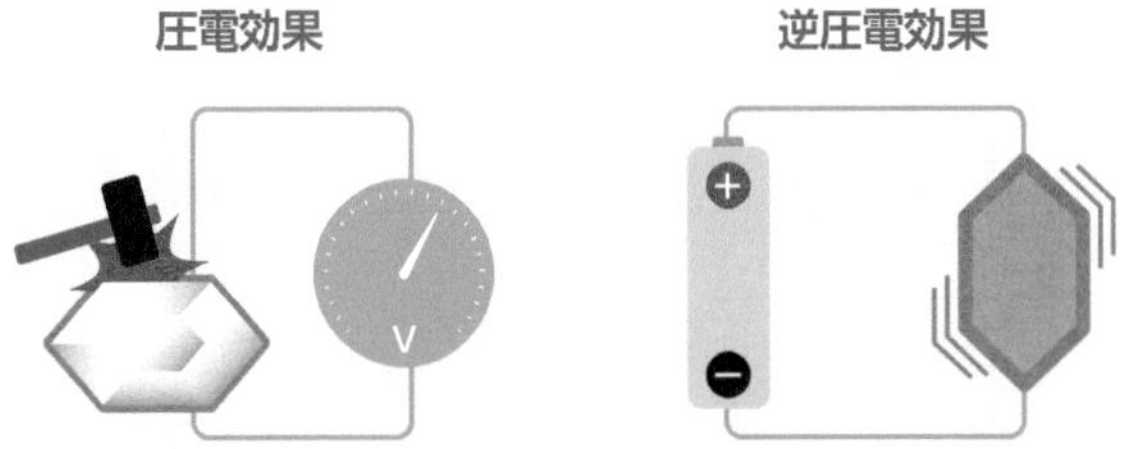
圧電効果
V
逆圧電効果

水晶に力を加えると、表面に電気が発生する。

水晶の表面に電圧をかけると、固有のリズムで振動する。

水晶を用いた針式のクォーツ時計のしくみ

水晶が発する固有の振動を1回／秒（つまり1Hz）の電気信号に変換し、ステッピングモーターを回す。

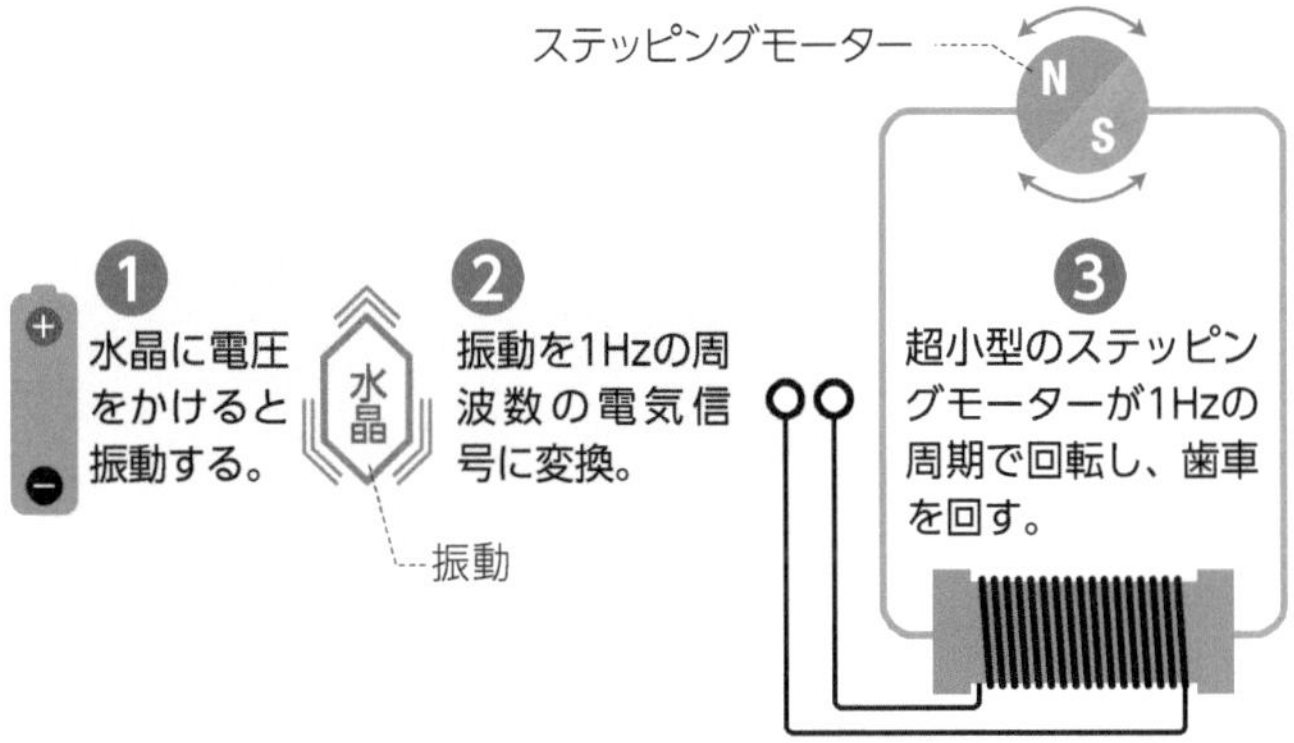
ステッピングモーター
N
S
1
水晶に電圧をかけると振動する。
水晶
振動
2
振動を1Hzの周波数の電気信号に変換。
3
超小型のステッピングモーターが1Hzの周期で回転し、歯車を回す。

外で見かける
身近な家電
生活用品
乗り物
ハイテク
便利グッズ
文房具

technology 050

パーマ剤

男女を問わず、パーマは髪のおしゃれの基本。そのパーマがどのようなしくみなのか、考えたことはあるだろうか。

パーマとは、パーマネント（permanent＝「永久的な」の意味）の略。好きな髪型を長期間保持できる美容技術だ。メンズパーマなどといって、近年では男性のおしゃれにも一役買っている。

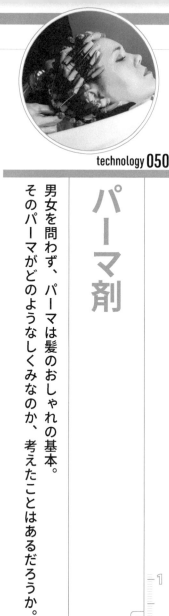

じつは、パーマには1世紀近くの歴史があるが、**そのしくみはまさに化学の教科書そのもの**である。タンパク質の分子の性質が理論通りに利用されているのだ。

髪の毛は、**表面を覆《おお》うキューティクル、その内部にあって髪の主要部分を占めるコルテックス、中心部のメデュラの三つ**から構成されている。キューティクルは、うろこ状に重なって毛髪表面を覆い、内部を保護している。コルテックスは、毛髪のしなやかさ、強さ、軟ら

髪の構造

髪は表面を覆うキューティクル、毛髪の大部分を占めるコルテックス、中心部のメデュラの3つの部分から構成されている。毛質を左右するのはコルテックス。ケラチンが繊維状に並んでいる。

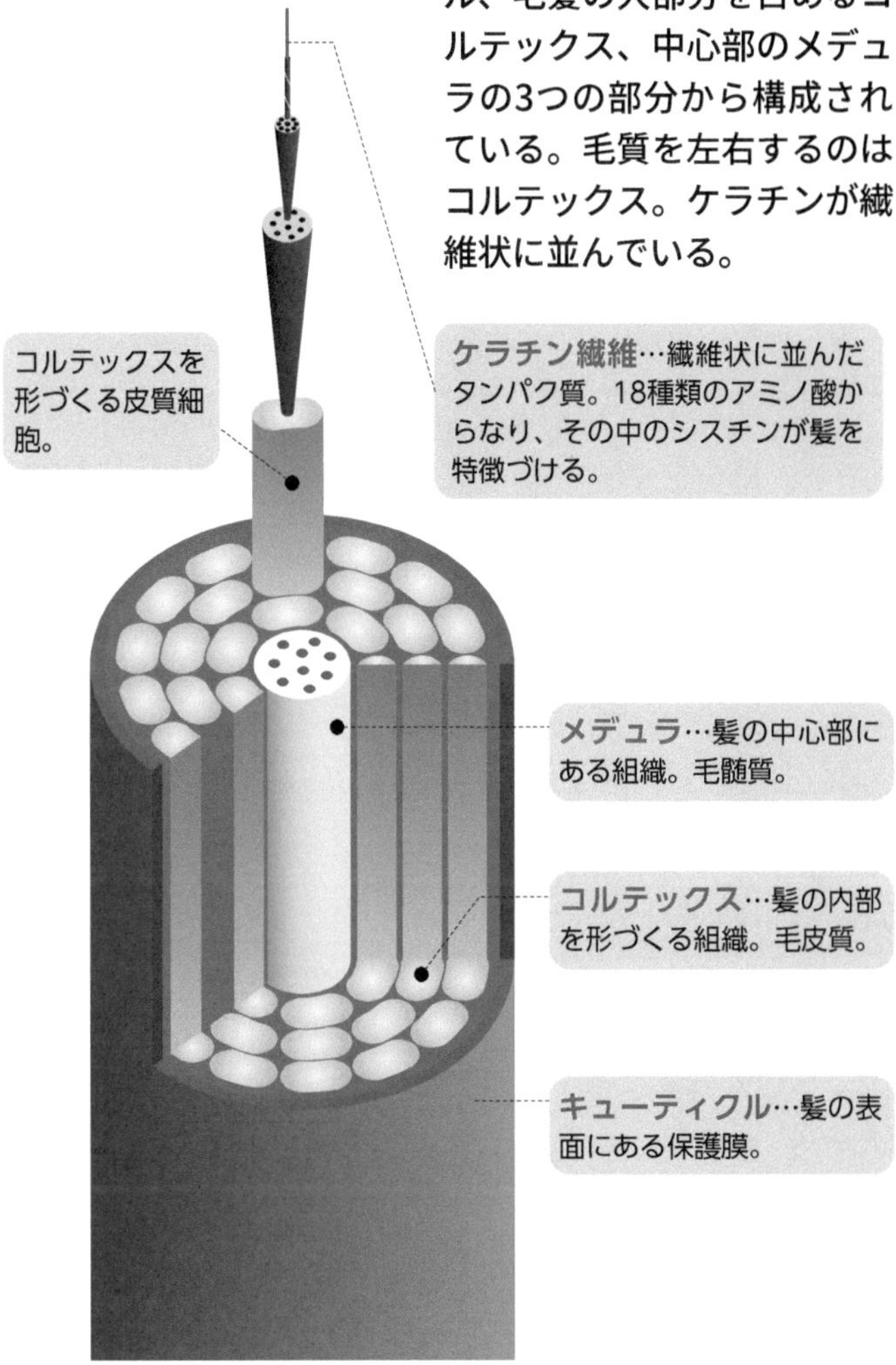
ケラチン繊維…繊維状に並んだタンパク質。18種類のアミノ酸からなり、その中のシスチンが髪を特徴づける。

コルテックスを形づくる皮質細胞。

メデュラ…髪の中心部にある組織。毛髄質。

コルテックス…髪の内部を形づくる組織。毛皮質。

キューティクル…髪の表面にある保護膜。

かさなどの物理的性質、いわゆる毛質を左右する部分である。ケラチンと呼ばれる繊維状《せんいじょう》のタンパク質が一列に並んでできており、**パーマはこのケラチンをターゲットにする。**

ケラチンは18種類のアミノ酸からできている。その中で髪を特徴づけるのがシスチンである。

少しややこしいのだが、シスチンはアミノ酸のシステイン二つが結合してできていて、それらはシスチン結合と呼ばれる特殊な結合をしている。これが髪のクセを決定しているのだ。

思いの通りの形に髪をセットするには、まずこの**シスチン結合を切って形をリセットし、さらに再結合させる**という2段階を追えばいいことになる。髪を構成するアミノ酸をレゴのブロックと考えるなら、まず、積み上がっていたブロック（元の髪型）をバラバラにしてから再構築（セットした髪型に）する、という2ステップを踏むのだ。

そこで、パーマの薬剤は第1剤と第2剤の2種類に分けられ、順を追って塗布《とふ》される。**第1剤にはシスチン結合を切る薬剤が、第2剤にはそれらを再結合させる薬剤が入っている。**

このように、パーマをかけるときにはタンパク質の化学反応を利用している。パーマを頻《ひん》繁《ぱん》にかけると髪が傷む理由もここにあるのだ。

パーマ剤のしくみ

髪を思い通りにセット（パーマ）するには、シスチン結合をリセットして再結合させるという2段階の手順を踏むことになる。

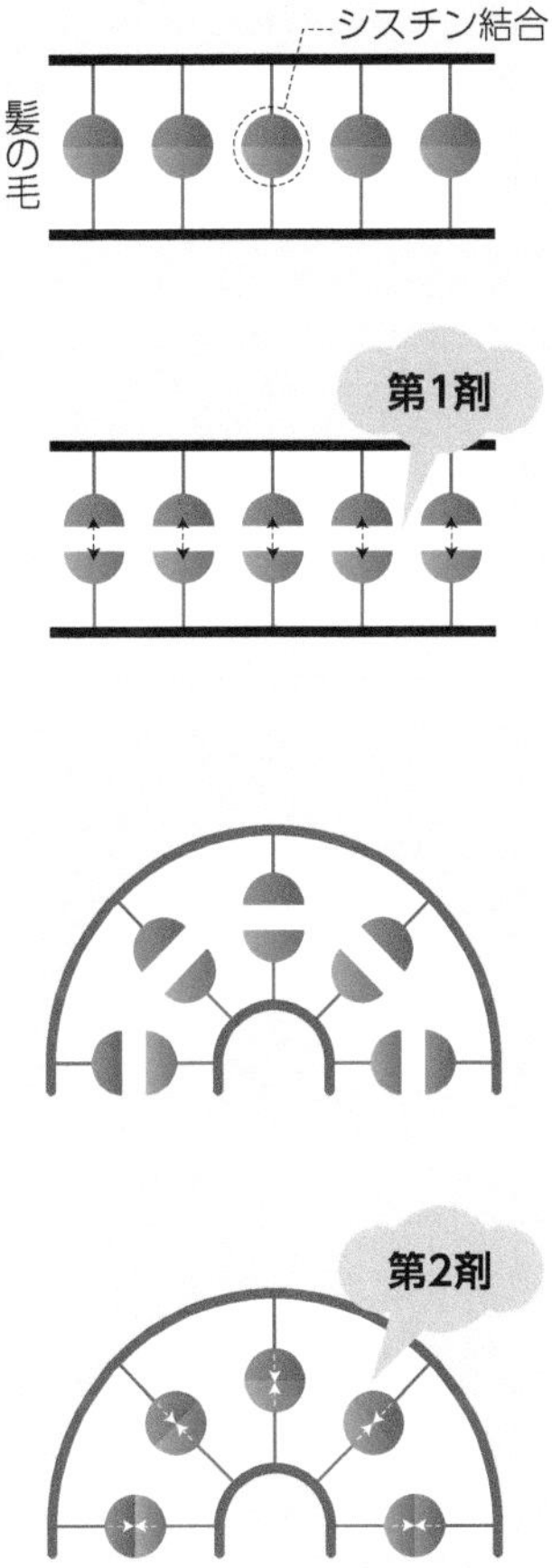

元の髪

アミノ酸のシステイン2つが結合している状態（シスチン結合）。

↓

結合を切る

第1剤を塗布して、シスチン結合を切る。

↓

セット

思い通りの髪型にセットする。

↓

再結合

第2剤を塗布して、システインを再結合する。

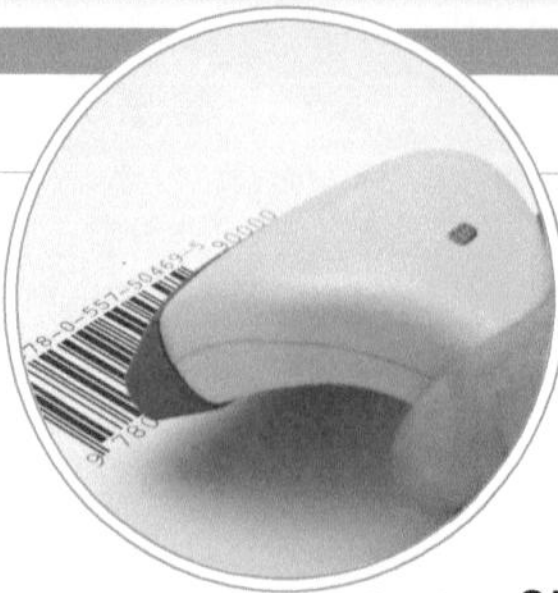

technology 051

バーコードとQRコード

多くの商品にはバーコードがついている。携帯電話で情報交換に利用されるQRコードは、そのバーコードの発展形である。

スーパーなどで見るほとんどの商品には、白黒の縞《しま》模様が印刷・貼付《ちょうふ》されている。この模様がバーコードである。その下には13桁《けた》か8桁の数字が書き込まれているが、**白黒の縞の幅の違いでそれらの数字を表現している**のだ。読み取り機はこの縞模様にレーザー光を当て、その反射光からコードを識別するのである。

日本の多くの商品につけられたバーコードはＪＡＮコードという規格にしたがっている。国コード、メーカーコード、商品項目コードが順にコード化されている。ちなみに最後の1桁はチェック用に用いられる。

バーコードの最大の「売り」はその安さと扱いやすさである。商品にバーの模様を印刷し

「バーコード」と「QRコード」の違い

バーコードとQRコードは、それぞれどのような特徴を持っているのだろうか。

バーコード

4 912345 678904
縦方向は情報を持たない
横方向の情報

一次元(直線上)のパターンで情報を表現する「一次元コード」。情報量は最大20桁ほど。JANコードには標準タイプ(13桁)と短縮タイプ(8桁)があり、多く使われているのは前者である。

QRコード

縦方向の情報
横方向の情報

自動車部品メーカー・デンソーが開発した「二次元コード」。数字のみの場合は最大7089文字、漢字・全角かな文字の場合は最大1817文字までの情報を収納できる。情報量が増えると、サイズが大きくなる。

流通システムの要「POSシステム」

バーコードのおかげで、店や工場、倉庫の商品管理が簡単にできる。

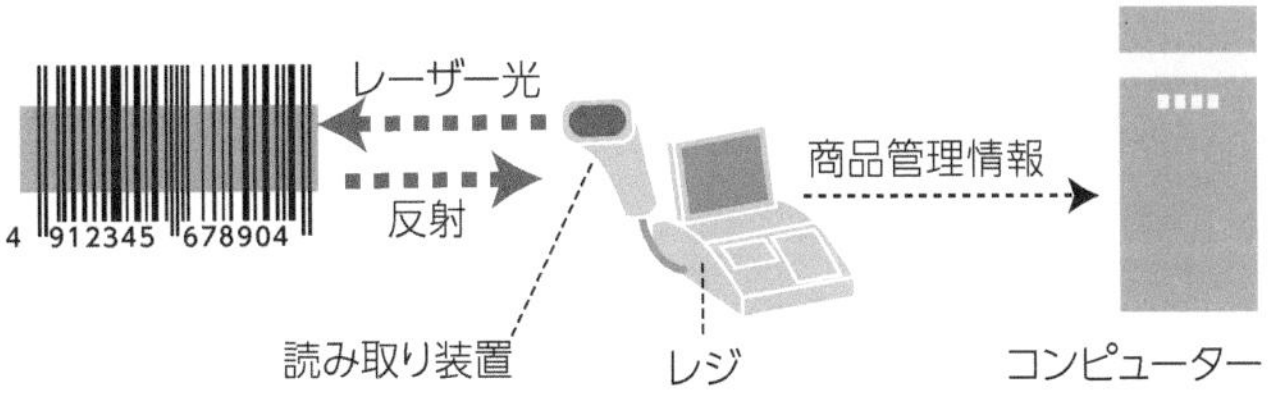
4 912345 678904
レーザー光
反射
商品管理情報
読み取り装置
レジ
コンピューター

たりシールを貼りつけたりするだけで、バーコードとして利用できる。

現在、**バーコードはPOS《ポス》システムと呼ばれる流通システムの要《かなめ》**である。商品情報が刷り込まれたこのコードのおかげで、店に在庫がどれくらいあるか、どの製品がよく売れているかなどを細かく管理できるからだ。コンビニの商品流通が可能なのも、バーコードのおかげといっても過言ではない。

バーコードの欠点は、表現できる情報量が少ないことだ。たかだか13の数字の情報では、現代の複雑な流通では力不足である。そこで、現在では**デンソーが開発したQRコード**もよく利用されている。スマホのカメラで利用している読者も多いだろう。**バーコードの一次元模様を二次元化**することで、情報量を飛躍的に大きくできる。平面的に配置されたバーコードはほかにもあるが、主流にはなっていない。

ちなみに、書籍のバーコードはISBNコードにしたがっており、ポテトチップスなどの日本の商品コード（JANコード）とは異なっている。ISBNコードは世界中の本を管理することを目的としているからだ。また、Cコードなどを含んだバーコードも併記されている。Cコードは図書の分類を目的としたコードである。

technology 052

日焼け・日焼け止めクリーム

夏の海で肌を小麦色に焼きたいときには「日焼けクリーム」を利用しよう。「日焼け止めクリーム」と間違わないように。

近年は美白ブーム。しかし、少し前には「ガングロ」系の人気が高かった。本当にファッションとは移ろいやすい。そうはいっても、夏の海に似合うのは、いつの時代も小麦色の肌。だが、太陽の紫外線でむやみに焼いては、肌へのダメージが大きい。そこで利用されるのが日焼けクリームである。

ところで、「日焼けクリームを塗ったのに、全然焼けなかった」という話が聞かれる。それは日焼け止めクリームと間違えたからだろう。「止め」が入るか入らないかで、効果がまったく違う。

日焼けクリームと日焼け止めクリームの違いを理解するために、まず太陽から放射される紫外線《しがいせん》の性質を調べてみよう。紫外線とは光より波長の短い、つまりエネルギーの強い電磁《でんじ》波《は》だが、**その性格からUV-A、UV-B、UV-Cの3種**に分けられる。Cは大気で遮断《しゃだん》されて地上には届かないため、日常生活で考えなければならないのはA、Bの2種である。**Bのほうは波長が短く強烈で有害**であり、肌に炎症（サンバーン）を起こさせる。**Aは波長が長く穏やか**で、肌を日焼け（サンタン）させる。小麦色の肌は日焼けである。そこで、「日焼けクリーム」は**Bを妨《さまた》げ、Aだけを通すクリーム**なのである。一方、「日焼け止めクリーム」はAもBも両方妨げるクリームである。

一概に「日焼けクリーム」や「日焼け止めクリーム」といっても、製品によって効き目は異なる。それを分類したのがSPF、PAで表される指標である。SPFはUV-Bの、PAはUV-Aの防止効果を示している。SPFは50までの数値で、PAは+《プラス》、++《ツープラス》、+++《スリープラス》、++++《フォープラス》の4段階で表示される。**どちらも数が大きいほど防止効果**が大きくなる。ただし、塗り方によって効果は大きく異なる。説明書にしたがって丁寧《ていねい》に塗ることが大切である。

ちなみに、UV-Aは一年中降り注いでいる。また、雲やガラスを透過するため、曇りの日や室内にいる場合でも肌に影響を与える。紫外線に弱い人は、十分注意しよう。

太陽光線の波長の区分

太陽からの紫外線はUB-A、UB-B、UB-Cの3種に分けられる。Cは大気で吸収されるので、海ではA、Bだけを考えればよい。

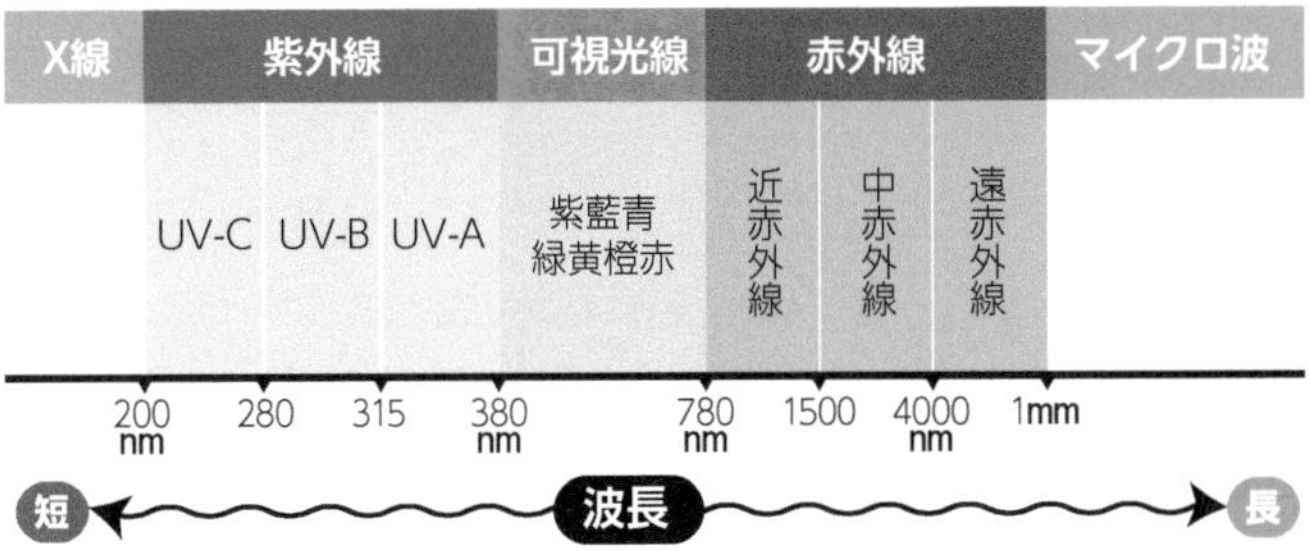
X線
紫外線
可視光線
赤外線
マイクロ波
UV-C
UV-B
UV-A
紫藍青
緑黄橙赤
近赤外線
中赤外線
遠赤外線
200nm
280
315
380nm
780nm
1500
4000nm
1mm
短
波長
長

日焼けクリームと日焼け止めクリームの違い

日焼けクリームはUV-Bのみをブロック。日焼け止めクリームはUV-A、UV-Bの両者をブロックする。

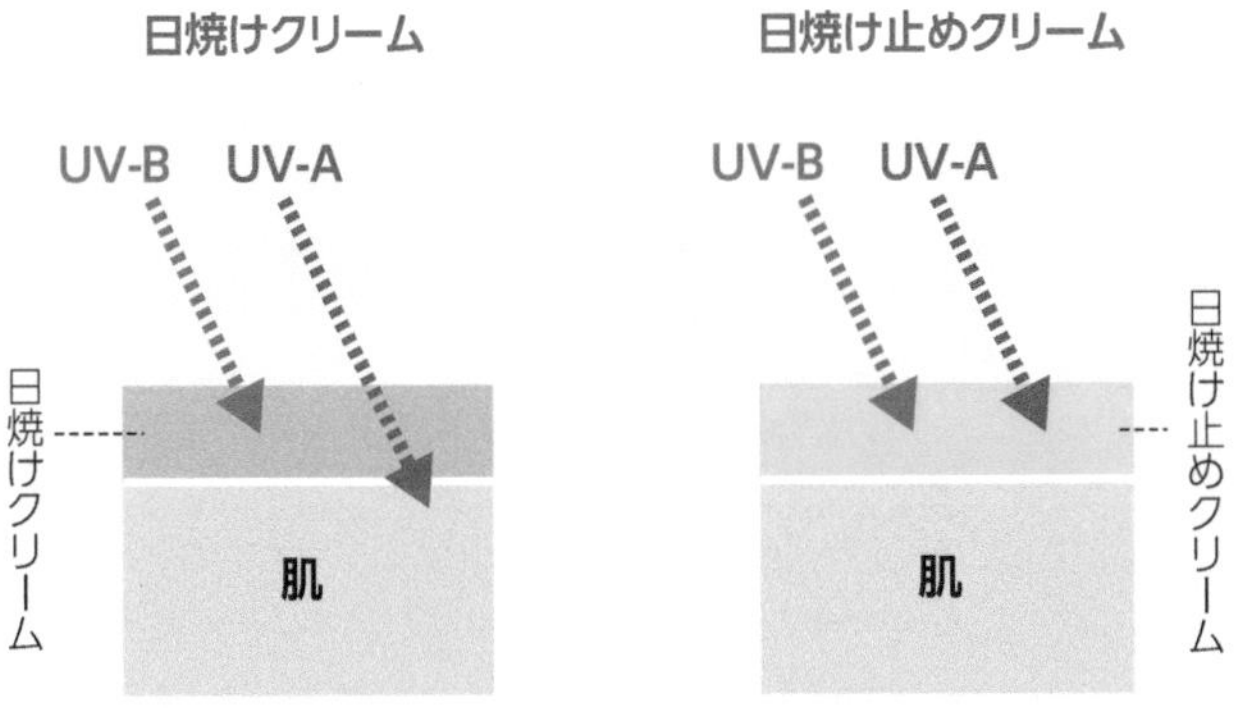
日焼けクリーム
UV-B
UV-A
日焼けクリーム
肌
日焼け止めクリーム
UV-B
UV-A
日焼け止めクリーム
肌

Column

羽根のない扇風機

「羽根のない扇風機」がダイソンから発売され、人気を博している。羽根がないため安全であり、ムラのない風を送ることができる。

「羽根がない」といっても、実際には台座部分にファンが隠されている。そこから送り出された風が送出部の枠にたくさんある小さな穴から噴き出し、周囲の空気を巻き込んで風をつくり出すのである。この空気の巻き込みを「エントレインメント」効果と呼び、ファンの風量の15 倍の風をつくり出すという。技術改良の余地はないとされた扇風機だが、まだまだいろいろなアイデアが生かされる余地があることを、この扇風機は示している。

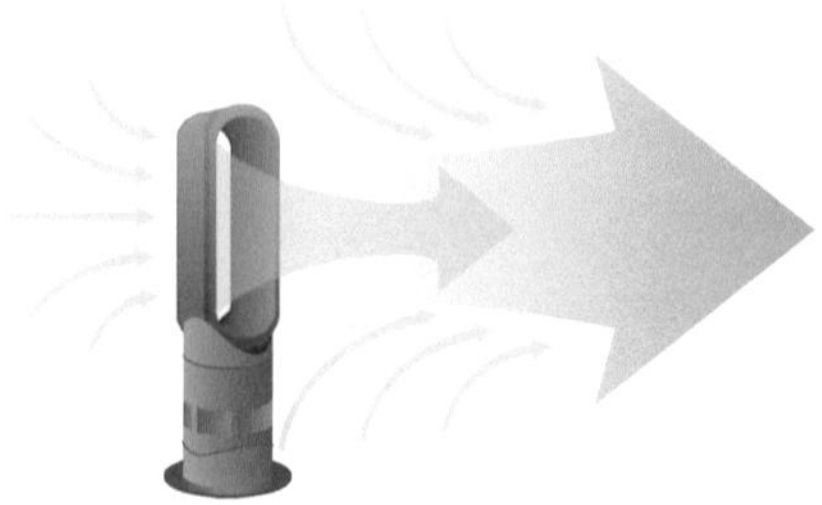

第4章

乗り物に見る すごい技術

飛行機や新幹線など、なじみのある乗り物から、
電気自動車、自動運転、リニア新幹線といった
新時代の技術まで、乗り物に秘められた技術とは？

technology 053

飛行機

「金属のかたまり」であるはずの飛行機はなぜ飛べるのか。不思議なことに、そのすべてを完璧に説明する定説はない。

飛行機を間近に見ると、「どうしてこんな金属のかたまりが飛ぶのか」と不思議に思う。そのメカニズムを調べてみよう。

最もオーソドックスなのは、ベルヌーイの定理を用いた説明である。この定理は流線上で「流体の運動エネルギーと圧力の和は一定」と主張する。ということは、流体が速く運動すれば圧力は小さくなることになる。翼《つばさ》は上に膨《ふく》らむ非対称な形のため、流体は翼の上側のほうが速い。そこで、**翼の上側の圧力が減り、翼を押し上げる力（揚力《ようりょく》）が働く**という。

この説明の基礎となるベルヌーイの定理は完全流体で成立する。完全流体とは粘性《ねんせい》がなく渦《うず》が発生しない流体である。しかし、現実には粘性があり、渦が発生する。電線に強い風が

飛行機の翼とベルヌーイの定理

飛行機の翼は上側が盛り上がった形をしている。そのため、翼の上側の風の流れが高速になり、「ベルヌーイの定理」から、下側よりも空気の圧力（気圧）が低下。飛行機を上に押し上げる「揚力」が生まれる。

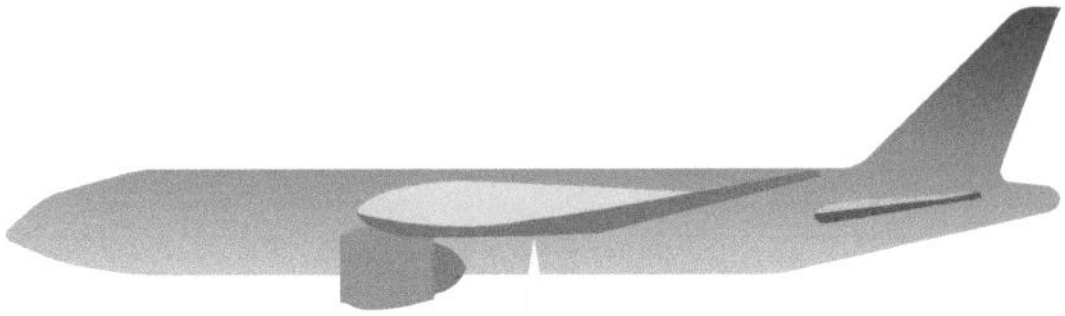

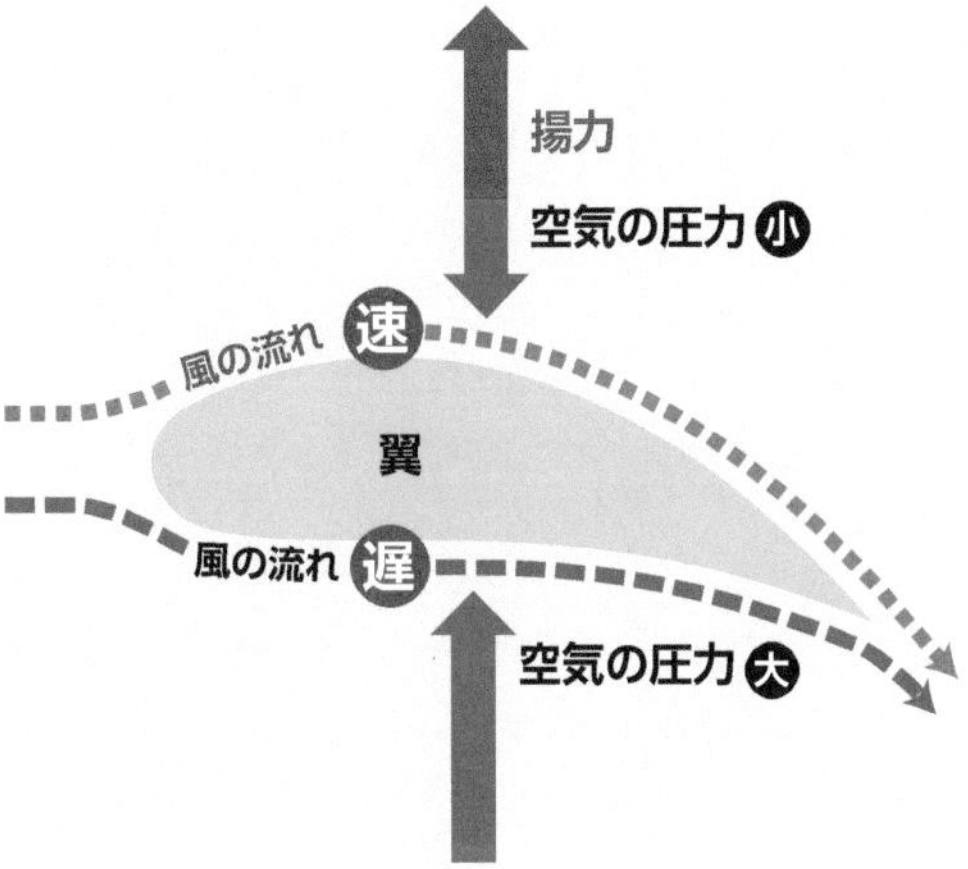
揚力
空気の圧力 小
風の流れ
速
翼
風の流れ
遅
空気の圧力 大

当たるとヒューヒュー鳴るのは、この渦が原因である。したがって、ベルヌーイの定理だけで飛行機が飛ぶ原理を十分に説明することはできない。実際、直線状の翼を持つ紙飛行機がよく飛ぶことを、これでは説明できないことになる。

そこで、次のような説明もなされる。板が空気の流れに対して仰角《ぎょうかく》をもって置かれると、空気はその板に妨《さまた》げられ、下向きに曲げられる。すると、**作用反作用の法則から、板はその反対向きの力、すなわち揚力を得ることになる。**この力で飛行機は飛ぶのだ、という説である。しかし、この説明では、かまぼこ型の翼を空気中で水平に動かすと揚力を得るという事実を説明できない。

近年は、**翼が空気を切るときに発生する渦が揚力を生む**という「渦」説も登場している。実際、紙飛行機が飛ぶのはこの渦が原因であることが知られている。しかし、渦の理論はカオス理論の一つであり、最新のコンピューターでも精度の高い計算はできない。そのため、正確な空気の流れは理論的にはつかめないのである。

飛行機が飛ぶしくみは、**これらの説明が一体になったもの**と考えられている。私たちはしくみを完全に計算しきれない怪物に乗って旅行を楽しんでいるともいえるのだ。

作用反作用論とは？

向かい風を受けることで揚力が生まれる、という単純な論理である。空気は板にぶつかって下向きに曲げられ、反対向きの力、つまり揚力が生じる。

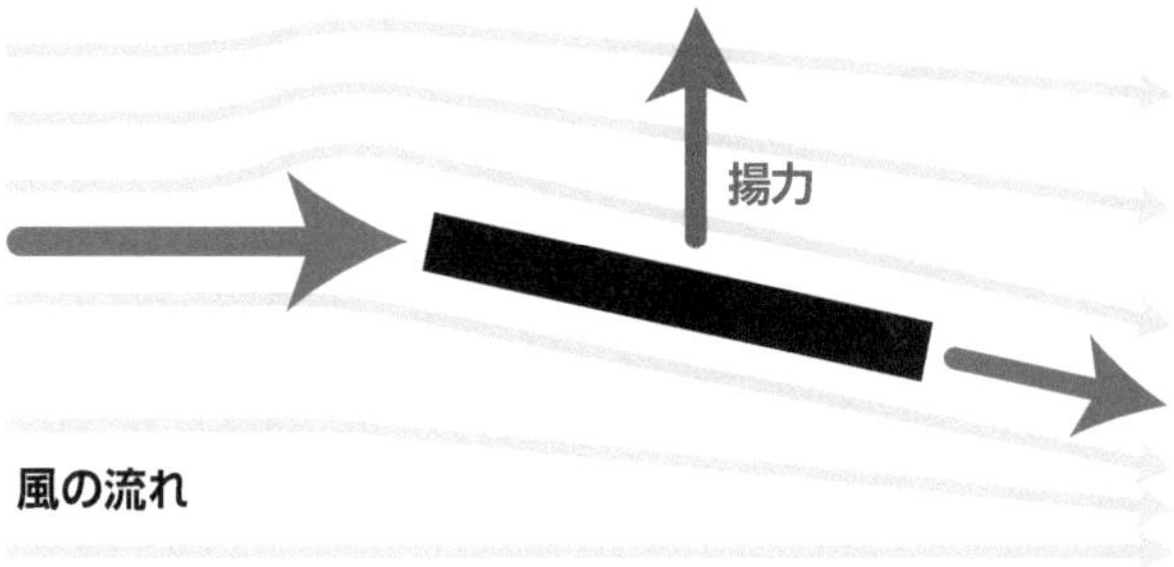

渦が揚力を生む!?

翼が空気を切るときに渦が発生し、その渦が揚力を生むという。ただし、渦はカオス現象であり、正確に計算するのは困難である。

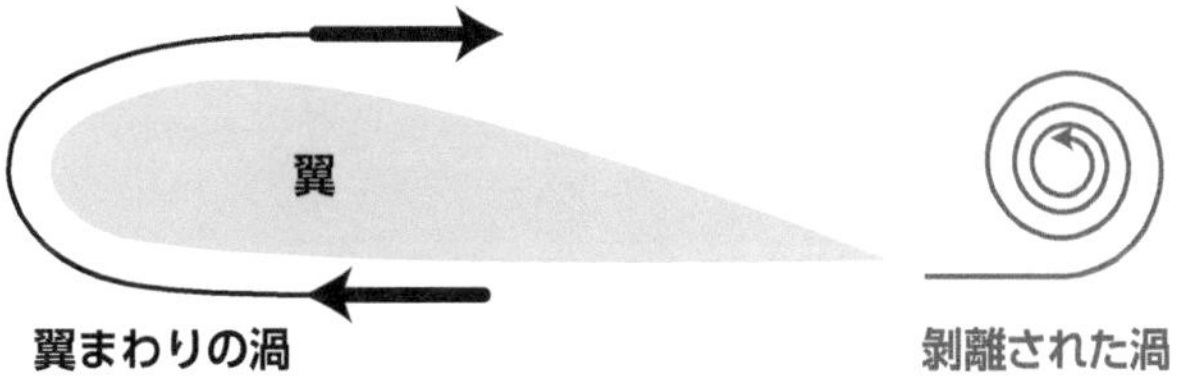

technology 054

新幹線

新幹線の先頭車の顔は、くちばしが伸びたアヒル顔だが、これは何を意味するのか。初代の「団子鼻」はなぜ消えたのか。

２０１２（平成24）年3月、初代「のぞみ」の車両（３００系と呼ばれている）が引退した。技術革新にともない、新幹線の変遷も急速だ。だが、**最近の新幹線を見ると、皆〝アヒル顔〟**をしている。

アヒルのようなマスクを採用した理由には、もちろんスピード対策もある。しかし、**それ以上に重要なのがトンネル対策**だ。「団子鼻」をした昔の新幹線「ひかり」が時速３００キロでトンネルに突入すると、トンネルの出口で「ドーン」という爆発音がしてしまう。逃げ場を失った空気が車両の前で圧縮され、**衝撃波となって出口側に伝わり吹き出す**からだ。これをトンネル微気圧波というが、車両が通過するたびに爆発音がしては、沿線住民に迷惑で

トンネル微気圧波が爆発音を生む

車両が突入すると、トンネル内の逃げ場を失った空気が車両の前で圧縮され、衝撃波となって出口側に伝わり、吹き出す。これが爆発音となる。

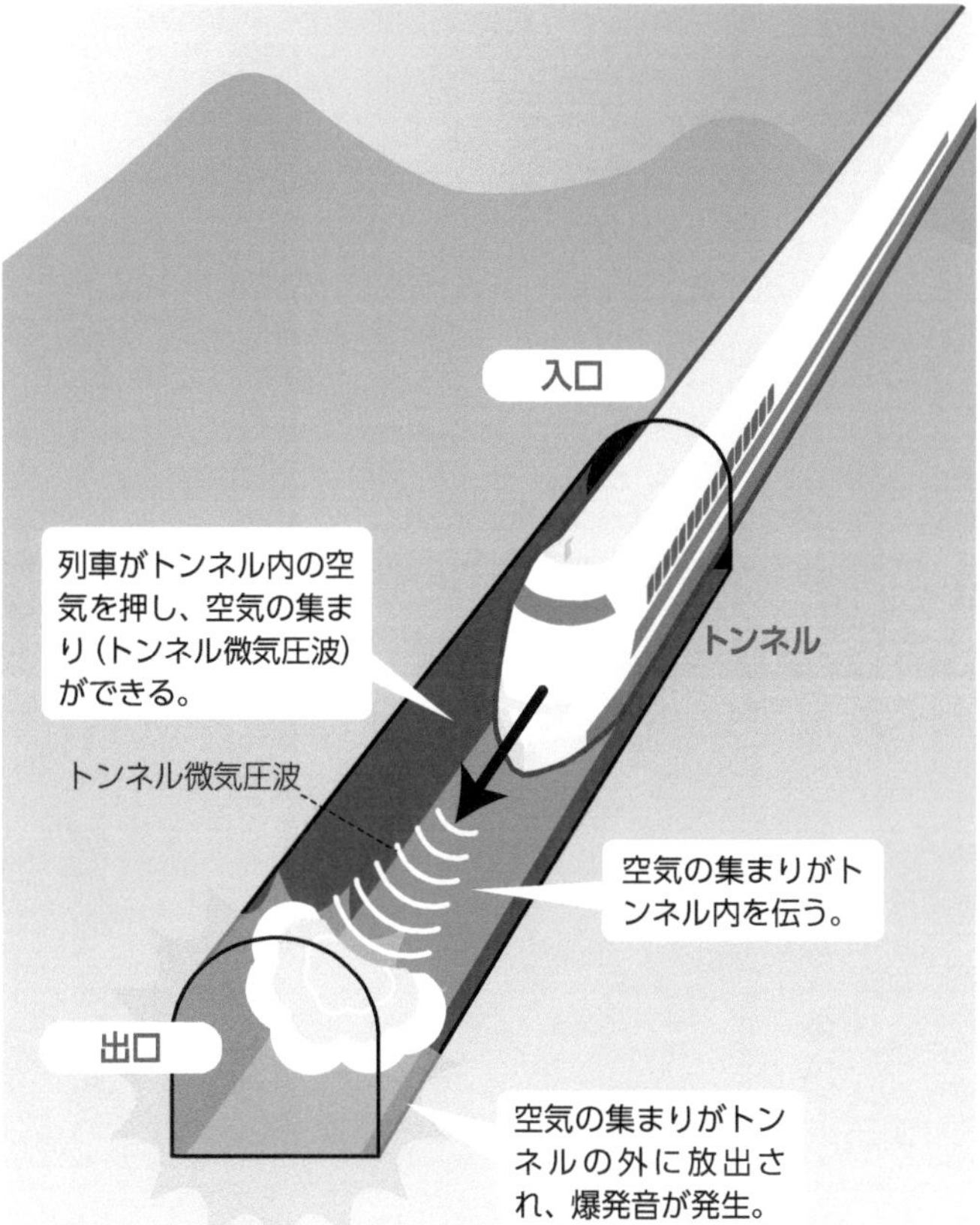
入口
列車がトンネル内の空気を押し、空気の集まり（トンネル微気圧波）ができる。
トンネル
トンネル微気圧波
空気の集まりがトンネル内を伝う。
出口
空気の集まりがトンネルの外に放出され、爆発音が発生。

ある。この騒音問題を解決したのがアヒル顔なのである。

トンネル微気圧波をなくすには、**列車の先頭形状を鋭《するど》くし、空気の逃げ場をつくればいい。**そこで登場したのがジェット機のようなスマートな先端を持つ、５００系と名づけられた「のぞみ」。しかし、これはスマートであるがゆえに車幅《しゃふく》が狭いという欠点があり、鉄道ファンには人気があったが事業者には不評だった。そこで登場したのが７００系「のぞみ」である。サイドを削ってアヒルのくちばしのように平べったいデザインにすることで、トンネルに入ったときに空気がくちばしの脇から逃げる。こうして、**トンネル微気圧波の発生を抑えることができる**のだ。先頭が平べったくなったおかげで、列車の幅を広くとれ、狭さも解消した。

このようなアヒルのくちばし型をエアロストリームと呼ぶが、最新の新幹線車両はさらにそれを発展させた**デュアルスプリームウィングと呼ばれる形にリファイン**されている。新幹線が速くなるにつれ、「アヒルのくちばし」はさらに改良されていくのである。

このように、新幹線車両は騒音対策を常に優先している。これは、人口が密集した日本の宿命《しゅくめい》といえよう。フランスのＴＧＶなど、他国の高速鉄道との大きな違いの一つだ。

300系と500系

時代とともに進化し続ける日本の新幹線。300系と500系の2形式を紹介しよう。

300系新幹線
初代「のぞみ」。営業運転が時速300kmを超えたが、引退。

500系新幹線
飛行機のようにスマートだが、狭いという欠点がある。

700系で採用されたエアロストリーム

アヒルのくちばしのような先頭形状は、コンピューターシミュレーションや風洞実験など、さまざまな研究の末に誕生。空気の流れを乱さず、騒音の原因となる渦の発生を抑えることに成功した。現在はさらに進化した「デュアルスプリームウィング」のフォームが採用されている。

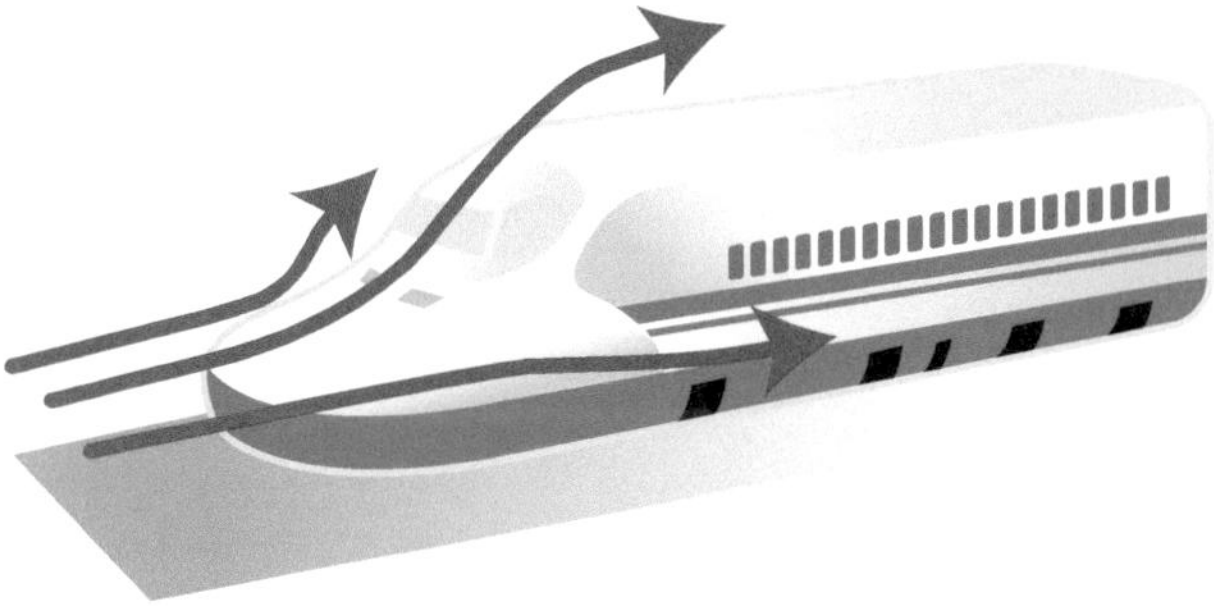

technology 055

リニア新幹線

ＪＲ東海は東京と大阪を結ぶリニア新幹線の建設を進めているが、駆動源《くどうげん》のリニアモーターはすでに実用化されている。

２０１２（平成24）年、ＪＲ東海はリニア中央新幹線計画を実行に移すと発表した。東京～大阪間を１時間で結ぶ「リニアモーター推進浮上式鉄道」の研究が開始されたのが１９６２（昭和37）年。じつに半世紀が経ってからの決断である。

周知《しゅうち》のように、リニア新幹線は**「リニアモーター」を駆動源とし、「磁気浮上方式」を採用**した点に特徴がある。

リニアモーターとは、その言葉どおり直線状（リニア）のモーターをいう。人が一列に並んで手渡しで荷物を運ぶのに似た運搬方式を実現するモーターだ。車両に搭載《とうさい》されている磁《じ》石《しゃく》と、走行路（ガイドウェイ）の両側の壁に並んで取りつけられている「推進コイル」が同期

電磁石による推進のしくみ

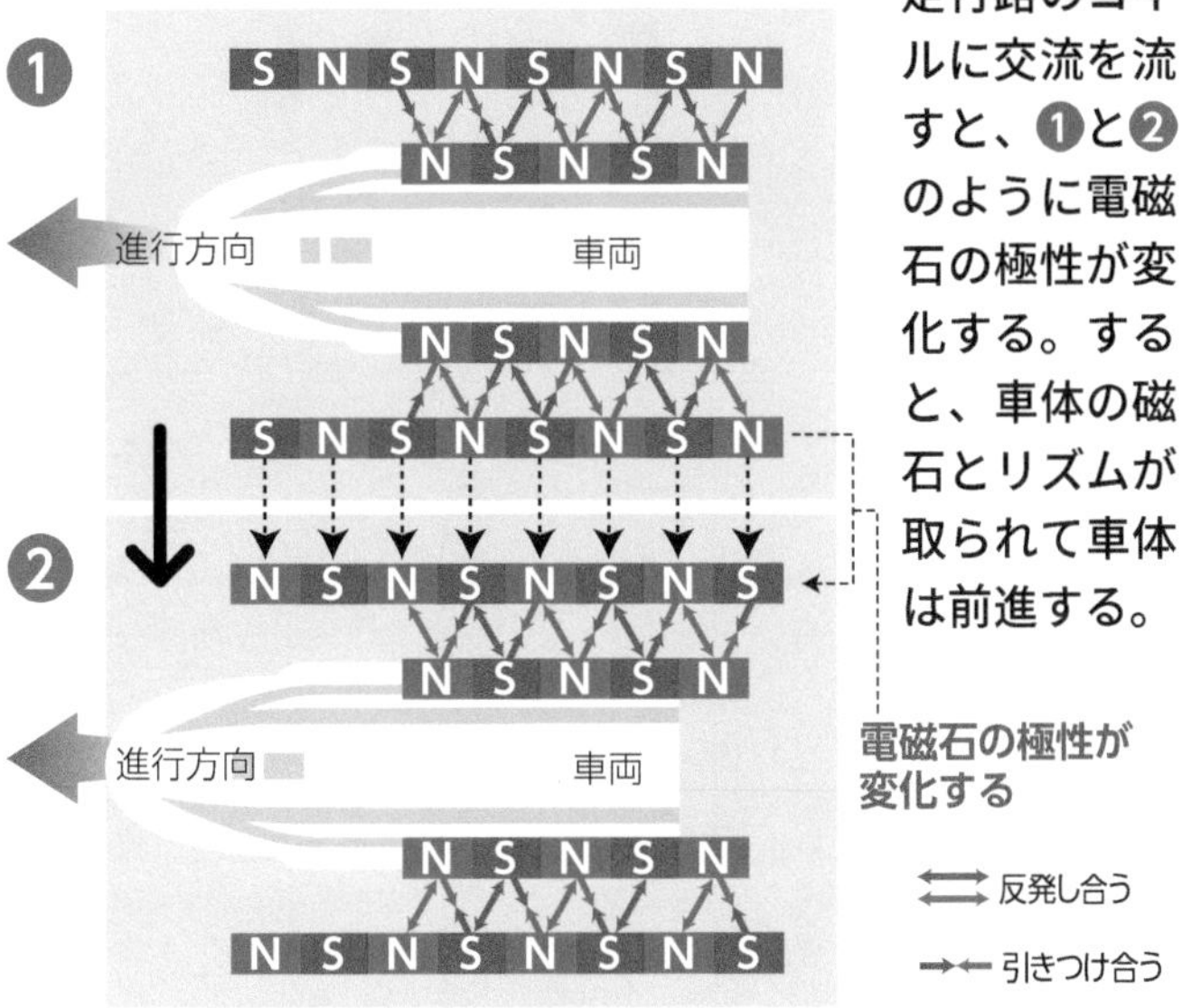

走行路のコイルに交流を流すと、❶と❷のように電磁石の極性が変化する。すると、車体の磁石とリズムが取られて車体は前進する。

単純化した磁気浮上のしくみ

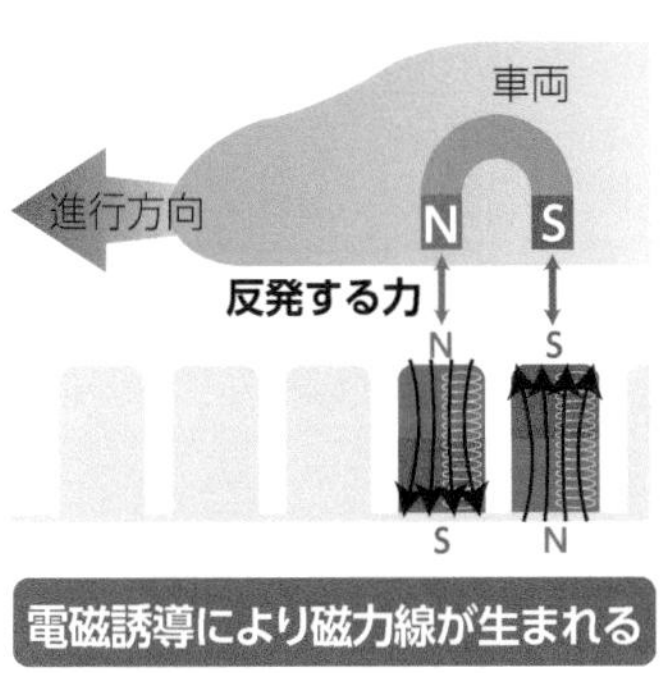

車体に強力な超伝導磁石を取りつけ、走行路にはコイルを一定間隔に敷設する。コイルに車体が近づくと、車体の磁石が走行路のコイルに電磁誘導を引き起こし、コイルを電磁石にする。この電磁石と車体の超伝導磁石との反発力で車体が浮上する。

して推進力を生む。例えば、車両先頭のS極が近づいたら、その前方の推進コイルをN極にするように電流を流し、**磁石の引き合う力で加速**するのである。

リニアモーターを駆動源とする車両は決して斬新《ざんしん》なものではない。例えば東京の地下を走る都営地下鉄大江戸線の車両は、リニアモーターで走っている。車体を小さくできるためトンネル断面積が小さくでき、建設コストが下げられる。このような理由から、最近建設された地下鉄には**リニアモーターを駆動源とした車両の採用が多い**。

次に、磁気浮上方式を見てみよう。実際のリニア新幹線のしくみは巧妙《こうみょう》なので、まずはしくみを単純化した前ページ下図を参照してほしい。浮上の原理は電磁誘導の法則を利用している。つまり、車両の磁石が近づくと、走行路上のコイルに電流が流れて電磁石となり、車両の磁石との反発力が発生する。**この力で、車両を浮上させる**のだ。

リニア新幹線を現実化した縁《えん》の下の力持ちは、「超電導磁石」と巧妙な「浮上・案内コイル」の配置だ。超電導磁石は低電力で強力な力を発揮する。また、8の字型の浮上・案内コイルを側壁に配置することで、車体の推進用超電導磁石を浮上力に利用でき、横揺れに対する安定性も生まれる。

外で見かける
身近な家電
生活用品
乗り物
ハイテク
便利グッズ
文房具

浮上・案内コイルが車両を浮上させる

実際のリニア新幹線には、浮上させる磁力が生まれるよう、走行路（ガイドウェイ）の側面に浮上・案内コイルが、車両の側面に推進用の超電導磁石が配置されている。このように配置することで、車体が横に振れた際に、車体を元に戻す力もコイルに生まれる。

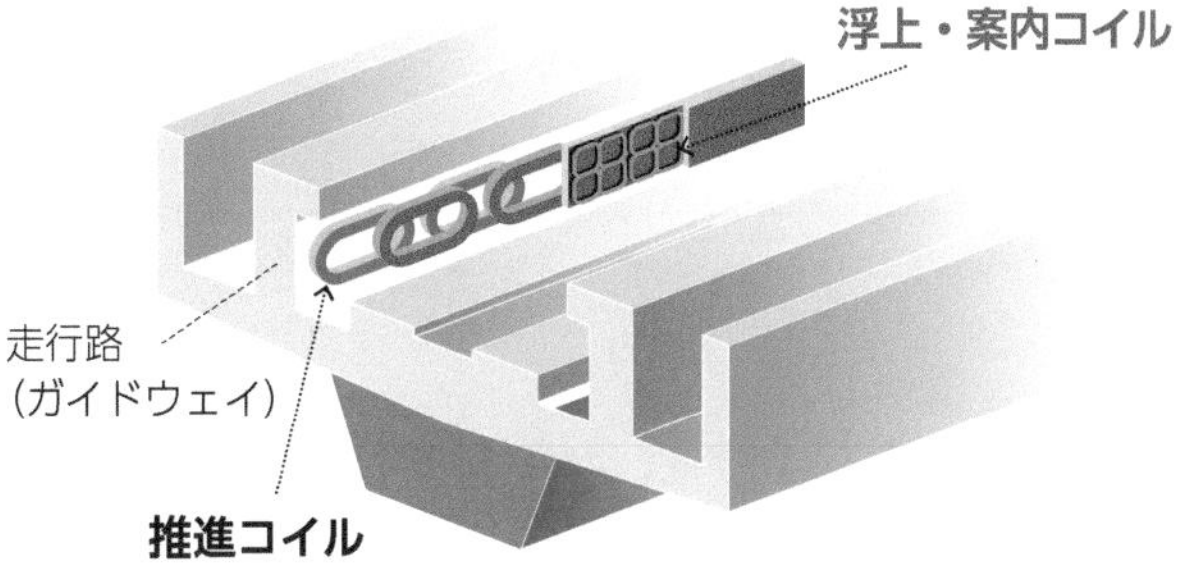
浮上・案内コイル
走行路
（ガイドウェイ）
推進コイル

リニア新幹線の磁気浮上

8の字形の浮上・案内コイルに発生した電流は、上部と下部で流れが逆になり、それぞれ逆向きの磁場が発生。上部の吸引する力と下部の反発する力によって車体は浮上する。

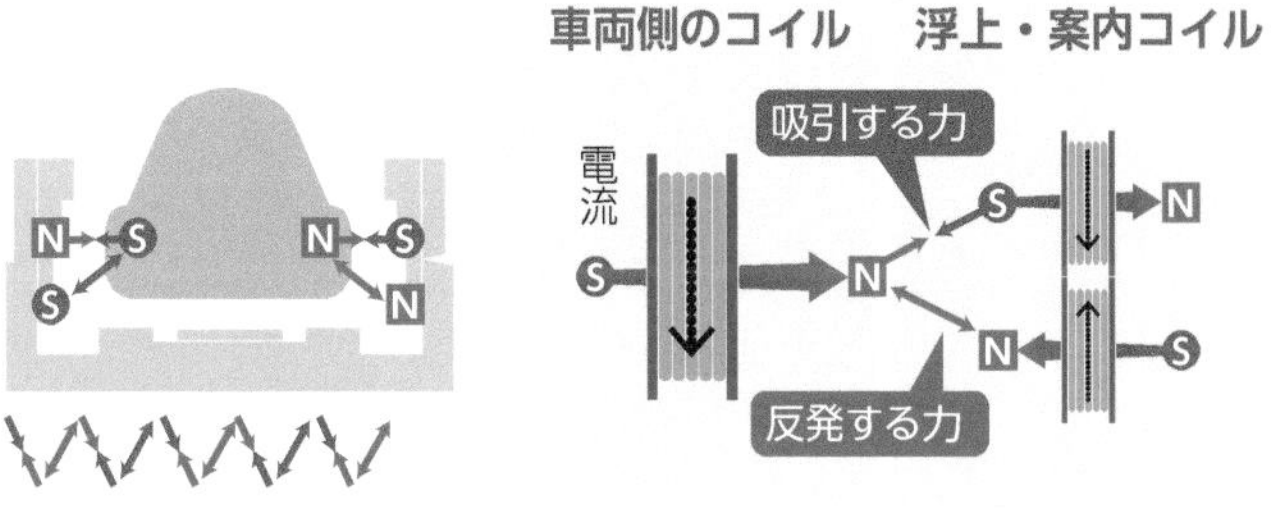
車両側のコイル
浮上・案内コイル
吸引する力
電流
反発する力
N
S

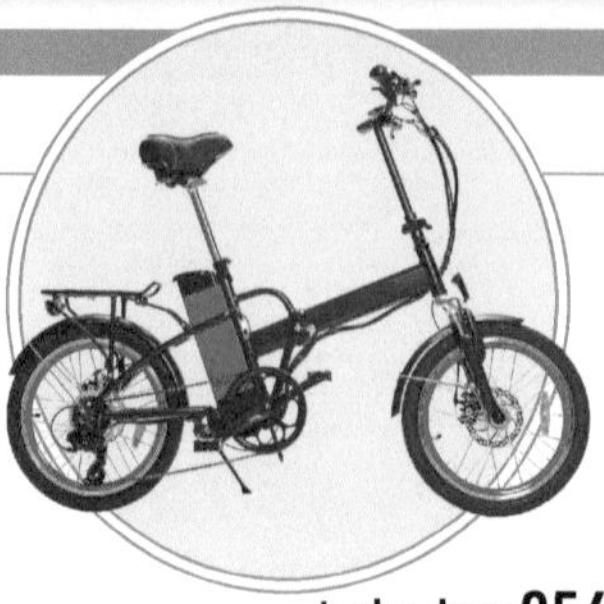

technology 056

電動アシスト自転車

電気の力で走行を手助けしてくれる「電動アシスト自転車」が人気だ。じつはこれ、現代技術の粋《すい》を集めた乗り物なのだ。

1993（平成5）年に第1号車が発売されて以来、一時的な停滞《ていたい》はあったものの、電動アシスト自転車は年々売上を伸ばしている。免許が不要で従来の自転車のように手軽に乗れる、などが人気の理由だ。

電動アシスト自転車は、**さまざまな現代技術の集大成**といえる。上り坂ではペダルを踏む力を助けてくれるが、その力を提供する電動モーターは軽量でコンパクト。これは、中国との政治問題で有名になった**レアアースを利用した強力な磁石《じしゃく》ネオマグ**のおかげだ。さらに、このモーターに電力を供給するのは、優秀なリチウムイオン電池（284ページ）である。

まさに現代技術の粋を集めたコラボレーションで、電動アシスト自転車は快適な乗り物に

電動アシスト自転車のおもな構造

ドライブユニットにはモーターやトルクセンサー、制御ユニットが内蔵されている。モーターが前輪にあるタイプなど、この図以外の構造もある。

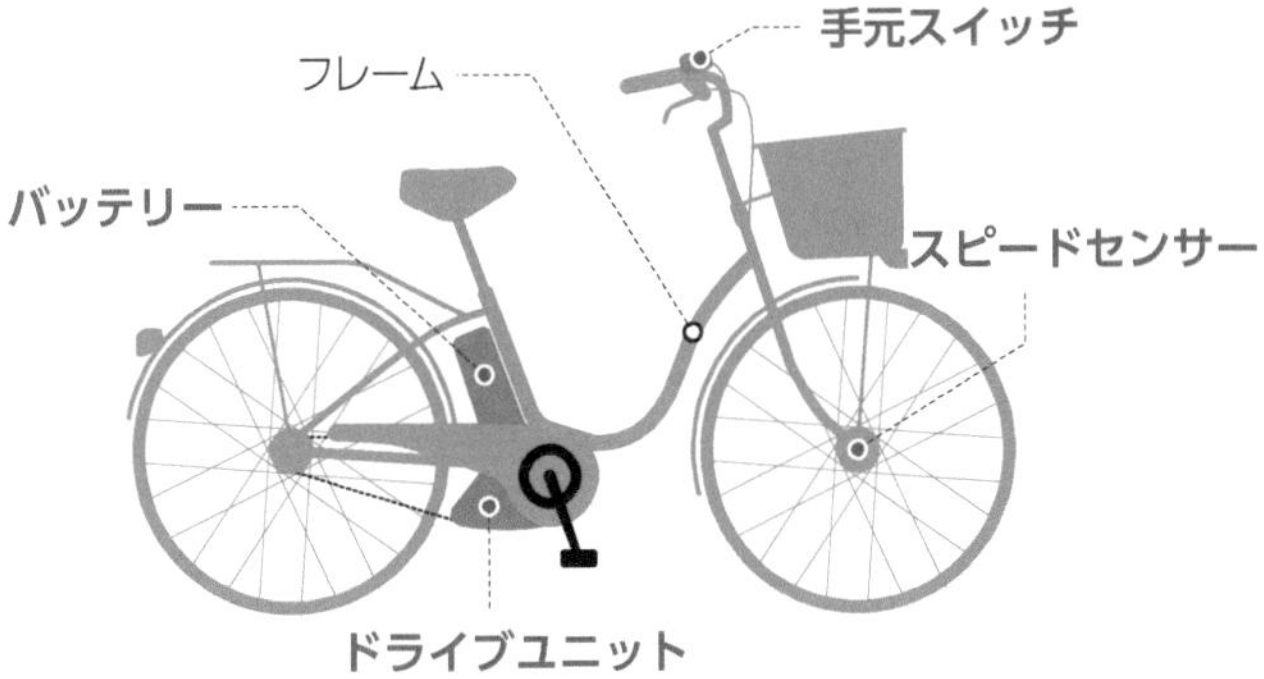

アシスト力の変化

制御ユニットは、スピードセンサーとトルクセンサーから走行条件を判断し、適切な電流をモーターに送ってアシスト力を変化させるようにプログラムされている。

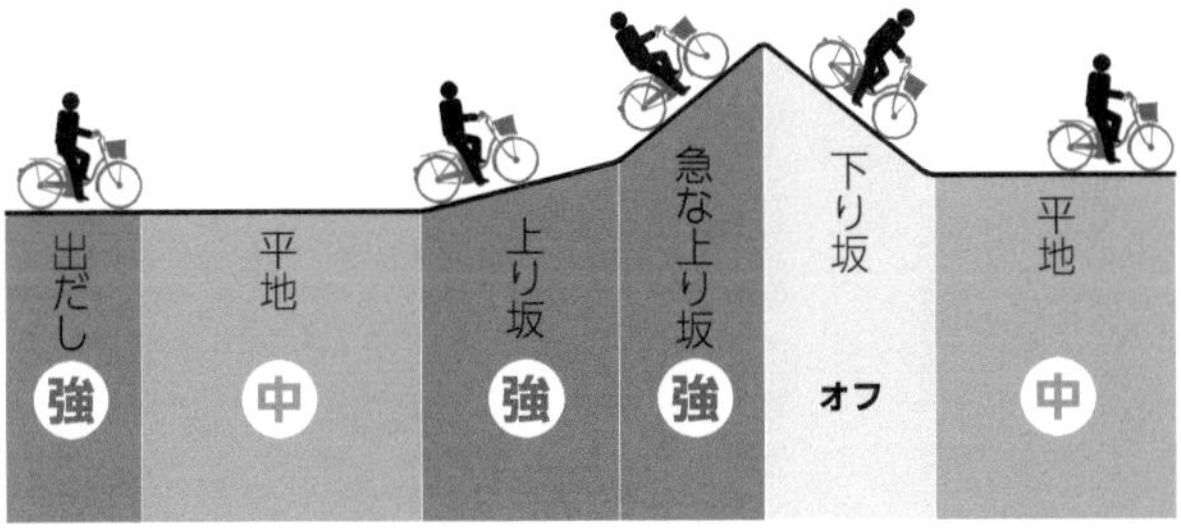

なっているのだ。

　ところで、高機能の電動アシスト自転車には発電機能が搭載《とうさい》されている。**下り坂で充電ができる**のだ。ちょうど、人をエンジンに見立てたハイブリッドカーのようになっている。

　電動アシスト自転車は電動自転車（つまり電動バイク）ではない。道路交通法の制限があるからだ。法律では、電動アシスト自転車を「人の力を補うための原動機を用いる自転車」と定めている。**人の力を補う以上の原動機を搭載してはならない**のだ。

「人の力を補うこと」の意味をもう少し詳しく説明しよう。例えば、時速10キロ以下では、人力を1とした場合、最大2までしか補助してはならない。また、時速24キロを超えると補助をしてはならないとの規定もある。**踏み出したときの低速時には強くアシストし、ある程度スピードが出たらアシストをなくす**よう定められているのだ。

　こうしたデリケートなチューニングを実現するには、ペダルを踏み込む力や走行スピードを検知するセンサーが必要である。また、それらの情報をもとにモーターをコントロールする制御《せいぎょ》用コンピューターも不可欠だ。こうした技術が相《あい》まって、現代の電動アシスト自転車が存在しているのだ。

ドライブユニットの構造例

クランク軸にトルク(回転軸にかかる力)を感知するトルクセンサーが組み込まれている。そのトルクセンサーとスピードセンサーの情報をもとに、制御ユニットは適切な電流をモーターに流す。

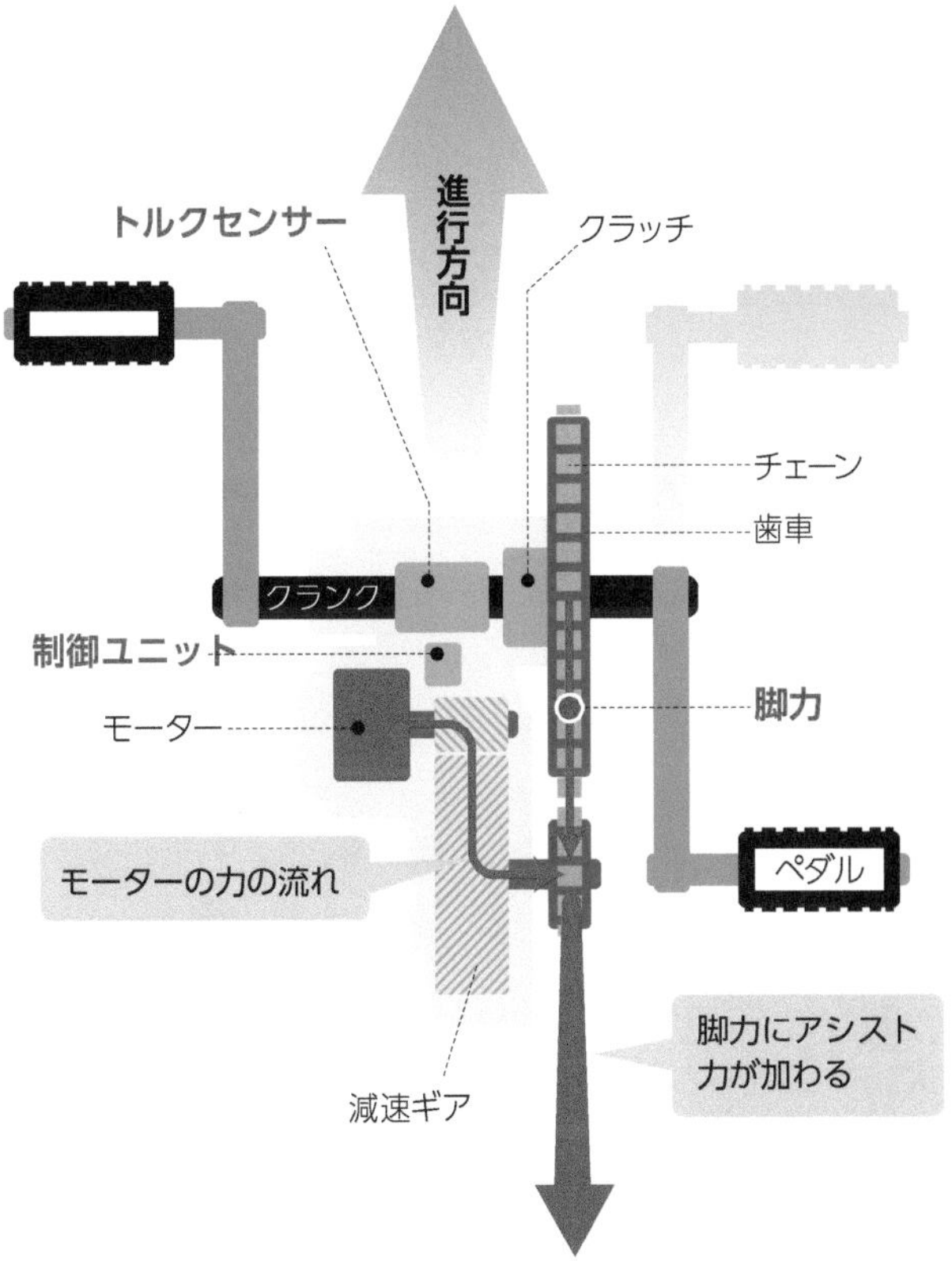
進行方向
トルクセンサー
クラッチ
チェーン
歯車
クランク
制御ユニット
モーター
脚力
モーターの力の流れ
ペダル
脚力にアシスト力が加わる
減速ギア

technology 057

ヨット

飛行機の時代にあってもなお、水上を帆走《はんそう》するヨットには胸躍るものがある。ところで、ヨットはなぜ逆風の中でも進めるのだろうか。

大海原を航海するヨットの雄姿はロマンをかき立てる。風に大きな帆《ほ》をふくらませて走るその姿に古来、多くの人が虜《とりこ》になった。

そんなヨットは、**ディンギーとクルーザーに大別される。**

ディンギーはキャビン（船室）のない小型のヨットで、1～2人で操るのが一般的。近海でマリンレジャーを楽しむのに向いている。一方、クルーザーにはキャビンがあり、寝泊まりできる設備が付いていて、遠洋で航海を楽しむのに向いている。

ところで、ヨットは、風が吹いてさえいれば目的地に船を進められる。**逆風に向かってでも進める**のだ。考えてみると不思議である。

ヨットの種類

ヨットと一口に言っても、さまざまな大きさや形のものがあるが、大きく「ディンギー」と「クルーザー」に分けられる。

キャビン（船室）のない小型のヨットで、1〜2人で操る。

キャビンがある大型のヨットで、寝泊まりできる設備がついている。

帆が風から受ける力

帆が風から力を受けるしくみについては、いろいろな考え方で説明される。ここでは帆を単純な板と考えて、風の受ける力を図示してみよう。すべての場合、帆に垂直な方向の力を得る。

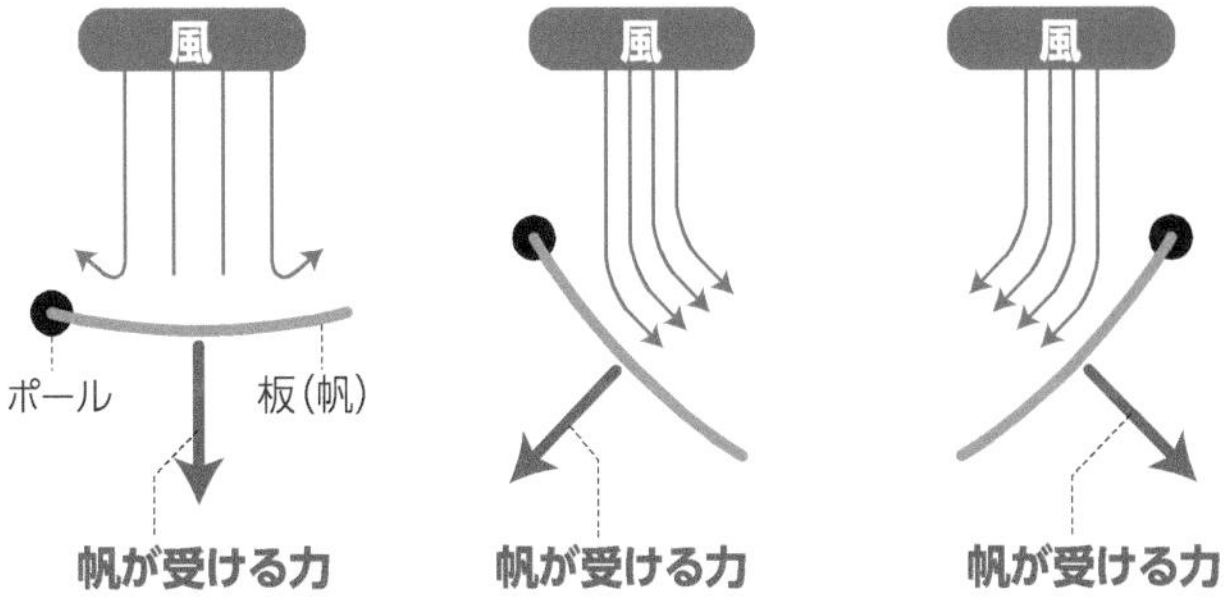

その原理を調べるために、まず帆が風から受ける力を見てみよう。

帆が風から受ける力を簡単に理解するには、風を空気の分子の集まりと考え、その分子をテニスボールに見立てるといい。どのように風が帆にぶつかっても、**帆が風から受ける力は帆の面に垂直になる**ことが見て取れる。このことを念頭に置けば、風に対してどのような角度に帆を張ればいいか理解できる。

追い風（つまり順風）のときには、舳先《へさき》を目的方向に向け、帆を風向きに直角に張ればよい。横風のときにも、舳先を目的方向に向けるが、帆は後ろに回して風向きに対して斜め45度の角度にする。こうすれば、**舳先の方向の力が得られる**からだ。問題は向かい風（逆風）の場合である。このときは、舳先を目的方向の斜め前に向け、帆を後ろに回し、舳先の方向の力が得られるようにする。しかし、そのままでは目的地から斜めに遠ざかってしまうので、例えば**タッキングという技法でジグザグ走法**し、目的地に向かうようにするのだ。

実際の風は複雑であり、以上のような単純なものではない。そこがヨットのおもしろいところでもある。自分の操縦《そうじゅう》するヨットの特性と風の性質を上手に利用することで、ヨットはすばらしい水上の〝芸術品〟になるのだ。

進行方向と帆の張り方

横風や向かい風の場合、ヨットは船底からの抗力をたくみに利用している。

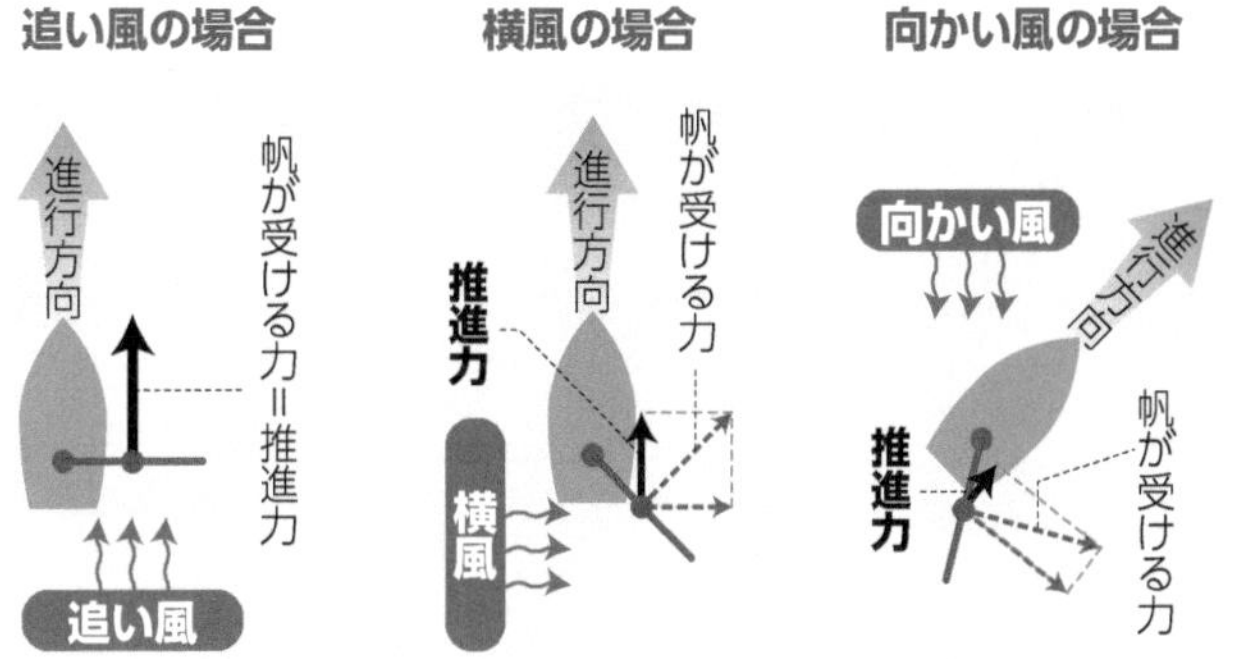
追い風の場合
進行方向
帆が受ける力=推進力
追い風
横風の場合
進行方向
帆が受ける力
推進力
横風
向かい風の場合
向かい風
進行方向
推進力
帆が受ける力

タッキングのしくみ

向かい風に向かってヨットを走らせるには、風上へジグザグに進めばよい。このための帆走技術を「タッキング」という。

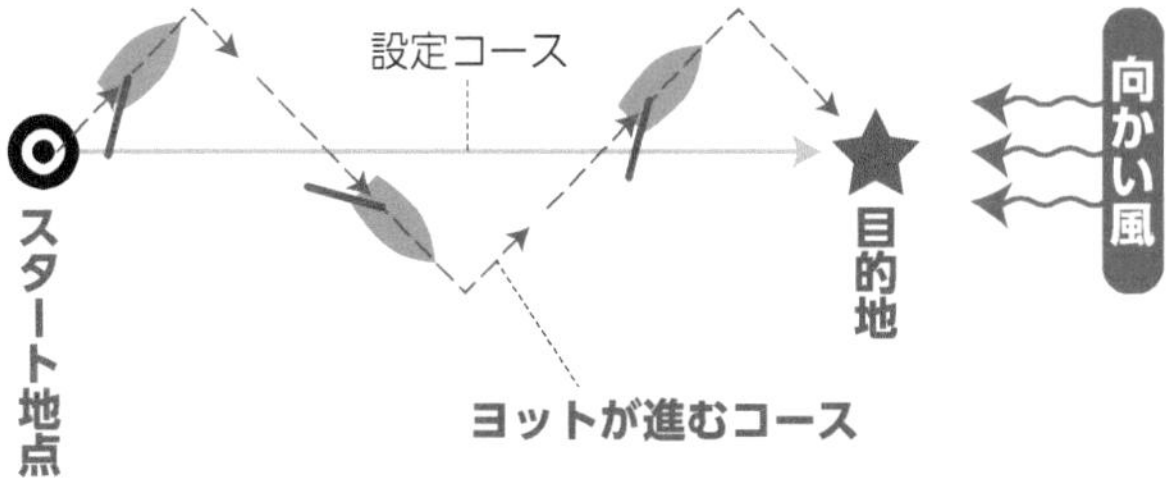
設定コース
スタート地点
目的地
向かい風
ヨットが進むコース

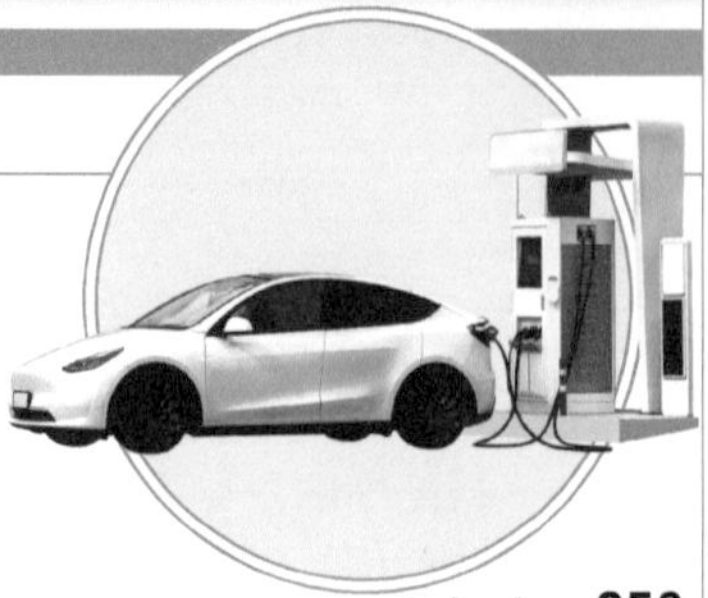

technology 058

ハイブリッド車と電気自動車

環境問題と石油枯渇《こかつ》問題とが相《あい》まって、低燃費・省エネルギーのクルマが人気となっている。そのしくみを見てみよう。

ハイブリッド（Hybrid）とは本来は「雑種」の意だが、異なるものを混ぜ合わせたものを表すのに利用されている。ハイブリッド車は、**既存のエンジンと電気モーターとを組み合わせ、両者の長所を生かす駆動《くどう》方式**のクルマである。モーター用バッテリーはエンジンで充電できるため、外部充電が不要である。また、減速時の制動力を発電に利用できるため、燃費がたいへんいい。

ハイブリッド車にはいくつものタイプが開発されている。**パラレル方式、シリーズ方式、シリーズ・パラレル方式**と呼ばれるタイプの構造を左ページに示しておこう。

２０１２（平成24）年に入り、トヨタからプラグインハイブリッドと呼ばれる新たなハイ

ハイブリッド車の3つの方式

ハイブリッド車には、大別して「パラレル方式」「シリーズ方式」「シリーズ・パラレル方式」の3種類の方式がある。それぞれの特徴を見てみよう。

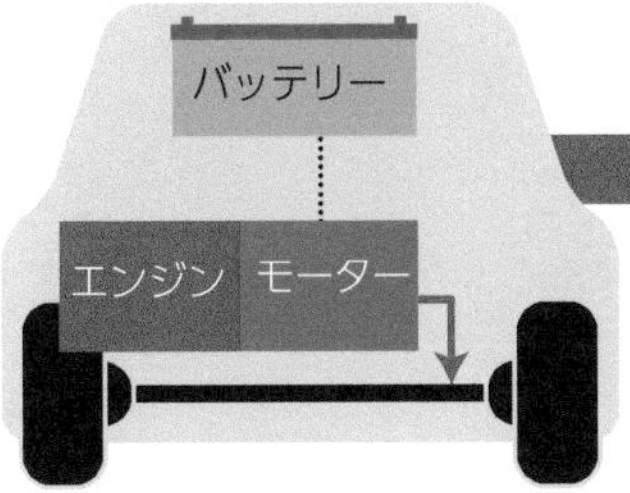

パラレル方式

エンジンが燃料を多く必要とする発車・加速時に、モーターの力を利用して燃料を節約する。

主役はエンジン
モーターが助っ人

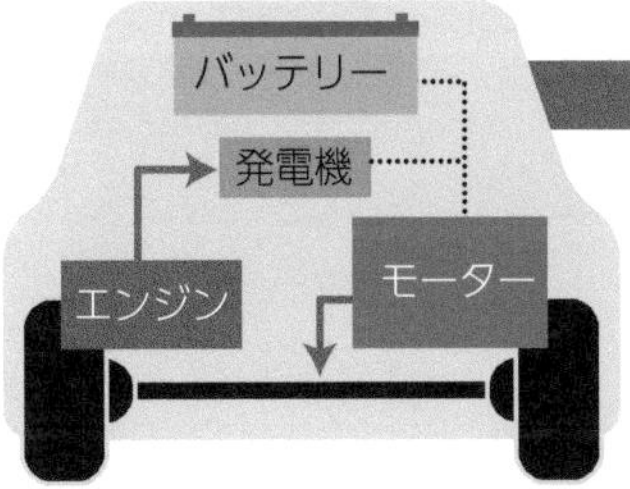

シリーズ方式

エンジンを発電機の動力として使用し、モーターだけの力で走る。動力機構は電気自動車と同様。

主役はモーター
エンジンで発電

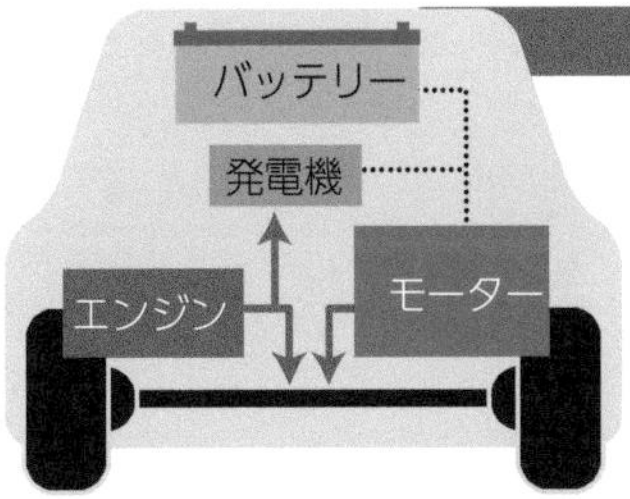

シリーズ・パラレル方式

発進時や低速時はモーターだけで走り、速度が上がるとエンジンとモーターで効率よくパワーを分担する。

モーターとエンジンが
パワーを分担

ブリッド車の販売が開始された。これは、**従来よりも強力な電池（リチウムイオン電池）を搭**《とう》**載**《さい》し、自宅での充電で、買い物などの実用的な距離を電池走行できるようにしている。

ハイブリッド方式より、さらに環境にいいとされるのが電気自動車である。原理的には電池で動くおもちゃのクルマと同じだ。ただし、長距離使用に耐えられる安価なバッテリーの開発が遅れているため、一般的な普及にはもう少し時間が必要である。

「電気自動車の電気は発電所でつくるのだから、石油を燃やすエンジン車と環境負荷は同じ」という批判もあるが、大きな誤りである。エンジン車の熱効率はせいぜい2割。それに対して火力発電所では4割を超える。送電ロスなどを加味《かみ》しても、**電気自動車のほうがエネルギー効率は高い**。また、個々のクルマでは環境対策に限りがあるが、発電所ではしっかりと対応できる。風力や太陽光などのクリーンエネルギーを利用すれば、電気自動車は二酸化炭素ゼロエミッションの交通手段になる。

ただ、電気自動車の発展を100パーセントよろこぶことができない人たちもいる。電気自動車はふつうのクルマよりも**部品点数が少なく、3分の2程度ですんでしまう**。当然、リストラのための工場閉鎖などの問題が生じることになるからだ。

電気自動車の基本構造

コントローラーはアクセルペダルと連動し、バッテリーからの電流を調整してモーターの出力をコントロールする。制動時には、その力を利用して車載充電装置を動かして発電し、バッテリーに充電する。

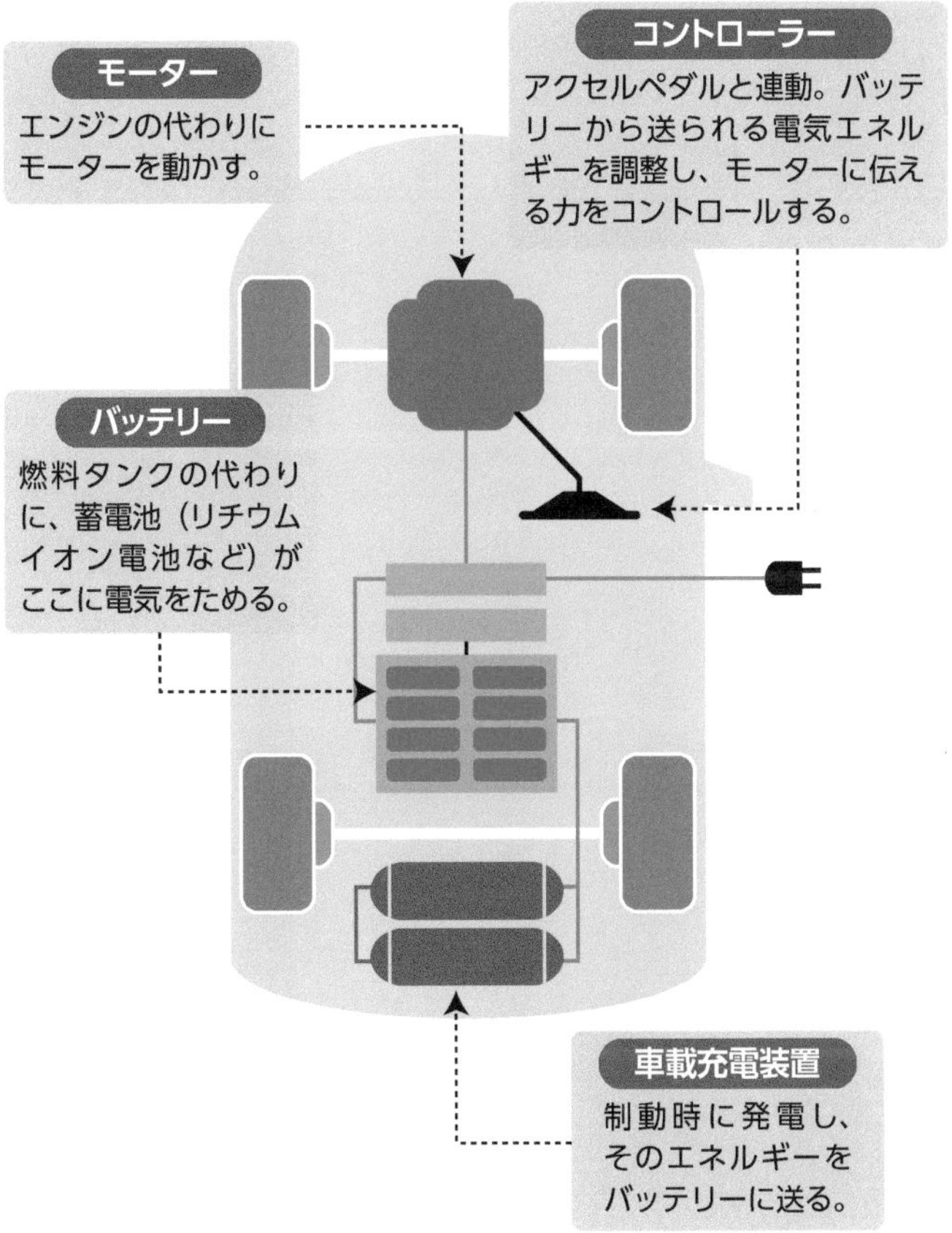
モーター
エンジンの代わりにモーターを動かす。
コントローラー
アクセルペダルと連動。バッテリーから送られる電気エネルギーを調整し、モーターに伝える力をコントロールする。
バッテリー
燃料タンクの代わりに、蓄電池（リチウムイオン電池など）がここに電気をためる。
車載充電装置
制動時に発電し、そのエネルギーをバッテリーに送る。

technology 059

自動運転

自動車事故では、運転手のヒューマンエラーに起因するものが9割以上を占める。この問題を解決する切り札が自動運転だ。

交通事故は、認知ミス・判断ミス・操作ミスといった運転手に起因するものがほとんど。この問題を解決する切り札が自動運転であり、**高齢化社会における移動の解決策**としても注目されている。

自動運転といっても、その定義はさまざまである。自動運転のレベルについては現在、アメリカの非営利団体ＳＡＥ（ソサエティ・オブ・オートモーティブ・エンジニアズ）が制定したレベル０～５の６段階が多く使われていて、**レベル３以上は「運転操作の責任をクルマが持つ」**ことを覚えておきたい。２０１７（平成29）年7月には、ドイツのアウディが世界で初めてこのレベル３に対応する自動運転機能を搭載《とうさい》する市販車を発表し、注目を集めた。

SAEの自動運転レベル

アメリカの非営利団体SAEは、自動運転のレベルを以下の6段階に定めている。

レベル0	人間の運転者が、すべてを行なう。
レベル1	人間の運転者をときどき支援し、いくつかの運転動作を実施する。
レベル2	いくつかの運転操作を実施することができるが、人間の運転者はそれを監視する。
レベル3	いくつかの運転操作を実施するが、人間の運転者は制御を取り戻す準備が必要。
レベル4	「日中」「高速道路」など、指定された条件下で、すべての運転操作を実施する。
レベル5	すべての運転操作を実施する。

自動運転に必要な機器

自動運転の実現には、検知機能や高精度の位置情報が必須。センサーやレーダー、カメラが搭載されるのはそのためだ。

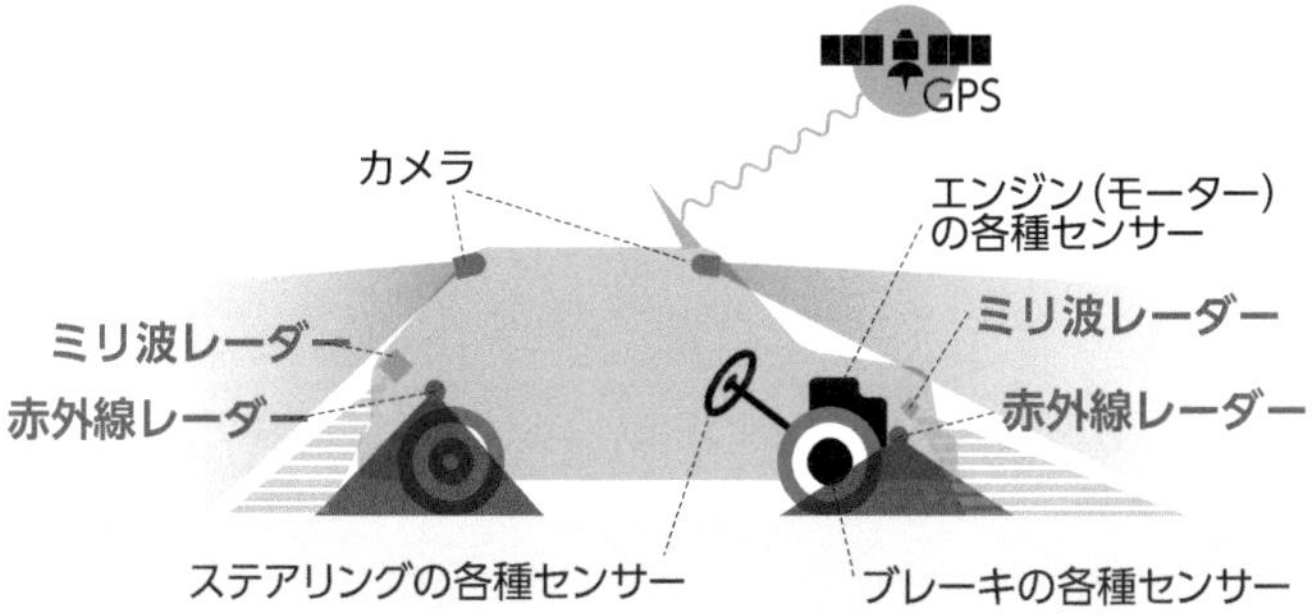
GPS
カメラ
エンジン(モーター)の各種センサー
ミリ波レーダー
赤外線レーダー
ミリ波レーダー
赤外線レーダー
ステアリングの各種センサー
ブレーキの各種センサー

自動運転には、クルマに**目や耳となる検知機能が要求される**。そのため、これらに対応する電子部品をつくる製造メーカーは莫大なビジネスチャンスを得ることになる。

また、自動運転の実現には**高精度の位置情報も欠かせない**。2017年に4機目が打ち上げられた準天頂衛星「みちびき」は数センチの誤差で位置特定を可能にする（252ページ参照）。これが自動運転の強力な助っ人になるのだ。また、この電波が届かない地下街やビルの中などにおいても正しい位置情報が得られるシステムが必要だ。

ところで、安全運転を指揮するソフトウェア、特に人工知能（AI）は、電子部品同様に重要となる。そこで、この分野には多くのIT企業が参入し、グーグルなどはすでに公道で自動運転の実験を行なっている。

自動運転の実現は、社会的にもさまざまな影響をおよぼす。事故が起こったときに誰の責任になるかという法律上の問題のほか、制御用ソフトウェアが悪意を持つハッカーに乗っ取られないようにするための対策をどうすべきかという課題もある。さらには「トロッコ問題」（左ページ下図）など、人ですら判断に迷う場合、**自動運転のAIにどのような判断をさせるべきか**という問題も解決していかなければならない。

自動運転にはソフトウェアが重要

車線変更や追い越しも自動で行なう自動運転には、安全運転を「指揮」するソフトウェアの存在が重要だ。

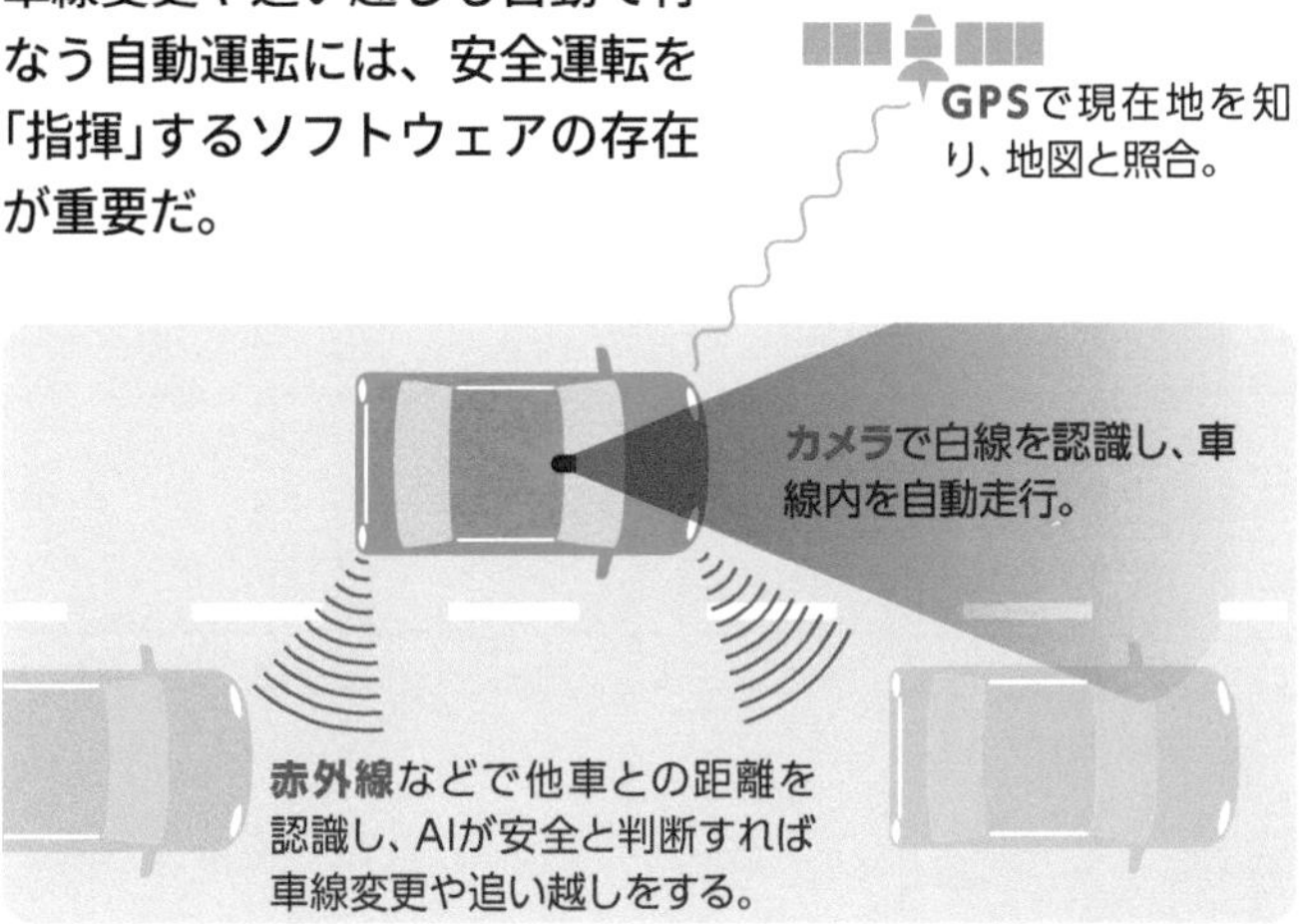
GPSで現在地を知り、地図と照合。
カメラで白線を認識し、車線内を自動走行。
赤外線などで他車との距離を認識し、AIが安全と判断すれば車線変更や追い越しをする。

「トロッコ問題」の例

人ですら判断に迷う場合、AIにどう判断させるべきか。図のような問題を「トロッコ問題」という。

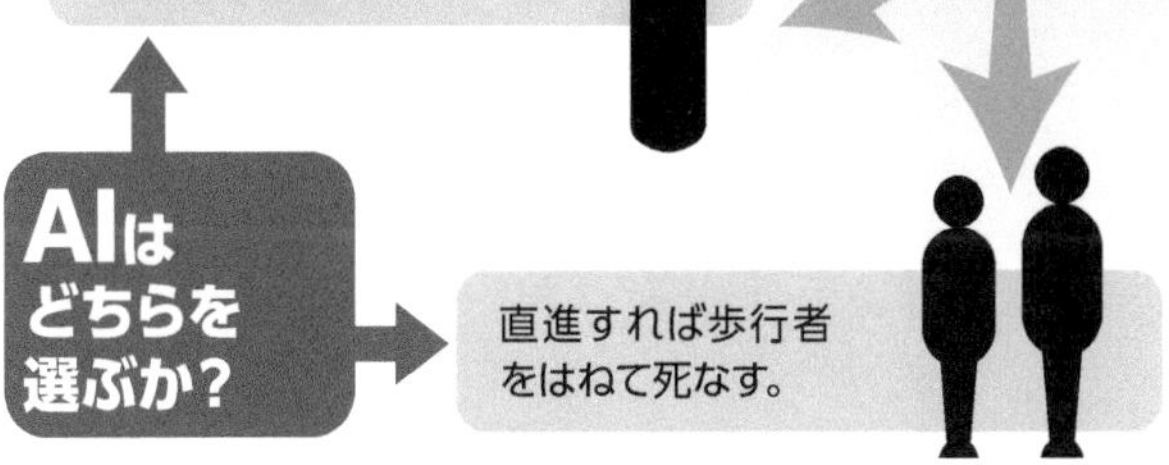
ハンドルを切れば障害物にぶつかって乗客が死ぬ。
AIはどちらを選ぶか？
直進すれば歩行者をはねて死なす。

technology 060

カーナビ

クルマへの搭載《とうさい》がすでに当たり前となっているカーナビは、まさにハイテク技術のかたまりである。その一端を見てみよう。

カーナビ（正式にはカーナビゲーションシステム）はクルマの現在位置を示し、目的地まで誘導してくれるシステムである。見知らぬ土地でクルマを走らせるときに心強い案内役だ。

カーナビで自分の位置を知ることができるのは**GPS《ジーピーエス》(Global Positioning System)のおかげ**である。GPSは米軍が自軍の位置を正確に知るために作成したシステムで、24個の衛星（GPS衛星）からの電波を利用する。このシステムを使うことで、何も目印のない海上や砂漠でも、正確な軍事行動が可能になる。また、巡航《じゅんこう》ミサイルの位置把握にも利用される。

カーナビの装置は、この米軍のGPS衛星3個からの電波を受け、受信時間のズレから各GPSまでの距離を計測する。そして、**三角測量のしくみを用いて、現在位置を割り出す**の

カーナビの位置算出のしくみ

3個のGPS衛星から電波を受け、受信時間のズレからGPSまでの距離を測る。得られた距離から三角測量することで、現在位置を特定している。

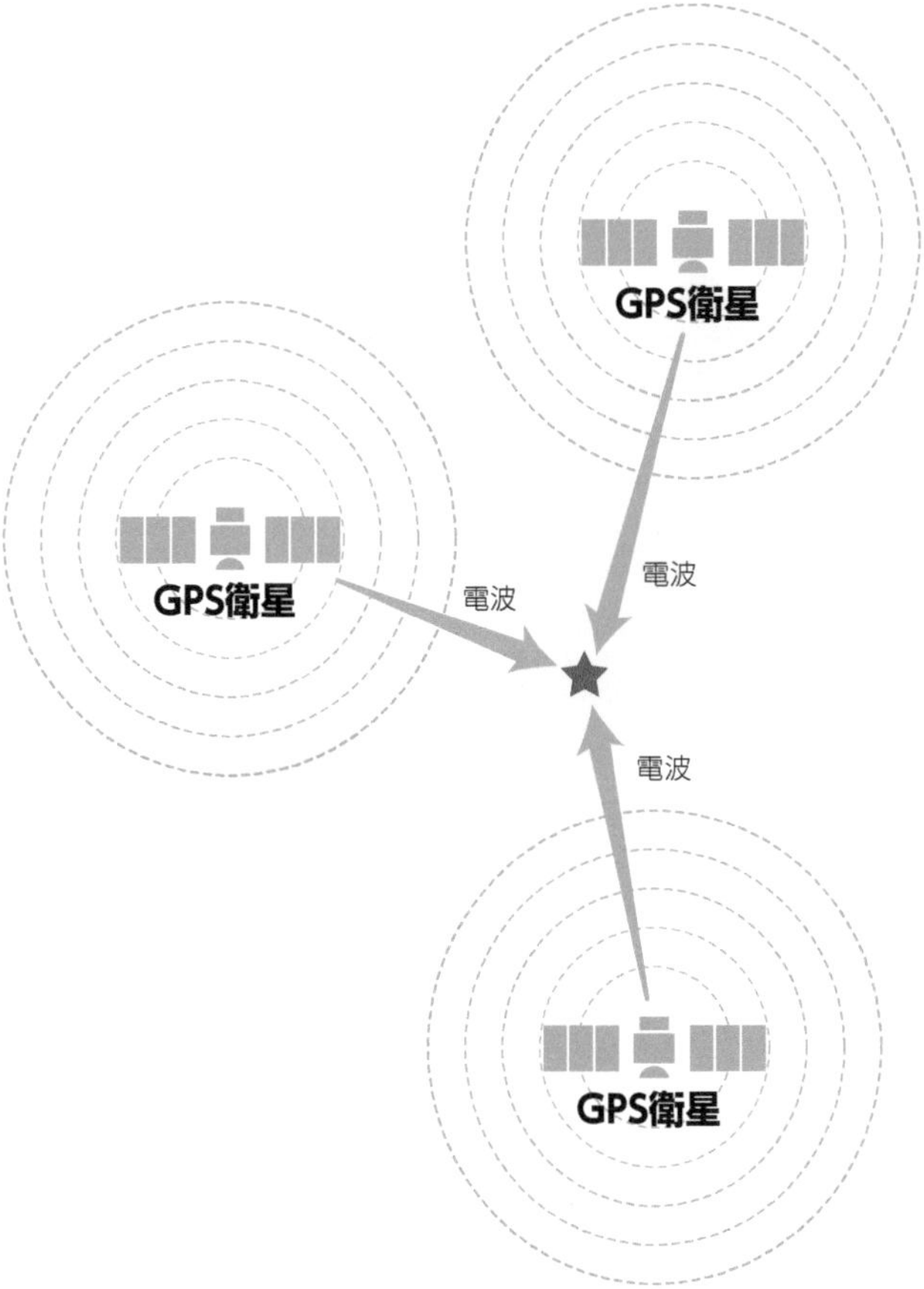

だ。三角測量とは地図作成に利用されるもので、高校で習う三角関数が使われる。

割り出された現在位置は、液晶モニター上の地図に変換して示される。その地図は本体内部のメモリー（ディスクやフラッシュメモリー）に記録されたものが利用されるため、常に更新しておかないと不都合が生じることがある。

カーナビの高級機には**加速度センサーやジャイロセンサーが搭載**されている。カーナビ自体が移動距離や進行方向を計算するためである。衛星からの電波が届かないビル街やトンネル内で威力を発揮する。

GPSに代表される位置算出システムを、一般的に衛星測位システムと呼ぶ。日本も2010（平成22）年から順次そのための衛星「みちびき」を打ち上げている。準天頂衛星システムを実現するためだ。この衛星は日本を常に見渡せる軌道に位置し、GPSに加えてより正確な位置測定を可能にする。試験運用を経て、実用に供《きょう》されている。

近年はスマートフォンがカーナビを代替《だいたい》する能力を備えてきている。**通信基地局との関係からも位置情報が得られる**という利点があるからだ。

準天頂衛星システム

日本のほぼ真上の軌道に位置する人工衛星を、複数機組み合わせた衛星システム。既存のGPS衛星とは異なり、常に日本を見渡せる軌道にあるため、日本国内の山間部や都心部の高層ビル街などにも電波が届き、位置を割り出せる。これまで数十m程度あった誤差を１m程度、さらには数cmへと縮めることを目指している。

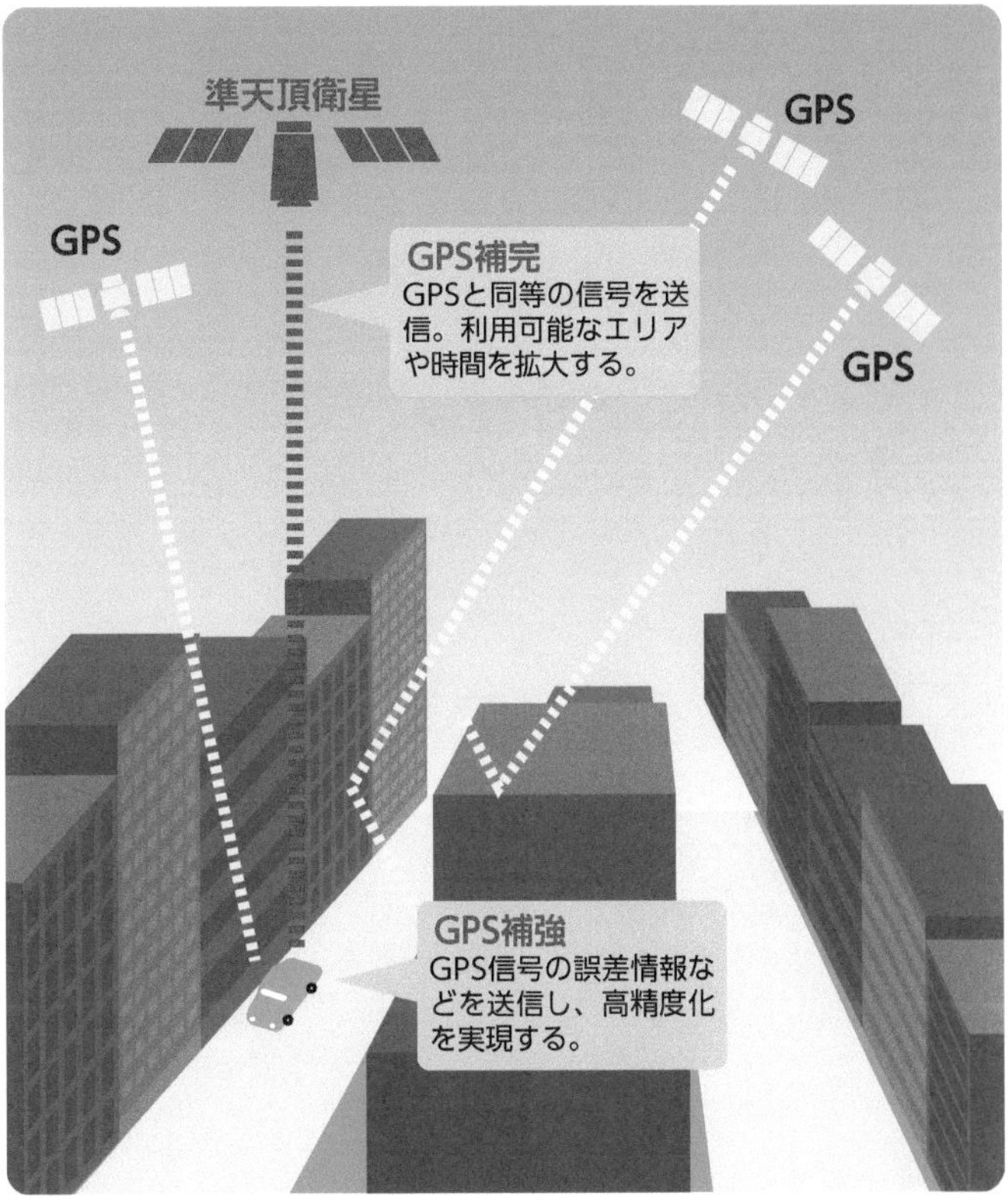
準天頂衛星
GPS
GPS
GPS
GPS補完
GPSと同等の信号を送信。利用可能なエリアや時間を拡大する。
GPS補強
GPS信号の誤差情報などを送信し、高精度化を実現する。

technology 061

ゴミ収集車

現代における快適な生活を裏で支えてくれている、ゴミ収集車。いろいろな種類があることに注目してみよう。

ゴミ収集の日、家庭から出たゴミを回収してくれるゴミ収集車。作業員がゴミを投入すると、回転板が器用にそれを奥に押し込んでくれる。

ゴミ収集車の中身はどうなっているのだろうか。よく目にする「クリーンパッカー方式」の収集車（略してパッカー車）で、そのしくみを説明しよう。

パッカー車は、おもに燃えるゴミを収集するのに利用される。後部に回転板が2枚配置され、**これが組み合わさって回転することで、ゴミを運転席側に押し込む**。収集を終えてゴミ処理場に戻ったら、詰め込んだゴミを**仕切りの排出板《はいしゅつばん》で外に押し出す**（ダンプカーのように、荷台を斜めにして圧縮ゴミを排出するものもある）。

クリーンパッカー車の構造

クリーンパッカー車は、都市部で最もよく目にするゴミ収集車である。後部にある2枚の回転板がゴミを小さく押しつぶし、車内に取り込む。

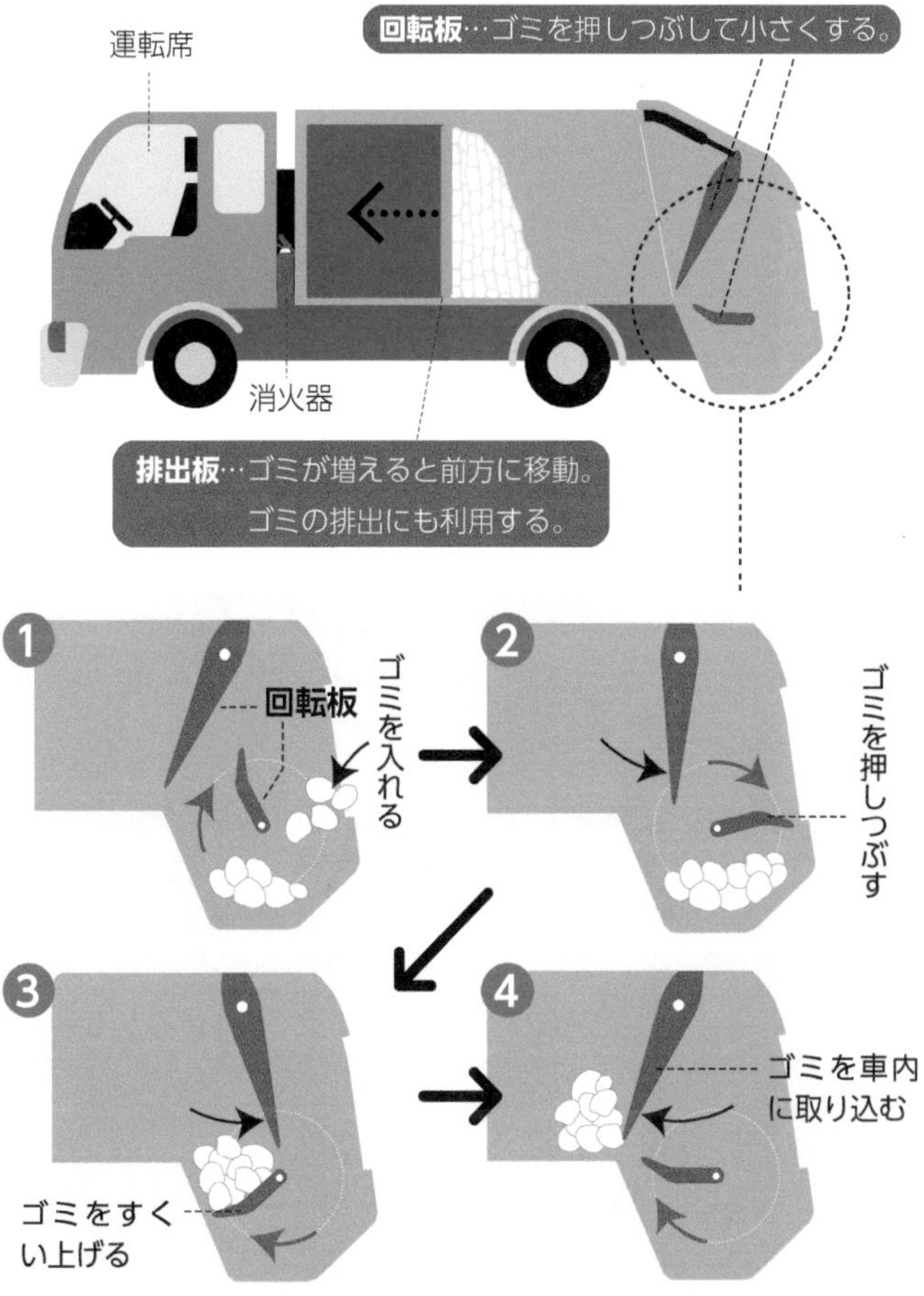
運転席
回転板…ゴミを押しつぶして小さくする。
消火器
排出板…ゴミが増えると前方に移動。
ゴミの排出にも利用する。
1
回転板
ゴミを入れる
2
ゴミを押しつぶす
3
ゴミをすくい上げる
4
ゴミを車内に取り込む

パッカー車以外に街中でよく目にするのが、プレスローダー方式のゴミ収集車だ。左ページ上図のように、**高い圧縮性能が自慢の方式**である。

ゴミ収集車にはほかにもいくつかの方式があり、大きさの違いもある。この多様性には理由がある。一つは、**集めるゴミ・集める地域に適した方式と大きさが要求される**という、至《し》極《ごく》当然の理由だ。

もう一つ、隠れた理由がある。ゴミ処理施設の建設費が高騰《こうとう》しているからだ。ゴミ処理施設、特に焼却施設は公害対策のために高度な技術が要求される。また、エコ社会実現のために、燃やした廃熱で発電する施設を併設することも時代の流れだ。当然、建築コストは膨大《ぼうだい》となり、小さな自治体ごとに建設するのは財政的に困難だ。そこで、**いくつかの自治体がまとまって一つのゴミ処理施設をつくり、一手に処理する**というネットワーク方式が一般的になりつつある。

そのネットワークに対応するには、多様なゴミ収集車が必要になる。家庭からのゴミは、まず小型のゴミ収集車でゴミ中継施設に集め、そこでさらに圧縮して大型のゴミ収集車でゴミ処理施設に運ぶ。このようにして、効率的なゴミの移動と処理を可能にしているのである。

プレスローダー方式のゴミ収集車

プレスローダー方式は、粗大ゴミを圧縮するなど、大きな圧縮率が自慢の方式だ。

1
ゴミを入れる
2
ゴミをすくう
3
ゴミを車内に取り込む

ネットワーク化されるゴミ収集

ゴミの処理施設を小さな自治体ごとに建設するのは、コストがかさむため現実的ではない。そこで、複数の自治体が協力し合い、下図のようなゴミ収集のネットワークが構築されている。

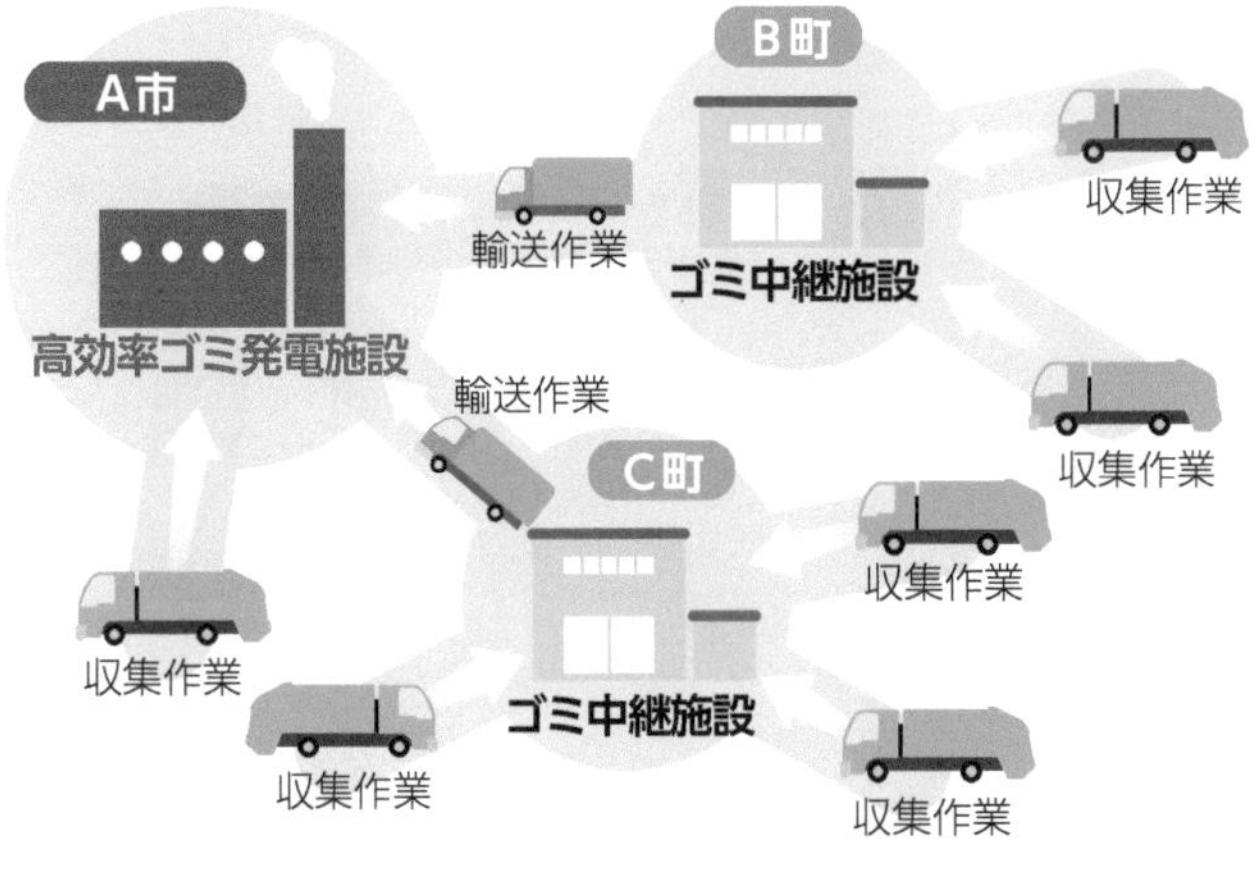
A市
高効率ゴミ発電施設
B町
ゴミ中継施設
C町
ゴミ中継施設
輸送作業
輸送作業
収集作業
収集作業
収集作業
収集作業
収集作業
収集作業

technology 062

ＥＴＣ《イーティーシー》

有料道路における料金徴収の電子化がＥＴＣだ。クルマの世界の電子化は、カーナビも含めてとどまるところを知らない。

高速道路の渋滞《じゅうたい》原因の一つが料金支払いである。現金を手渡しで支払うシステムでは、混雑時の渋滞は避けられない。そこで登場したのが、料金自動支払いシステムＥＴＣ（Electronic Toll Collection System）である。

ＥＴＣは**車両に設置された装置と料金所のアンテナとが無線通信**し、車両を止めることなく料金の支払いをすますシステム。料金所渋滞が緩和され、ドライブは快適になった。また、渋滞にともなう大気汚染や騒音が低減するという効果も得られている。

ＥＴＣシステムを利用するには、二つの準備が必要となる。ＥＴＣカードとそのカードを読み取る車載器《しゃさいき》である。ＥＴＣカードにはＩＣが内蔵され、課金情報、クレジットカード情

ETCのしくみ

ETC は車と道路が「対話」した最初のシステム。有料道路の料金所を車で通過した際、どのようなことが起きているのだろうか。

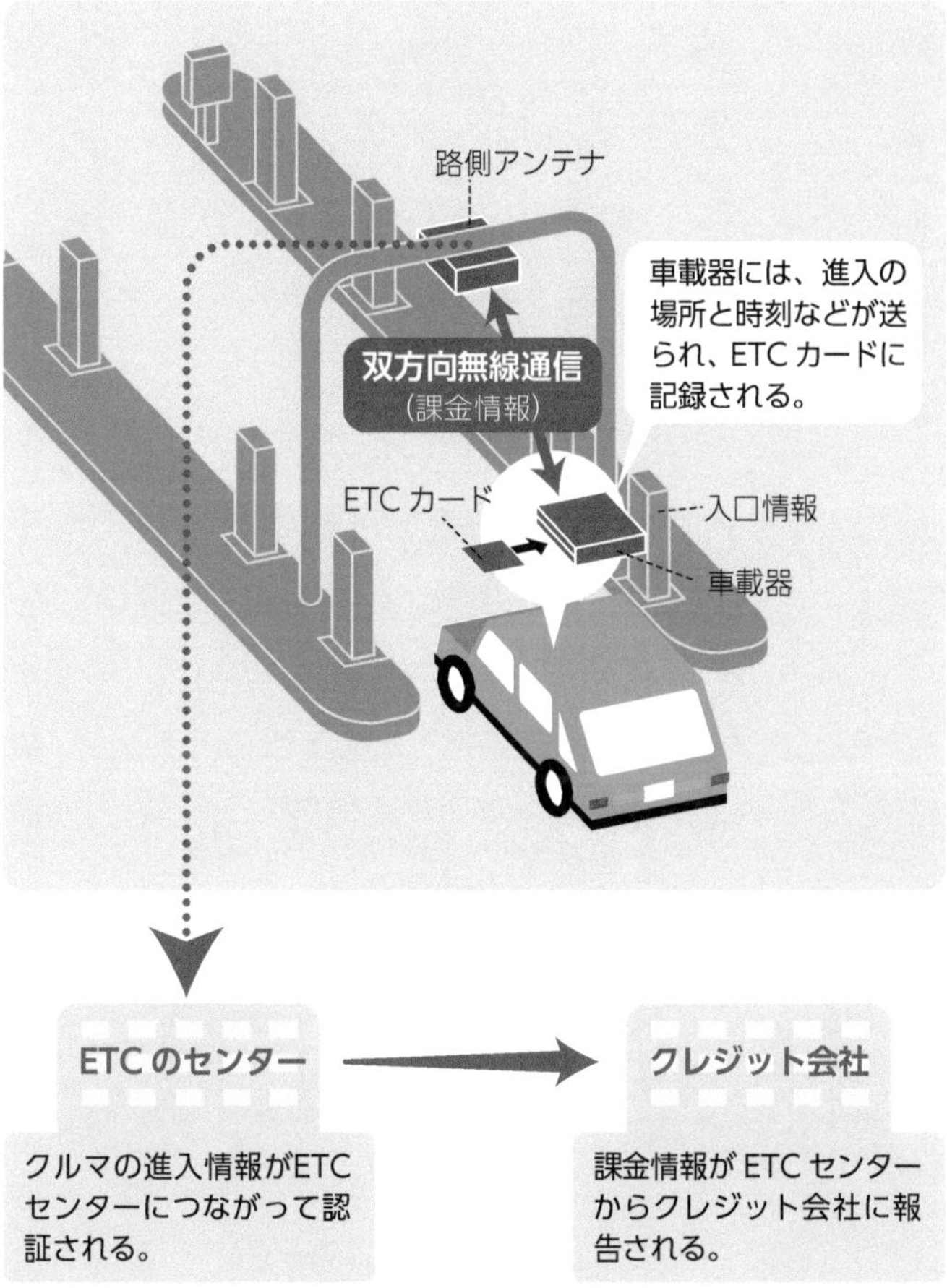

路側アンテナ
双方向無線通信
（課金情報）
車載器には、進入の場所と時刻などが送られ、ETC カードに記録される。
ETC カード
入口情報
車載器
ETC のセンター
クレジット会社
クルマの進入情報がETCセンターにつながって認証される。
課金情報が ETC センターからクレジット会社に報告される。

報などが書き込まれている。クルマがゲートを通過すると、**車載器とゲートが情報をやり取りし、ＥＴＣカードのデータを更新**する。情報はシステムセンターにも送られ、契約したクレジット会社に通知される。

このしくみからわかるように、カードさえあれば、自分のクルマでなくとも利用できる。レンタカーや他人から借りたクルマに車載器がセットされていれば、カードを差し込むだけでシステムを利用できるのだ。

道路とクルマが対話するという意味では、ＥＴＣ同様よく利用されているシステムにＶＩＣＳ《ビックス》がある。これは道路交通情報通信システム（Vehicle Information and Communication System）の略称である。渋滞や交通規制などの道路交通情報をリアルタイムに送信し、カーナビなどに文字・図形で表示する。ＶＩＣＳの情報は**ビーコンと呼ばれる発信施設の電波や光から、またはＦＭ放送から車に伝えられる**。

ＥＴＣやＶＩＣＳをさらに発展させたさまざまなシステムが考えられている。例えば、国土交通省などが推進するＩＴＳ（Intelligent Transport Systems）は人と道路と車両とのネットワークをつくり、さまざまな道路交通問題を解決しようとするのが目的である。

VICSのしくみ

道路の渋滞や工事の情報は、ビーコンやFM放送電波でカーナビなどの車載器に送られる。これをさらに発展させたのがITSである。

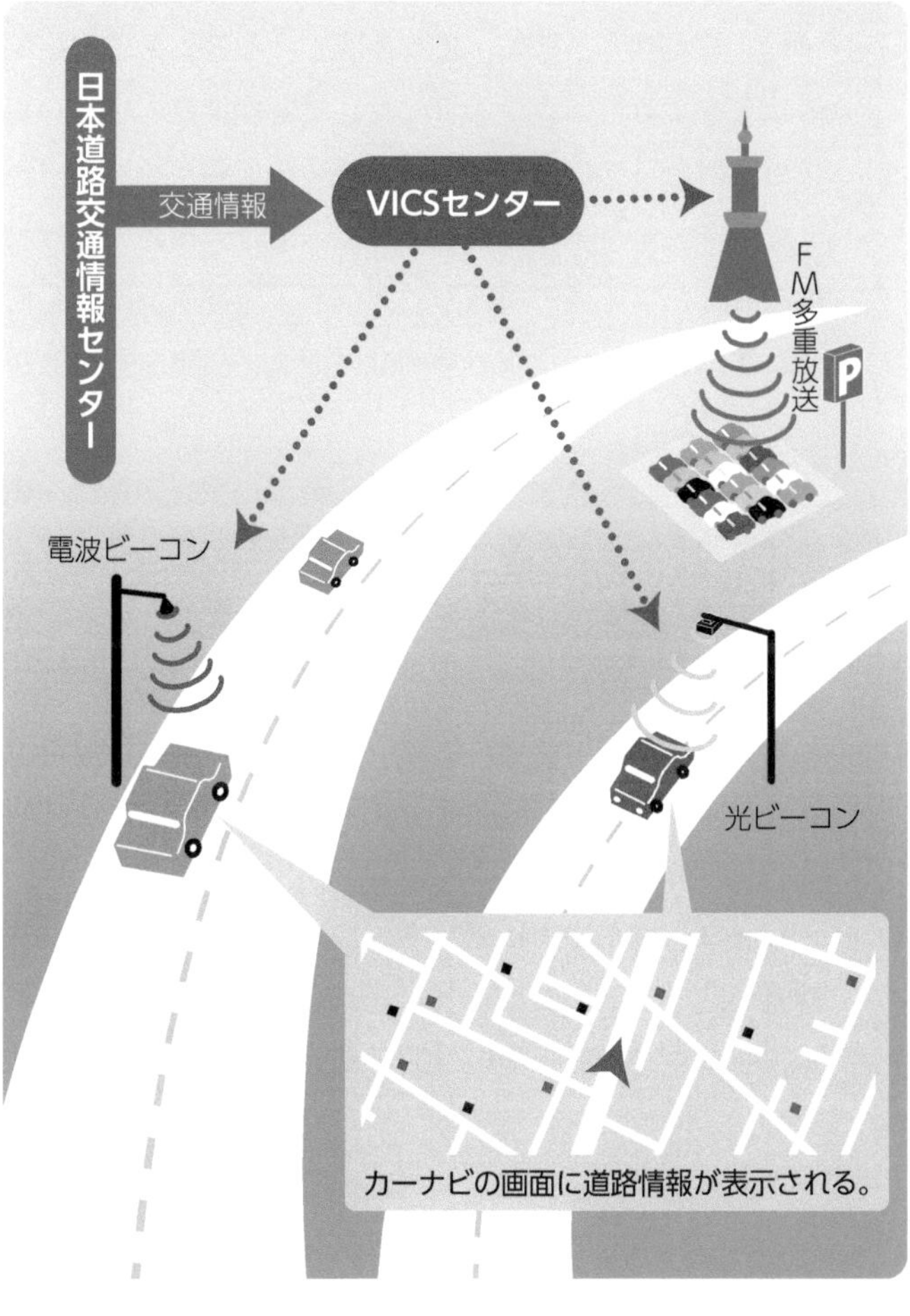

Column

さまざまに活用される「レーダー」

レーダーの技術は第二次世界大戦中（1939 ～ 45 年）に実用化された。電波を当て、その反射波で物体の位置を知るというシステムだ。戦闘機ほどの小さな物体の位置を正確に知るためには電波の波長が短くなければならず、また、検知力をよくするには大出力でなければならない。そこで開発されたのが、現在家庭でも利用されている電子レンジのマイクロ波発信装置マグネトロンである。

ところで、反射波から相手の正確な位置を知るには高性能のアンテナが必要である。そこで利用されたのが、日本人の八木秀次《ひでつぐ》、宇田新太郎の発明した「八木アンテナ」だった。現在、テレビの受信アンテナに利用されているものだ。第二次世界大戦の日本の敗因の一つはレーダー開発の遅れだといわれる。敵国に自国の発明が利用されたのは、歴史の皮肉である。

レーダーは軍事用に開発されたものだが、現在では飛行機や船の運航には不可欠だ。また、自動運転や気象予報にもなくてはならないシステムである。

第5章

ハイテクなすごい技術

最近、5GやVR、ドローン、ビットコインといった言葉を
インターネットやテレビなどでよく見かける。
これらには、どのような新技術が使われているのか？

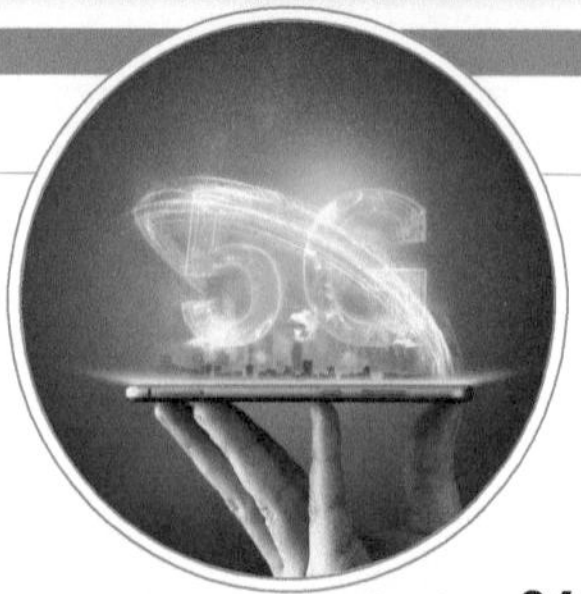

technology 063

5G《ファイブ ジー》

スマートフォンなどの普及で、音楽や動画、ゲームを無線で楽しむことが当たり前になり、電波はパンク寸前。その解決技術が５Ｇだ。

２００７（平成19）年にアップル社のｉＰｈｏｎｅが登場して以来、スマートフォンは急速に普及した。コンパクトでありながらインターネットの利便性をフルに享受できるのがスマートフォンの大きな魅力である。しかし、携帯電話会社にとって、その人気は痛しかゆし。端末が売れ、契約数が増えるのはありがたいが、そのままでは**いずれ回線が満杯になってしまう**からだ。

５Ｇはこうした需要に対応するための無線通信規格だ。５Ｇの「Ｇ」とは世代（generation）の頭文字。これまで利用されてきた名称が「４Ｇ」なので、５Ｇはそれよりも１世代進んだ規格を表現している。

通信速度の進化

1980年代の1Gから2020年にサービスが始まった5Gまで、通信速度の進化の歴史を見てみよう。

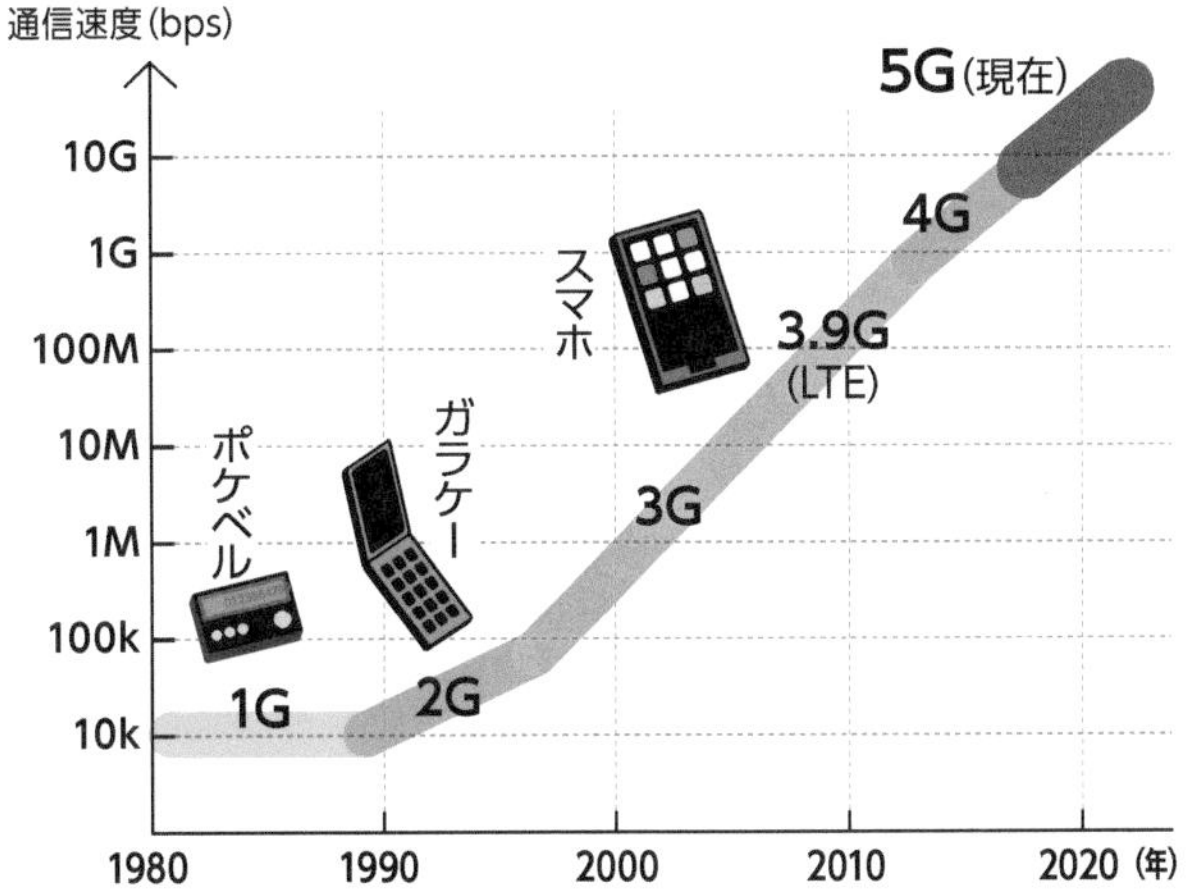

1980年代	1G	アナログ時代(携帯電話以前) ショルダーフォンが利用される。
1990年代	2G	通話用携帯電話が普及する。docomoの「ムーバ」が該当。iモードサービスも始まる。
2000年代	3G	ガラケーが普及。インターネット接続が普及。 docomoの「FOMA」が該当。 音楽配信・画像のやり取りが一般的に。
2000年代末	3.9G (LTE)	スマホの普及が始まり、ガラケーが退潮気味になる。docomoの「Xi」(クロッシィ)が該当。
2010年代	4G	スマホ黄金時代。携帯端末でパソコンのようにインターネットが利用可能に。
2020年	5G	高速大容量、IoT、遠隔操作。

携帯電話の無線技術において、**各世代共通のミッションは高速大容量化**である。1Gから5Gまで、いかに多くのデータを高速に安定して送れるかが時代の要請なのだ。さらに現代では、無線通信はIoT《アイオーティー》に対応しなければならない。IoTとは「モノのインターネット」(Internet of Things)の略で、家電やクルマ、商品など、あらゆるモノがインターネットにつながることを意味するが、**これに適用する無線通信の構築は不可避**だ。

以上のような状況に応えるのが、2020(令和2)年にサービスを開始した5Gなのである。その原理は従来とどう違うのか、高速道路にたとえてみよう。

4Gまでは、世代を重ねるごとに道路の車線を増やし、円滑なクルマの往来を実現しようとした。5Gもこの考え方を継承するが、**さらに支流となるルートも増やし、車両の個性に合わせて交通量を分散させる**。こうして高速大容量の通信を実現するのである。ルートを増やすことはIoTサービスに適している。IoTは同時多接続を要求するからだ。

さらに、5Gはもう一つの有用な機能も提供してくれる。それが低遅延と呼ばれるものだ。低遅延の必要性は、外科医が手術ロボットを遠隔操縦《そうじゅう》するシーンを想像するとわかりやすい。医師の指示がロボットに遅れて伝わると、その手術は危険なものになってしまうのだ。

4Gと5Gの違い

従来の4Gと2020年にサービスが始まった5Gはどう違うのか。高速道路にたとえて考えてみよう。

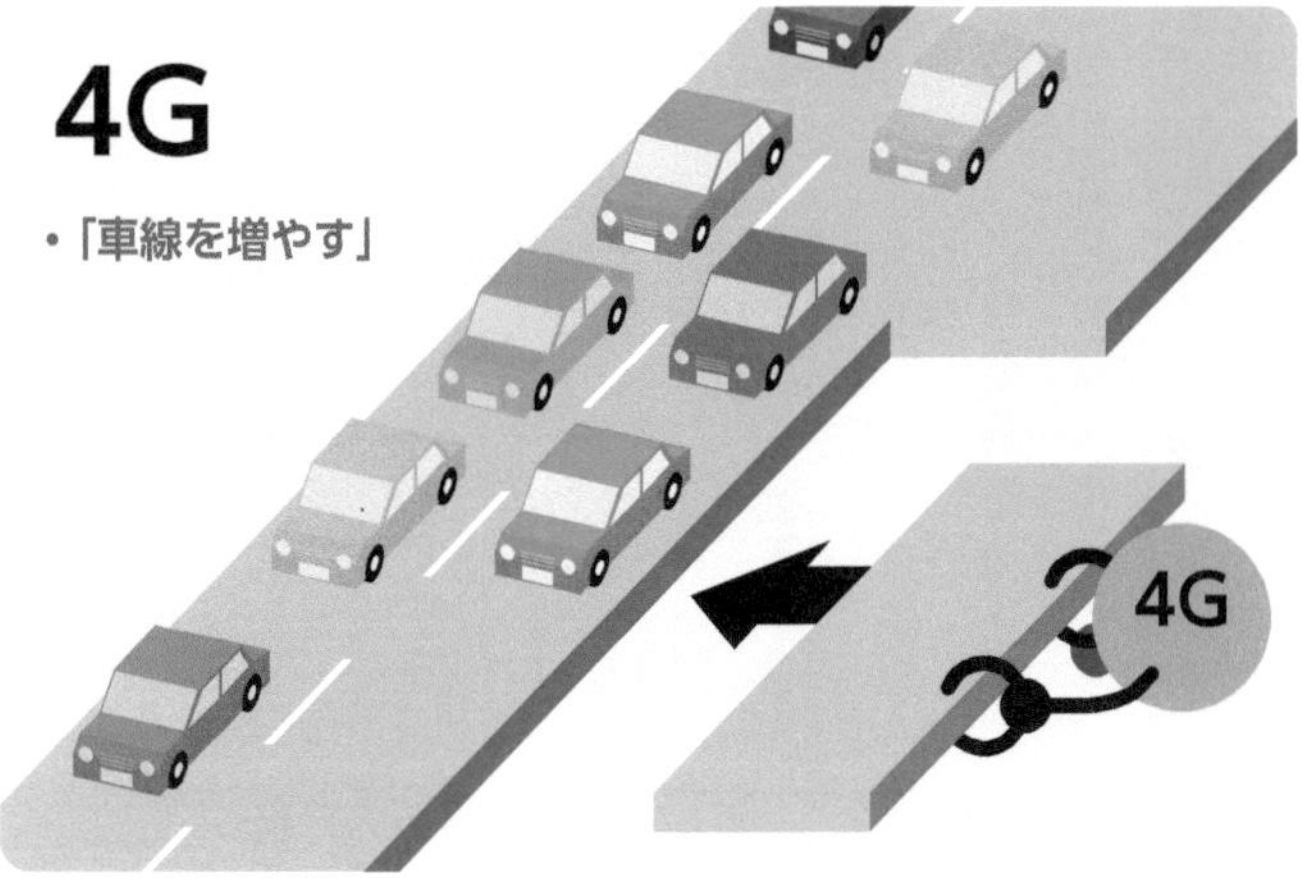

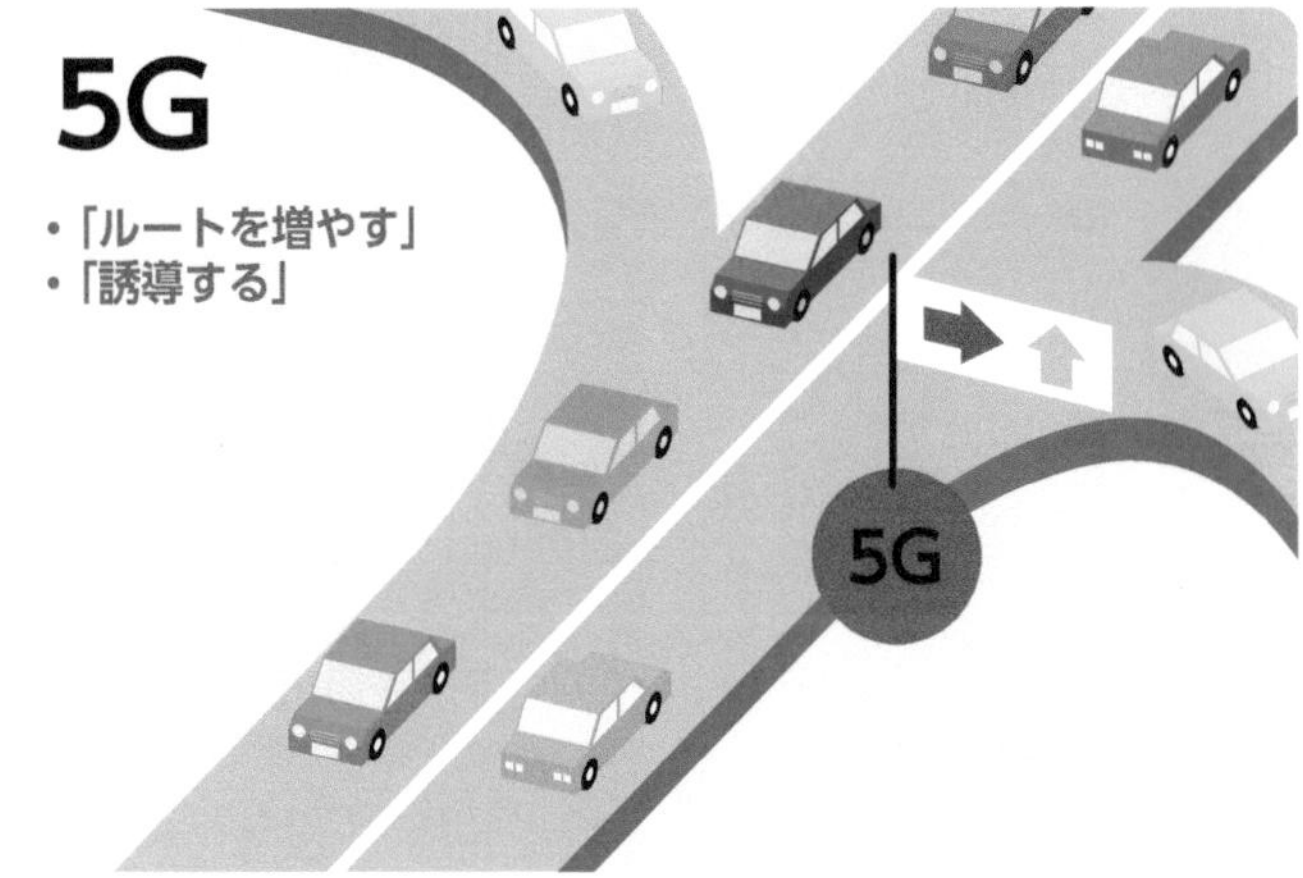

technology 064

VR《ブイアール》とAR《エーアール》

コンピューターを介し、そこに自分がいるような感覚を演出するのがVR、そこに別モノがあるような感覚を演出するのがARだ。

ゲームの世界では、VR（バーチャルリアリティ、仮想現実とも呼ばれる）は以前からよく知られている。専用のゴーグル（ヘッドマウントディスプレイ〈略してHMD〉やVRヘッドセット）を装着してコンテンツを楽しむ姿はゲームの発表会場などではよく見られる光景で、ゲームのつくる3次元世界に自分が投入されたような錯覚が得られる。

大きな施設では、ゴーグルを装着しなくてもVRを体験できる。スクリーン全体に映像を映し出し、それを3D眼鏡で見るアトラクション施設などがそうだ。現在、VRは、家を購入する際に間取りの使い勝手を体験できるサービスや、海外の有名な博物館の展示を自宅にいながらにして鑑賞できるサービスなど、さまざまなかたちで実用化されている。

「視差」のしくみ

左右の目が映す映像には、「視差」と呼ばれるズレがある。わずかに異なる映像を見ることで、脳は「立体」であることを感じ取るのだ。

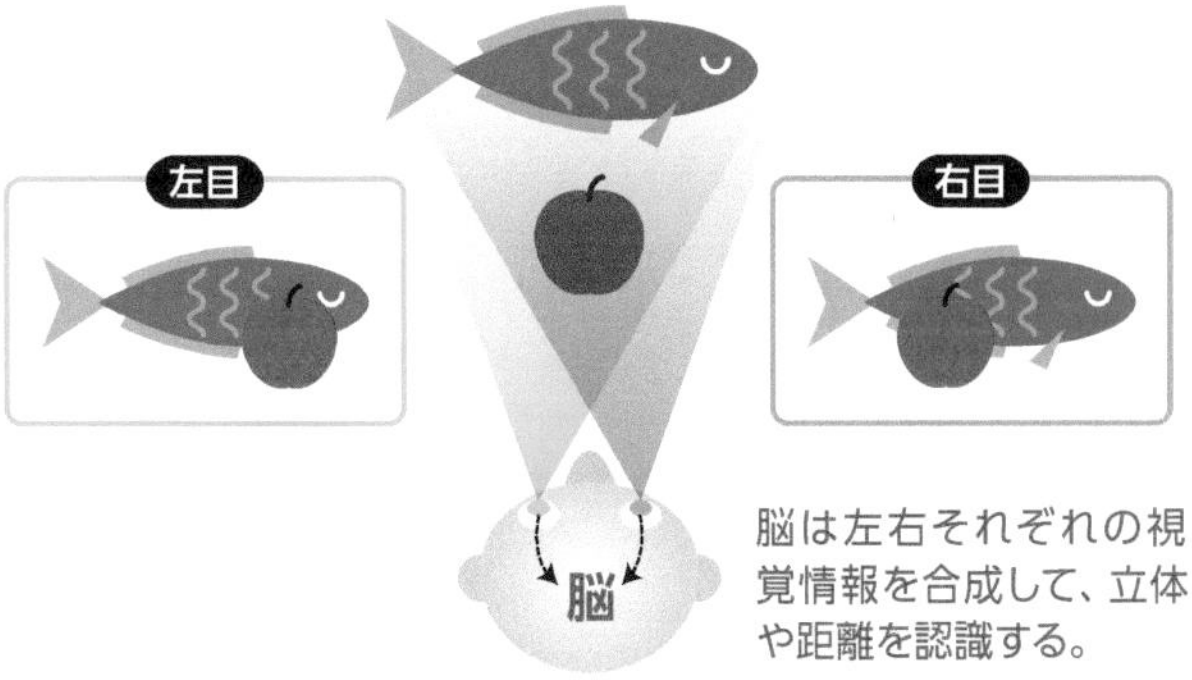
左目
右目
脳
脳は左右それぞれの視覚情報を合成して、立体や距離を認識する。

VRの原理

左右の目に視差のある映像を別々に見せることで、脳はその映像の中に自分がいるように錯覚する。これがVRの原理だ。

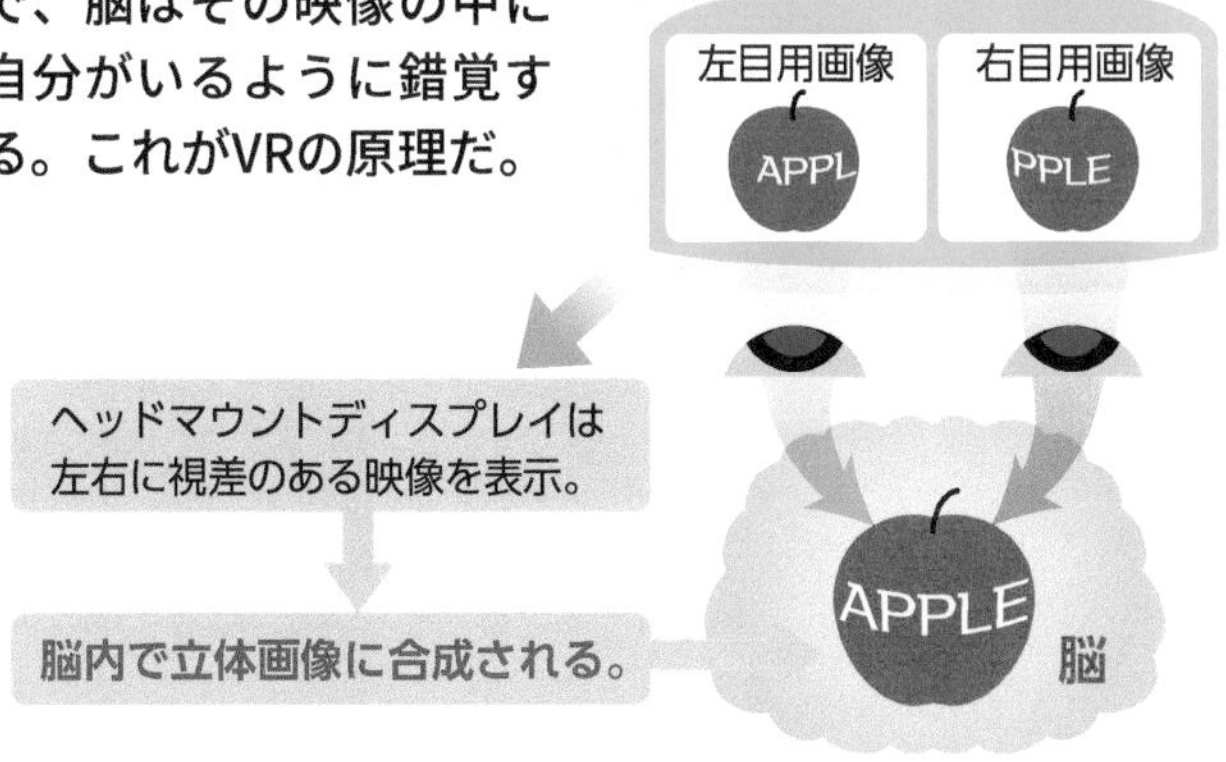
左目用画像
APPL
右目用画像
PPLE
ヘッドマウントディスプレイは左右に視差のある映像を表示。
脳内で立体画像に合成される。
APPLE
脳

ＶＲのしくみは昔から知られていた。人が「立体」を感じ取るのは左右両眼に映る映像に視差と呼ばれるズレがあるからだが、ＶＲはそれを利用する。**この視差をコンピューターなどで意図的につくり出して人の目に投影**すれば、その映像の中にいるように感じるのだ。

ＶＲに対して、ＡＲ（オーグメンテッドリアリティ、拡張現実とも呼ばれる）は、**現実の中に別のモノが存在するような錯覚を起こさせる技術**である。近年まではなじみがなかったが、２０１６（平成28）年にこの技術を用いたスマホゲーム「ポケモンＧＯ」が発表されるや、にわかに脚光を浴びた。

ＡＲを実現するにはいくつかの方法があるが、**基本はマーカー型ＡＲ**である。例えば、アニメキャラクターを現実風景に拡張現実するには、まず風景中の特定の位置にマーカーを付け、それを目安にキャラクターを重ね合わせればよい。視点を移動しても違和感なくキャラクターが風景に溶け込める。このマーカーをつける場所を、**ＧＰＳを利用してあらかじめ指定**しておくこともできる。ポケモンＧＯは、この方法を採用しているのである。

また、マーカーを一般的に「木」「山」「机」などに設定することも可能。画像認識を利用して映像から検出すれば、そこに別情報を重ね合わせることができるのだ。

ARの原理

ARは、現実の中に別のモノがあるような錯覚を起こさせる技術である。

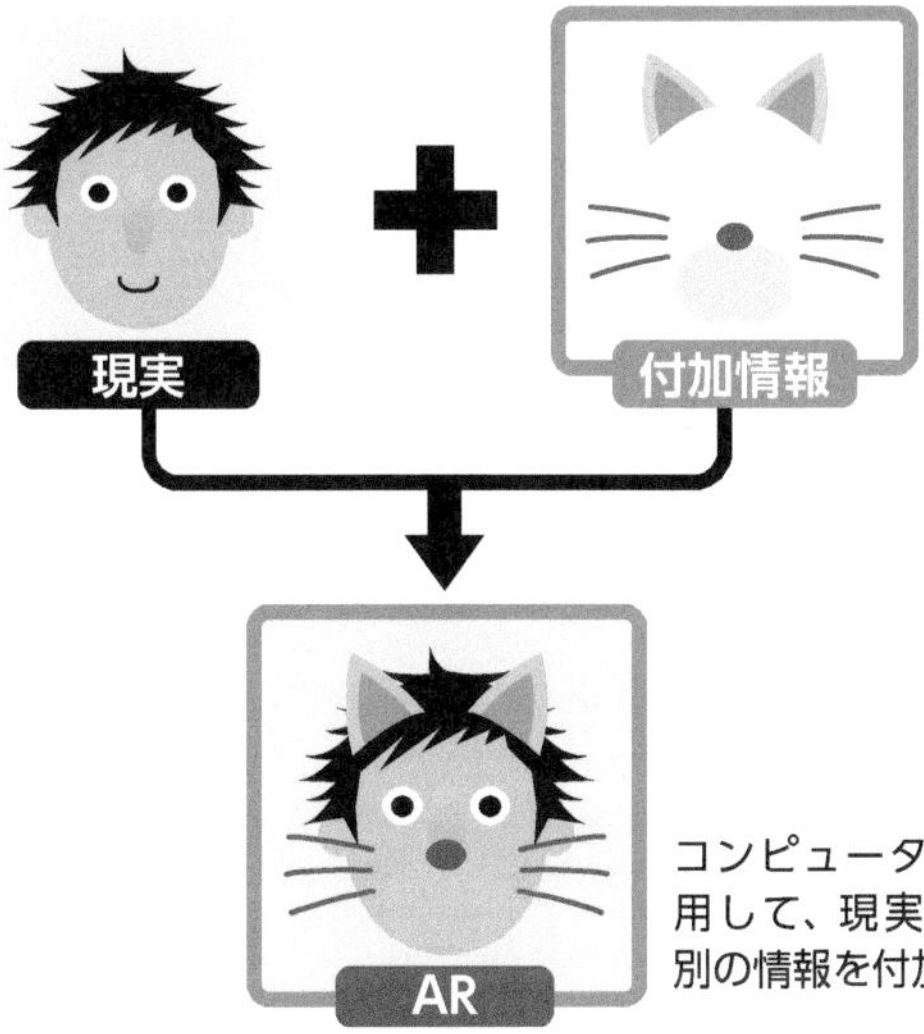

コンピューターを利用して、現実情報に別の情報を付加する。

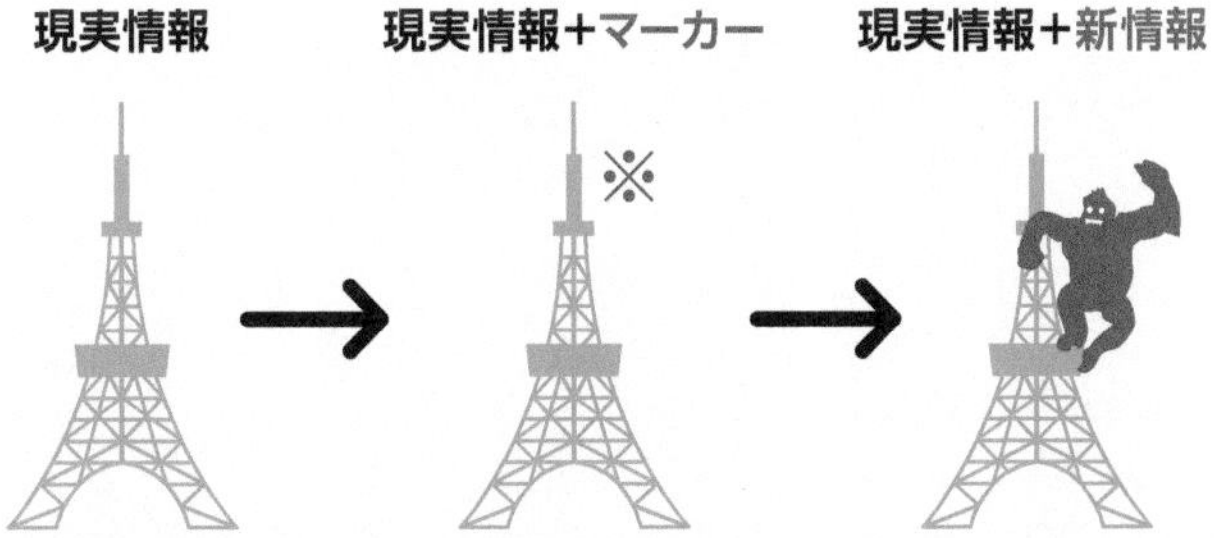

現実情報(左)にマーカーを付け(中央)、それを目安に新情報を重ね合わせる(右)のがAR技術の基本である。

technology 065

ビットコイン

運用開始の2009（平成21）年、交換レートは1ビットコイン＝0・07円。そして、2024（令和6）年3月には1000万円に高騰《こうとう》した。

ビットコインは2008（平成20）年、サトシ・ナカモトと名乗る謎のプログラマーがネットに公開した論文が出発点となる。目的を「国家から独立した通貨をつくること」とし、その考え方に賛同した世界中のプログラマーがつくり上げたのがビットコインである。

ビットコインを得るには、通常**「取引所」と呼ばれるインターネット上のサイトにアクセスし、専用の電子財布「ウォレット」を作成**する。手続きは銀行のウェブ口座をつくるのに似ていて、使い方はいたって簡単。スマートフォンなどでSuica《スイカ》のような電子マネーとして利用すればよい。ただし、利用法は似ていても、ビットコインのしくみは既存の銀行システムとは大きく異なる。銀行ではセンターにサーバーを設置し、取引記録を一括管理する。そ

ビットコインの使い方

ビットコインは、インターネット上の取引所にアクセスし、やり取りする。買い物のほか、送金などにも利用される。

取引所でのビットコイン購入と使用の流れ

❶ ウォレットの作成 → **❷ 本人確認** → **❸ 決済情報の入力** → **❹ 完了**

❶ ウォレットの作成	❷ 本人確認	❸ 決済情報の入力	❹ 完了
パスワードなどを登録	免許証やパスポートのコピー	クレジットカードや銀行口座の情報、購入額の指定	ウォレットにビットコインが振り込まれる

※口座の開設の仕方は銀行のウェブ口座と似ている

取引所
(ネット上)
¥
利用者
送金
海外送金の際、両替の必要や手数料が理論上割安
買い物

※使い方は電子マネーに似ている

ビットコインは取引記録を共有し合う

既存の銀行システムでは、取引記録はサーバーで一括管理されるが、ビットコインは取引参加者が取引記録をインターネット上で共有する。

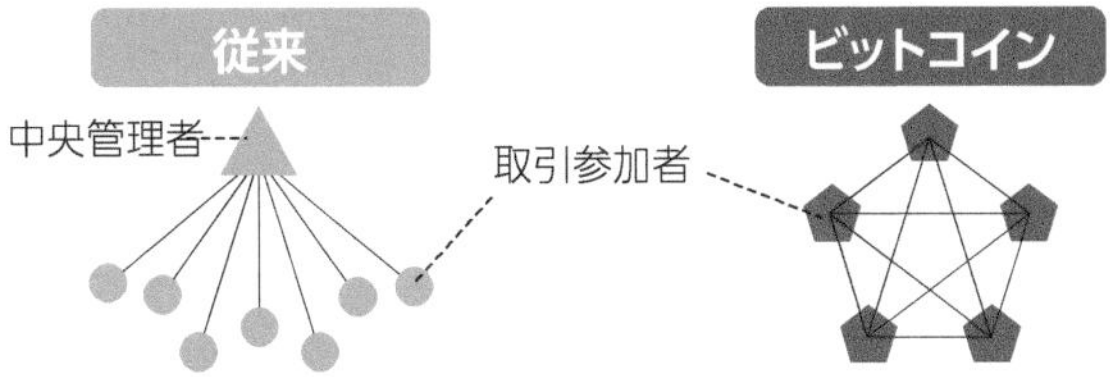
従来
中央管理者
取引参加者
ビットコイン

中央銀行などの巨大なサーバーによる取引記録の一括管理。

全取引参加者による取引記録の相互管理(中央管理者がいない)。

れに対してビットコインは取引記録をインターネットで共有し合う。

そのしくみを支えているのが**「ブロックチェーン」と呼ばれるアルゴリズム**だ。取引記録をブロックに格納し、時系列順につなげてインターネット上のコンピューターで共有する。こうすることでデータの改ざんは極めて困難になり、共有処理のおかげでシステム障害も起こりにくい。

おもしろいのはビットコインの管理方法だ。国家が管理する通貨は、その意に従って通貨の量が増減される。それに対してビットコインは、**公開されたアルゴリズムの中で通貨量が決められている。**ブロックチェーンを作成するマイナー(採掘者)への報酬として、決められたぶんだけ発行されるのだ。そこに管理者の恣意《しい》が入り込む余地はない。

ビットコインのしくみは、センターに高価なサーバーを設置する既存の銀行には大きな脅威である。もしビットコインが普及すれば、高価なサーバーを管理維持しなければならない現在の銀行システムは淘汰《とうた》されてしまう。ビットコインは金融革命をもたらす可能性を秘めているのだ。**ブロックチェーンのしくみを使った通貨を一般的に暗号通貨(仮想通貨)という**が、近年、さまざまな暗号通貨が多様な分野で現れている。

ブロックチェーンのしくみ

下の図のA→Bへの取引はブロックにまとめられ、過去の取引全体のブロック連鎖の最後につなげられる。これがブロックチェーンという名称の由来。この連鎖は「P2P《ピアツーピア》」と呼ばれるインターネットのしくみで共有される。ちなみにP2Pはスカイプや LINEのIP電話で利用されている技術だ。

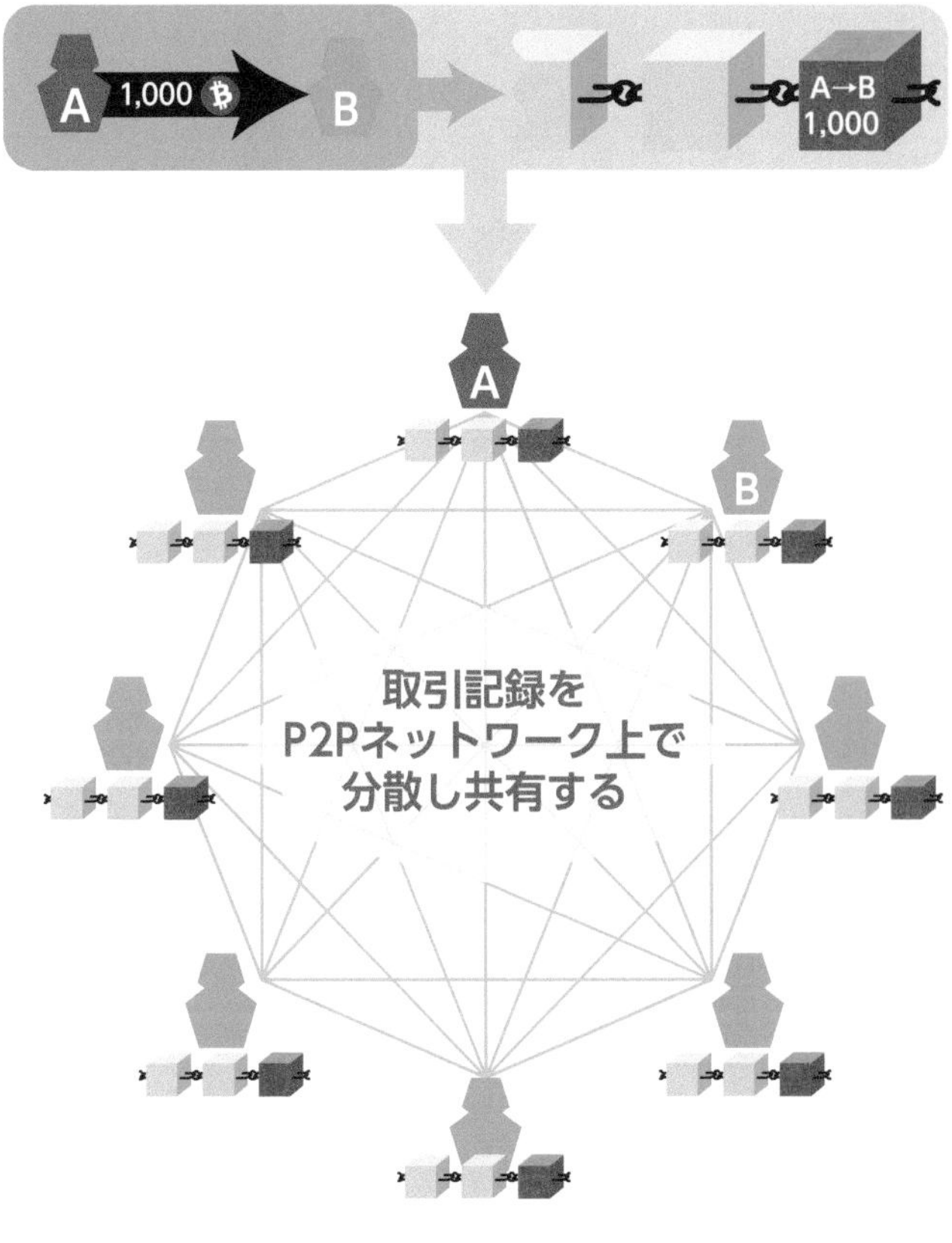

technology 066

ドローン

事件現場の撮影や作況《さっきょう》の確認、被災状況の把握などにドローンが活躍中だ。これまでのラジコン飛行機とどう違うのか。

ドローンとは、英語で「雄のミツバチ」のこと。いま話題の「ドローン」は、その名のとおりミツバチのように小回りが利き、動作音もハチの羽音に近い模型飛行機だ。このドローンは、昔ながらのラジコン飛行機やヘリコプターとどう違うのだろうか。

最初に日本でドローンが話題になったのは、アフガン地域における米軍の「テロとの戦い」においてである。そこで投入された無人飛行機が「ドローン」と報道された。自動航行ができ、遠隔操縦《そうじゅう》もできる飛翔体をそう呼んだのである。

ここからわかるように、ドローンは**人の手を介在しなくても一定の飛行ができ、必要なときには遠隔操縦もできる飛行物体**をいう。人が完全に操縦する昔ながらのラジコン飛行機と

ドローンの構造

ドローンの基本的な構造を調べると、バッテリーや制御装置など、多くはスマートフォンと共通していることがわかる。

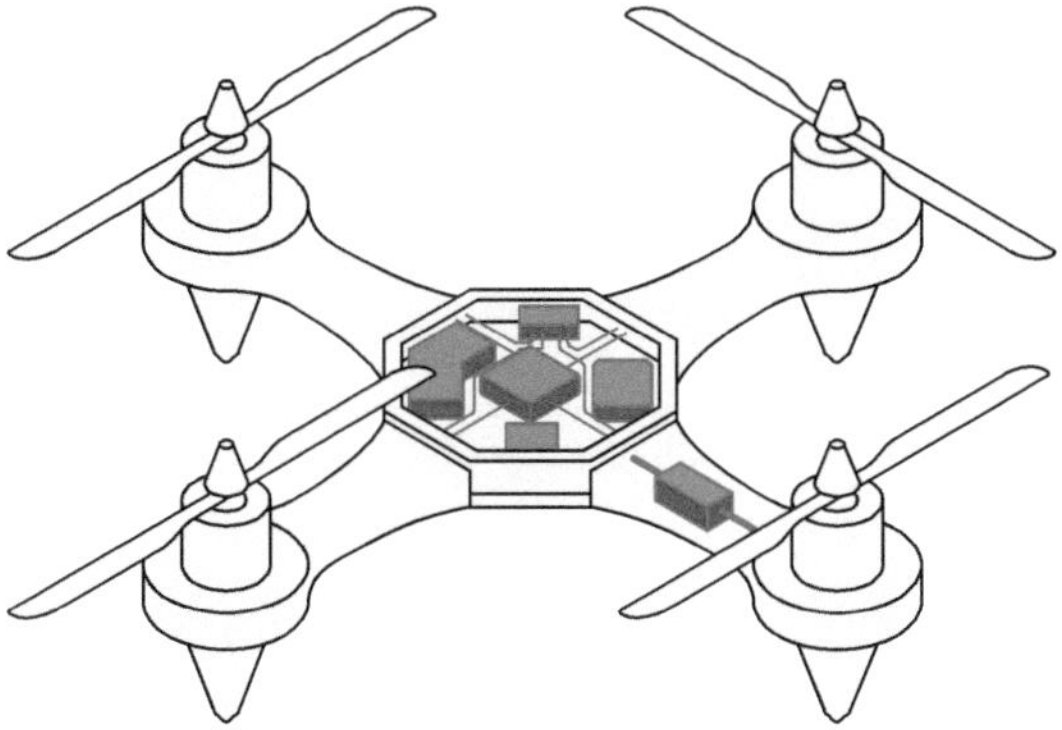

スマートフォンと共通するジャイロセンサー

ドローンが安定して飛べるのは、スマートフォンに搭載されている位置制御センサー「ジャイロセンサー」が流用されているからだ。

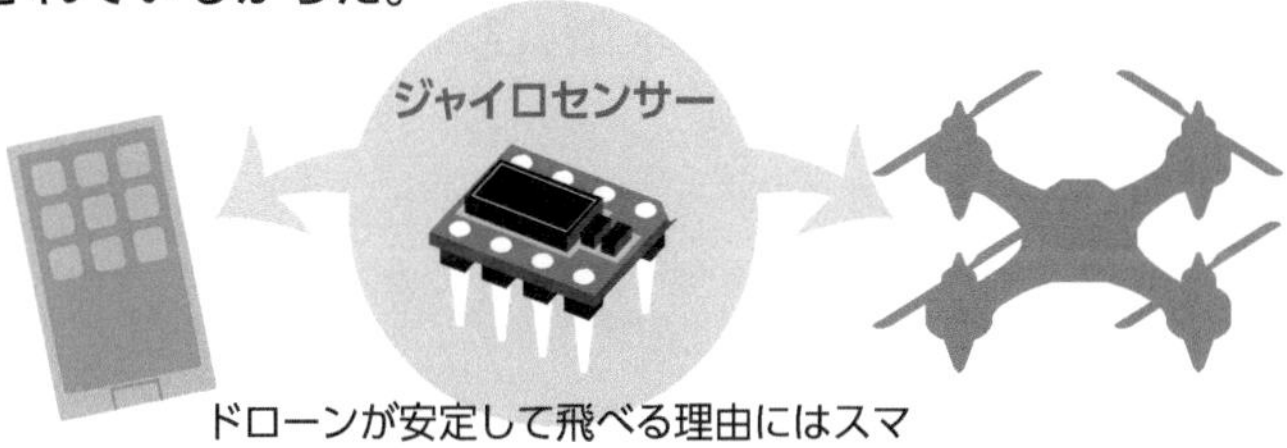

ドローンが安定して飛べる理由にはスマートフォンのセンサーの流用がある。

は多少ニュアンスが異なるのである。

いまの日本では、「ドローン」という言葉に翼を持つ飛行機の姿を重ねる人は少ない。多くの人は**複数の回転翼を持つ模型ヘリコプター**を連想するはずだ。玩具《がんぐ》程度ならば数千円で手に入る。操縦も簡単で、少し練習すれば上手に飛ばせるようになる。一昔前のラジコンの飛行機やヘリコプターが高価で操縦も難しかったことに比べ、これは格段の違いである。

なぜドローンはこれほど安価になり、操縦しやすくなったのだろう。その理由はおもしろいことに、スマートフォンにある。**ドローン技術の多くはスマートフォンからの転用**なのだ。

例えば、ドローンが小型軽量になるには、軽くて長持ちする強力なバッテリーが必要だ。それはスマートフォンとも共通する。

また、飛行を安定化させるには、例えばジャイロセンサーと呼ばれる位置制御センサーが必要だが、それもスマートフォンですでに利用されている。**ジャイロセンサーは回転や向きの変化を検知するセンサー**のことで、MEMS《メムス》と呼ばれる素子がその役割を担う。このセンサーは、ドローンが上下・左右の向きや動きを検知して安定飛行するのに不可欠だが、それは「ポケモンGO」のようなゲームを提供するスマートフォンにも欠かせないものだ。

ドローンはどんな形か？

ドローンといえば、日本では下図のような半自動軽量ヘリコプターのイメージが強い。3つ以上の回転翼を持つものを「マルチコプター」、特に4枚持つものは「クアッドコプター」という。

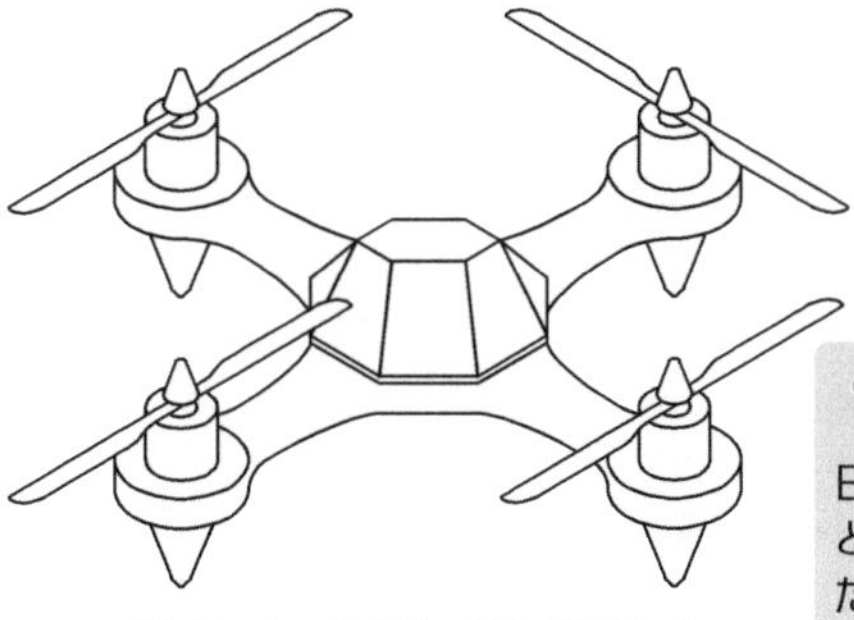

ドローン（クアッドコプター）

日本に最初にドローンという言葉を知らしめたのは無人兵器だった。

ドローンの方向制御のしくみ

複数の回転翼で飛行するドローンが、上昇や下降、前進や後退など、自由自在に飛ぶことができるのはなぜだろうか。

上昇・下降

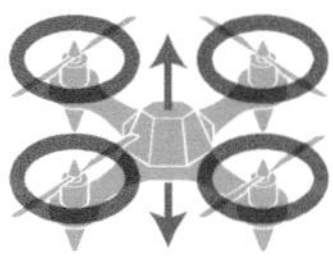

すべてのモーターを同じ強さで回転させると、上昇・下降する。

前進・後退

進行方向のモーターに強弱をつけることで、前進・後退する。

回転

モーターに、交互に強弱をつけることで回転する。

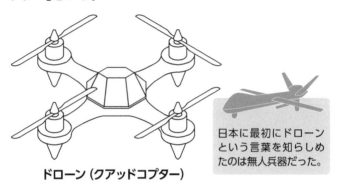

technology 067

電子ペーパー

電子書籍の専用端末の表示部として好評なのが電子ペーパーである。バッテリーの持ちがよく、目が疲れないというスグレモノだ。

近年、電子書籍が出版界をにぎわしている。書籍の本格的なデジタル化時代の到来である。グーテンベルクの印刷技術の発明から６００年が経過し、本の体裁も大きく変わろうとしている。

電子書籍の表示装置（電子ブックリーダーと呼ばれる）として人気なのが電子ペーパーだ。液晶と違って自然な明るさで読めるため目に優しく、長時間の読書でも疲れにくい。また、屋外の明るい場所でも読める。発光のための電力や、表示を維持するための電力が不要なので**電池の持ちがよく、軽量・コンパクトにできる**（一部の機種には発光装置を付加しているものもある）。

こうした特徴が人気の理由だが、近年はカラー表示も開発され、ますます応用の場を広げよ

電子ペーパーの文字表示のしくみ

電子ペーパーでは、文字は点（ピクセル）の集まりで表現される。例えば、「E」の文字は下のように表示されることになる。

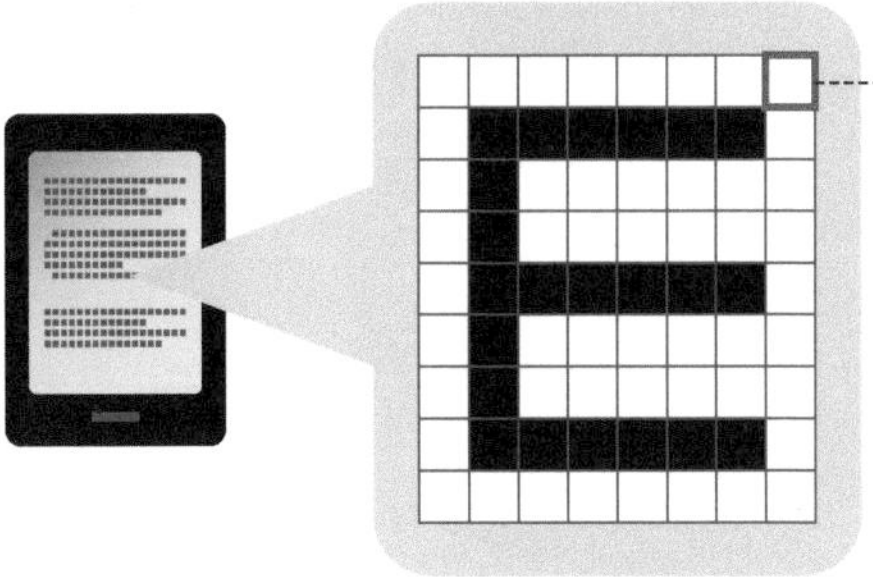

イーインク社のマイクロカプセル

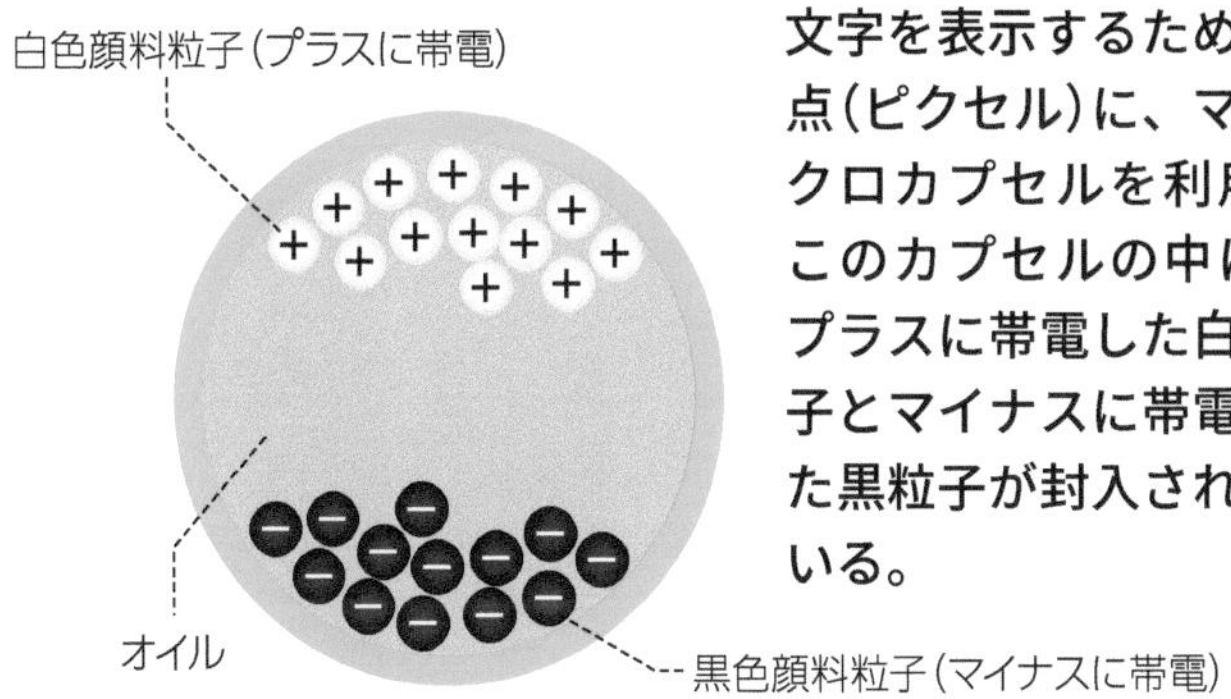

文字を表示するための点（ピクセル）に、マイクロカプセルを利用。このカプセルの中に、プラスに帯電した白粒子とマイナスに帯電した黒粒子が封入されている。

うとしている。

電子ペーパーにはさまざまな方式がある。一番人気はイーインク社が開発した電気泳動方式だ。異種の電気に帯電した白黒2種の粒子《りゅうし》をマイクロカプセル中に封入し、**それら粒子を電気の力で移動させることでモノクロイメージを表示**する。アマゾン、ソニー、楽天などの提供する電子ブックリーダーの表示装置に利用されている。

しかし、電子ペーパーにも強いライバルがいる。スマートフォンやタブレット端末で利用されている液晶や有機EL《イーエル》のディスプレイだ。これらの端末はアプリを入れることで電子ブックリーダーにも変身する。**電子ペーパーよりも応答性がよく、精細で色も美しい**。ゲームや映画鑑賞もできる汎用《はんよう》端末としては優《すぐ》れているのだ。さらに、QLEDと呼ばれるディスプレイもライバルになるはずである。

モノクロの電子ペーパーに外見が似ている製品がある。磁気ボードと呼ばれるものだ。文具コーナーではメモ書き用として、玩具《がんぐ》コーナーではお絵かきボードとして売られている。これは、**磁気の力によって、黒い磁性粉を吸い寄せる方法を採用**している。単純な構造で安価だが、解像度が低いためディスプレイとしては利用できない。

イーインク社の電気泳動方式

カプセル内に封入された帯電粒子の顔料が、電極の指示で表示面側に集まり、文字パターンを再現する。

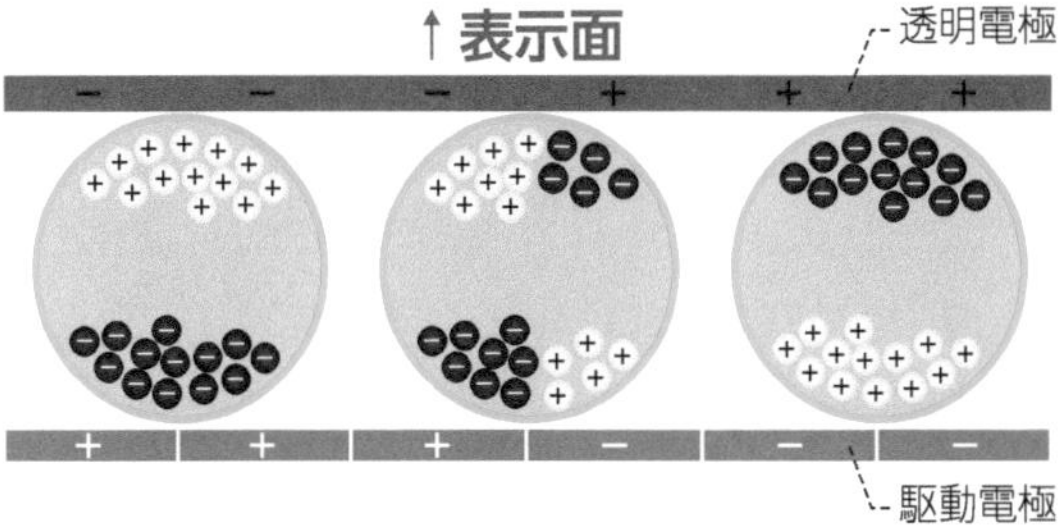
↑表示面
透明電極
駆動電極

磁気ボードのしくみ

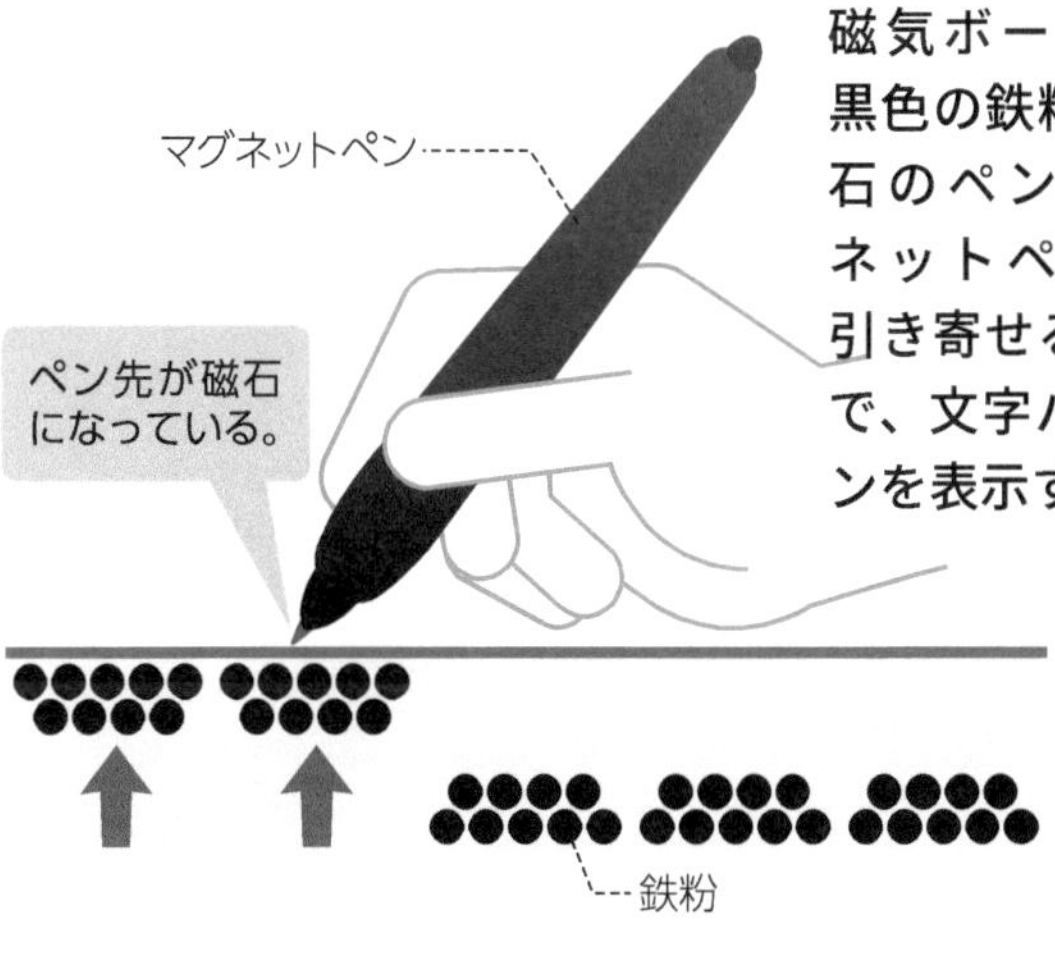
マグネットペン
ペン先が磁石になっている。
鉄粉

磁気ボードは、黒色の鉄粉を磁石のペン(マグネットペン)で引き寄せることで、文字パターンを表示する。

technology 068

リチウムイオン電池

スマートフォンなどに利用されている電池がリチウムイオン電池。そもそもどのような電池なのだろうか。

現在、最も高性能な電池の一つがリチウムイオン電池である。「発生電圧が高い」「エネルギー密度が高い」「メモリー効果がない」など、いいことずくめだ。カメラや携帯電話、スマホなど、いたるところで利用されている。

この電池を理解するには、やはり電池の歴史を辿る必要がある。有名な話ではあるが、電池は18世紀末にイタリア人のボルタが発見した。**銅と亜鉛《あえん》を塩水に浸《ひた》すと電気が起こる**ことを見つけたのである。この電池の発見で、人類は安定した電流を得てさまざまな実験ができるようになり、電気の世界を開拓できるようになったのだ。

このボルタの電池で、銅と亜鉛、塩水を**他の2種の金属と水溶液（電解液という）に代替《だいたい》する**

ボルタの電池の原理

塩水に触れた亜鉛はプラスイオンになり、亜鉛板に電子を残す。その電子は銅に向かい、水中の水素イオンと結合する。この繰り返しで電流が流れるのがボルタの電池だ。

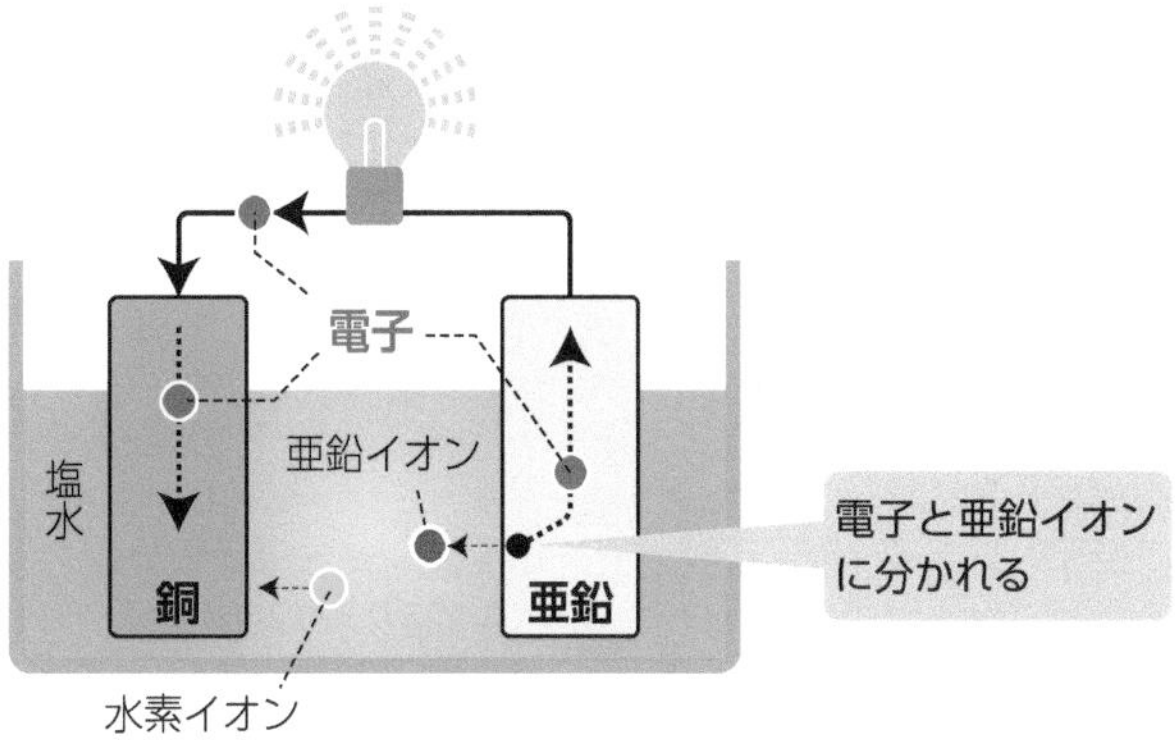
電子
亜鉛イオン
塩水
銅
亜鉛
電子と亜鉛イオンに分かれる
水素イオン

マンガン乾電池の構造

乾電池にはマンガン乾電池とアルカリマンガン乾電池（略してアルカリ乾電池）がある。これらは電解液が異なる。マンガン乾電池では、電解液として塩化亜鉛、塩化アンモニウムが使われている。

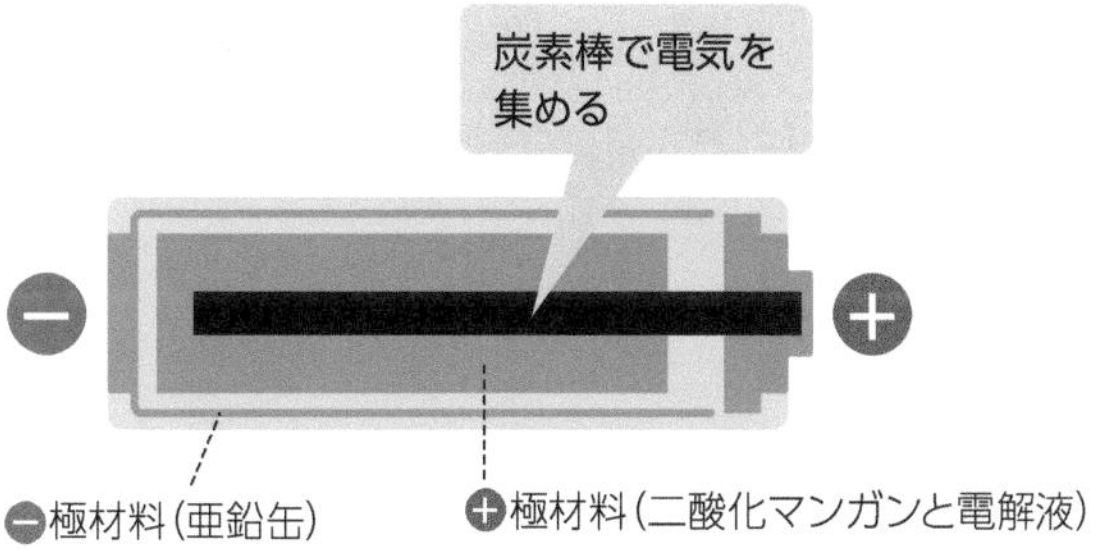
炭素棒で電気を集める
−極材料（亜鉛缶）
＋極材料（二酸化マンガンと電解液）

と、さまざまな特性を持つ電池がつくられる。その代表が乾電池である。「乾」とは、水溶液が液状でないことをいうが、おかげで電気をどこにでも持ち運べるようになった。いまでも、懐中電灯やリモコンなどで、私たちはそのありがたさを享受《きょうじゅ》している。

乾電池以外にもさまざまな電池があるが、ある種の金属と電解液とを組み合わせると、**発電とは逆の反応を起こす**こともできる。これが「充電できる電池」だ。このような電池を二次電池という（充電を前提にしない電池は一次電池）。

二次電池で昔から利用されているものが鉛蓄電池で、自動車のバッテリーとして現在も標準的に使われている。そして、**近年話題の二次電池がリチウムイオン電池**だ。いろいろな種類があるが、代表的なリチウムイオン電池は、正極にリチウムの酸化物、負極に炭素（カーボン）、電解液に六フッ化リン酸リチウム入りの有機溶剤を用いている。**発生電圧もエネルギー密度も従来の数倍**で、現在の電気自動車や携帯機器の多くに利用されている。

リチウムイオン電池は歴史も浅く、しくみが完全に解明されているとはいえない。しかも、電解液が有機溶剤で燃えやすいため、精密に製造して正しく管理しなければ発火の危険がある。こういった意味で、〝飼いならされていない優駿《ゆうしゅん》〟の電池ともいえるのだ。

アルカリ乾電池の構造

アルカリ乾電池は、電解液としてアルカリ性の水酸化カリウムを使用している。これが「アルカリ乾電池」と呼ばれる理由である。

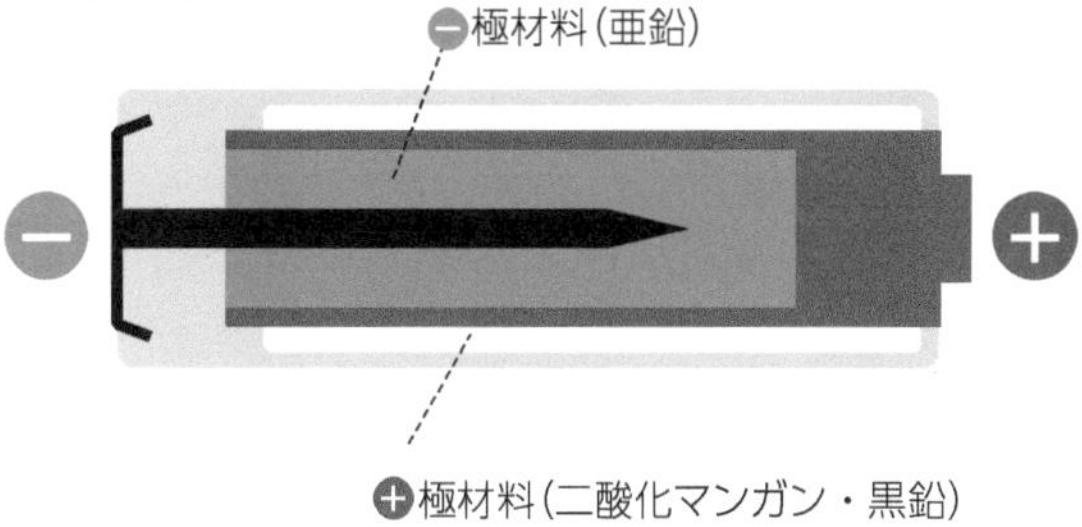

リチウムイオン電池の原理

リチウムイオン電池は、プラス極にリチウムの酸化物、マイナス極に炭素（カーボン）、電解液に六フッ化リン酸リチウム入りの有機溶剤を用いた電池が代表的である。

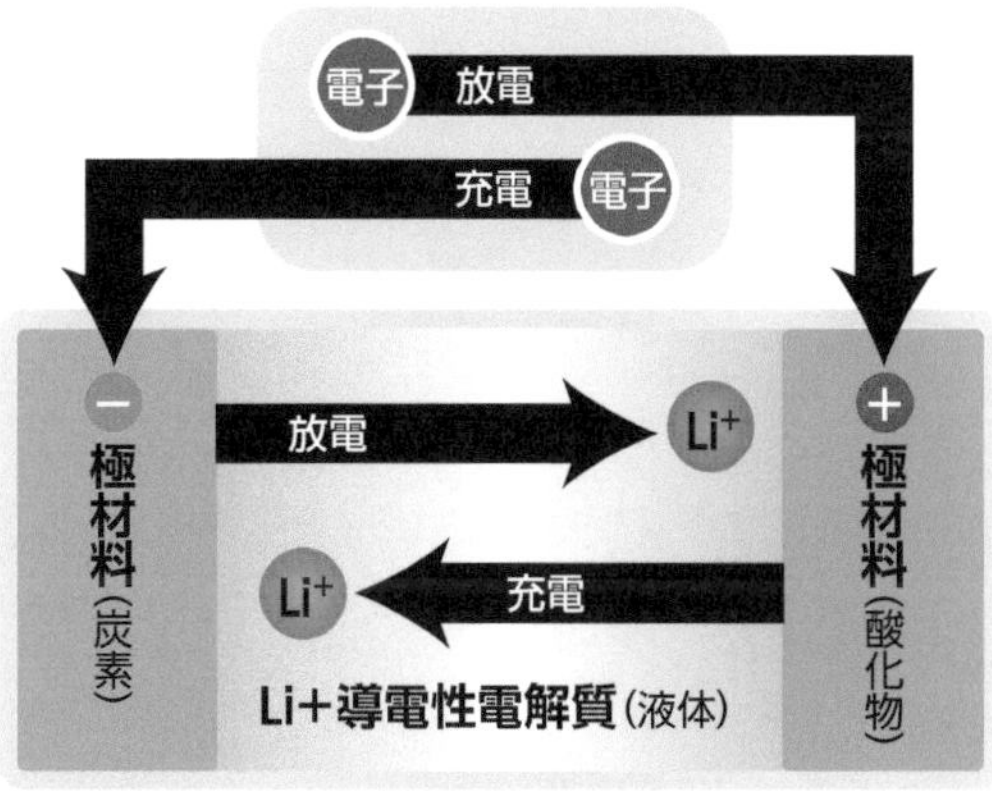

technology 069

タッチパネル

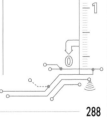

スマートフォン人気の理由の一つがタッチパネル。フリックやピンチの操作がクールだが、しくみはどうなっているのだろう。

駅の券売機や銀行のＡＴＭには、タッチパネルと呼ばれる操作画面が利用されている。**指で画面に軽く触れるだけで機械を軽快に操作できる**のがうれしい。

近年は家庭にも普及し、カーナビや携帯型ゲーム機でも使われている。このパネルのしくみを調べてみよう。

タッチパネルで以前主流だった方式は抵抗《ていこう》膜方式である。構造は単純で、ガラス板とフィルムに透明電極膜を貼りつけ、少し隙間《すきま》を設けて対面させる。フィルム表面を押すと、**フィルム側とガラス側の電極同士が接触して電気が流れる**。その電流から電圧の変動を検出し、接点の位置をとらえるのだ。

抵抗膜方式のしくみ

最も普及している方式。押された点で電極が接触して電流が流れ、電圧の変化が生じる。そこから読み取り位置を割り出す。

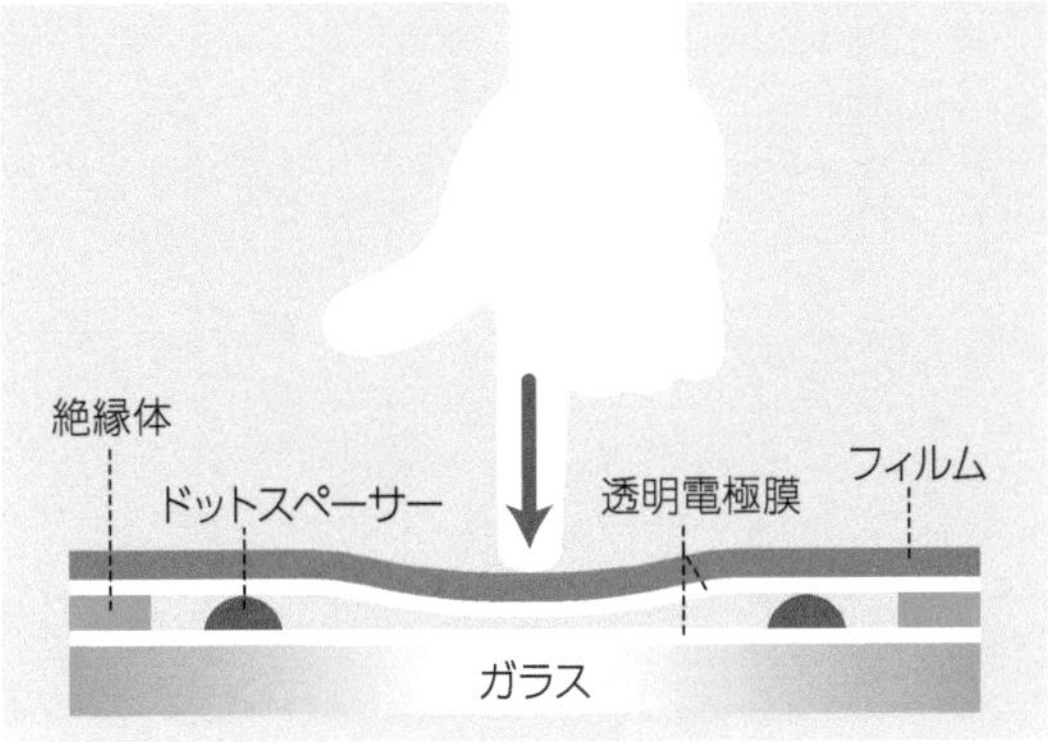
絶縁体
ドットスペーサー
透明電極膜
フィルム
ガラス

2本の指で操作できる「マルチタッチ」

アップル社が初めて製品で用いた操作性。拡大は2本の指を画面上で広げ（ピンチアウト）、縮小はその逆（ピンチイン）をする。また、1本の指を動かす（フリック）ことで、画面がスクロールする。

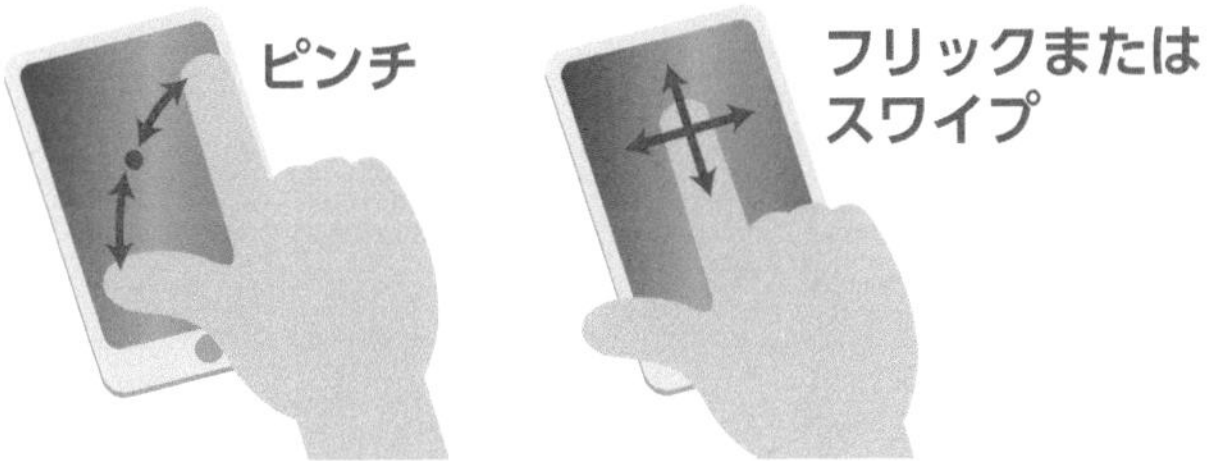
ピンチ
フリックまたは
スワイプ

ところで、近年、スマートフォンやタブレットPCが人気である。その人気の理由の一つが、マルチタッチと呼ばれる新しい操作性にある。例えば、画面を拡大する際に2本の指を画面上で広げる「ピンチアウト」。いままでにない操作性がクールさを演出したのだ。

マルチタッチを実現するには、抵抗膜方式では困難である。**二つの接点の位置を同時に測れないから**だ。

そこで採用されているのが、投影型静電《せいでん》容量方式である。その構造は抵抗膜方式よりも複雑だが、高速な応答が可能で、精度の高いマルチタッチ操作を実現できる。

投影型静電容量方式のパネルは基本的には電極パターン層と保護膜の2枚の層からできている。電極パターン層は定型パターンを敷き詰めた多数の透明電極からなり、保護膜はガラスやプラスチックの絶縁体《ぜつえんたい》である。**保護膜表面に指を近づけると複数の電極間の静電容量が同時に変化**し、電極間に電流が生まれる。この電流を測定することで、複数の指の動きや位置を素早く特定できるのだ。

マルチタッチはアップル社が初めて製品化した操作性で、特許成立の可否が問題になった。しかしいままでは、カーナビなどさまざまな電子機器に利用されている。

投影型静電容量方式のしくみ

ICを搭載したガラス基板の上に、特定のパターンで大量に並べた透明の電極パターン層を配置し、表面にはガラスやプラスチックなどの保護カバー(絶縁体)を重ねる。表面に指を近づけると、複数の電極間の静電容量が同時に変化して電流が生まれ、この電流量を測定することで複数の位置を同時に特定できる。

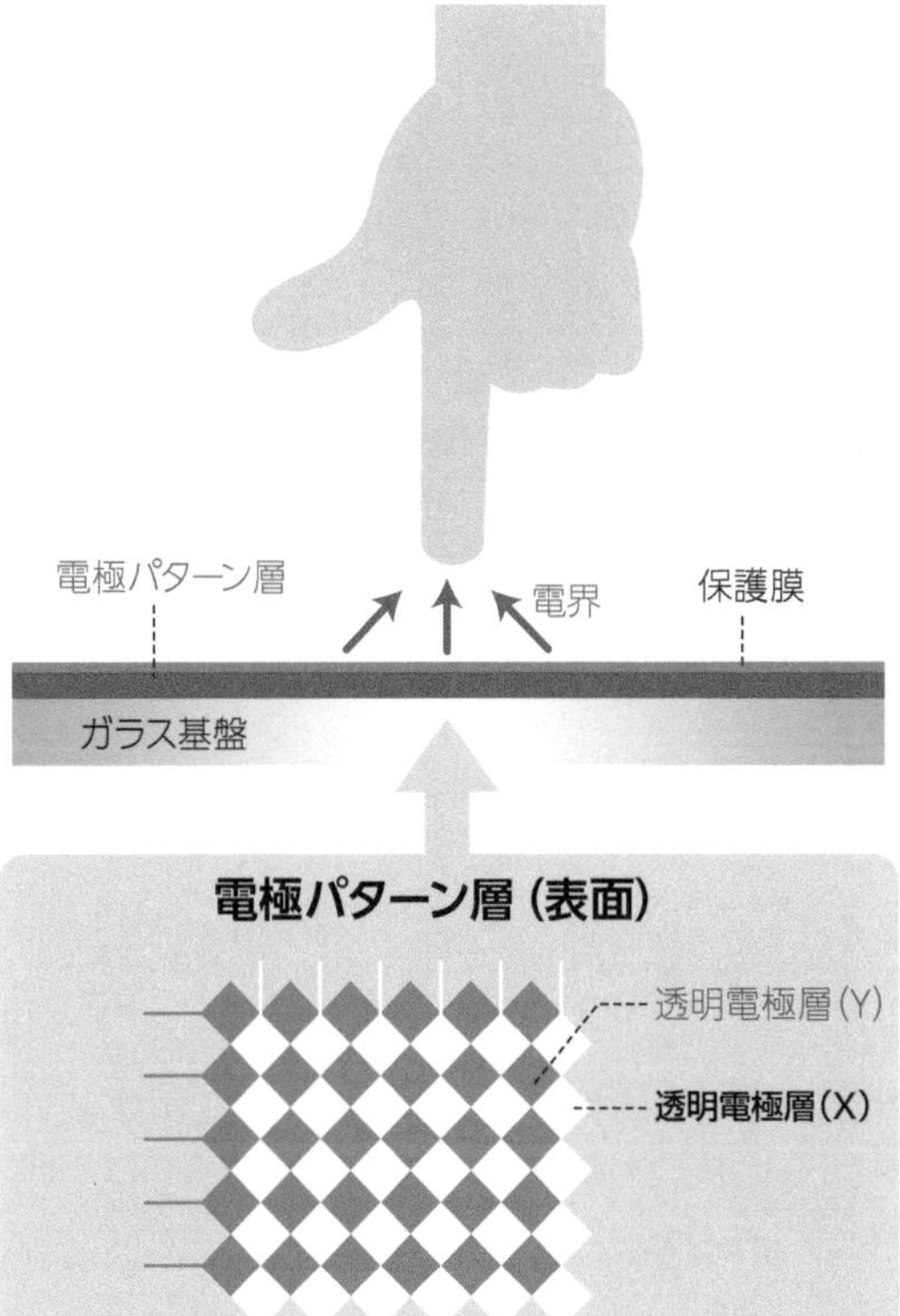
電極パターン層
電界
保護膜
ガラス基盤
電極パターン層 (表面)
透明電極層(Y)
透明電極層(X)

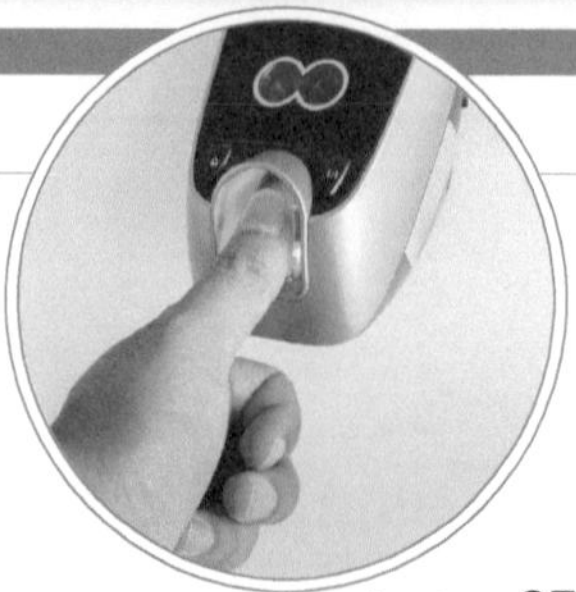

technology 070

生体《せいたい》認証

かつてＳＦ映画などに現れた生体認証が、いまや日常で利用されている。身分証や鍵などが不要になる生活が実現しつつある。

銀行のＡＴＭコーナーなどに静脈《じょうみゃく》認証の装置が置かれていることがある。この装置は**指や手のひらの静脈パターンを赤外線で読み取り、本人を確認**する。体の一部で本人認証をするのである。一昔前まではＳＦ映画の世界で描かれた光景が現実になっているのだ。

静脈が利用されるのは、**静脈のパターンが人によって異なるから**だ。このパターンを見るには赤外線を当てればいい。静脈を流れている赤血球中のヘモグロビンは、酸素を失って赤外線を吸収しやすい。そのため、**当てられた赤外線は静脈で吸収され、パターンが暗く映し出される**ことになる。

このように生身で本人確認する認証方式を生体認証と呼ぶ。バイオメトリックスと呼ぶほ

指の静脈認証

静脈のパターンは十人十色。そのため、赤外線を当てることで本人かどうかが認証できる。

❶

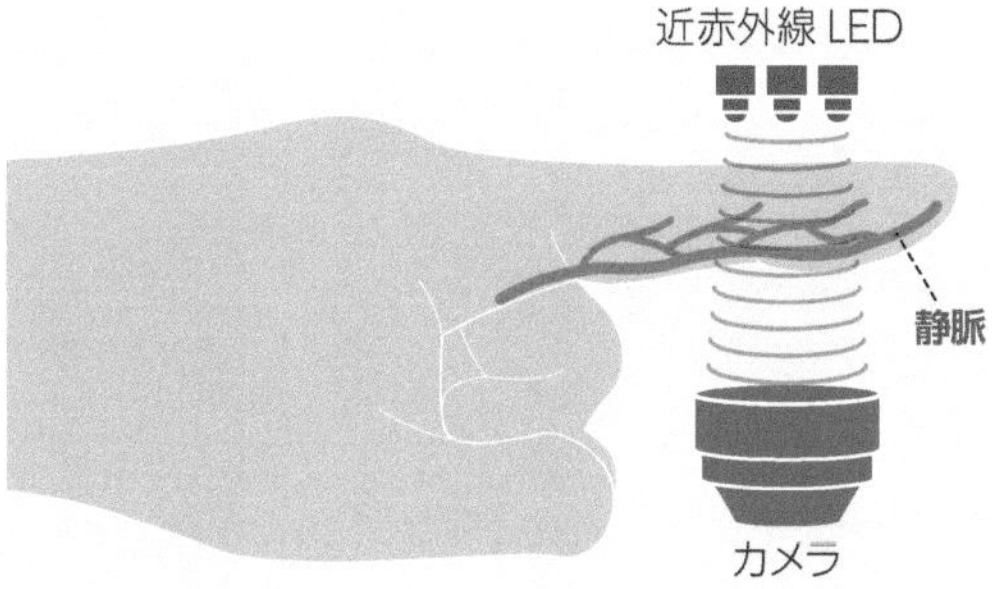

指に赤外線を当て、カメラで静脈のパターンを読み取る。

↓

❷

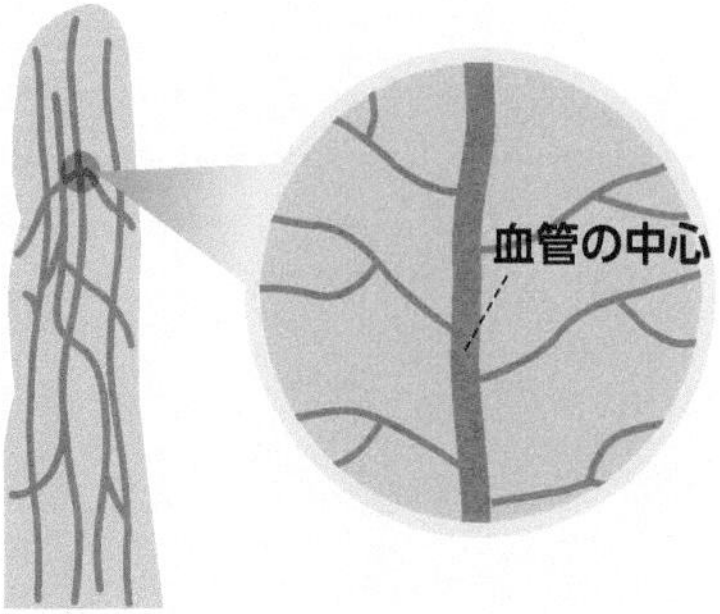

血管の中心を基準として、血管のパターンを抽出する。

うが有名かもしれない。

生体認証のメリットは、カードなど、本人を確認するためのモノが不要なことである。また、他人が本人の代わりをする「なりすまし」も不可能である。おかげでシステムが安全になり、利用者も身軽になれるのだ。

静脈認証以外の生体認証で、昔から利用されているものに指紋認証がある。これは犯罪捜査で知名度が高いが、実用面でも利用されている。例えばパソコンの本人確認用として、指紋の読み取り装置が販売されている。システムの安全性に大いに貢献しているのだ。

SF映画などで有名なのは虹彩《こうさい》認証であろう。

瞳《ひとみ》の模様のパターンで本人を確認する方法である。虹彩も人によって千差万別だからだ。

最も理想的なのは素顔の生体認証であろう。人間同士の自然な認証方式であり、違和感がない。テロ対策などで研究が進められ、一部では実際に利用されようとしている。

ところで、生体情報は変更が不可能である。カードなどは再発行が可能だが、生体認証はそれができないのだ。したがって、一度登録されると訂正がきかない。悪用されれば一生本人にとってはわざわいになる。むやみに登録するのは危険であることを肝《きも》に銘じておこう。

手のひらの静脈認証

手のひらに赤外線を当て、カーブや分岐という特徴ある場所で静脈のパターンを読み取る。

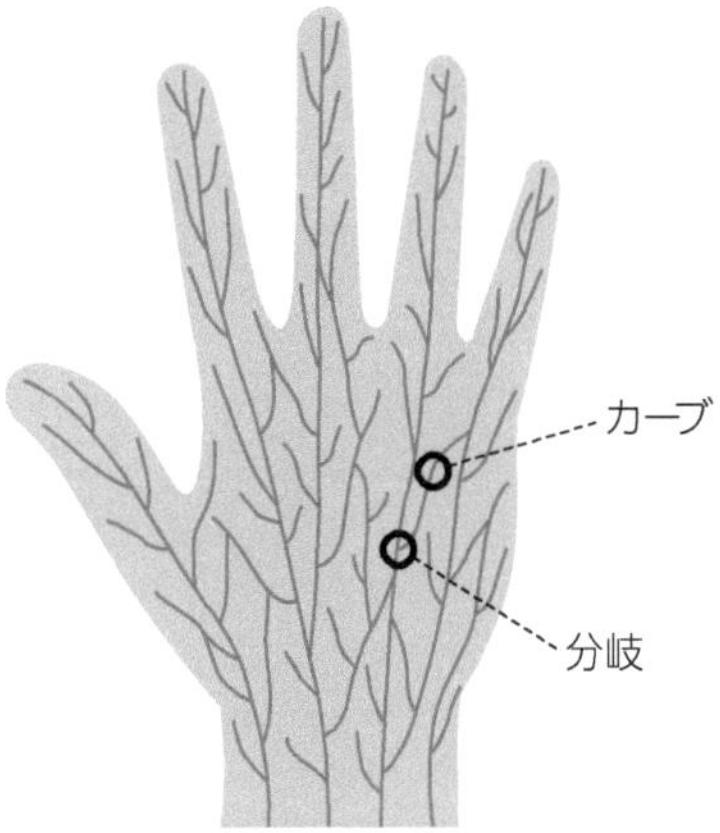

指紋認証の代表的な方法

古くから利用されている指紋認証に、周波数解析法とマニューシャ法がある。この2つのしくみを見てみよう。

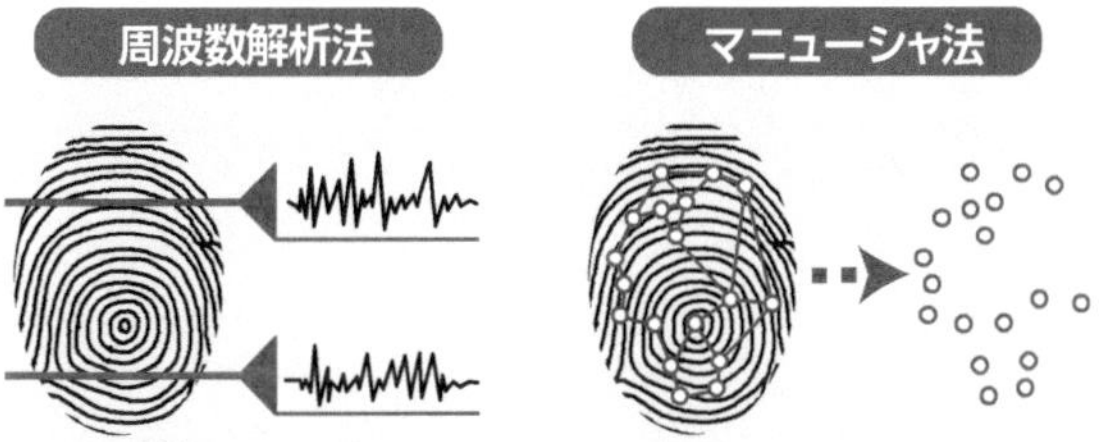

指紋模様の断面を波形としてパターン化する。

模様の特徴点の位置関係をパターン化する。

technology 071

ノイズキャンセリングヘッドホン

都会生活で切り離せないのが騒音の悩み。その騒音をカットしてくれる便利な技術が、ノイズキャンセリング機能だ。

電車の中で澄《す》んだ響きの音楽を聴きたい。そんな贅沢《ぜいたく》な望みをかなえてくれる製品がある。ノイズキャンセリングヘッドホンだ。電車、航空機などの**周囲の騒音を低減してくれる機能を持つヘッドホン**である。雑音に抗して音量を上げ過ぎる必要がないため、耳への負担や音もれの心配も軽減されて便利である。また、旅先での友人のイビキを消す、などという裏ワザでも利用されているという。

ノイズキャンセルには、大きく二つの方法がある。**アクティブ方式とパッシブ方式**である。近年のはやりは、アクティブ方式である。

アクティブ方式は電気的にノイズを消すしくみである。ヘッドホンにはマイクが内蔵され

アクティブ方式のしくみ

「アクティブ方式」のノイズキャンセリングヘッドホンは、次の動作をヘッドホン内部で実行することで、さまざまな騒音を電気的に消す。

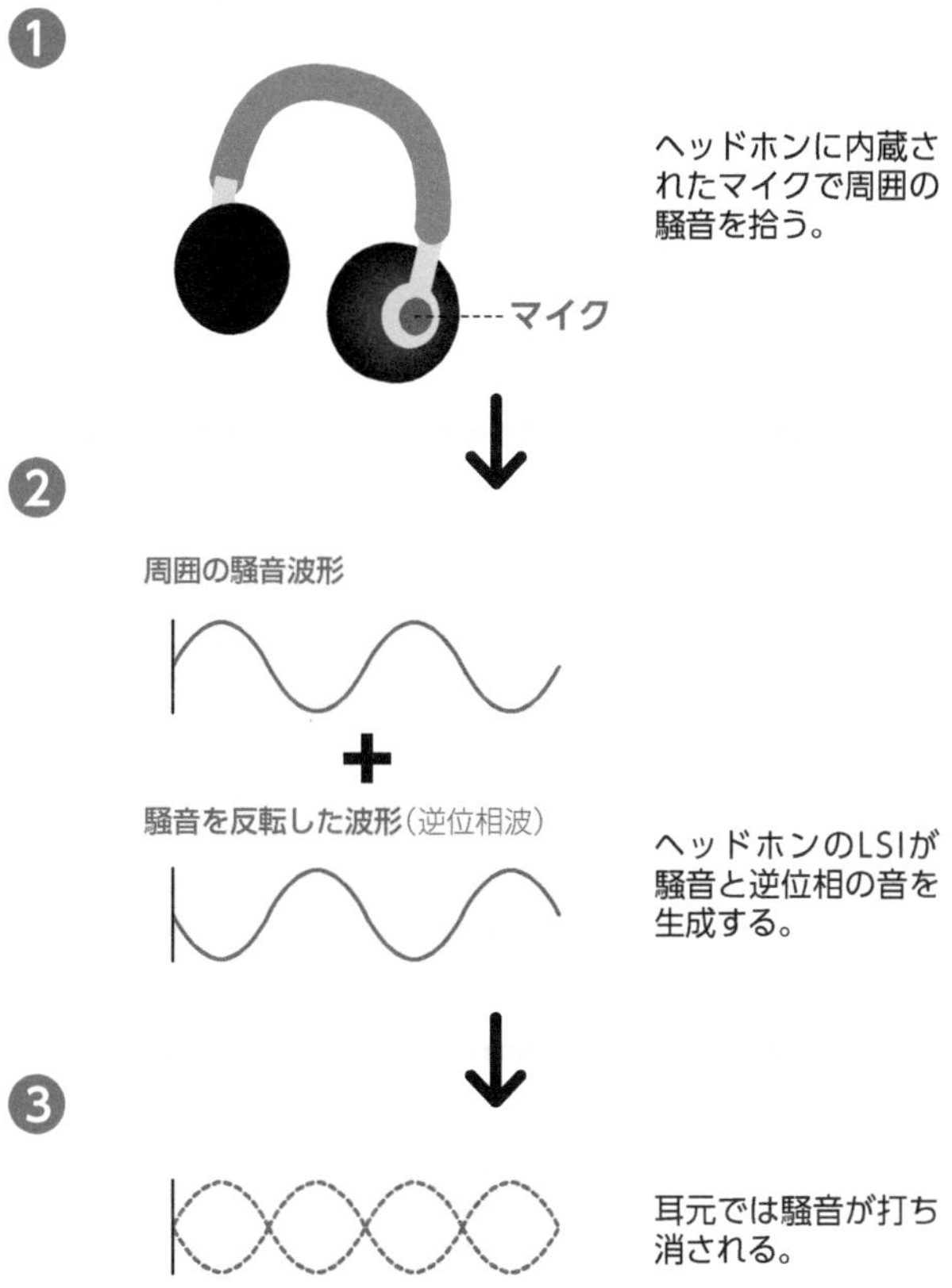
1
ヘッドホンに内蔵されたマイクで周囲の騒音を拾う。
マイク
2
周囲の騒音波形
騒音を反転した波形（逆位相波）
ヘッドホンのLSIが騒音と逆位相の音を生成する。
3
耳元では騒音が打ち消される。

ている。このマイクが周囲の騒音を拾い、**それを打ち消すような音をヘッドホン内部で発生させる**。こうして、周囲の騒音だけを消去するのだ。騒音を打ち消す音は、騒音の「逆位《ぎゃくい》相《そう》」になるようにつくられる。そのため、ヘッドホン内部にはその処理を行なうためのLSI（大規模集積回路）も組み込まれており、電池などの電源が必要になる。

パッシブ方式は外部の雑音をバリアで防ぐ方式である。最も古典的なのは音を外耳でブロックする「耳栓《みみせん》」だ。この耳栓的なアイデアを応用して、**耳をすっぽりとヘッドホンで覆《おお》い隠す方法**がパッシブ方式のヘッドホンである。電池などの電源は不要だが、耳が圧迫されて蒸《む》れるという欠点がある。

ヘッドホンで採用されている「逆位相」の技術は多方面に応用されている。例えば、高速道路や新幹線沿線の側壁には防音装置が取りつけられているところがある。道路や線路脇にスピーカーを配置し、**騒音と逆位相の音を生成して騒音を消去**しているのである。

また、「トナカイ分岐型遮音壁《しゃおんへき》」と呼ばれる防音装置は、音の誘導室を設け、そこで共鳴した音が元の騒音の逆位相になるように工夫されている。電源を必要とせず、道路や鉄道施設にはもってこいの防音装置である。

パッシブ方式のしくみ

パッシブ方式のノイズキャンセイリングヘッドホンは、ヘッドホンで耳を包んで外部の雑音を遮断する。

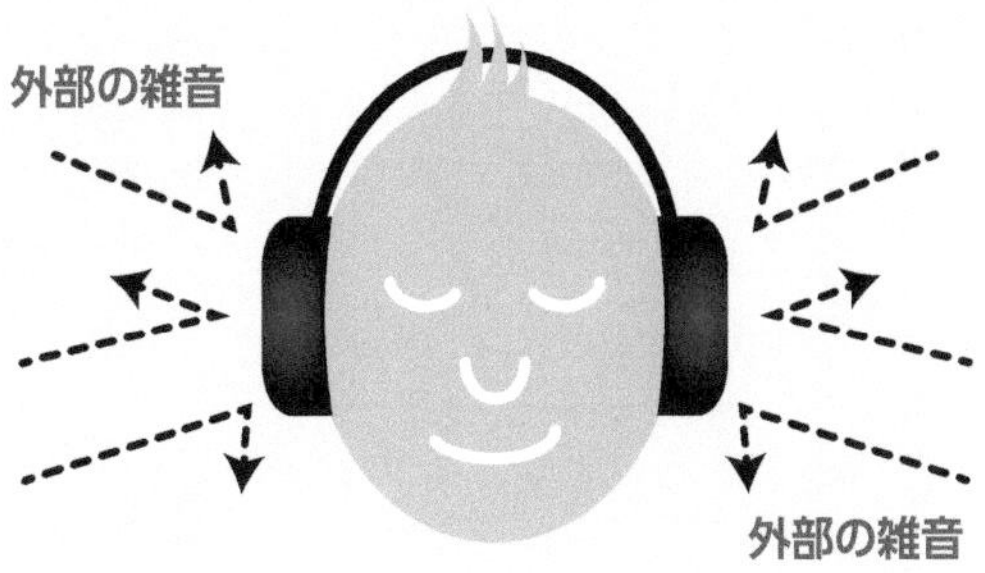
外部の雑音
外部の雑音

トナカイ分岐型遮音壁

騒音の共鳴を利用して、逆位相の共鳴音が起こるように空洞の形を工夫している。構造が単純で、電源もいらない優れものである。

共鳴により騒音が小さくなる。
騒音源

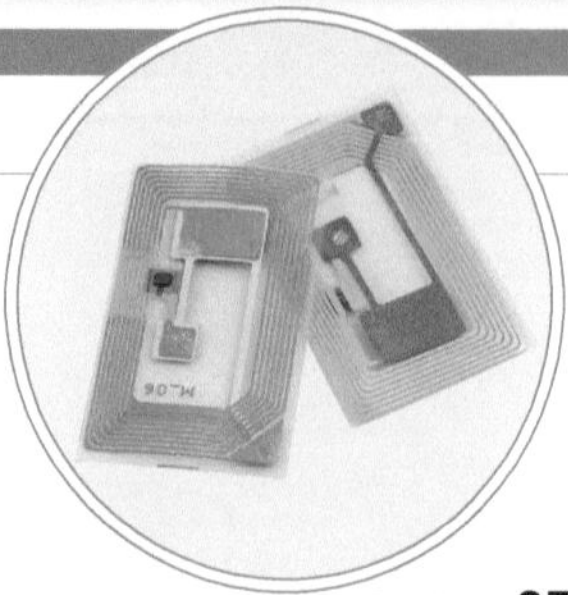

technology 072

IC《アイシー》タグ

電気店や大型書店に行くと、多くの商品にICタグがつけられている。このチップこそが〝流通革命の星〟だった。

電気店や大型書店の出入口にはゲートが置かれている。レジを通さずに商品を持ち出そうとすると、アラームが鳴る装置である。おかげで、ずいぶんと万引きが減ったという。ゲートは商品に貼られたＩＣタグを検知するための門番の役割を担っている。

ＩＣタグはＩＣチップとアンテナで構成されている。ゲート通過時に**ゲートからの電波をアンテナで吸収、そのエネルギーを利用して自らを起動し、信号を発信**する。ゲートはその信号を読み取り、**商品のコードや不正の有無を検知**するのである。

ＩＣタグには情報を書き込めるものもある。この場合には、貼られたＩＣタグをレジや受付で取らなくても、電気的にゲートの通過許可を与えられる。例えば、図書館の貸し出しに

ICタグの構造

ICタグは「ICチップ」と「アンテナ」で構成されている。アンテナはリーダーライターから発信される電波から電力と情報を受け取り、ICチップに送る。

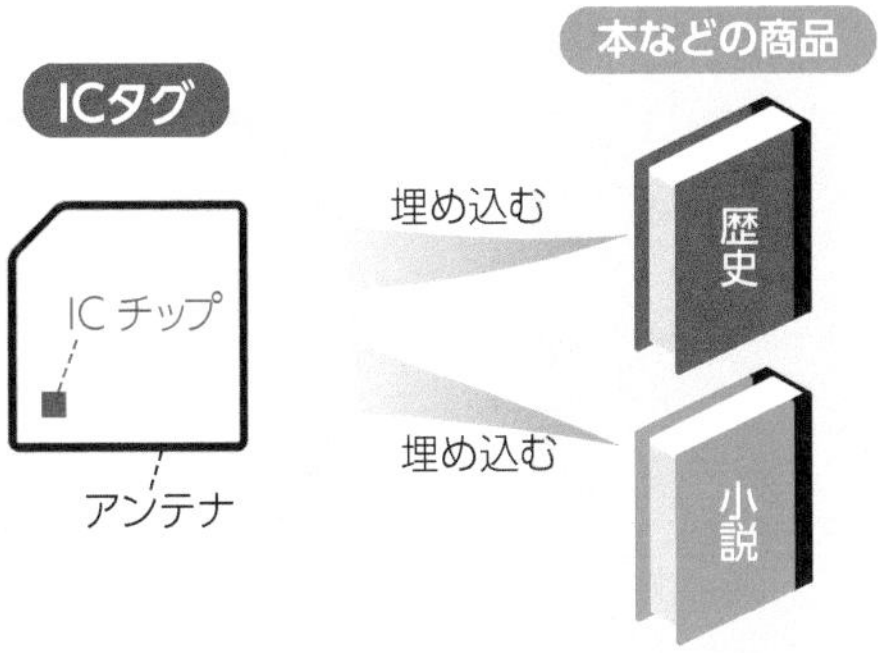

リーダーライターでICタグを読み書き

ICタグの読み書きをする装置が「リーダーライター」。パソコンなどのデータ処理装置と結ばれて、ICタグと情報を送り合う。

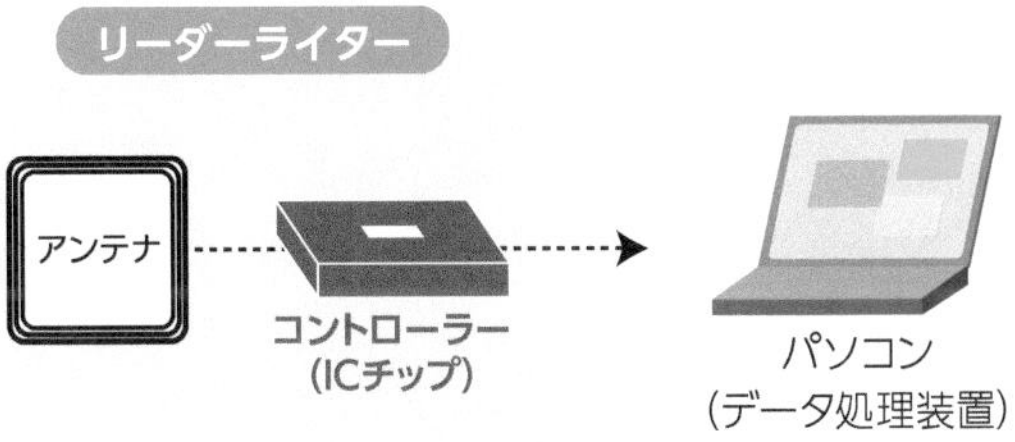

は、この機能が利用されている。

　このように**電波を利用して接触せずにモノを管理識別する技術**を、総称してＲＦＩＤと呼ぶ。Ｓｕｉｃａ《スイカ》などのＦｅｌｉＣａ《フェリカ》の技術も、ここに分類される。

　近年、食の安全が話題になり、どこでいつ生産されたかの情報の開示が求められている。これをトレーサビリティと呼ぶが、ここでもＩＣタグが主役を演じている。バーコードなどと異なり、**豊富な情報量をＩＣに記憶させることができるから**だ。

　在庫を極力少なくするというジャストインタイム方式は現代の生産管理の基本だが、ここでもＩＣタグが活躍している。工場や倉庫の前にゲートを置けば、いつどこを何が通過したかという情報をネットワークで共有でき、どこにどんな商品が何個あるかという詳細な情報がすぐに把握できるのである。

　近年、買い物客が自分で清算を行なうセルフレジが普及し始めた。ここにもＩＣタグを利用しようという試みがなされている。ＩＣタグは瞬時にデータを読み取れるので、**商品カゴをレジに通すだけで、清算を一瞬にすますことができる。**レジに人が並ぶ姿は近い将来見られなくなるかもしれない。

ICタグのおもな役割

万引き防止、生産流通管理をはじめ、ICタグの担う役割はさまざま。近年はトレーサビリティやセルフレジなどでも活躍している。

万引き防止

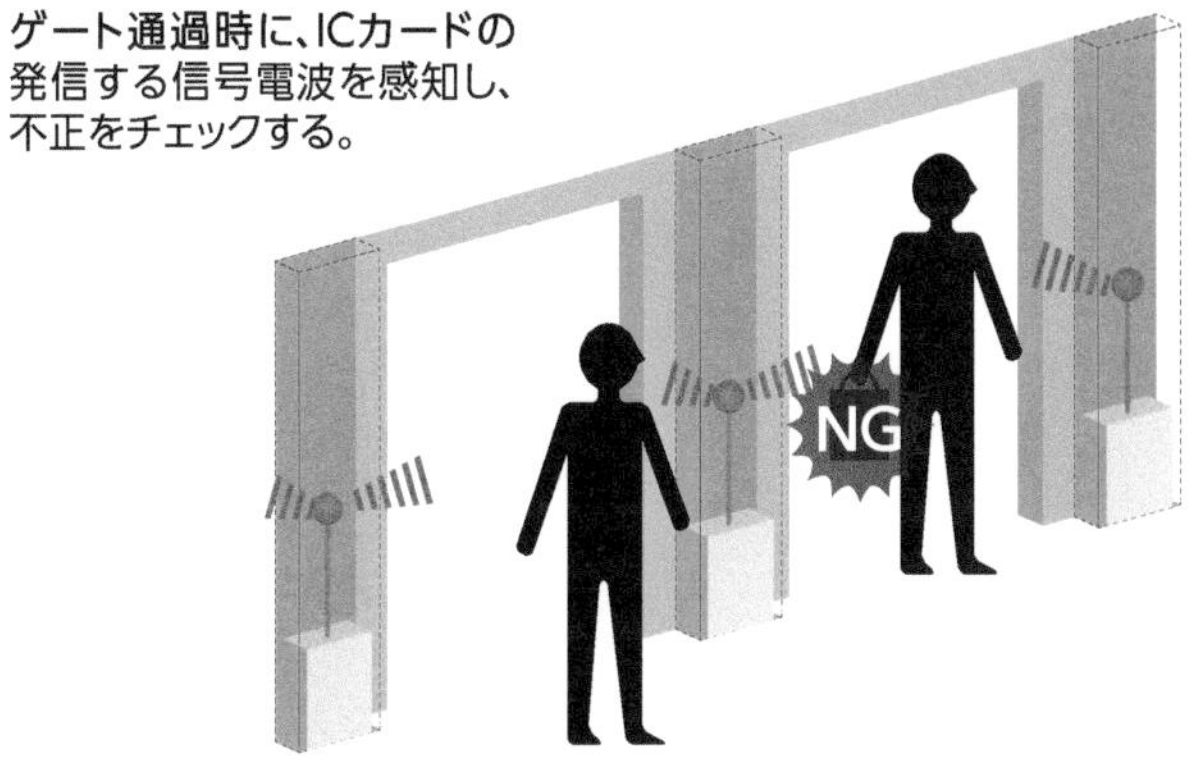
ゲート通過時に、ICカードの
発信する信号電波を感知し、
不正をチェックする。
NG

ICタグによる生産流通管理

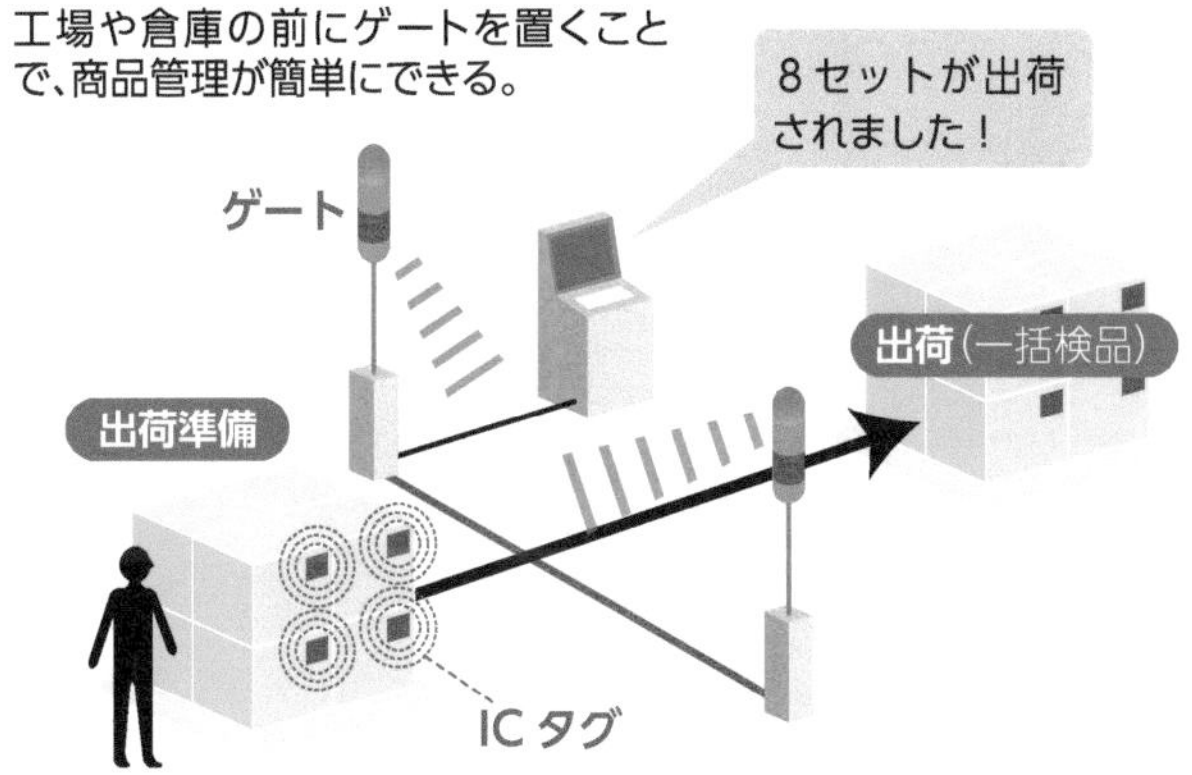
工場や倉庫の前にゲートを置くことで、商品管理が簡単にできる。
8セットが出荷
されました！
ゲート
出荷準備
出荷（一括検品）
ICタグ

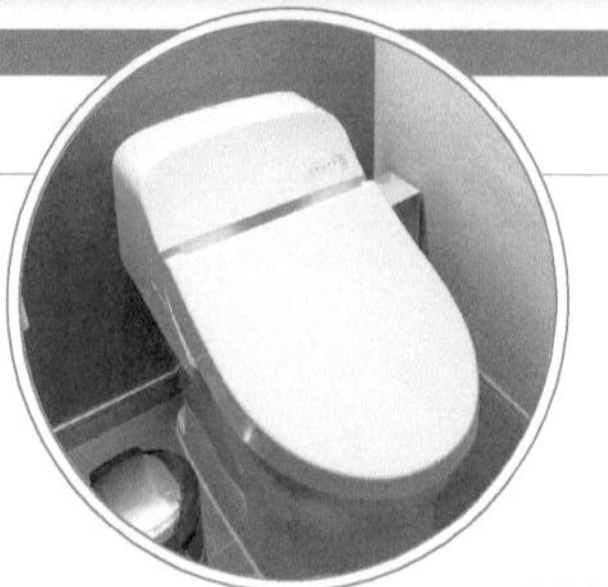

technology 073

タンクレストイレ

トイレは「化粧」が語源らしいが、その言葉にふさわしく、日々清潔に美しく進化している。タンクレストイレはその代表だ。

最近の幼稚園や小学校には和式トイレが使えない子がいるという。日本でもそれだけ、洋式トイレが普及しているのだ。日本で最初に普及した洋式トイレは、汚物を1回流すのに20リットルを要したという。しかし、いまでは4リットルですむものもある。格段の進歩だ。

最近は、タンクレストイレが人気だ。**タンクの場所が不要ですっきりし、トイレが広く使えると**評判である。これは以前からあったが、「低水圧の地域では使えない」「勢いよく流すので排水音がうるさい」といった声があった。最近は、そうした問題を改善した製品が登場している。

汚物を流すしくみは、「洗い落とし方式」と「サイホン方式」の二つが代表的だ。前者は

サイホンの原理

トイレで汚物を流す方法は、「洗い落とし方式」と「サイホン方式」の2種が代表的。サイホン方式では、「サイホンの原理」を利用して吸い出している。

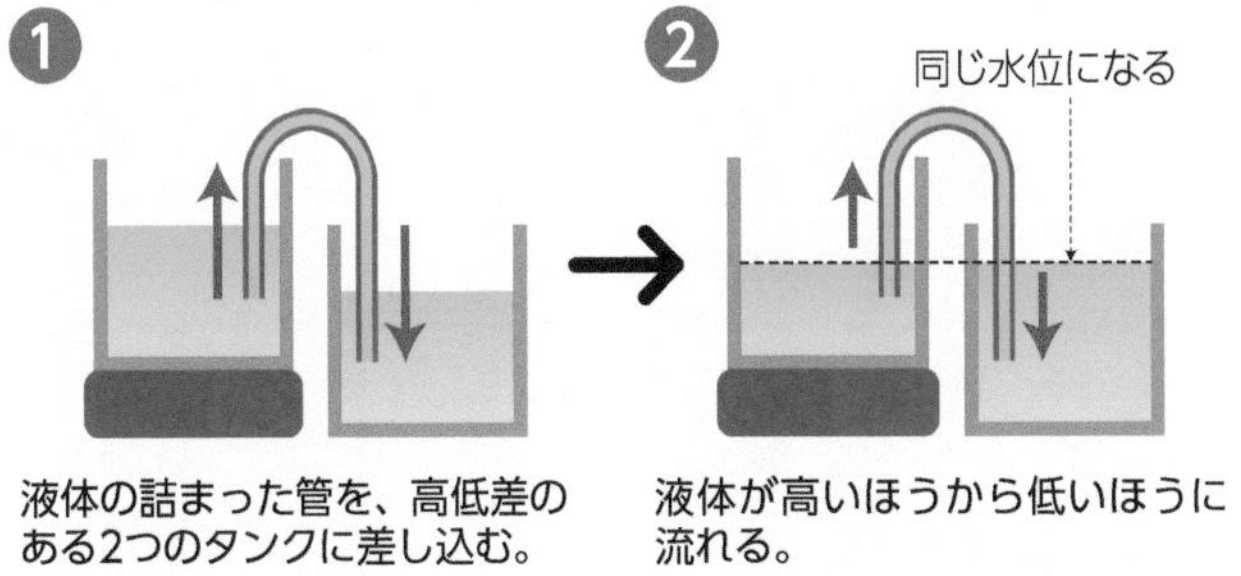
1
2
同じ水位になる
液体の詰まった管を、高低差のある2つのタンクに差し込む。
液体が高いほうから低いほうに流れる。

便器に設けられた「トラップ」

サイホン方式の場合、サイホンの原理を利用するために、便器に堰《せき》が設けられている。それが「トラップ」だ。水をためて下水管からの臭気を遮断するため、洗い落とし方式にも付けられている。

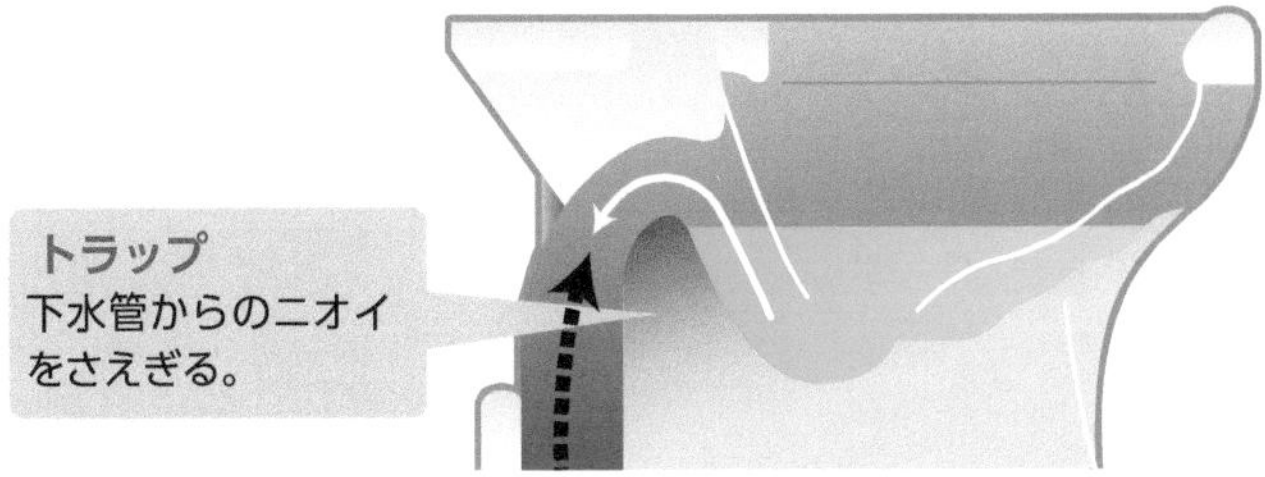
トラップ
下水管からのニオイをさえぎる。

水の勢いで汚物を流す方式で、後者は**サイホンの原理を利用して吸い出す方式**である。この原理は、石油ストーブのタンクにポリタンクから石油を移す際に用いる原理だ。

ところで、いずれの方式でも便器にはトラップと呼ばれる仕切りがついている。サイホン方式では「サイホンの原理」を働かせるのに不可欠だが、洗い落とし方式でも必要だ。便器に水をためた状態にしておくことで、**排水管からの臭いの逆流を防ぐ**ためだ。

タンクレストイレの話に戻ろう。問題は、給水タンクなしにこのトラップを越えて、いかに汚物を流すかである。現在、トイレメーカーはどのようにこの問題を解決しているのだろうか。

例えば、TOTO《トートー》は**補助タンクを便器に内蔵**することでこの問題を克服した。水道に補助タンクの水を加勢させるのだ。LIXIL《リクシル》が展開しているINAX《イナックス》では「エアドライブ式」を採用。汚物を流す際に**トラップの奥側の空気を減圧**し、サイホンの原理を強化している。パナソニック電工は「ターントラップ式」を採用。**汚物を流すときにトラップを反転**させている。こうすれば、堰《せき》がないぶん、水圧をあまり必要としない。ただし、これらの方法は電力を使う。停電時には利用できなくなることに注意したい。

エアドライブ式のタンクレストイレ

INAX(LIXIL)が開発した「エアドライブ式」のタンクレストイレは、空気ポンプでサイホンの原理を補助する。

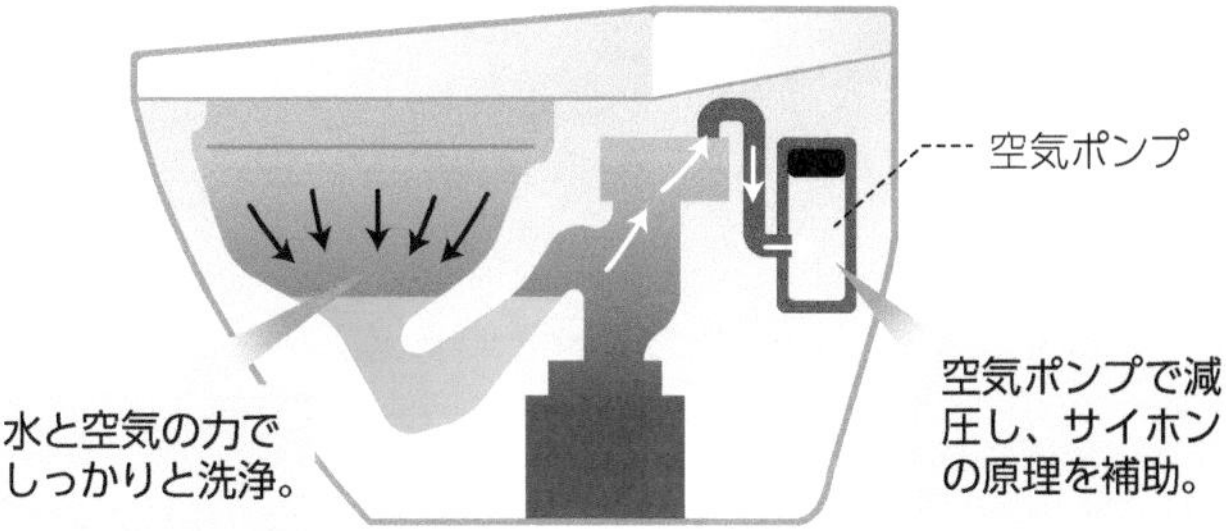
空気ポンプ
水と空気の力でしっかりと洗浄。
空気ポンプで減圧し、サイホンの原理を補助。

ターントラップ式のタンクレストイレ

パナソニック電工の「ターントラップ式」のタンクレストイレは、トラップをモーターで回転させることで、少ない水量での洗浄を可能にしている。

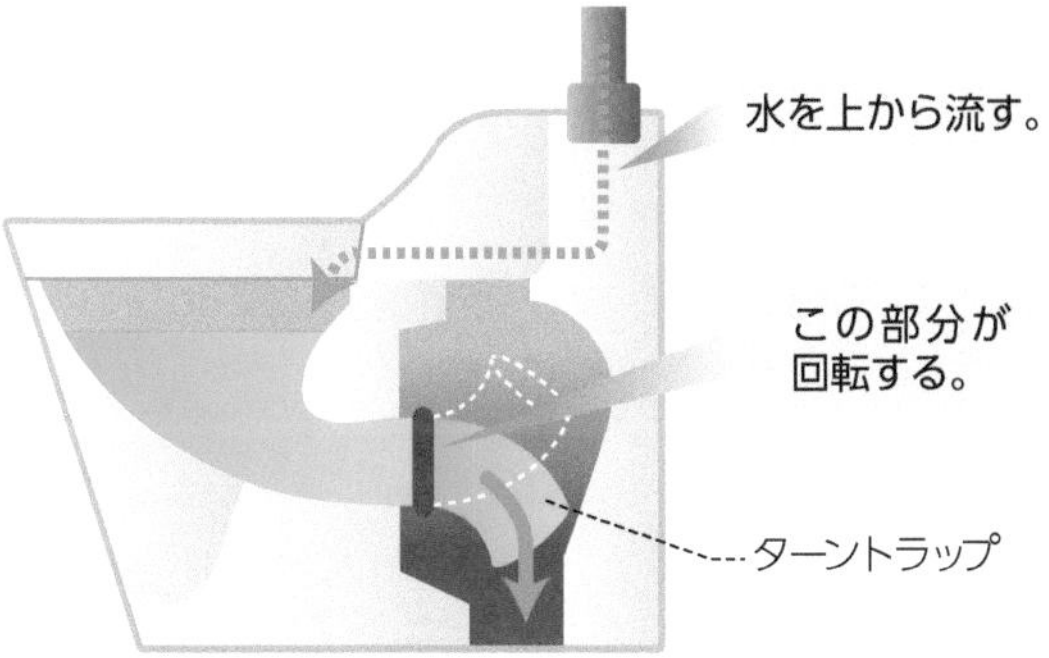
水を上から流す。
この部分が回転する。
ターントラップ

Column

電池の起源は「カエル」だった!?

電池を最初につくったのはイタリア人のボルタといわれる。1800年のことだ。ボルタはどうやって電池を発見したのだろう。そのきっかけは、カエルの足の「けいれん」だといわれている。

1780年、イタリアの動物学者ガルバーニは、カエルの解剖のとき、足にメスを入れると、けいれんが起こることを発見した。ガルバーニは足が電気の源と考えて、それを「動物電気」と名づけた。ボルタはこのガルバーニの考えに疑問を抱き、「2つの異なる金属が触れ合うと電気が起こる」と考えた。この考えをもとに、いわゆる「ボルタの電池」をつくったのである。

電池の起源がカエルの足だと思うと、歴史の妙を感じる。ちなみに、電圧の単位「ボルト」はこのボルタの名に由来している。

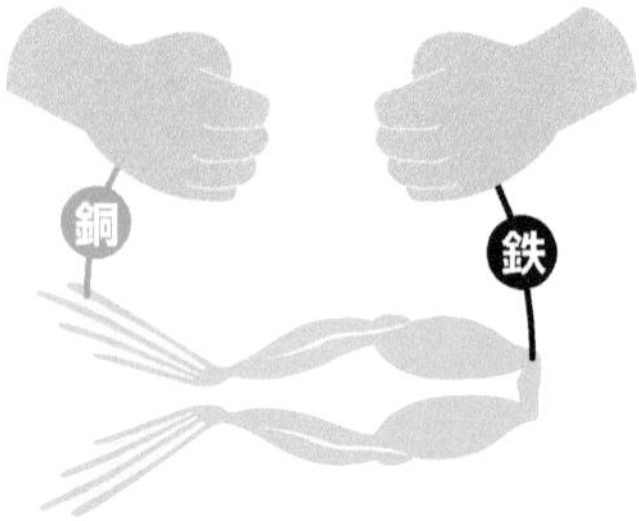

第6章

便利グッズのすごい技術

撥水《はっすい》スプレーや使い捨てカイロをはじめ、

私たちの暮らしを快適・便利にするさまざまな商品。

シンプルに見えても、

やはり知られざる「すごい技術」が使われている。

technology 074

撥水《はっすい》スプレー

傘《かさ》やコートにシュッとひと吹きしておくだけで、雨水を弾《はじ》いてくれる。雨の憂鬱《ゆううつ》が半減するアイテムだ。

古くなった傘は、雨の水滴がなかなか取れない。しかし、撥水スプレーをひと吹きしておくと、新品のように水を弾くようになる。スキー場に行って、スキーウエアにかけておくと、雪の上で転んでも濡《ぬ》れることはない。

スプレーの主成分となる撥水剤にはさまざまな種類があるが、服や傘などに吹きかける撥水剤の多くはフッ素樹脂《そじゅし》を成分に持っている。**フッ素樹脂はきわめて安定しており、他の物質と作用しない**。このことは、フライパンの表面加工に用いられていることからもわかる。他と作用しないというこの性質は、水に対しても当てはまる。したがって、**フッ素樹脂の微《び》粒子《りゅうし》を吹きかけておけば、水はなじむことなく弾かれる**。これが撥水のしくみである。

フッ素樹脂の撥水剤のしくみ

撥水スプレーを吹きつけた生地に水滴が付着しても、表面を覆った撥水剤の疎水性効果で、弾かれてしまう。しかし、撥水剤の配列に乱れが生じると、そこに水が浸透する。こうなった場合は、再度撥水スプレーを吹きつける必要がある。

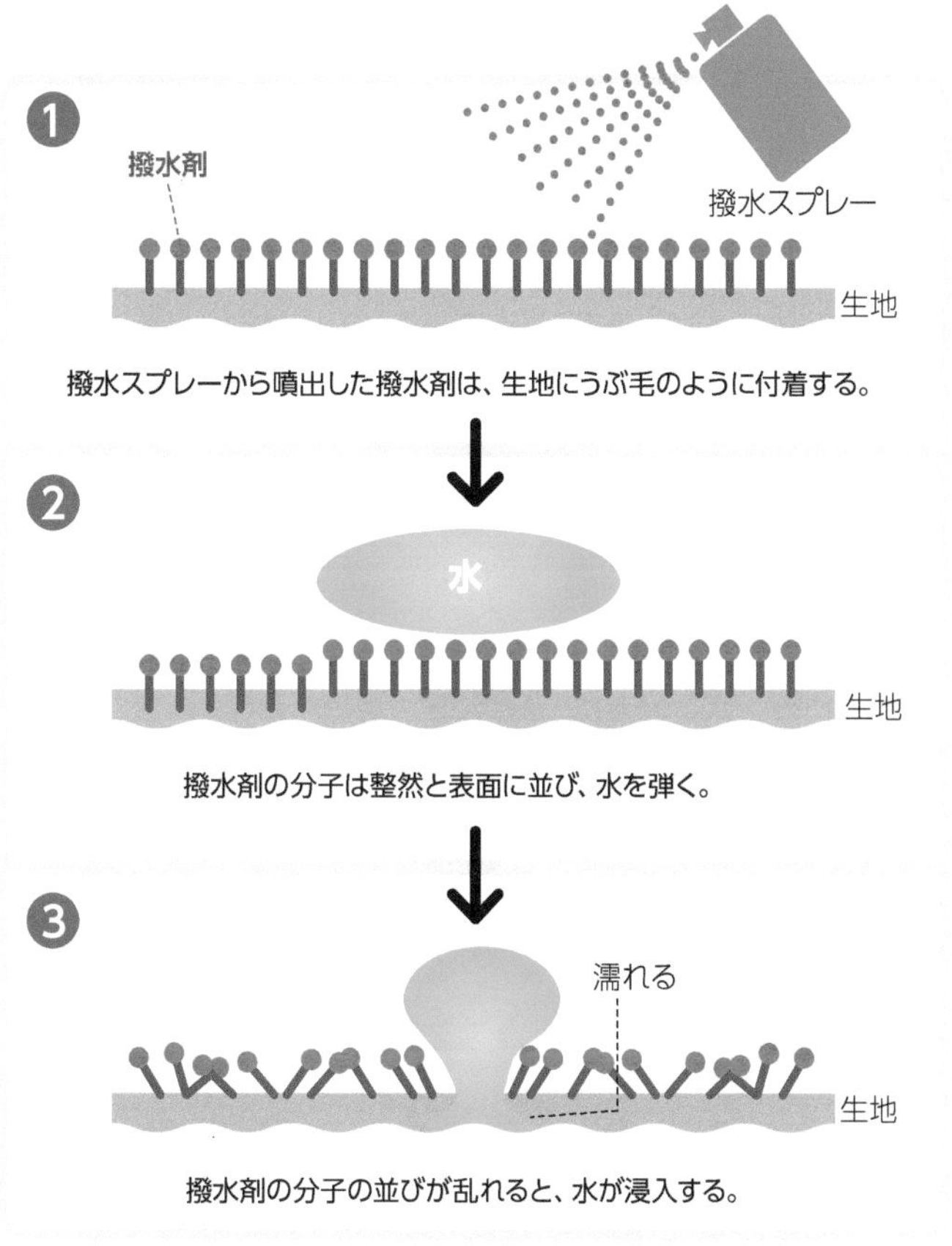
❶
撥水剤
撥水スプレー
生地
撥水スプレーから噴出した撥水剤は、生地にうぶ毛のように付着する。
❷
水
生地
撥水剤の分子は整然と表面に並び、水を弾く。
❸
濡れる
生地
撥水剤の分子の並びが乱れると、水が浸入する。

車のガラスに吹きかける撥水剤の多くはシリコーン樹脂を成分とする。シリコーン樹脂はケイ素を骨格にした樹脂である。ケイ素は炭素と親戚《しんせき》であり、**炭素からできた油脂《ゆし》が水と分離するように、シリコーン樹脂にも水を遠ざける性質がある。**この疎水性《そすいせい》を利用して撥水効果を出すのだ。

ガラスにシリコーン樹脂の撥水剤を利用するのは、ともにケイ素が主成分のため、相性がいいからだ。ワイパーでこすっても落ちにくい。

ガラスに吹きかけられたシリコーン樹脂の撥水性のしくみをミクロに見てみよう。撥水剤をスプレーすると、ガラスと相性のいいシリコーン樹脂の分子はきれいに表面を覆《おお》い、水分子が入り込みにくくなる。さらに、ガラスと相性のいいシリコーン樹脂の分子はガラスから剝《は》がれにくい。これが分子の世界で見た撥水性の秘密である。

ちなみに、ケイ素をシリコン（silicon）という。その有機化合物のシリコーン（silicone）とは異なるものだが、マスコミなどでは後者も「シリコン」と書き表すことがある。

撥水に似た言葉に防水がある。撥水は水を弾くだけだが、**防水は水を通さないことを意味する。**防水加工された衣類が蒸《む》れやすいのはこのためだ。

シリコーン樹脂の撥水剤のしくみ

衣服の場合と同様、ガラス用の撥水スプレーから噴出された撥水剤は、ガラス表面を覆い、撥水効果を出す。用いられるシリコーン樹脂はガラスとなじみやすく剥がれにくい。ワイパーをかけても大丈夫なのはこのためだ。

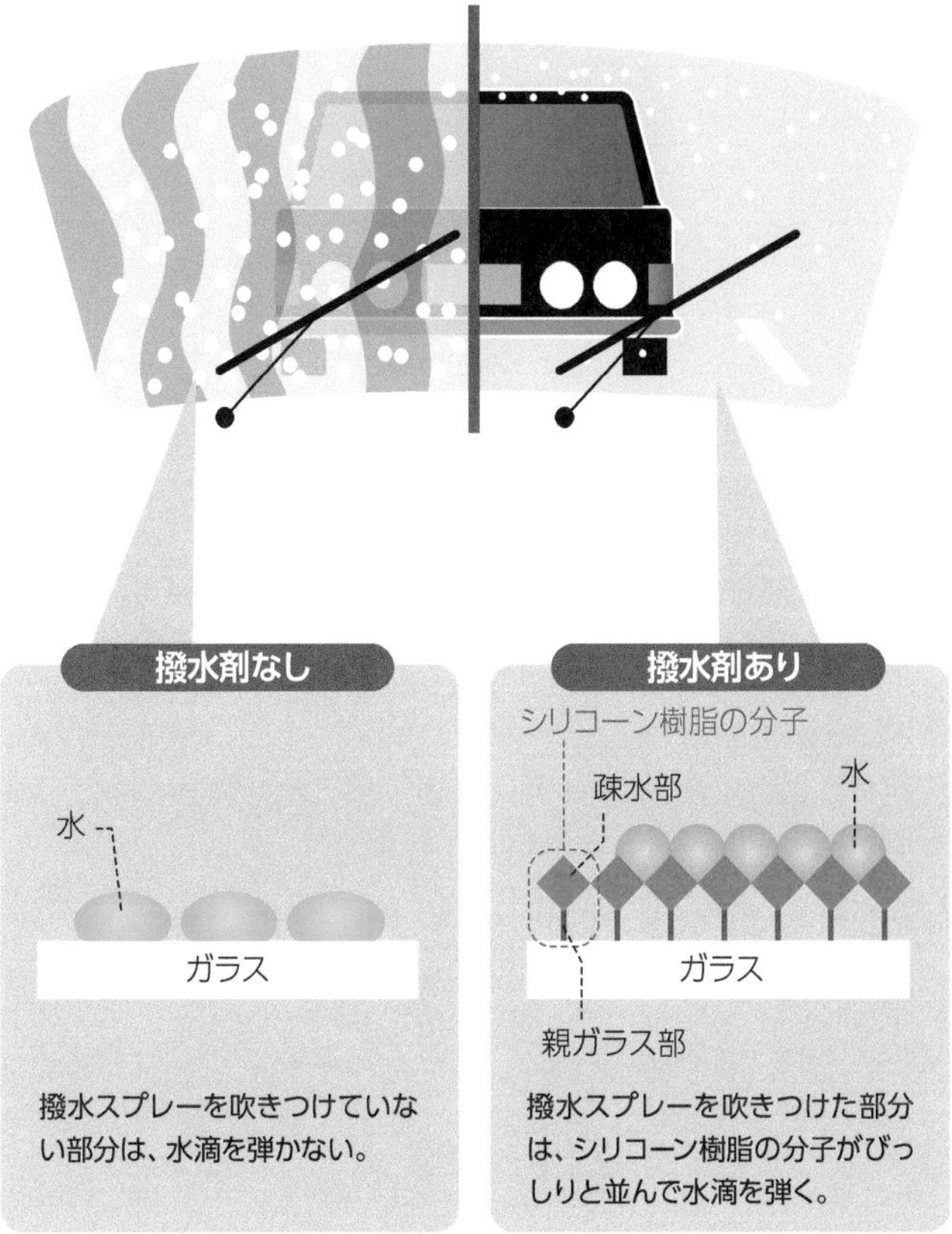
撥水剤なし
水
ガラス
撥水スプレーを吹きつけていない部分は、水滴を弾かない。
撥水剤あり
シリコーン樹脂の分子
疎水部
水
ガラス
親ガラス部
撥水スプレーを吹きつけた部分は、シリコーン樹脂の分子がびっしりと並んで水滴を弾く。

technology 075

ネッククーラー

地球沸騰《ふっとう》の夏の暑さは未体験ゾーンに。そんな中、さまざまな対策グッズが売られている。ネッククーラーもその一つだ。

熱中症対策として首を冷却する方法は、医療分野でも推奨されている。頸部《けいぶ》の冷却は仕事の効率を高めるともいわれる。その冷却に便利なアイテムがネッククーラーだ。

ネッククーラーといっても、さまざまなタイプがある。近年人気なのが、**PCM冷却ネッククリングと総称される、「28℃以下で自然氷結する」タイプ**のネッククーラーである。長時間、首の周囲を28℃にキープする、冷えすぎない、水滴もつかない、冷蔵庫がなくともエアコンで冷やせる、などのメリットがある。

この「PCM」とはなんだろう。これは相変化《そうへんか》材料（Phase Change Material）の略称だ。宇宙の急激な温度変化から宇宙飛行士を一定温度に保つために開発されたという。ネッククー

「相変化」とは？

ネッククーラーのPCMは、約28℃で固体から液体に、液体から固体になる。このような変化を「相変化」という。液体に変化する際は周囲から熱を奪う。だから冷えるのだ。

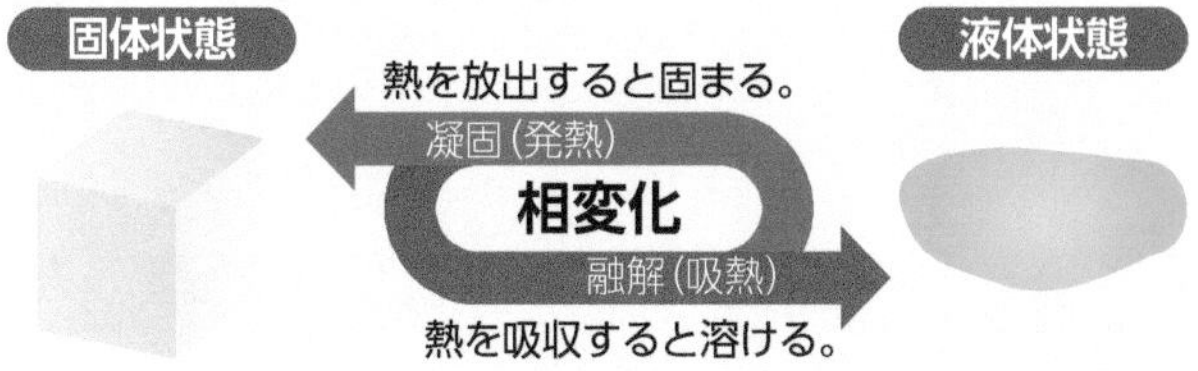
固体状態
液体状態
熱を放出すると固まる。
凝固（発熱）
相変化
融解（吸熱）
熱を吸収すると溶ける。

凝固点と融解点

凝固点と融解点は同じ温度。相変化しているとき、モノは一定の温度（凝固点＝融解点）になる。その温度が28℃なので、PCMを用いたネッククーラーは快適性を長く保てる。

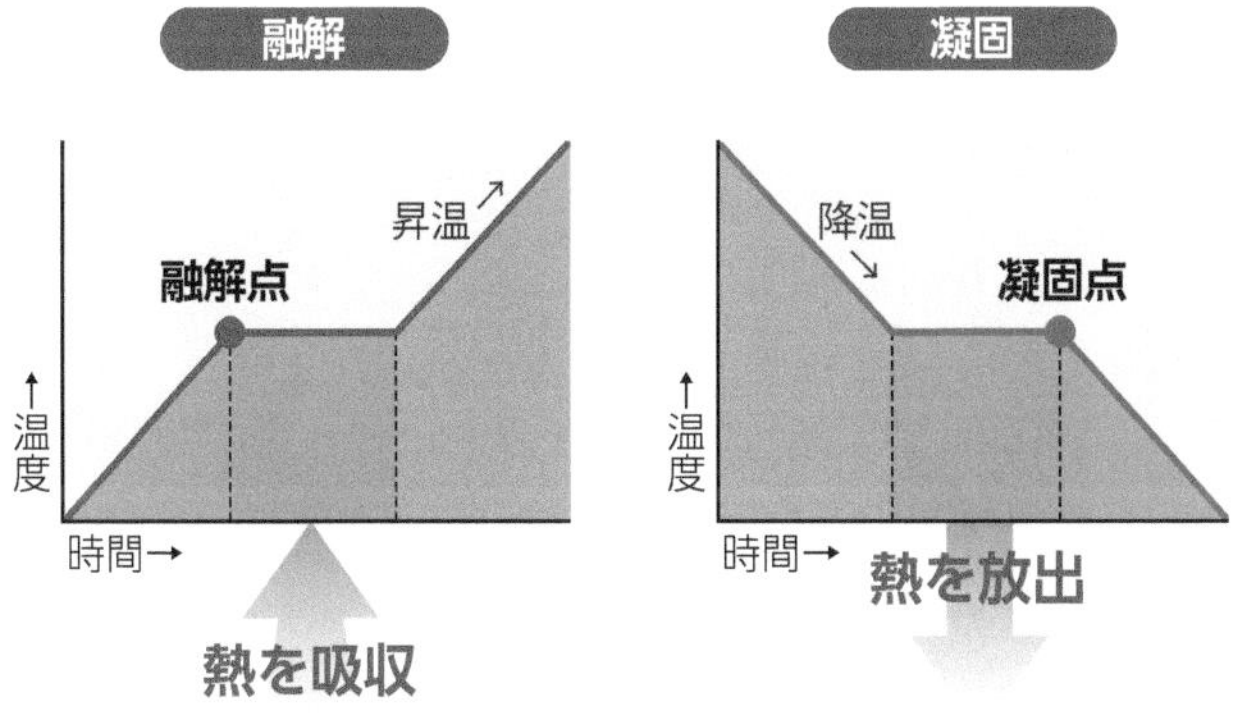
融解
凝固
昇温
融解点
降温
凝固点
温度→
時間→
熱を吸収
熱を放出

ラーの中身はこのＰＣＭでできている。設定温度（通常28℃）以下になると**周囲に熱を放出して凝固《ぎょうこ》し、温度が上昇すると周囲から熱を奪いながら融解《ゆうかい》**する。この変化を「相変化」という。

なんだか難しそうだが、その理屈は簡単。**水と氷の関係と同じ**だ。通常の状態では、水は凝固点の０℃より温度が低いと、周囲に熱を放出しながら凍る。０℃を超えると、氷は周囲から熱を奪いながら融解する。実際、氷を入れたタオルはネッククーラーとして利用できる。

市販ネッククーラーのＰＣＭが氷と異なるのは、**凝固点が28℃に設定されている**ことである。この温度の設定のおかげで、直接肌に当てても冷えすぎない。また結露《けつろ》もしにくい。

ネッククーラーのＰＣＭの素材は、蠟燭《ろうそく》の原料にも使われるパラフィンだ。それにほかの無害な化学物質を混ぜる。その混ぜ方で凝固点が調整される。

物質を混ぜることで凝固点を調整するしくみはよく知られている。例えば融雪剤《ゆうせつざい》だ。**融雪剤を水に混ぜると、水の凝固点が下がる**。すると、雪は自然に融け出すのだ。このように、物質を混ぜると液体の凝固点が下がる性質を「凝固点降下」という。

ネッククーラーとしてもう一つ人気のタイプが、ペルチェ素子を利用したものだ。この素子は冷凍冷蔵庫（80ページ参照）で調べたとおり、電流を流すと温度が冷える半導体である。

融雪剤のしくみ

凝固点が低下し氷が溶け、その際に溶解熱が発生する。
融雪剤
融雪剤
（塩化カルシウムなど）

雪の積もった軒先や凍った路面に融雪剤をまくと、雪や氷が融ける。物質を混ぜると、凍る温度が0℃より低くなるからだ（凝固点降下）。融雪剤としてよく利用されるのは塩化カルシウム。塩でもよいが、それではほかを腐食させる。

電気式ネッククーラーの構造

このタイプが便利なのは、冷やすだけではなく、温めるのも簡単なこと。スイッチ操作で電流を逆に流すだけでよい。

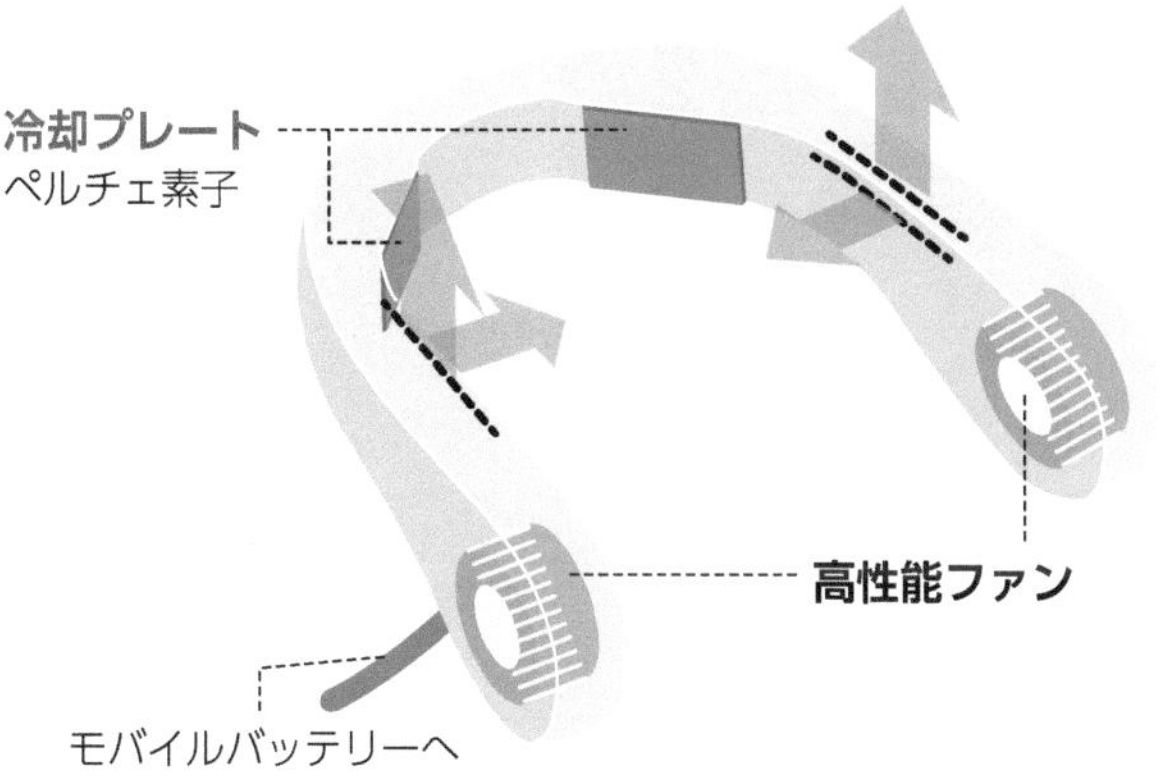
冷却プレート
ペルチェ素子
高性能ファン
モバイルバッテリーへ

technology 076

ゴアテックス

水と水蒸気は、元は同じでも大きさが異なる。それを利用したのが「透湿《とうしつ》防水素材」である。代表ブランドは「ゴアテックス」だ。

防水の施《ほどこ》されたウエアを身につけた際、蒸《む》れて不快な思いをしたという経験はないだろうか。「濡《ぬ》れない」と「蒸れない」とは相対《あいたい》する性質だが、**その矛盾する性質を解決する素材が「透湿防水素材」**である。最初の商品名が「ゴアテックス」と呼ばれているので、こちらの名称のほうが有名かもしれない。

この素材は複数の生地を貼り合せてできているが、中の1枚に無数の微細な孔《あな》がある膜が含まれている。この孔は、空気や水蒸気を通すが、水は通さない。したがって、**雨の水滴は外側から入ることはできないが、体から出た水蒸気は外に放出される**。こうして「濡れずに蒸れない」という相矛盾する性質を兼ね備えた生地が生まれたのである。

「濡れずに蒸れない」性質のゴアテックス

ゴアテックスを製造・販売するのは、アメリカのWLゴア＆アソシエイツ社。「濡れない」「蒸れない」という相矛盾する性質の秘密を見てみよう。

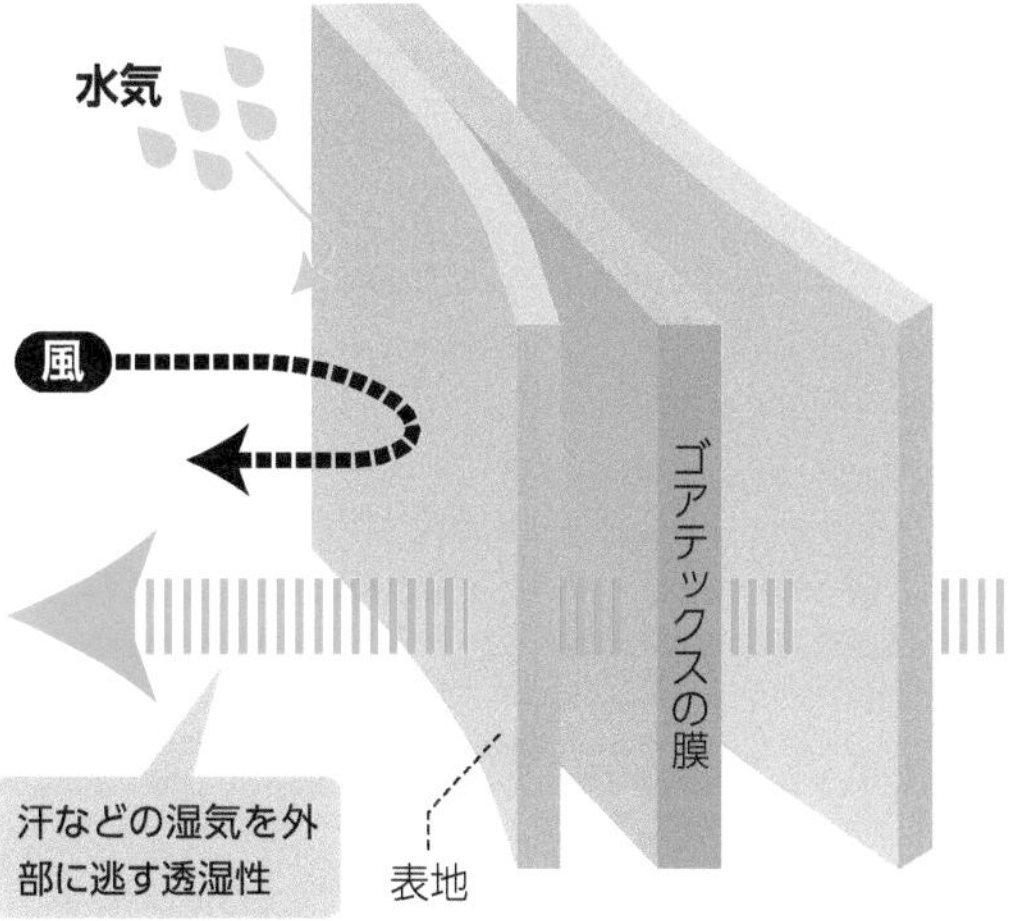

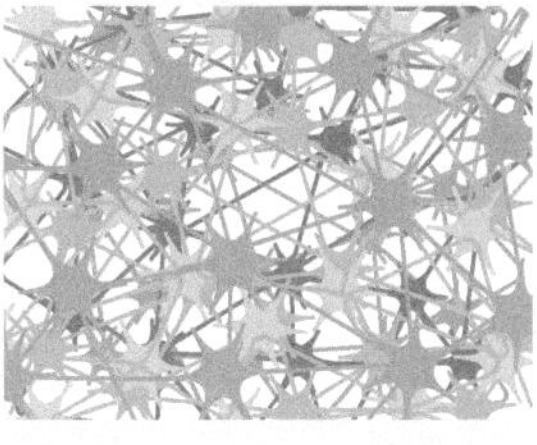

「濡れずに蒸れない」のはこの膜の隙間（孔）の大きさに理由がある。空気や水蒸気はこの膜を通過できるが、雨などの水は通過できないようになっている。

「水と水蒸気は同じもの」と思うかもしれない。確かに、両者とも水素原子2個と酸素原子1個が結合した水分子（H_2O）からできている。

しかし、分子レベルで見ると、水と水蒸気には大きな違いがある。水は水分子がクラスターと呼ばれるたくさんの集合体からできている。それに対し、**水蒸気は水分子単体または数個からできている**。したがって、ほどよい大きさの孔ならば、水は通さずに水蒸気を通すことが可能なのである。水分子を人にたとえるなら、一人が通れる孔でも、手をつないだ多人数は通れない、ということになる。

ちなみに、「水を通さず、水蒸気は通す」と「水を通さず、汗は出す」は違う。液体状の**汗は水蒸気ではなく、水である**。したがって、濡れた汗そのものは排出してくれない。また、濡れたところに長時間座っていると、外の水分が水蒸気となって内側に逆流してくることがある。しくみを知らないと、素材の長所を生かせないのは、皆同じなのだ。

近年、透湿防水素材が安価に生産できるようになったおかげで、応用範囲が広がっている。例えば「雨が降っても大丈夫」とうたうふとん干しカバーも、この素材を利用している。カバーで包めば、ふとんの水蒸気は外に出てくれるが、雨はしみ込まないのだ。

水のクラスター

水の状態では、水の分子は水素結合によりクラスター(集合体)を形成している。したがって、水分子単体(または数個)である水蒸気よりもはるかに大きい。

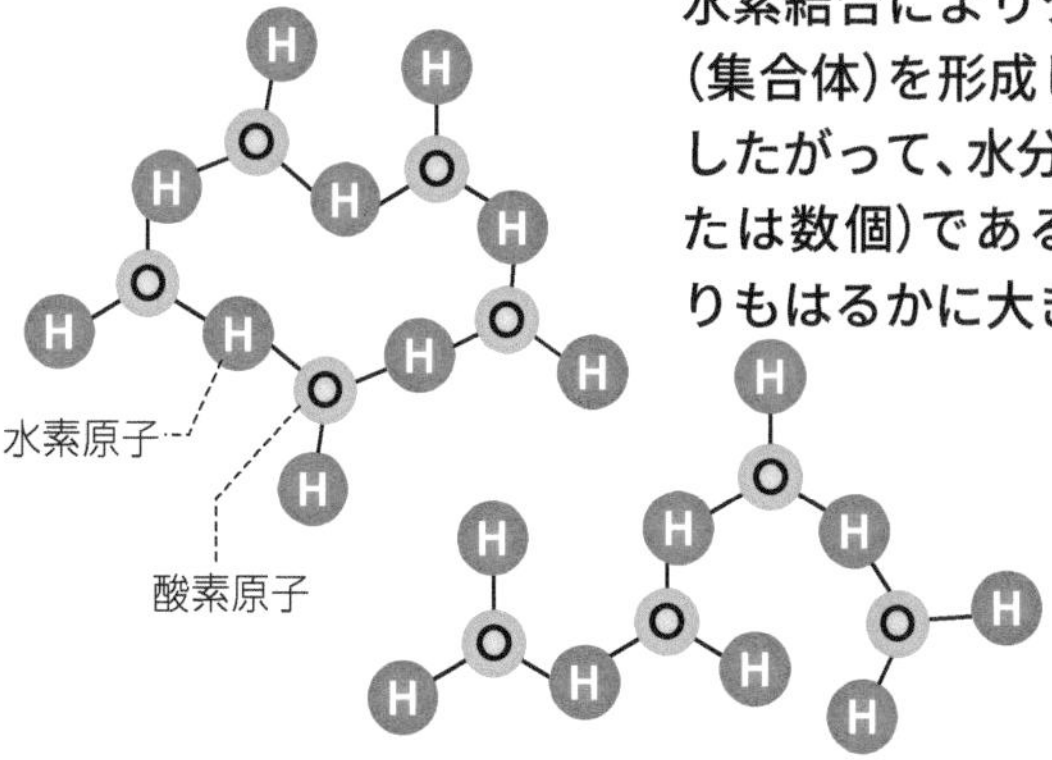
水素原子
酸素原子

水蒸気は通し、水は通さないしくみ

水はクラスターからできているため、水蒸気よりもはるかに大きい。膜の孔がこれに適合していれば、水蒸気は通し、水は通さないことも可能だ。

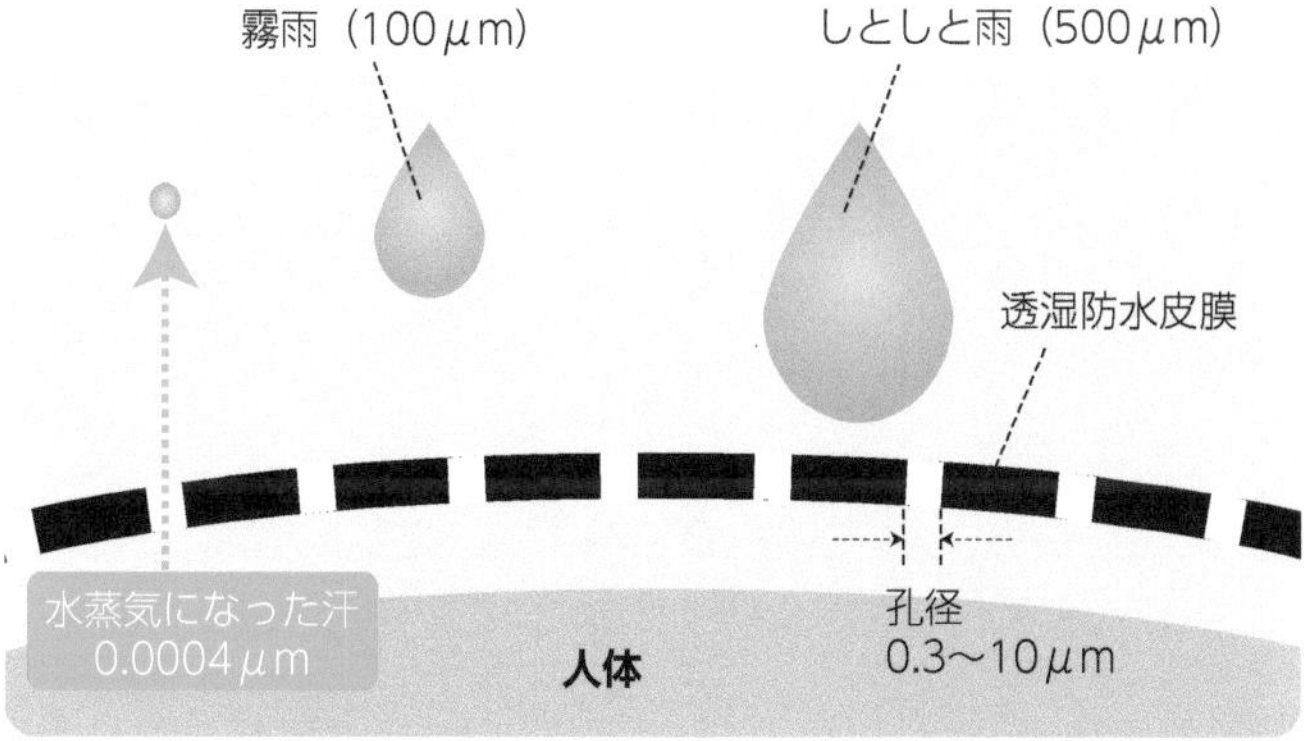
霧雨（100μm）
しとしと雨（500μm）
透湿防水皮膜
水蒸気になった汗
0.0004μm
人体
孔径
0.3〜10μm

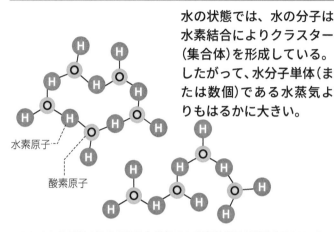

technology 077

静電気防止グッズ

乾燥した冬、車のドアに触れるとピリッと感じることがある。静電気だ。この静電気から解放してくれるグッズがある。

異なる2種のモノが擦《こす》れたり剝《は》がれたりしたとき、静電気は生まれる。だが、「静」と名づけられていてもバカにはできない。ドアノブに触れてショックを感じるとき、**じつは数千ボルトの電圧が生まれている。**小さな雷に襲われているようなものなのだ。

では、静電気と電線に流れている電気は違うのか。答えはノーだ。どちらも、同じ電子が演じる現象である。静電気の「静」とは、**電子が「動かない」ことを示している**だけ。その動かない静電気が大地に一気に移動するとき、私たちは「ビリッ」と感じるのだ。

静電気の被害を受けないためには、二つの戦略がある。一つは静電気をためないこと、もう一つはゆっくり流すことである。

静電気が発生するメカニズム

2種のものが擦れたり、引き離されたりするときに静電気が発生する。ここでは、車の座席シートを例に、そのメカニズムを解説してみよう。

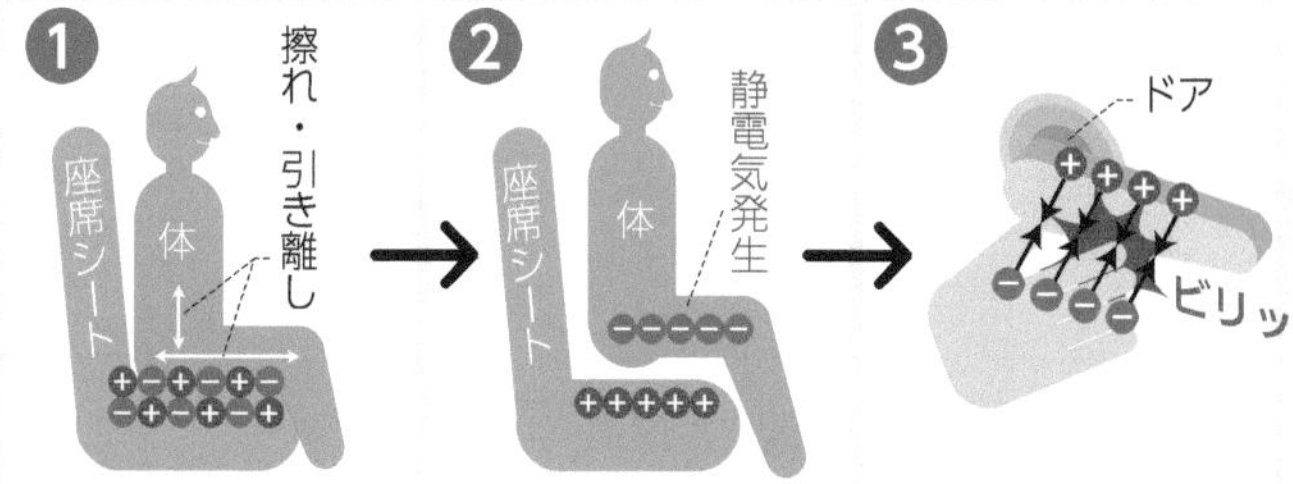

人間の体と座席シートが離れる、または擦れる。

動かない電気、つまり「静電気」が発生する。

ドアに触れると、静電気が移動して「ビリッ」と感じる。

静電気防止スプレーのしくみ

静電気防止スプレーの成分は界面活性剤。それが、この図のように一列になって保湿効果を発揮する。静電気はこの水分を伝って逃げていくのだ。

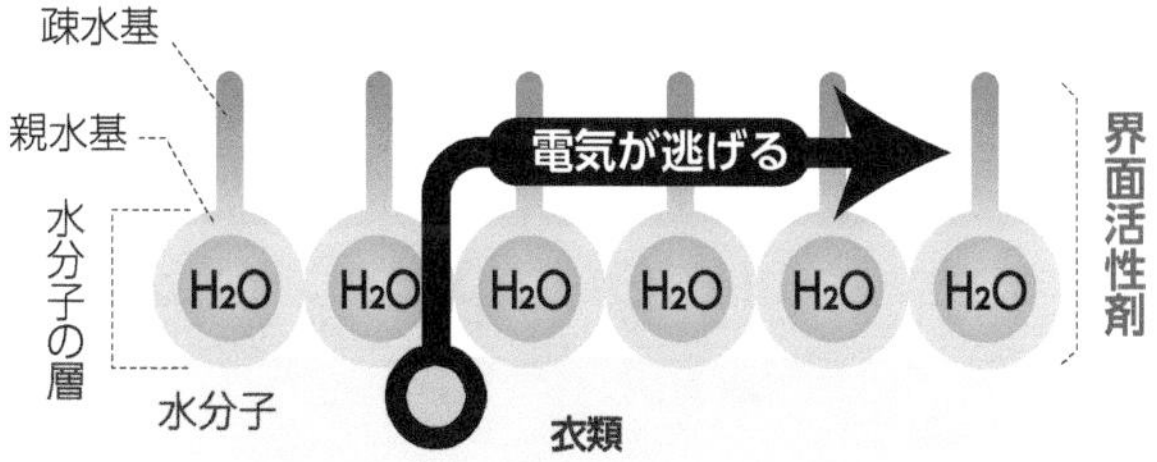

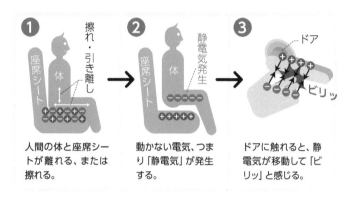

静電気をためないようにするグッズとしては、静電気防止スプレーが代表的である。これは洗剤の素である界面《かいめん》活性剤がおもな成分だ。吹きかけると、界面活性剤が表面を覆《おお》い、湿度を吸収したり保持しやすくしたりする。**その水分から電気が流れるため、静電気がたまらない**のである。柔軟剤《じゅうなんざい》を用いて洗った衣類を着るのも有効だ。洗濯の仕上げをしっとりさせるために、洗濯後の布の表面には界面活性剤の成分が残るようになっている。これが水分を留め、電気を流しやすくしてくれる。

静電気をゆっくり流すグッズとしては静電気除去キーホルダーが挙げられる。先端部には導電性のゴムがつけられていて、**ほどよい電気抵抗《ていこう》を生むように設計**されている。ドアのノブに触れる前にこの先端部を介《かい》して触ると、体にたまった静電気はゆっくり流れ去り、痛さを感じないことになる。

もっとも、これらに頼らなくても、簡単に静電気の痛さから解放される方法がある。一つは、ドアを指ではなく手のひら全体で触るようにすること。もう一つは、ドアを触る前に近くの壁を一度触ることだ。手のひら全体で触ると静電気が流れる面積が増え、痛さが減少する。また、壁に触れると電気はゆっくり流れ去ってくれるのだ。

静電気除去キーホルダーのしくみ

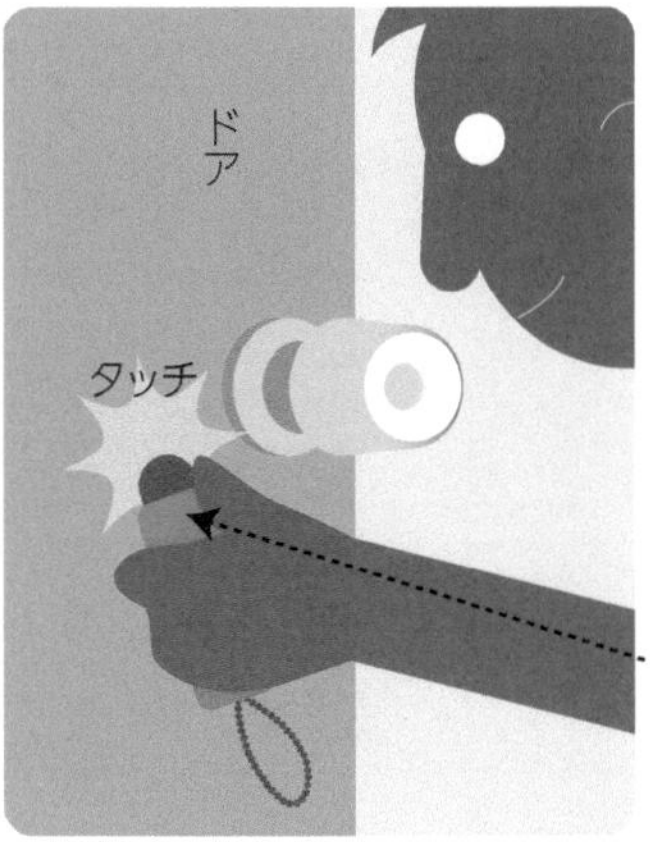
ドア
タッチ

先端部が導電性のゴムになっている。人体の静電気は、その先端部からゆっくりと解放される。放電時に放電管が点灯し、放電されたことが確認できるものも多い。

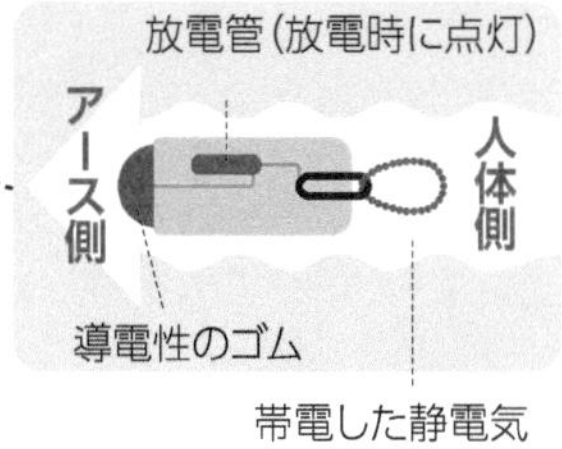
放電管（放電時に点灯）
アース側
人体側
導電性のゴム
帯電した静電気

静電気から逃れるコツ

壁などを触ってゆっくり放電させるのがコツ。ガソリンスタンドの「静電気除去シート」を触るのは同一の原理だ。また、手のひら全体でさわり、静電気の流れを1点に集中させないのも有効である。

壁や静電気除去シートにタッチ

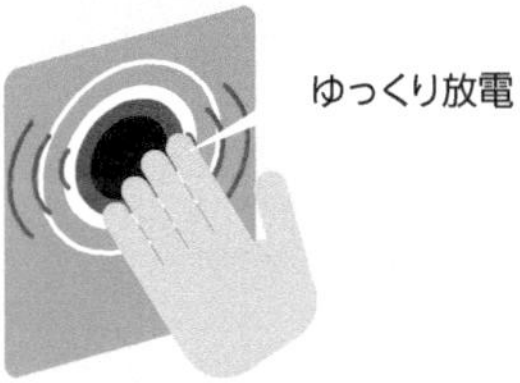
ゆっくり放電

手のひら全体でさわる

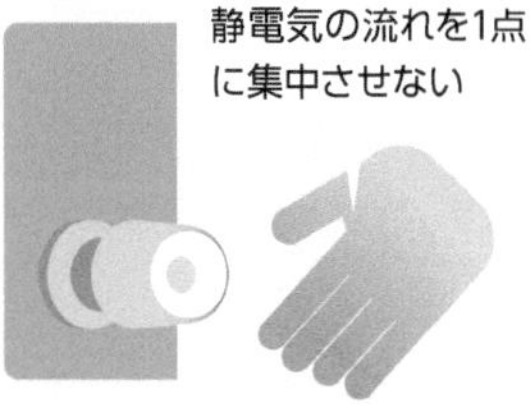
静電気の流れを1点に集中させない

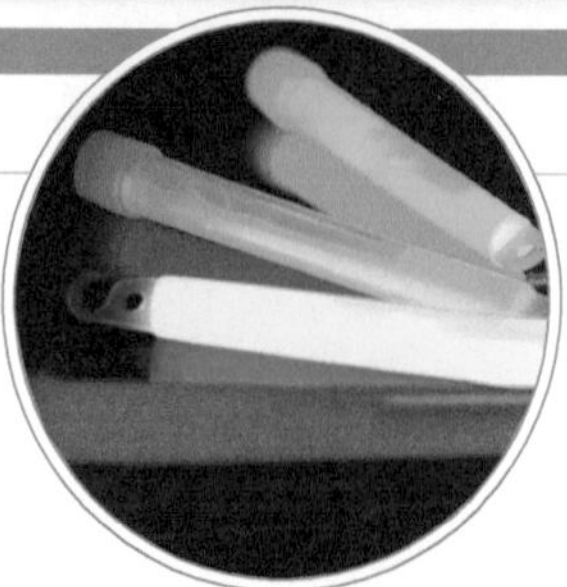

technology 078

ケミカルライト

ライブ会場などで、舞台への応援に用いるペンライト。リズムに合わせて振り、盛り上げる。その代表がケミカルライトだ。

「ケミカルライト」は一般名で、**登録商標の「サイリウム」**という名称もよく聞く。使いたいときに軽く曲げて内壁を破壊し、**分離されていた2液を混ぜて発光させる**。

ケミカルライトは発光時に電源不要である。また、熱くならないので安全性が求められる光源として便利だ。実際、ケミカルライトは１９６０年代に米航空宇宙局（NASA《ナサ》）がアポロ計画を実行している際に開発された。宇宙では高度の安全性が求められるからである。

発光のしくみを見てみよう。先に述べたように、最初は2液が分離されている。その2液は**酸化液と蛍光液**。酸化液の主成分は過《か》酸《さん》化《か》水素である。殺菌薬としてよく知られている物質だ。蛍光液の主成分は**過シュウ酸エステルと蛍光色素**。これらは複雑な化学式を持つ物質

ケミカルライトの構造と使い方

チューブの中には、蛍光液が封入されたガラスアンプルと酸化液が入っている。

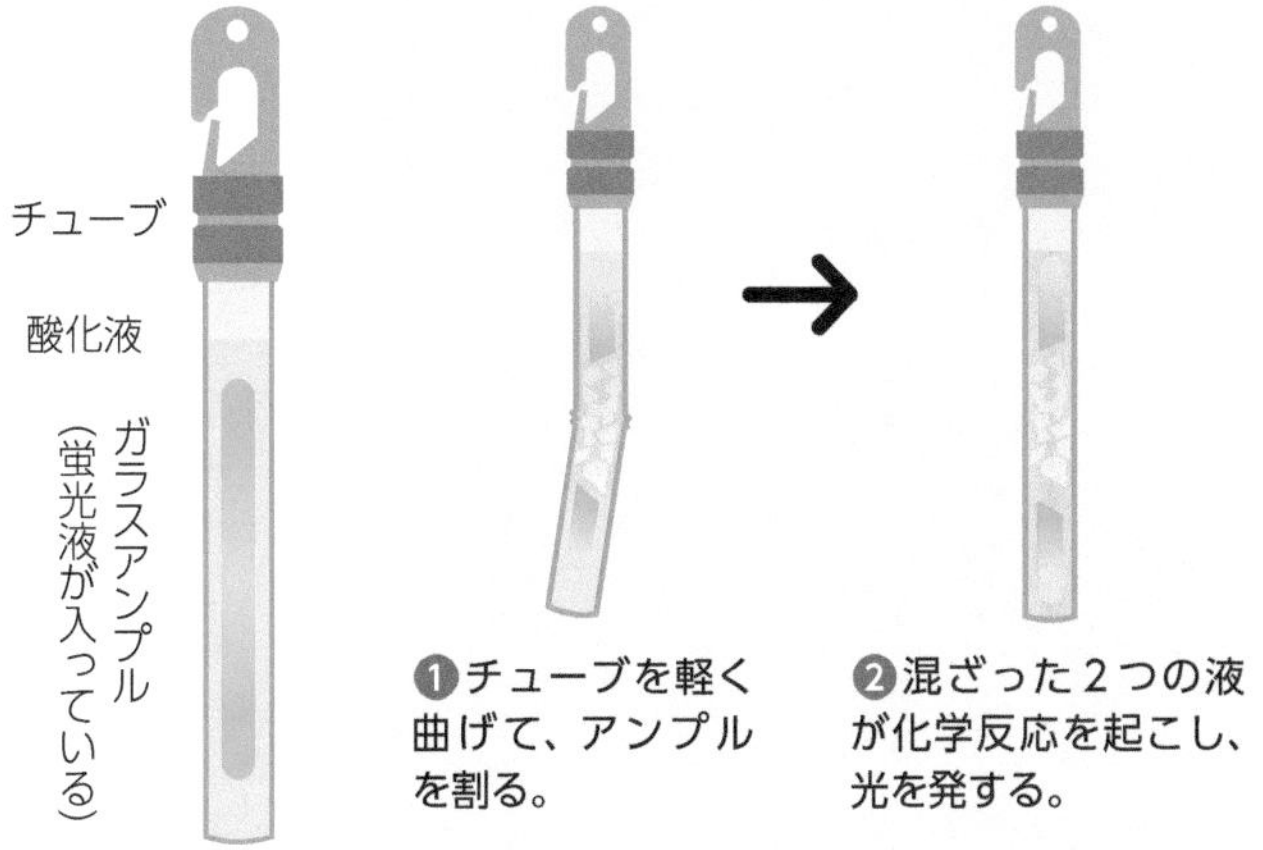
チューブ
酸化液
ガラスアンプル
(蛍光液が入っている)
❶チューブを軽く曲げて、アンプルを割る。
❷混ざった2つの液が化学反応を起こし、光を発する。

ケミカルライトが光を放つしくみ

2段階で発光することに注意。第1段階は過シュウ酸エステルと過酸化水素との反応で活性化した物質が生まれ、それがエネルギーを放つ。第2段階は、蛍光物質がそのエネルギーをもらって活性化し、それが静まるときに光を発する。

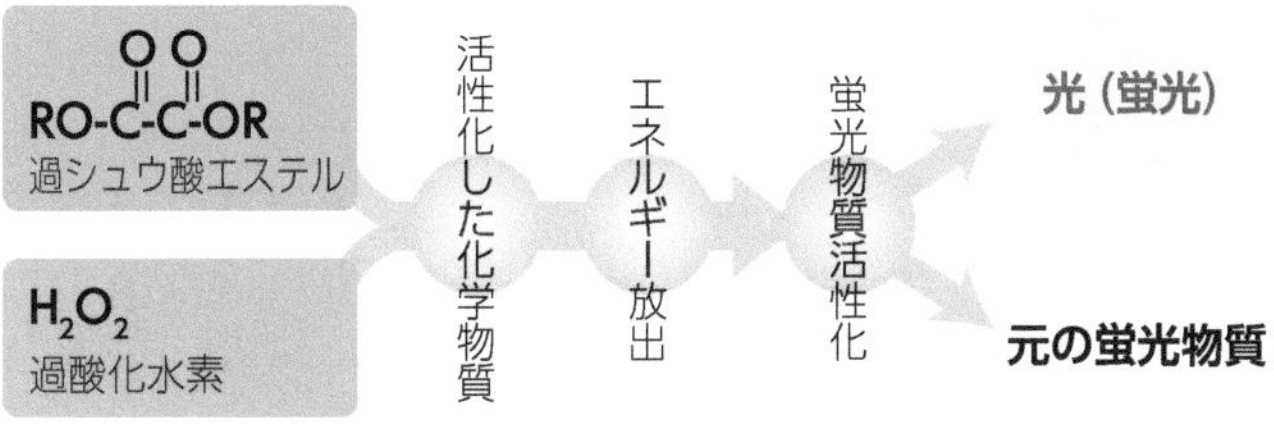
O O
RO-C-C-OR
過シュウ酸エステル
H_2O_2
過酸化水素
活性化した化学物質
エネルギー放出
蛍光物質活性化
光（蛍光）
元の蛍光物質

だが、無害で安価だ。

２液が混ざると、最初に過酸化水素と過シュウ酸エステルが化学反応し、エネルギーを発する。次に蛍光色素がそのエネルギーをもらい、光として放出する。私たちはこの**エネルギーと光の連鎖の結果**を見ているのだ。

蛍光色素の種類を交換することで、さまざまな色の光が得られる。コンサート会場などでカラフルなケミカルライトが見られるのは、このためである。

ケミカルライトのような光を「冷光《れいこう》」という。発光時に熱くならないからだ。刑事ドラマでよく見られる**「ルミノール反応」も冷光現象の一つ**。犯罪現場の血痕を特定するのに用いられる化学反応である。ただ、その発光のしくみはケミカルライトより単純だ。

光っても熱くならない冷光現象はほかにもある。**生物が発する光**だ。ホタルやホタルイカ、オワンクラゲなど、多くの生物が発光する。そのしくみはケミカルライトと似ている。二つの役割を持つ化学物質を体内で生成し、合体させて光り輝く。オワンクラゲの発光のしくみを解明して生命研究に役立てた下村脩《おさむ》博士には、２００８（平成20）年にノーベル化学賞が与えられている。左ページの図で、ホタルの発光のしくみを見てみよう。

「ルミノール反応」のしくみ

ルミノールと過酸化水素との反応で活性化した物質が生まれる。鉄成分に触れると、それが刺激剤になり、光を放つ。刑事ドラマでは、血に含まれる鉄成分が刺激剤になる。

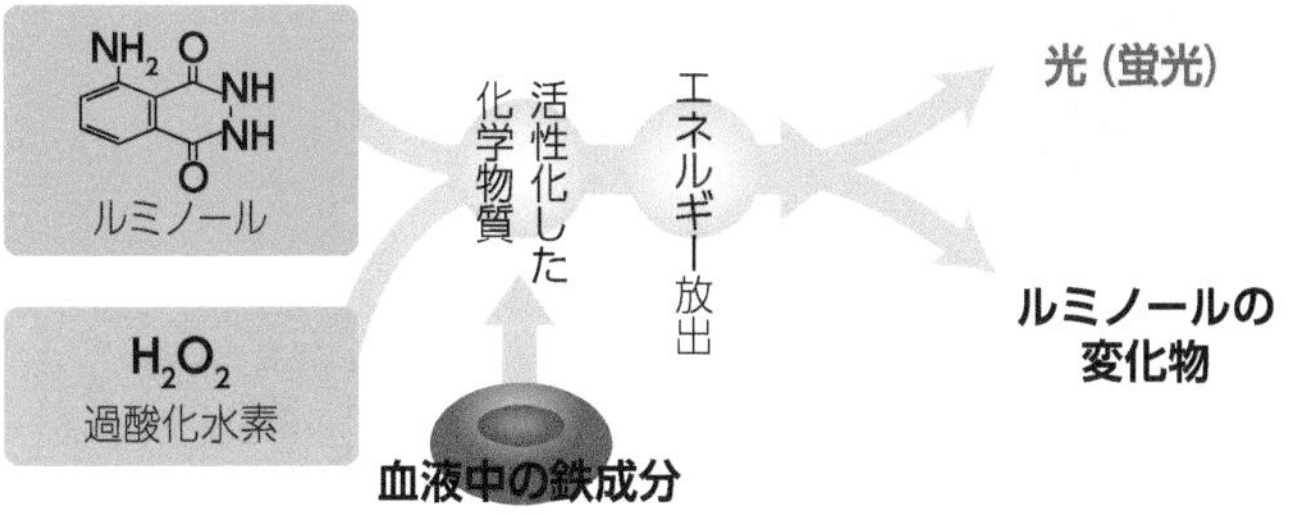

ホタルの発光のしくみ

ホタルのお尻に近い部分に発光器がある。その中にルシフェリンという発光物質と、発光を促すルシフェラーゼという酵素がある。この2つの物質と体中の酸素が反応して光を放つのだ。

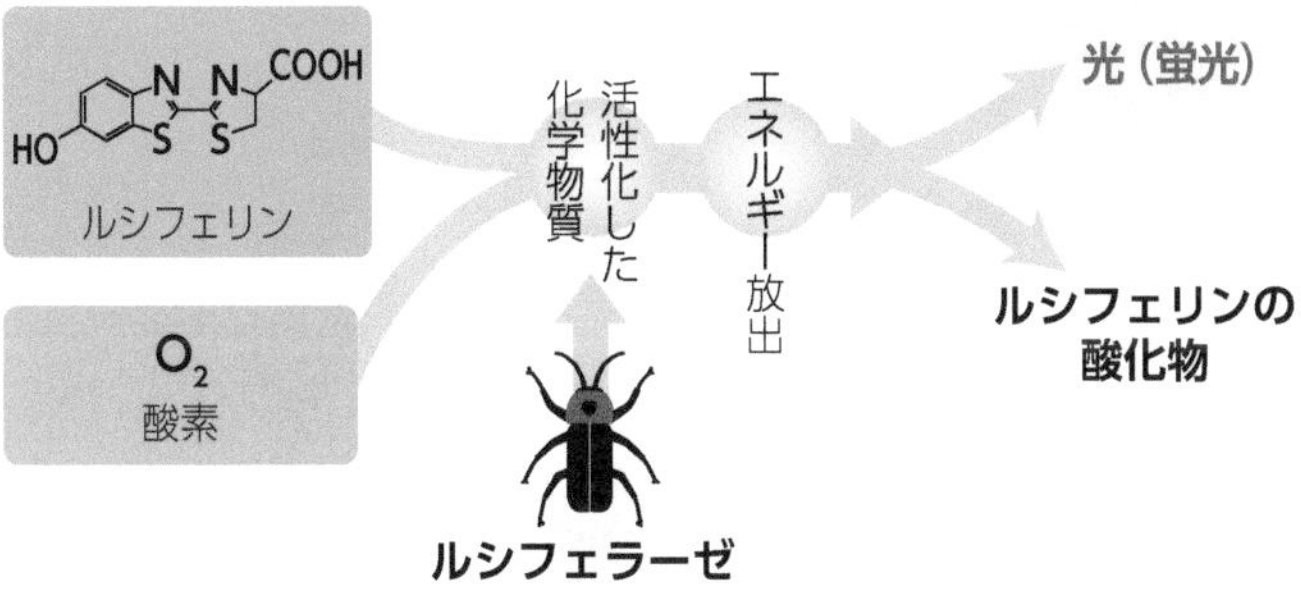

technology 079

機能性衣類

節電やウォームビズの普及を追い風に大ヒットしている「機能性衣類」。ヒートテックなどに代表される新衣料のしくみに迫る。

ユニクロと東レが共同開発して発売した肌着類の「ヒートテック」が大人気だ。**発熱・保温・吸汗速乾《きゅうかんそっかん》という肌着として優《すぐ》れた性質**を持っている。老若男女を問わず多くの支持を集めて年々売上を伸ばし、最近では肌着に限らず、その優れた特性が生かされたTシャツやジーンズなども発売されている。

こうした特徴を持つ肌着はヒートテックだけではない。一般的に、保温や発熱などの特別な性質を備えた衣類を「機能性衣類」といい、大型スーパーなども独自ブランドで発売している。国内の繊維《せんい》産業の生産額が大きく減少する中、その原料繊維（機能性繊維）は大きく売上を伸ばしているようだ。

機能性繊維の3つの特徴

機能性衣類を織る繊維が「機能性繊維」である。吸湿発熱性を利用したり、空気を含ませて保ったり、さらにはセラミックなどを練り込んで「赤外線放射」を利用したりするものなどがある。

吸湿発熱効果

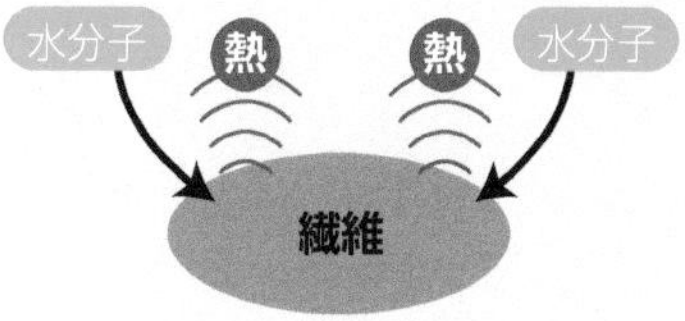

繊維は水分子を吸収することで、水分子の運動エネルギーを熱に変換。

中空化・極細化による保温効果

繊維を細くしたり中空化したりすることで空気を保ち、保温効果を高め、軽量化を実現。

異形断面化による吸汗速乾効果

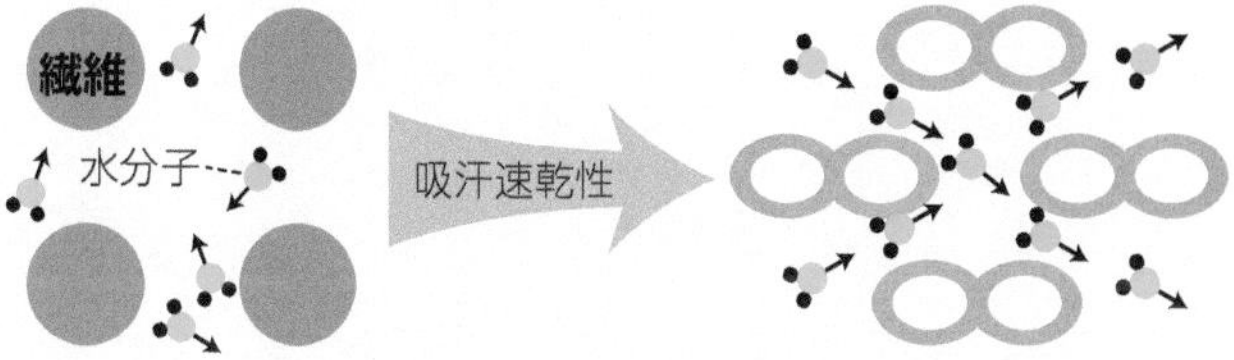

異形化することで毛細管現象が生まれやすくなり、吸水性が向上する。

保温発熱効果を持つ衣類の多くにはレーヨン、アクリル、ポリエステルなどの繊維や生地が組み合わされ、それらの特徴が生かされている。その一例をヒートテックで調べてみよう。肌に接するところには綿の肌触りのレーヨンが配されている。肌から放出される水蒸気は、レーヨンの持つ優れた吸湿性のために水（要するに汗）になる。その際に**凝縮熱《ぎょうしゅくねつ》が生まれ、繊維の温度が高くなる**。これが暖かさを感じさせる秘密だ。2～3℃上昇すると宣伝されている製品もある。人間は1日に1リットル近くの水分を肌から放出するが、その生理作用が暖かさの原動力として利用されているのだ。

レーヨンの外側にはアクリルが配されている。極細《ごくぼそ》に加工されて保温性の高められたアクリル繊維は、**体温や発生した凝縮熱で暖められた空気を保持**する。また、アクリルは吸湿性が高い。体を冷やしてしまう汗は、ここで外側に運ばれることになる。その外側にはポリエステル繊維が配されている。通常のポリエステルでも水分をはじき速乾性に優れているが、さらに**異形断面を持つように改良**がなされており、汗をすぐに外へと運んで蒸発《じょうはつ》させる。

これが薄くて軽い肌着が暖かさを保つしくみである。機能性衣類には、現代科学の粋《すい》が織り込まれているのだ。

繊維別の吸湿発熱性比較

どんな繊維でも水分を吸うと発熱する。だが、その程度は繊維の種類によって異なる。下図は、吸湿発熱性を比較したもの。アクリルが最も高く、ポリエステルが最も低い。

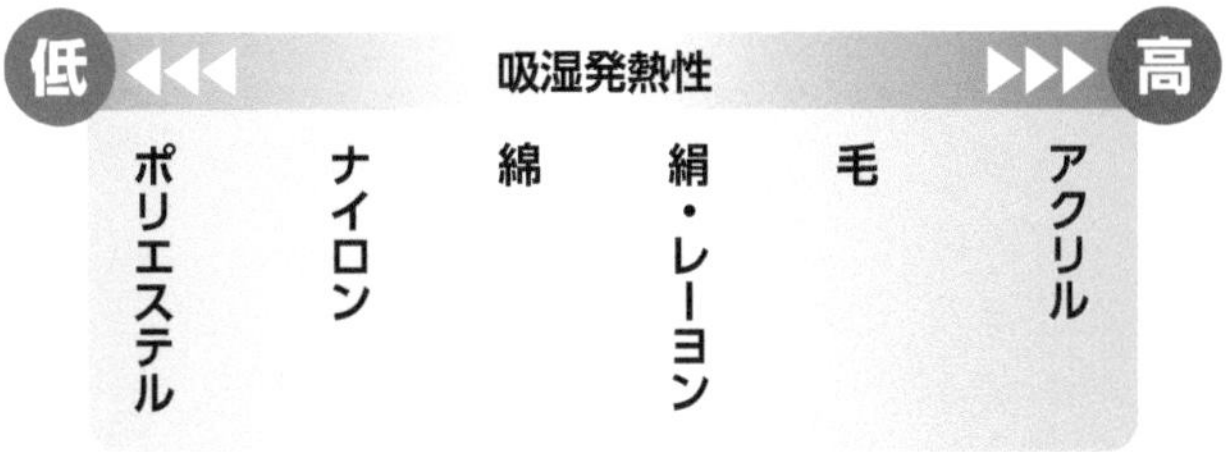
低
吸湿発熱性
高
ポリエステル
ナイロン
綿
絹・レーヨン
毛
アクリル

複数の繊維を組み合わせた機能性衣類

繊維が持つ性質を活用するために、機能性衣類はいくつかの繊維を組み合わせてつくられている。

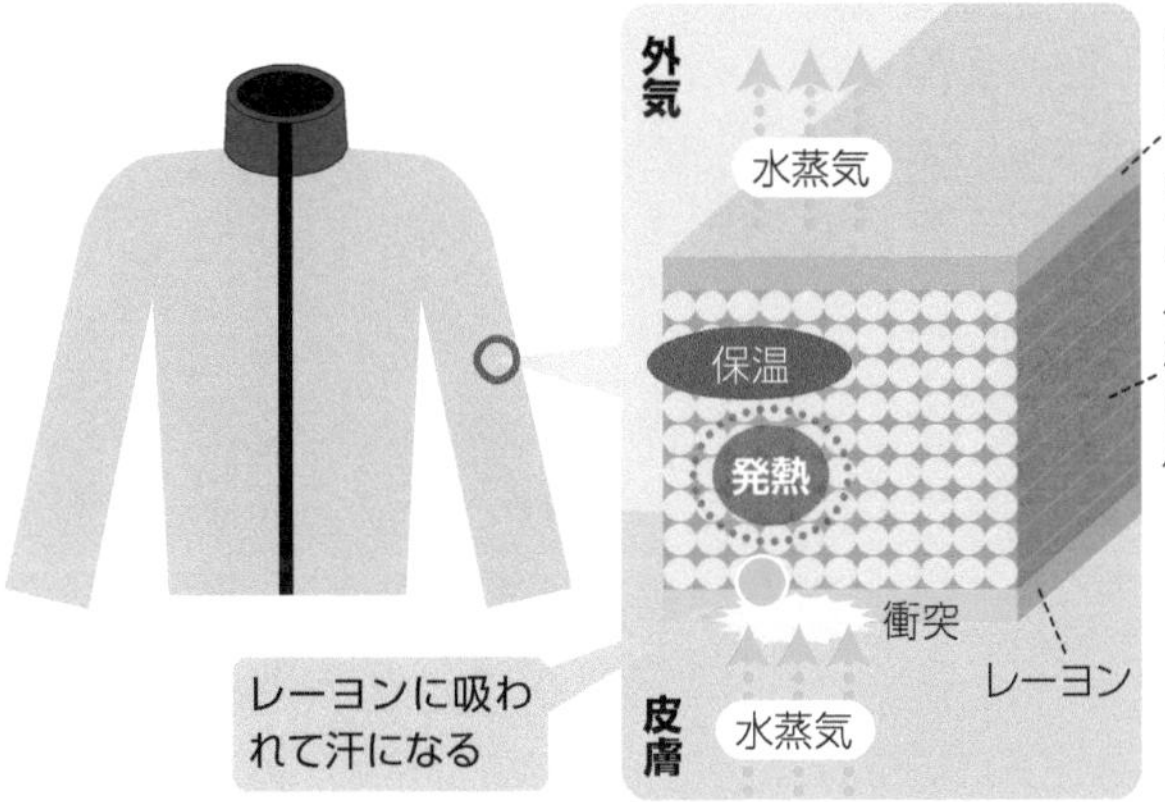
外気
水蒸気
保温
発熱
衝突
皮膚
水蒸気
レーヨンに吸われて汗になる
ポリエステル
アクリル
レーヨン

technology 080

遠近両用コンタクトレンズ

50歳前後から、人は近くを見るのが苦手になる。でも老眼鏡を使うのはまだ早い……。そんなときに役立つのがこれだ。

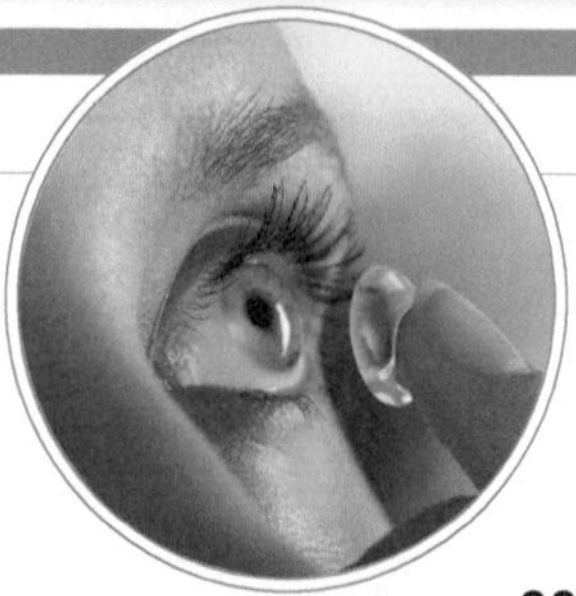

最初に老眼鏡をかけるのには誰もが抵抗《ていこう》を感じる。特にメガネをかけ慣れていない人が老眼鏡をかけるのには勇気がいる。そんな人に人気なのが遠近両用コンタクトレンズである。

このレンズは当然、**1枚に遠視用とそうでないものとを組み合わせている**のだが、その組み合わせ方がメーカーの特徴になる。実用化されている二つのタイプを調べてみよう。

一つ目は遠近両用メガネレンズを模したレンズである。**中側から外側に向けて連続的にレンズの曲率を変え、遠視から近視までをカバー**している。

この方式では、遠くを見るときはレンズの中央部を、近くを見るときは、視線を動かして周辺部を使う。したがって、似た使い方をする遠近両用のメガネに親しんでいる人には使い

遠近両用メガネレンズを模したタイプの構造

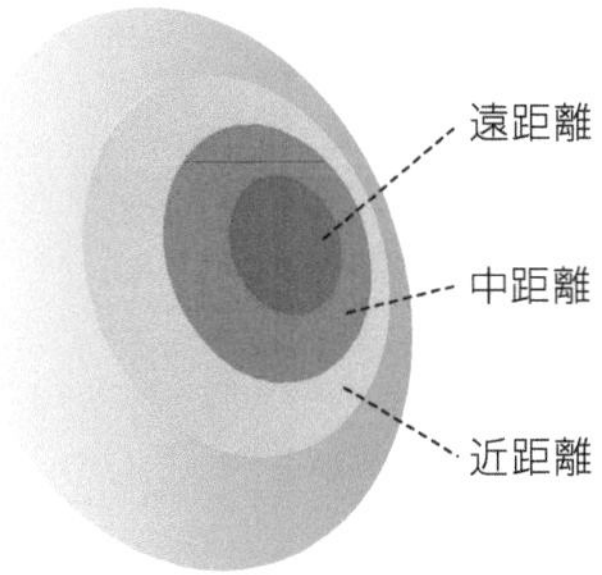

中心から遠距離、中距離、近距離のレンズが配され、遠近両用メガネを使っている人にはなじみやすい。

遠近両用メガネレンズを模したタイプの目の動き

このタイプのコンタクトレンズは、遠近両用メガネレンズと似た目の動きになる。

遠くを見るとき

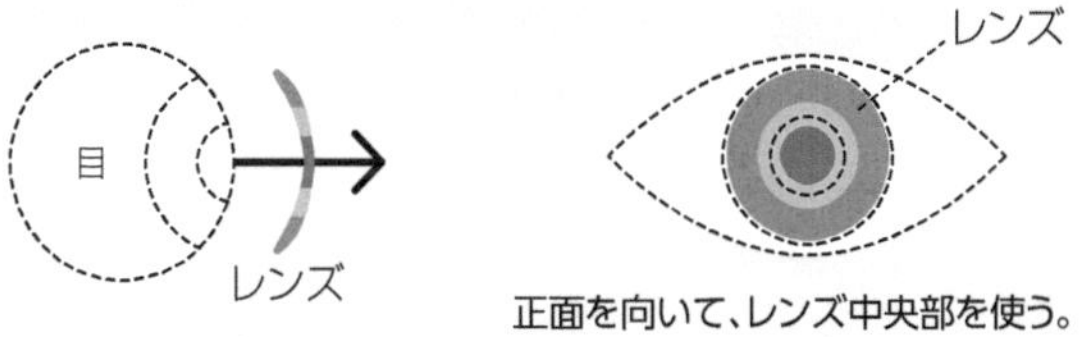

正面を向いて、レンズ中央部を使う。

近くを見るとき

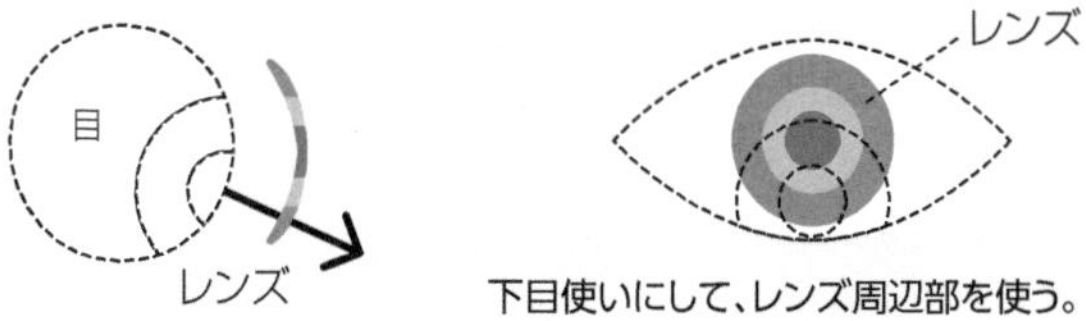

下目使いにして、レンズ周辺部を使う。

やすい。しかし、近くから遠く、または遠くから近くを眺めるときには、視線を移動しなければならないため、老眼鏡と同様に不自然性な目の動きになる。また、明るさが急変したとき、瞳の大きさが変化して、いままで見えていたものが見えにくくなることもある。

二つ目は、**遠視と近視のレンズが同心円状に幾重《いくえ》にも配置されるレンズ**である。不思議なレンズだが、人間の視覚のしくみを巧《たく》みに利用している。

このレンズで遠近を見分けられるのは、網戸《あみど》越しに窓の外の木を見るのに似ている。外の木を見るときには脳はその遠くの木だけを認識し、近くの網戸の網は見えない。逆に網戸の網を見るときには、遠くの木は見えない。要するに、**外を見るときには近くの画像を、近くを見るときには遠くの画像を脳が消してくれるの**である。

この二つ目のタイプのレンズに慣れるには多少時間がかかる。しかし、慣れるといくつかのメリットが得られる。

まず、遠近を切り替える際に、視線の移動がほとんど不要なことだ。老眼鏡を使うときのような、下目使いをする必要がないのである。また、明るさが急変しても、いままで見えていたものが見えにくくなることもない。

遠近レンズを交互に配置したタイプの構造

遠近のレンズが同心円状に交互に配されている。慣れるのに時間がかかるが、自然な視線の動きが可能になる。

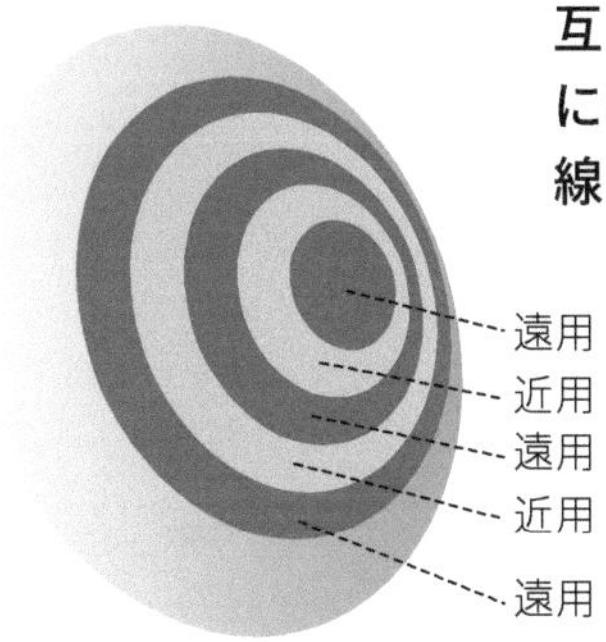

遠近レンズを交互に配置したタイプのしくみ

このタイプのコンタクトレンズは、脳が遠近の対象物を見分けるのと同じしくみを利用している。

遠くの木を見るとき

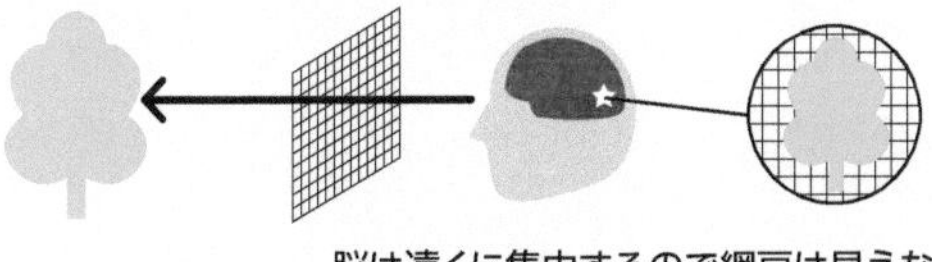

脳は遠くに集中するので網戸は見えない。

近くの網戸を見るとき

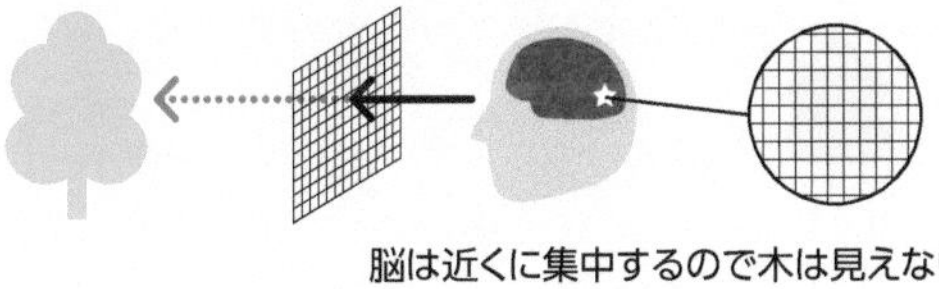

脳は近くに集中するので木は見えない。

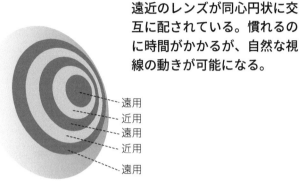

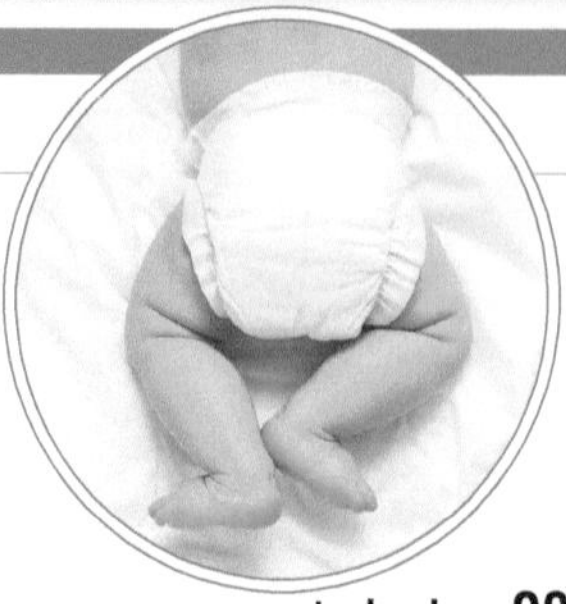

technology 081

紙おむつ

少子高齢化が進み、産業の衰えも目立ち始めているが、逆に元気のいい産業がある。高齢化社会の必需品、紙おむつ業界だ。

1990（平成2）年頃を境《さかい》にして、家庭の軒先《のきさき》で赤ちゃんの「おむつ」が干される風景が消えた。良質な紙おむつが開発され、従来の布おむつが不要になったからである。使い捨て可能ながら、排泄物《はいせつぶつ》のもれをしっかりとガードする紙おむつ。その秘密を探ってみよう。

紙おむつは**「表面材」「吸水材」「防水シート」の大きく三つの層**で構成されている。

肌にいちばん近い層の「表面材」は直接肌に触れて尿をキャッチする部分であり、不《ふ》織《しょく》布《ふ》という素材が利用されている。不織布は肌の接触面をサラサラな状態に保ちつつ、尿を隣の吸水材に送る働きをする。

紙おむつの構造

三層構造で、表面材には不織布、吸水材にはSAP、防水シートには全面通気性シートが使用されている。ハイテクの塊である。

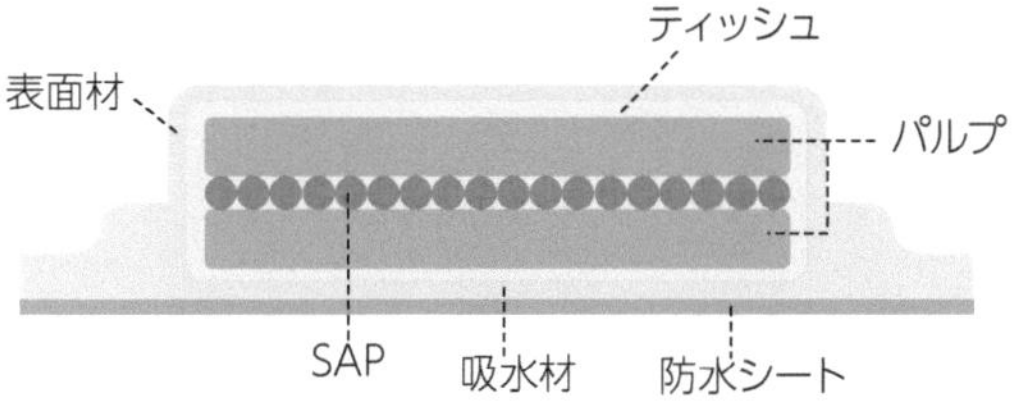

さまざまな用途で使用される不織布

紙おむつでは肌にいちばん近い層に利用されている不織布は、読んで字のごとく「織られていない布」である。マスクやティーバッグなど、身近なものの多くに採用されており、特に自動車シート用が有名。

マスク

CDなどの簡易ケース

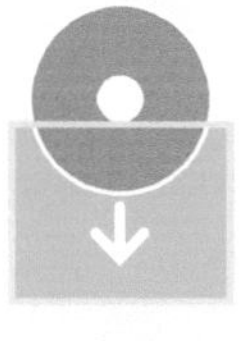

自動車シート

ティーバッグ

真ん中の層には、表面材から受け取った尿を吸い取り固化する「吸水材」がある。主要な素材は高分子吸水体である。高分子吸水体は**自重の50倍以上もの尿を瞬時に吸収して固める**ことができる。しっかり固めるため尿もれを起こさず、体圧がかかっても逆戻りさせない。

高分子吸水体はＳＡＰと呼ばれる高吸水性樹脂《じゅし》でできている。最初は粉末だが、水分を吸収すると固形のゲル状態になる。ＳＡＰが尿を吸収するのに利用しているのが浸透圧《しんとうあつ》だ。浸透圧とは濃度の低い液体が濃度の高い液体に移動する圧力のこと。ＳＡＰ内部はイオン濃度が高く、尿は低い。**その濃度差から生まれる浸透圧で尿を吸収する**のである。

いちばん外側の「防水シート」は、尿やニオイを外にもらさないための最後の砦《とりで》だ。しかし、通気性が遮断《しゃだん》されては、肌がかぶれてしまう。そこで、全面通気性シートが用いられている。全面に肉眼では見えない**ミクロの穴が無数に空いた特殊素材**である。尿やニオイはもらさず水蒸気だけを外に逃がし、おむつ内の湿度を下げる。こうして、ムレによる肌のトラブルを防いでいる。

おむつには現代科学の粋が詰まっている。日本の紙おむつの輸出が年々増加している理由はここにある。

SAP(高吸水性樹脂)のしくみ

SAPは尿を吸収するのに、スポンジが水を吸収する原理ではなく、「浸透圧」の原理を利用している。つまり、イオン濃度の差から生まれる圧力で尿を吸収するのだ。

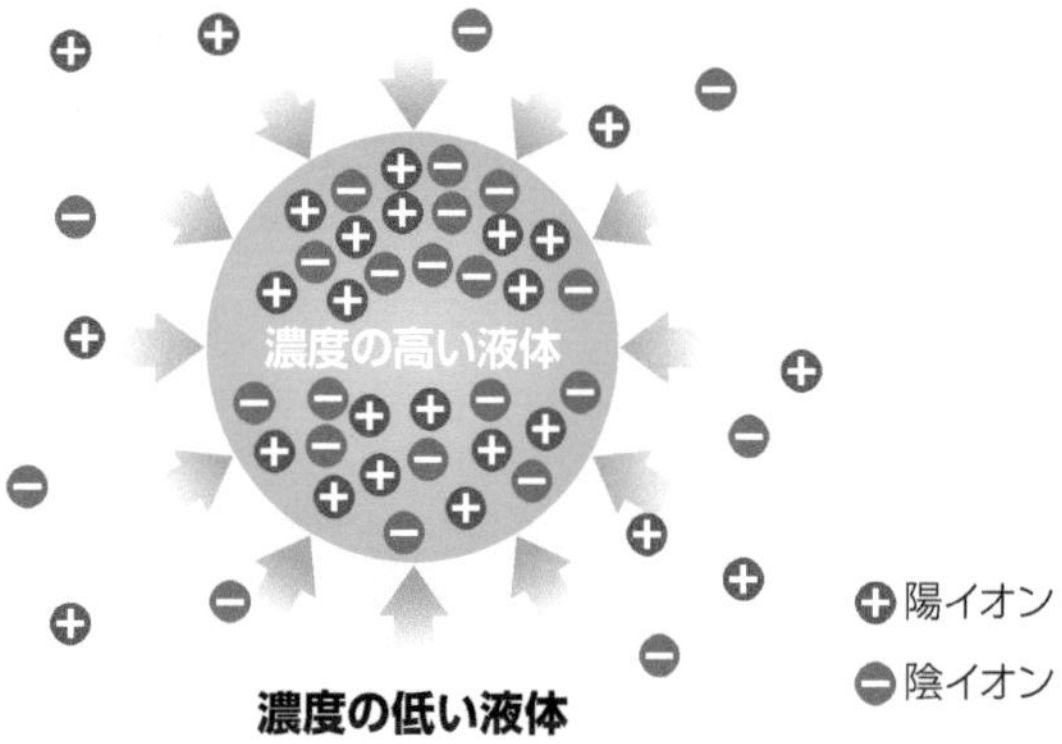
濃度の高い液体
濃度の低い液体
陽イオン
陰イオン

全面通気性シートの役割

全面通気性シートは紙おむつのいちばん外側、すなわちカバーとして利用されている。水蒸気は通すが、水は通さないという「門番」のような存在である。

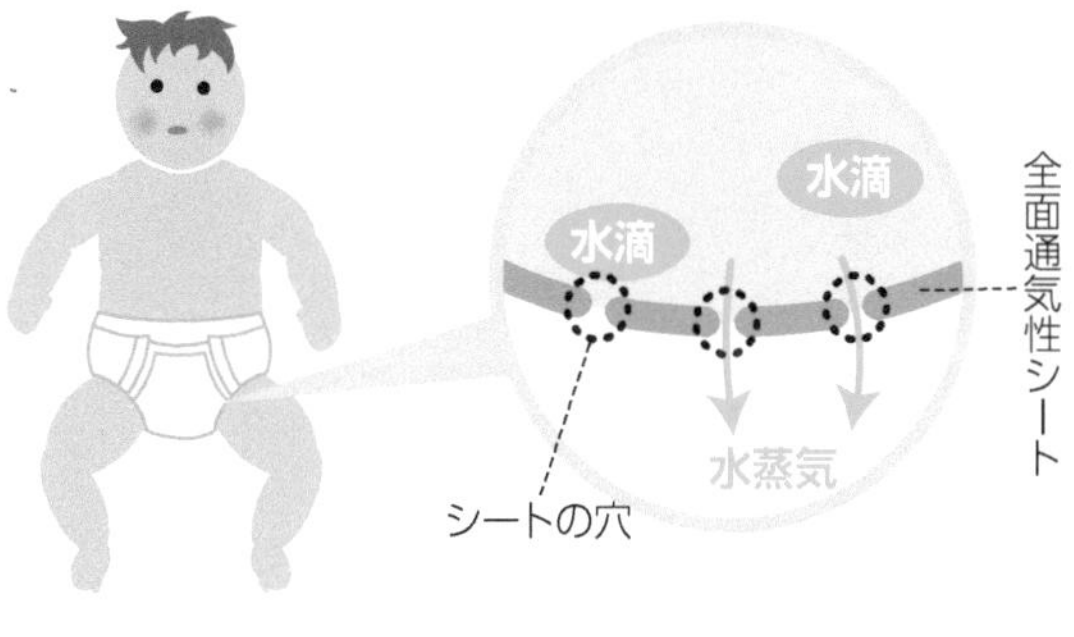
水滴
水滴
全面通気性シート
水蒸気
シートの穴

technology 082

使い捨てカイロ

冬の野外のスポーツ観戦などで必需品ともいえるのが使い捨てカイロ。どこでも暖がとれ、たいへん便利である。

冬のアウトドアで使い捨てカイロは必需品だ。封を開けて揉《も》むだけで暖かくなるのは本当にありがたい。最近は防災や節電の要請から、これと同様の製品も人気を呼んでいる。

使い捨てカイロの発熱の秘密は、鉄を錆《さ》びさせることにある。カイロの中身は鉄粉、活性《かっせい》炭《たん》、水や塩類などだが、**この鉄粉を錆びさせる際の反応熱で暖をとる**のである。水や塩類は鉄粉の錆びる反応を速めるため、活性炭は空気中の酸素を吸着して濃度を高め、鉄と反応しやすくするためにある。

最近はリサイクルできるエコカイロも人気だ。酢酸《さくさん》とナトリウムを反応させてできる酢酸ナトリウムが、**本来の凝固点《ぎょうこてん》よりも低い温度で安定した状態を保つ特性を利用**したアイデア

使い捨てカイロの中身

身近なモノであっても、意外と知られていない使い捨てカイロの中身。そこには、暖かくするためのざまざまな工夫が隠されている。

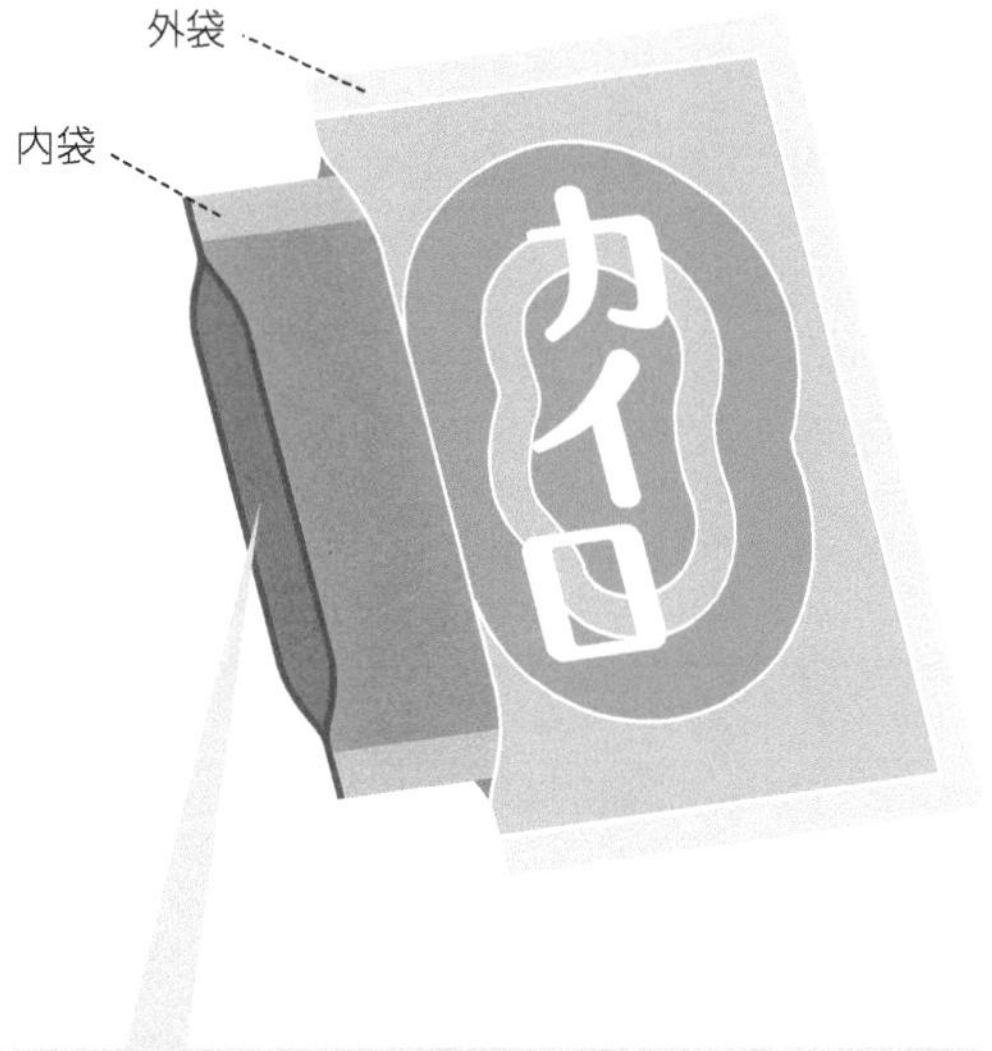

中身

鉄粉	錆びることにより発熱する。
水・塩類	鉄粉の錆びる速度を速める。
活性炭	空気中の酸素を吸着して、酸素の濃度を高める（鉄が早く錆びるため）。
保水材	水で鉄粉がベタベタするのを防ぐために水を含ませておくもの。

商品である（この状態を過冷却という）。中にセットされた金属を押して刺激を与えると、成分の酢酸ナトリウムが一気に固まって熱を発散する。

カイロというと昔はハクキンカイロが有名だった。長時間使えて何度でも再利用できるため、現在でもファンが多い。ハクキンカイロは白金《はっきん》の触媒《しょくばい》作用を利用している。この作用のおかげで、燃料のベンジンを低温で長時間燃焼させることができるのだ。

防災やアウトドアの利用という意味で、もう一つ有名な発熱商品を調べてみよう。「ヒートパック」「発熱パック」「加熱パック」などと呼ばれている商品である。火や電気を使わずに水を注ぐだけで、高温が発生して食品を加熱調理できるので、災害時には重宝する。駅弁についているものも人気で、紐《ひも》を引くだけで中身が温まる。原理は単純。**酸化カルシウム（生石灰《せいせっかい》ともいう）に水を混ぜることで高温を発生させている**のだ。ちなみに、その反応で生成されるのが水酸化カルシウムである。消石灰《しょうせっかい》とも呼ばれ、酸化した土をアルカリ化するためにも利用されるほど強塩基なので注意が必要だ。

最後に、老婆心《ろうばしん》ながらカイロは日本語「懐炉」のカタカナ表現であることに言及しておこう。

technology 083

形態安定シャツ

毎日のアイロン掛けから解放してくれるのが形態安定シャツ。いったいどうやって形が保たれているのだろう。

ワイシャツには綿《めん》がよく利用される。水分をよく吸収し、着心地がいいからだ。しかし、綿のシャツには、**洗濯後にシワができやすいという欠点があった**。忙しい現代、毎日アイロン掛けするのはたいへんである。

そこで、現在、市販されている多くのワイシャツには形態安定という加工が施《ほどこ》されている。形態安定とは「形状記憶」「ノーアイロン」などと呼ばれる繊維《せんい》加工の総称である。この加工が施されていると、洗ったあとに干すだけでアイロンが不要になる。

形態安定加工のしくみを見る前に、なぜシワができるのかを調べよう。綿繊維は天然のセルロース分子が緩やかに結びついてできているが、内部には大小さまざまな隙間《すきま》がある。洗濯時には、この隙間に水がしみ込んで膨張《ぼうちょう》・変形するのだ。そのまま乾燥すると、**繊維が変形状態で固定されてしまう**。これがシワの原因である。

シワをつくらないためには、水による繊維の膨張を抑えればいい。その解決策として考え出されたのが架橋《かきょう》反応だ。繊維と繊維とがしっかり結びつくよう、**分子同士に橋を架ける化学反応を利用する**のだ。そうすれば、水がしみ込んでも繊維は膨張しなくなる。

架橋反応には最初はホルマリンが利用された。現在では肌や環境にやさしいさまざまな物質が考え出されている。

架橋反応を利用して繊維の変形を防ぐ技術は、何も綿だけに限ったことではない。ウールにも利用されている。「丸洗いできるスーツ」などがそれである。ウール繊維は表面がうろこ状になっていて、**水を含むとささくれ立ち、隣の繊維ともつれ合う**。これが、水洗いでウール製品が縮む原因だ。そこで、**繊維を薄く樹脂《じゅし》で包んで架橋させる**。すると、濡《ぬ》れても繊維はもつれ合うことがなく、乾燥すれば元の形に戻る。

ちなみに、形態安定加工された衣服は「濡れ干し」が基本である。雫《しずく》がたれるくらいが理想だ。水分の重みでシワが自然に伸びるからである。

綿繊維にシワができるしくみ

衣類によく使われる綿は、水分をよく吸収する反面、水を吸収するとシワになりやすい。シワができるメカニズムを見てみよう。

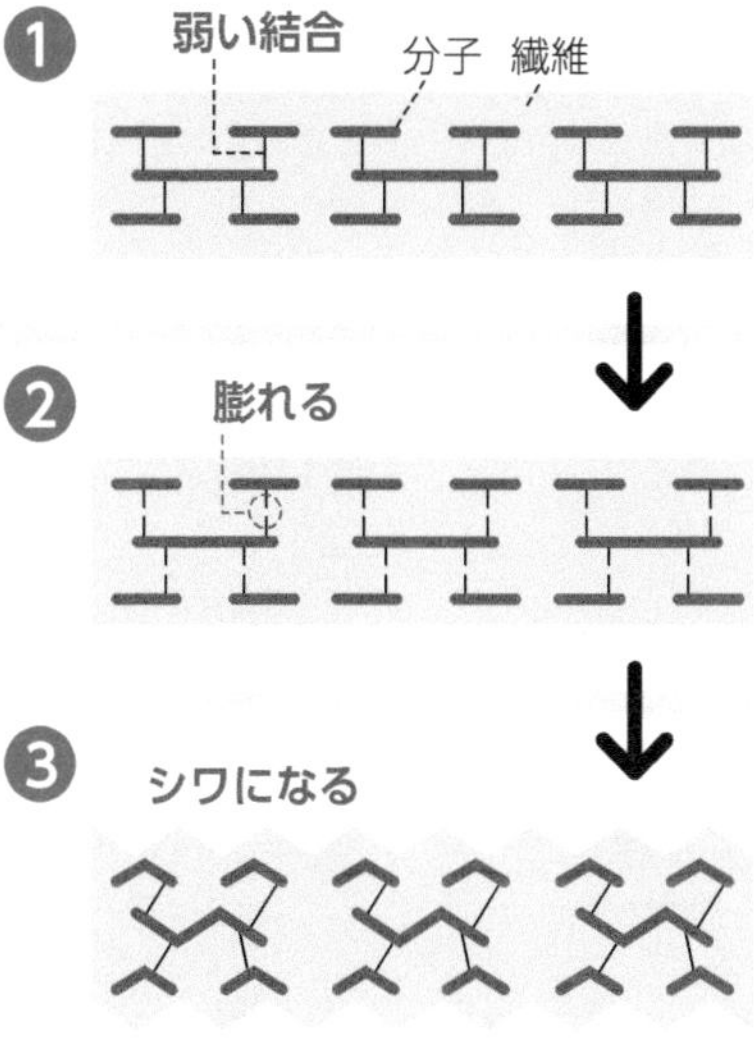

綿繊維は細長い分子が弱く結合している。

水を吸うと繊維が膨らんで、繊維の中の分子同士がユルユルになる。

変形したまま乾くと、分子同士がそのままの形で固定され、シワとなる。

架橋反応による形態安定加工

架橋反応で繊維の中の分子同士を強く固定する。こうすれば、水を含んでも変形しづらくなる。

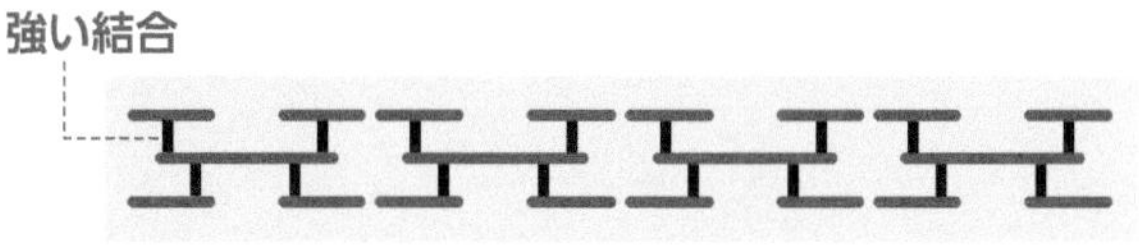

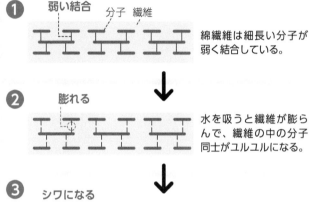

technology 084

制汗・制臭スプレー

女性だけでなく、男性も汗のニオイや体臭を気にする時代になっている。デオドラントグッズの売れ行きは好調のようだ。

「汗は男の勲章《くんしょう》」などと、汗のニオイが男のシンボルとされた時代があった。しかし、いまは「汗臭さ」が疎《うと》まれる時代になった。そんな中、「デオドラントグッズ」が男性に人気だ。

デオドラントグッズとは、汗を抑えたり、汗のニオイを解消したりする商品のこと。**汗を抑える「制汗」、汗のニオイを取る「制臭」に大別される**が、多くの製品は両者を備えており、その区別は不明確である。

形態としては、**ロールタイプ、クリームタイプ、スプレータイプの3種**がある。ここでは人気の高いスプレータイプを調べてみよう。

まず「制汗」のしくみについて見てみたい。スプレーならば、それを吹きつけた部分が冷

汗腺をふさぐ制汗剤のしくみ

例としてユニリーバの「レセナ」という制汗剤を見てみよう。成分が汗腺に入り、ジェルになって汗腺をふさぐことで、発汗をブロックする。

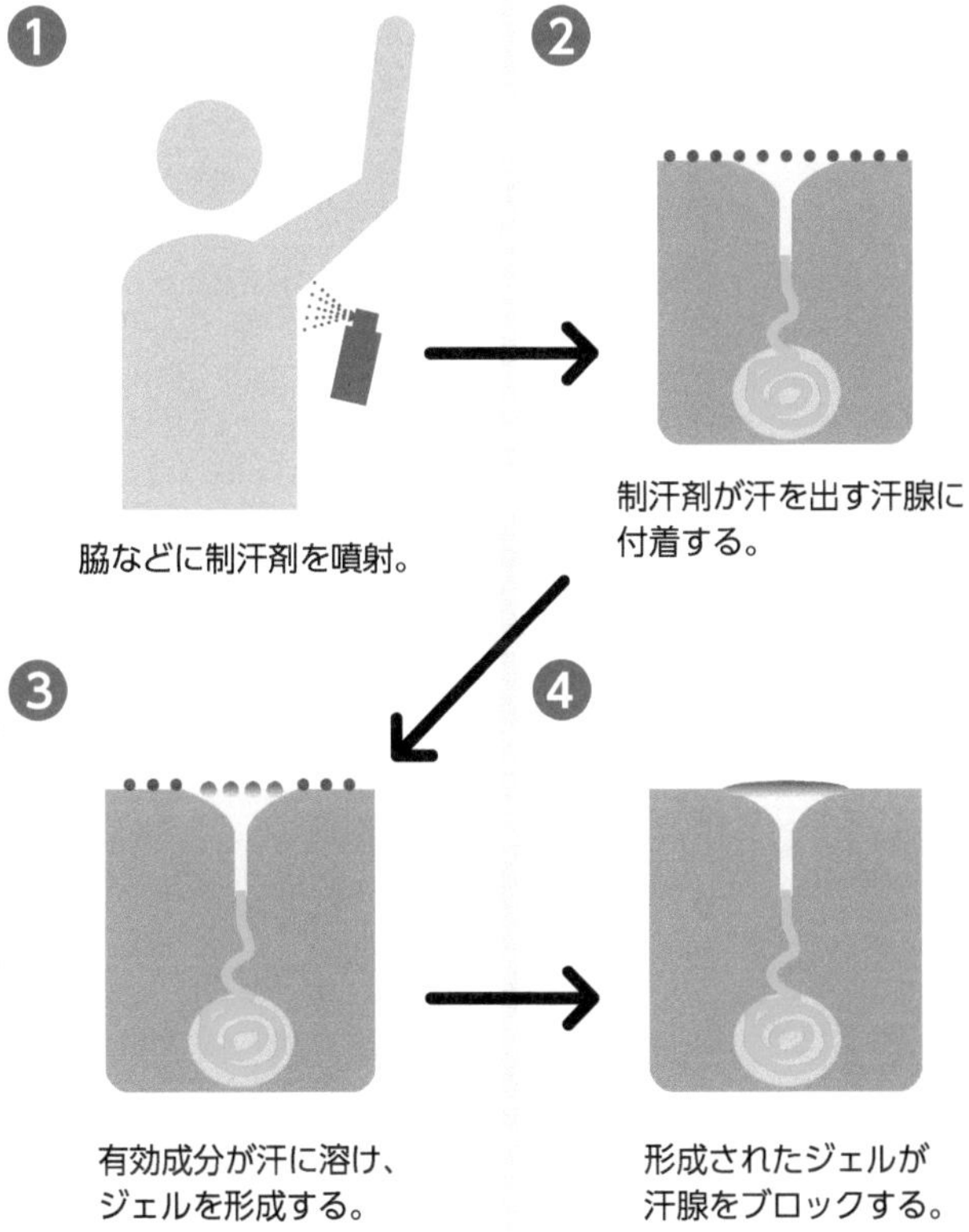
1
脇などに制汗剤を噴射。
2
制汗剤が汗を出す汗腺に
付着する。
3
有効成分が汗に溶け、
ジェルを形成する。
4
形成されたジェルが
汗腺をブロックする。

却されるので、必ず制汗効果は生まれる。そこで、商品の売りとしては、プラスアルファが求められる。**いかに汗腺《かんせん》に働きかけて発汗を抑えるかという工夫**が商品のセールスポイントになるのだ。例えば、スプレーに混ぜられた成分が汗腺に入り、直接発汗を抑える、という商品もある。

次に「制臭」を見てみよう。意外かもしれないが、**人の汗自体にはニオイがない**。皮膚《ひふ》の常在菌《じょうざいきん》が、汗を食べて繁殖する際に出す分解物が臭うのだ。そこで、ニオイを出しやすい脇の下などを殺菌すれば、汗のニオイは少なくなる。さらに、出された分解物を浄化してもニオイはなくなる。人気があるのは、銀イオンを含ませた商品である。銀イオンは**人には無害で、殺菌や浄化の効果が強い**からだ。

現代の日本人はニオイを抑えることに熱心である。実際、デオドラント商品でいちばん売れているのは「石けんの香り」で、たいへん控《ひか》えめな香りだ。フランスなどに目を転じると、ニオイを楽しみ、積極的にアピールする文化がある。男性も香水をつけるのが当たり前なのが、その一例である。日本も近い将来、「制臭」ではなく「発香」の文化が普及するかもしれない。そのとき、制汗スプレーの香りとしてどのようなものが好まれるのだろうか。

ニオイが発生するメカニズム

汗は脂肪酸やグリセリンから成り立つが、じつは無臭。その脂肪酸が皮膚の菌に分解されてニオイが出る。

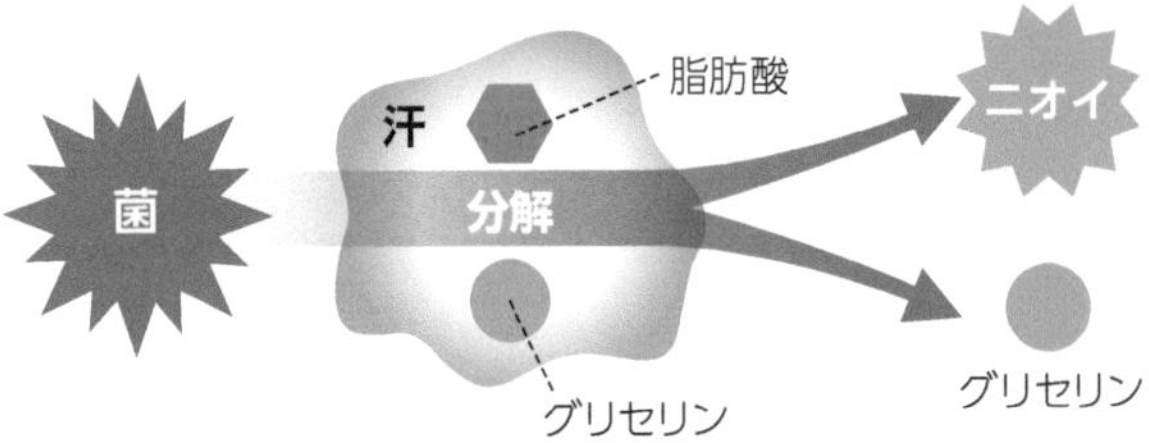

ニオイを抑える「制臭」のしくみ

皮膚の菌の増殖を抑えるか、ニオイ成分を分解するかで、ニオイが抑えられる。制臭に有効で、かつ人体に無害なものとして、銀イオンが知られている。

ニオイ成分を分解する方法

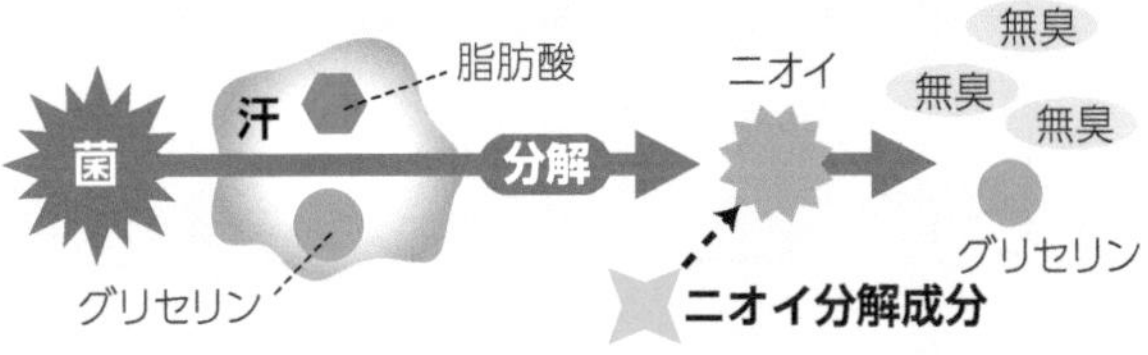

銀イオンで殺菌する方法

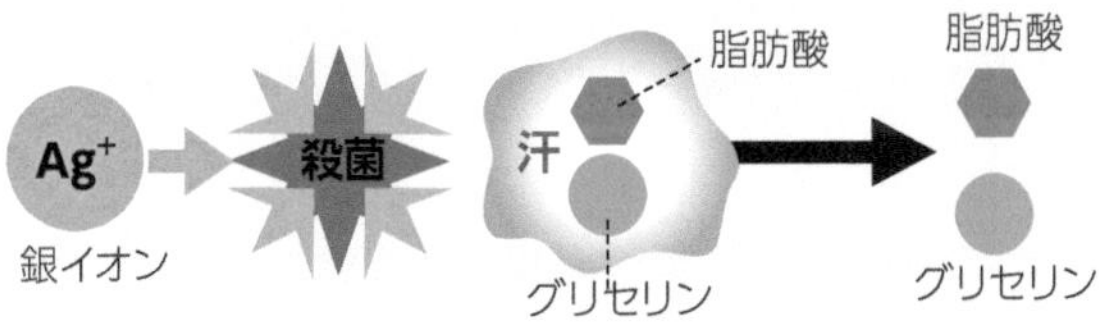

technology 085

消臭剤

消臭剤は、身のまわりの〝気になるニオイ〟を消し去ってくれる。十分な効果を発揮するために、消臭成分や香料が使い分けられている。

トイレや玄関、部屋、はては衣類まで、気になるニオイを消してくれる便利な生活用品が「消臭剤」である。

悪臭と呼ばれるものの原因は、トイレと部屋では異なる。例えば、トイレに漂う悪臭は、排泄物《はいせつぶつ》に含まれているアンモニアや硫化水素などの成分が原因だ。一方、部屋の悪臭の原因は、生ゴミのニオイ（メチルメルカプタンなど）や体臭・汗のニオイに由来するイソ吉草酸《きっそうさん》、たばこのニオイ（アセトアルデヒドなど）、そして畳や家具、花や食品などの香りが組み合わさった複合臭である。「ツーン」とくるあの足のいやなニオイも、このイソ吉草酸が原因である。

つまり消臭する際に大事なのは、**悪臭の原因に最も効果的な消臭成分や香料を使用するこ**

ニオイの原因は場所ごとに異なる

ニオイの種類に合った消臭剤を選ぶことが重要だ。

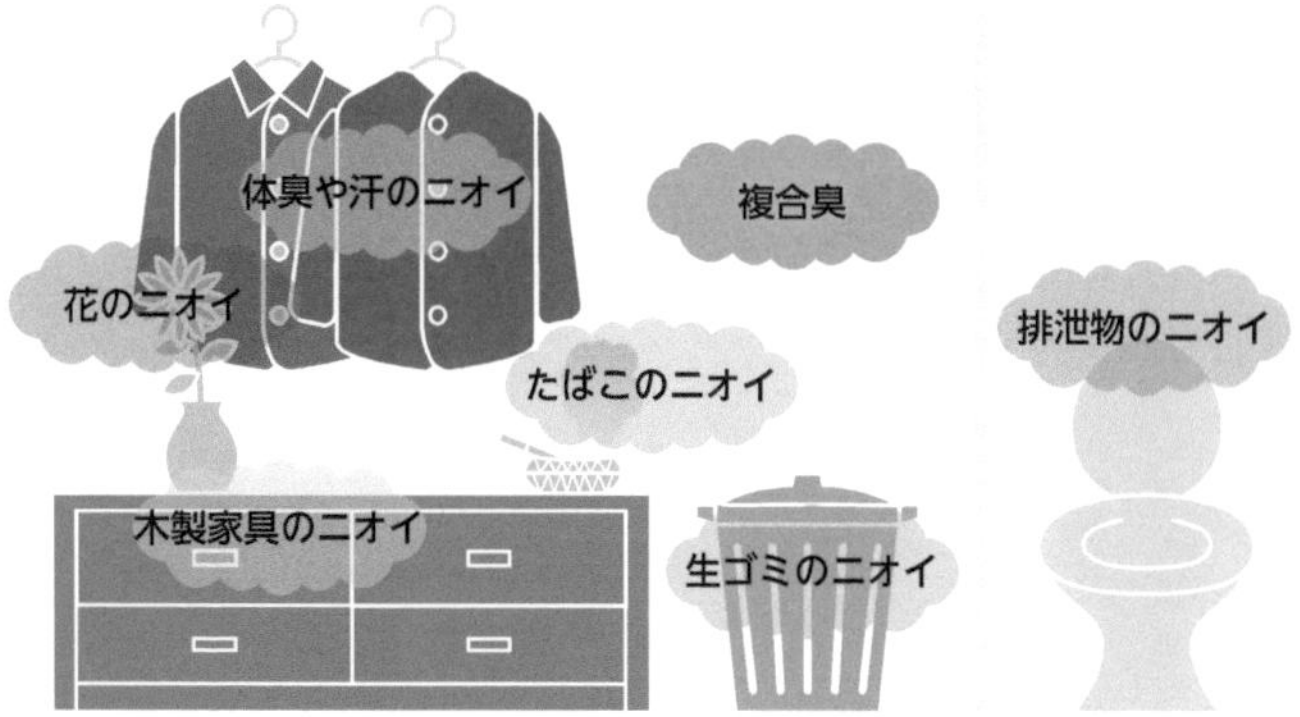
体臭や汗のニオイ
複合臭
花のニオイ
排泄物のニオイ
たばこのニオイ
木製家具のニオイ
生ゴミのニオイ

悪臭物質が半分に減ってもあまり意味がない

ニオイの成分が50%減っても、ニオイの感じ方は10～20%減少した程度にしか感じない。

ウェーバー・フェヒナー の法則

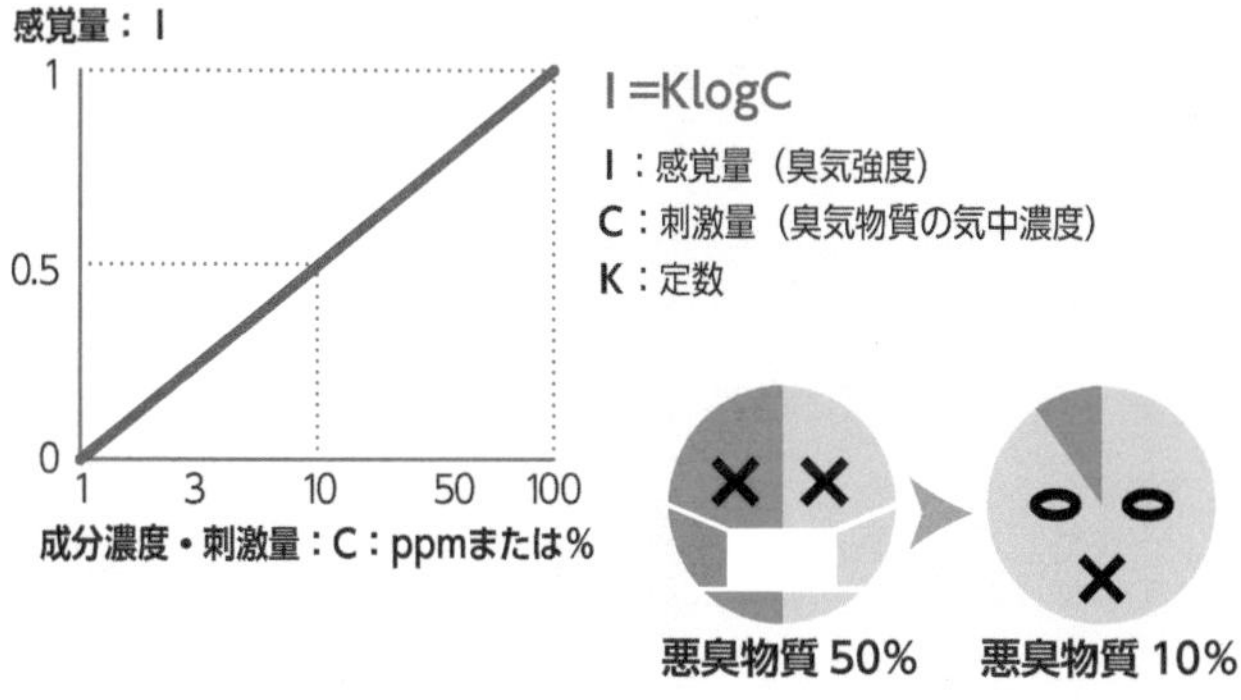
感覚量：I
1
0.5
0
1
3
10
50
100
成分濃度・刺激量：C：ppmまたは%
I =KlogC
I：感覚量（臭気強度）
C：刺激量（臭気物質の気中濃度）
K：定数
悪臭物質 50%
悪臭物質 10%

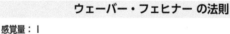

と。本来の目的とは異なる場所で消臭剤を使っても、十分な効果は期待できない。市販されている消臭剤の用途が「トイレ用」「部屋用」などに分かれているのはそのためだ。使用する空間や広さに合わせて、消臭技術や消臭成分、香料成分などが使い分けられている。

ドイツの生理学者エルンスト・ウェーバーとその弟子グスタフ・フェヒナーによる「ウェーバー・フェヒナーの法則」によると、人間の感覚強度（ニオイの感じ方）は刺激量（ニオイの量）の対数に比例するという。つまり、空気中の悪臭物質の濃度と、ニオイとして感じる強さに比例関係はないのである。実際、悪臭の原因となる物質が半分に減っても10～20パーセント減少したくらいにしか感じず、**90パーセント減ってようやくニオイが半減したと感じる**という。

いやなニオイを消し去る消臭剤の消臭方法は、左ページの図のように「化学的消臭法」「物理的消臭法」「感覚的消臭法」「生物的消臭法」の四つに大きく分類できる。

消臭芳香剤によく使われる感覚的消臭法は、かつては強い香りで悪臭を感じないようにする「マスキング法」が主流だったが、現在は**悪臭をいい香りの一部として取り込み、さらにいい香りに変える「ペアリング消臭」**が一般的になっている。

消臭する4つの方法

消臭剤の消臭方法は、以下の4つに分類できる。

❶ 化学的消臭法

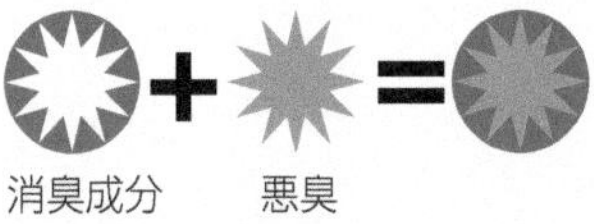

悪臭を「無臭化」

化学反応によってニオイのない成分に変える方法。酸性とアルカリ性の中和反応、ニオイ成分の反応性を利用したものなどがある。重曹、クエン酸、ポリフェノールがその一例。

❷ 感覚的消臭法

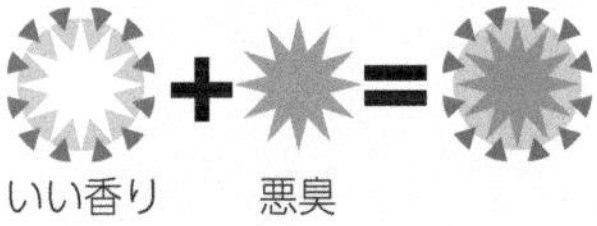

一部として取り込んでもっといい香りに

いい香りを使ってニオイを感じないようにする方法。現在の主流は、悪臭をいい香りの一部として取り込んで、さらにいい香りに変える「ペアリング消臭」。

❸ 物理的消臭法

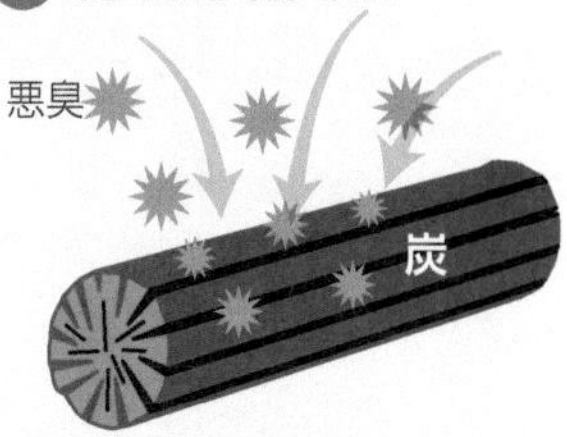

吸い込んで取り去る

悪臭成分を吸い込んで、物理的に取り去る方法。身近なものには、炭がある。備長炭、活性炭などが冷蔵庫の消臭剤によく使われている。

❹ 生物的消臭法

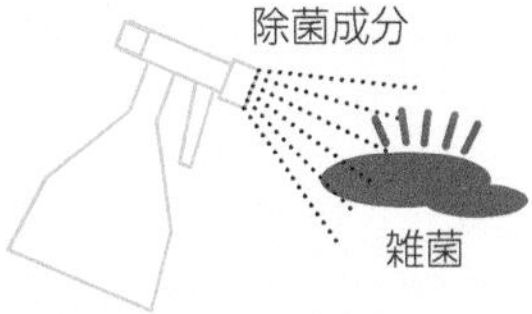

ニオイをつくる「原因」をなくす

悪臭をつくり出す雑菌が繁殖しないようにして、悪臭の発生を抑える。多くの消臭芳香剤は、❶〜❹を複数組み合わせることで、消臭効果をアップさせている。

technology 086

吸汗速乾《きゅうかんそっかん》ウエア

夏の省エネ推進策の一つであるクールビズ。それを裏から支える高機能ウエアが続々と開発されている。

地球温暖化対策などの問題から、冷房だけに頼らずに夏の暑さを乗り切る工夫が求められている。そこで、**汗を吸いやすくてすぐ乾く「吸汗速乾性」**をうたったウエアが開発されている。その技術の一端を見てみよう。

まずは、**多重構造化された素材**からつくられたウエア。内側に太い繊維《せんい》、外側に細い繊維というように多層化すると、毛細管《もうさいかん》現象を利用してポンプのように汗を内側から外側に移動させ、蒸散させることができる。さわやかな肌着やスポーツウエアにちょうどいい。

次に、**汗による湿度を感知して通気調整する素材**。これは、湿度で変形する繊維で織られた生地を利用している。汗で生地が濡《ぬ》れると、通気性が悪くなって衣服内が蒸《む》れる。それを

多重構造化された素材

太さの異なる糸を複層化し、肌の汗を毛細管現象で吸収して外側に拡散させる。

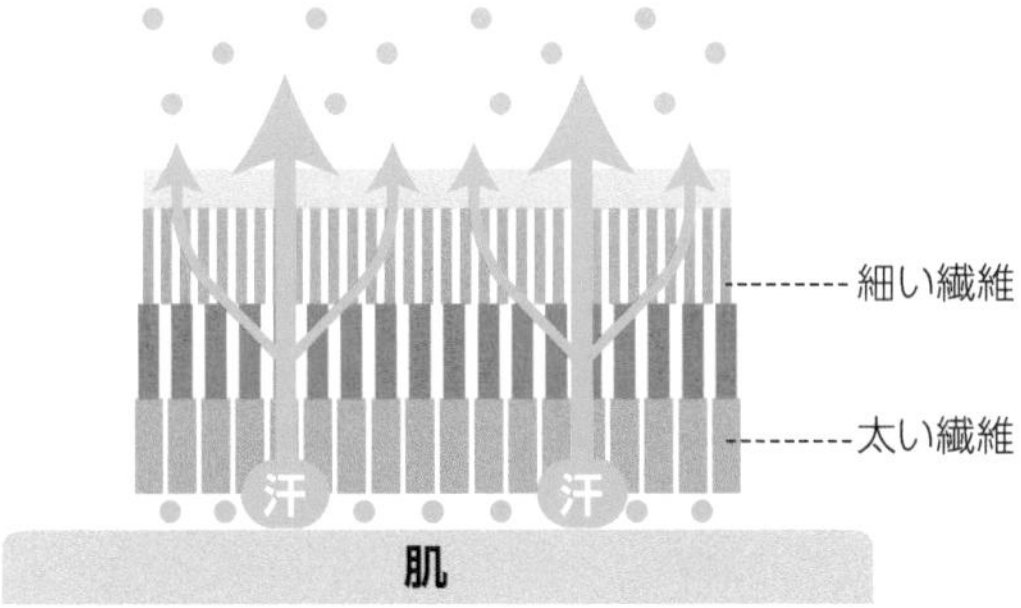
細い繊維
太い繊維
汗
汗
肌

通気調整する素材

湿度で変形する繊維から織られた素材で、生地の織り目を開閉することで通気調整する。

乾燥時…生地の織り目が閉じる。　**発汗時**…生地の織り目が開く。

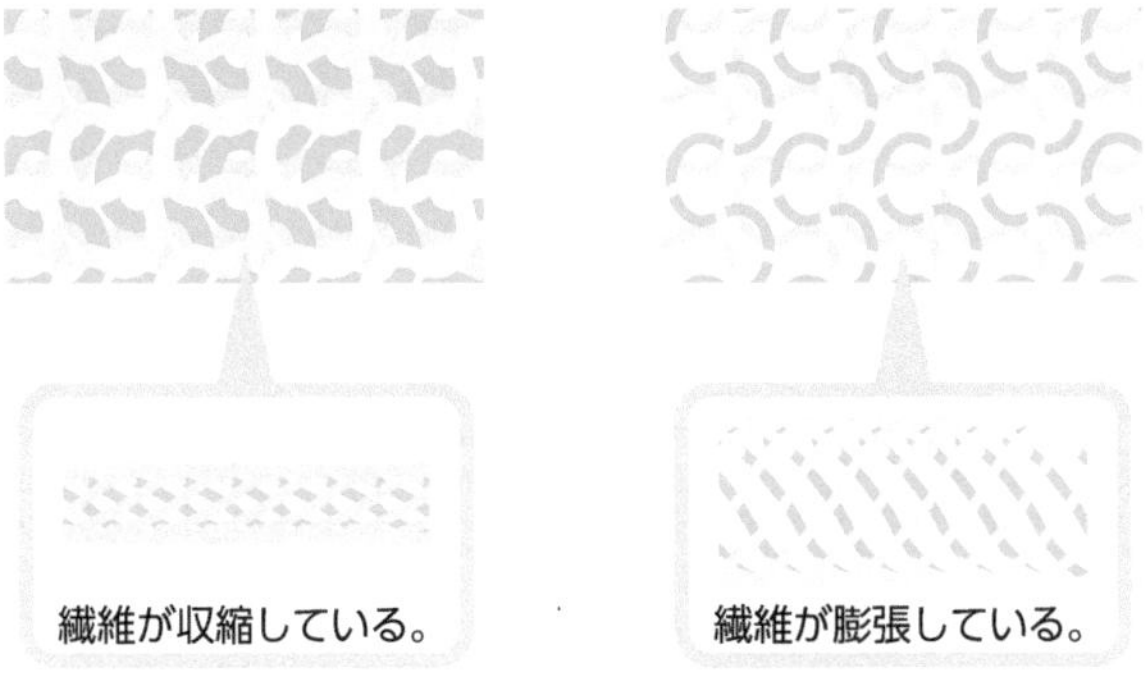
繊維が収縮している。
繊維が膨張している。

防ぐため、乾燥時には縮れて通気性を抑え、発汗時には伸びて通気性をよくする繊維で生地を織るのだ。こうした生地は、**汗をかくと織り目が開き、乾くと元の状態に戻る**。そのため、サラッとした蒸れないウエアになる。

さらに、**繊維自体が吸汗速乾性を持つ素材**からつくられるウエアもある。例えば、キュプラと呼ばれる繊維は従来、「ベンベルグ」という名でスーツの裏地に利用されていたが、吸汗速乾の素材として再び脚光を浴びている。綿の種に付く羽毛からつくられる再生セルロース繊維で、多孔質《たこうしつ》で吸放湿性に優《すぐ》れ、ムレやベタつきを繊維自体が抑えてくれる。当然、この素材からつくられる肌着は夏でも快適である。

スポーツの場では、多少の繊維の工夫だけでは汗はひかない。そこで、さらなる荒業《あらわざ》を施《ほどこ》したスポーツウエアも開発された。内側に撥水《はっすい》ポリエステルの突起《とっき》を配し、外側の吸水ポリエステル繊維と組み合わせることで、外側の吸水部分では吸いきれない汗を衣服の下にはじき落とすのである。

古来、日本人は夏場に麻《あさ》の生地の衣服をよく着た。通気性がよく皮膚《ひふ》にベタつかない、優れた「吸汗速乾性」があるからだ。吸汗速乾の開発の原点は、このへんにあるのかもしれない。

繊維自体が吸汗速乾性を持つ素材

キュプラの放汗作用を利用する。ポリエステルと比べると、肌と生地の間に水分がたまらず、空気中へ湿気を放出しやすい。

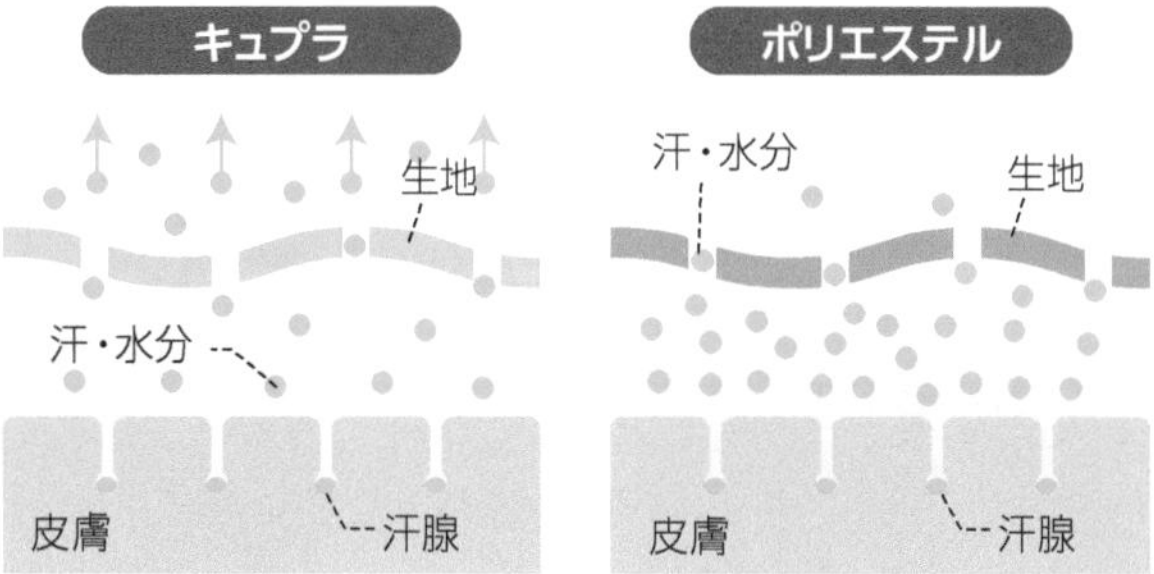

汗を振り払う素材

肌側に撥水ポリエステルを凸状に配置。この凸部分で汗を振り払うとともに、吸水層に移行した汗が逆戻りしないため、肌側はドライに保たれる。

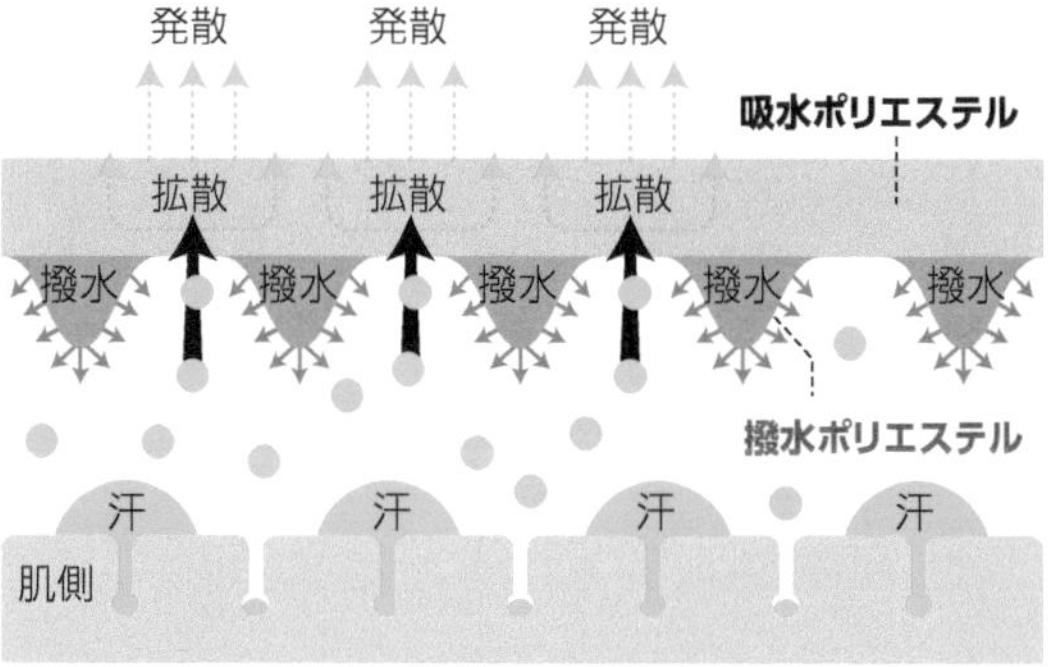

technology 087

加熱式たばこ

健康志向の高まりを受けて急速に普及が進む加熱式たばこ。そもそも、紙巻たばこと何がどう違うのか。

近年、さまざまな種類の「加熱式たばこ」を目にするようになった。フィリップモリスジャパンの「アイコス」、ブリティッシュ・アメリカン・タバコ・ジャパンの「グロー」、日本たばこ産業の「プルーム・テック」が有名で「新型たばこ」などとも呼ばれるが、従来のたばことしくみはどう違うのか。また、「電子たばこ」もよく似た存在だが、違いは何なのか。

紙巻きたばこは、**文字どおりたばこの葉を紙で巻いた商品**。葉に直接火をつけて燃焼させ、フィルターを通して煙とともにニコチンを吸引する。先端部分の温度は900℃程度で、先端から出る副流煙《ふくりゅうえん》と、喫煙者が吐く呼出煙《こしゅつえん》が発生する。紙巻きたばこは、南米の先住民がトウモロコシの葉でたばこを巻いて喫煙していたのがルーツだといわれている。南米に渡った

紙巻きたばこの構造

その名のとおり、たばこの葉を紙で巻いた商品である。

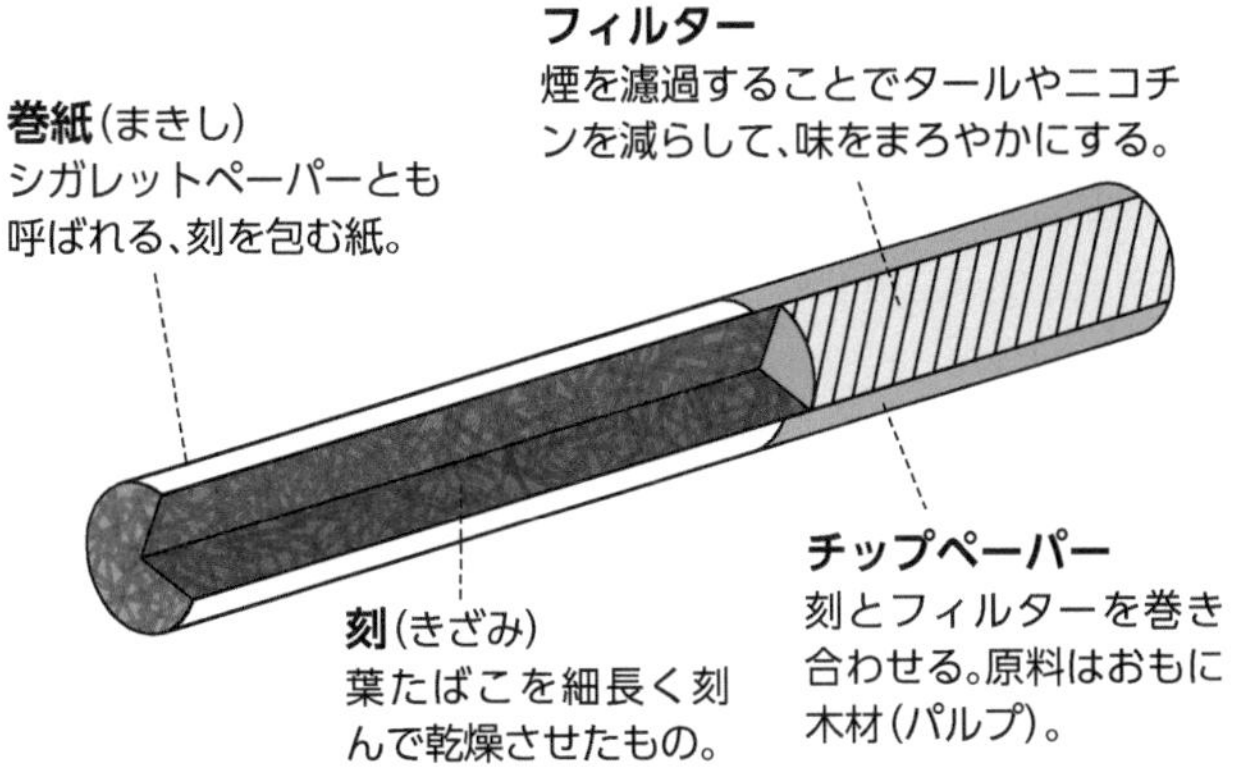
フィルター
煙を濾過することでタールやニコチンを減らして、味をまろやかにする。
巻紙（まきし）
シガレットペーパーとも呼ばれる、刻を包む紙。
刻（きざみ）
葉たばこを細長く刻んで乾燥させたもの。
チップペーパー
刻とフィルターを巻き合わせる。原料はおもに木材（パルプ）。

紙巻きたばこと電子たばこの違い

両者には、どのような違いがあるのだろうか。

紙巻きたばこ…葉たばこを燃焼させて、煙を吸引する。

副流煙
葉たばこ
フィルター
900℃程度で燃焼

電子たばこ…リキッド（液体）をヒーターで加熱して成分を吸う。

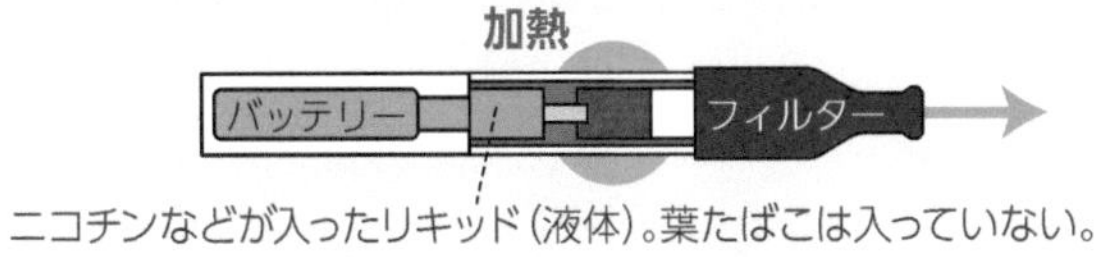
加熱
バッテリー
フィルター
ニコチンなどが入ったリキッド（液体）。葉たばこは入っていない。

日本ではニコチンを含むリキッドは「医薬品」、ニコチンを含むリキッドを吸引する器具は「医療機器」とみなされる。

ヨーロッパ人の間で紙で巻いて喫煙する方法が広まって、世界中に普及したという。

それに対して加熱式たばこは、**たばこの葉を燃焼させず、「温める」にとどめている点が大きな特徴**だ。燃焼による煙が発生しないため、たばこの煙のニオイがせず、灰も出ない。

加熱する温度は製品により異なる。低温で加熱するタイプには、たばこの葉を直接加熱せずにリキッド（液体）を加熱・霧化してたばこ葉を通過させるものがある。高温で加熱するタイプは、ヒーターでたばこの葉を直接加熱する方法が代表例だ。

一方、電子たばこは、たばこの葉を使用せず、装置内や専用カートリッジ内のリキッドを加熱させ、**発生する蒸気（ベイプ）を楽しむ製品**である。リキッドは果物や菓子などの香料入りで、日本ではニコチンを含まないものが一般的だ。電子たばこはたばこの葉を使用していないため、日本では「たばこ製品」としては販売されない。

「加熱式たばこは紙巻きたばこより有害成分が少ない」などと喧伝されるが、健康リスクが減るわけではなく、副流煙が少ないぶん受動喫煙は少ないが、呼出煙があるため周囲への影響もゼロではない。電子たばこも人体への影響が未解明な部分がまだ多いという。健康志向の高まりとともに普及が進むが、販売規制の動きが急速に広がっているのも事実だ。

加熱式たばこの基本構造

代表的な加熱式たばこの構造をそれぞれ見てみよう。

ヒーターで加熱するタイプ

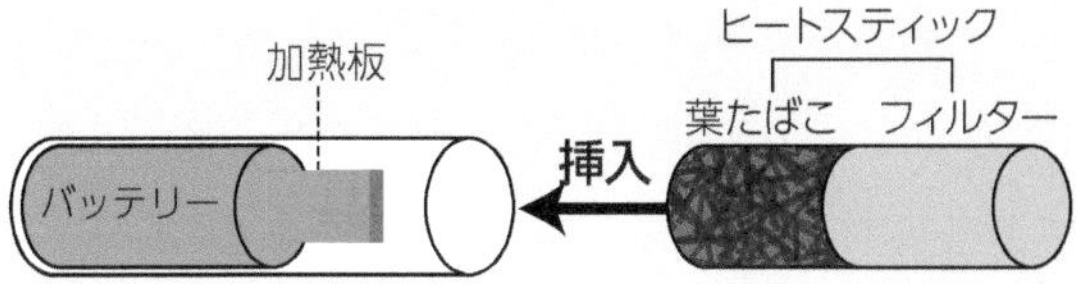
ヒートスティック
加熱板
葉たばこ
フィルター
挿入
バッテリー

❶ 金属の加熱板でヒートスティックの葉たばこを高温で直接加熱する。

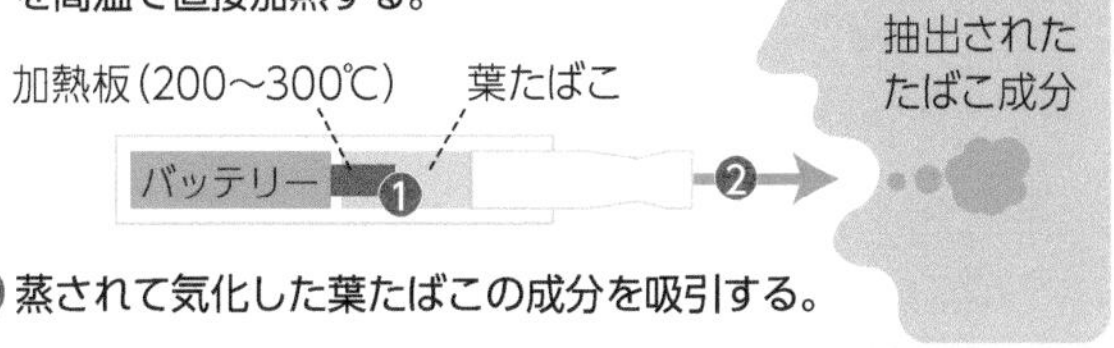
加熱板（200～300℃）
葉たばこ
バッテリー
❶
❷
抽出された
たばこ成分

❷ 蒸されて気化した葉たばこの成分を吸引する。

リキッドを加熱するタイプ

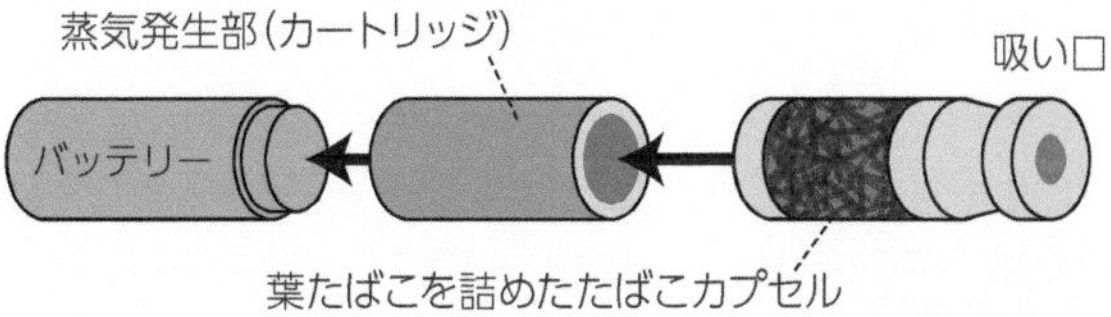
蒸気発生部（カートリッジ）
吸い口
バッテリー
葉たばこを詰めたたばこカプセル

❶ 葉たばこを直接加熱せずに、リキッド（液体）を低温で加熱する。

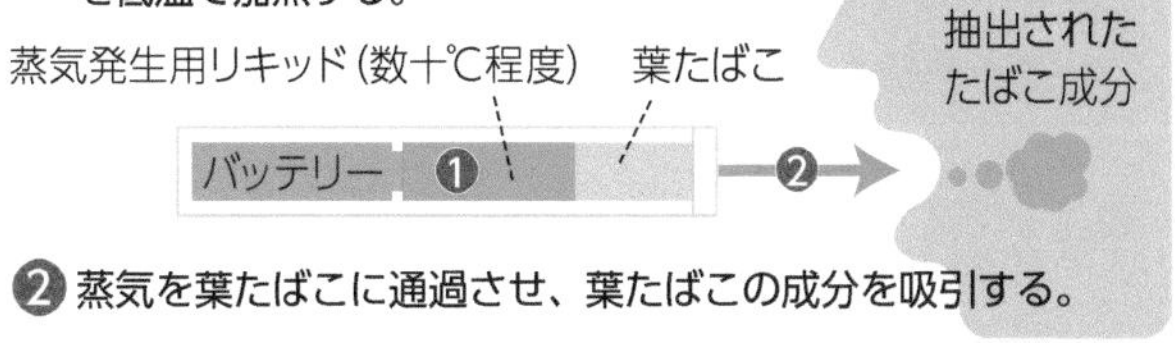
蒸気発生用リキッド（数十℃程度）
葉たばこ
バッテリー
❶
❷
抽出された
たばこ成分

❷ 蒸気を葉たばこに通過させ、葉たばこの成分を吸引する。

Column

生物から学ぶ知恵「バイオミミクリー」

近年、バイオミミクリーあるいはバイオミメティクスという言葉が工学の分野でよく使われる。訳語は「生物模倣《もほう》」だが、この漢字からわかるように、生物の姿や生態などから、人に役立つさまざまな技を盗み取ろうとする技術である。その例を「ヤモリテープ」で見てみよう。

ヤモリテープは日東電工が開発したものだ。ヤモリが壁を自由に上り下りできるしくみを調べる中で、足にミクロの繊維《せんい》が無数に生えていることを解明した。その繊維が微小な壁の表面の隙間《すきま》に入り込むことで、ガラスの壁すらも簡単に移動できるのだ。そこで、ミクロの繊維を無数に植えつけたテープを作成したところ、ヤモリの足のようにどこにでもくっつき、すぐに剝《は》がせることが確かめられた。こうして「ヤモリテープ」が完成したのである。

この例からわかるように、生物には学びきれないほどの知恵と情報が詰まっている。これからの発展が楽しみな分野である。

第7章

文房具のすごい技術

鉛筆で、なぜ字が書けるのか？

消しゴムで、なぜ字が消せるのか？

意外と考えたことがない人は多いはず。

身近な文房具を「技術」の観点から調べてみよう。

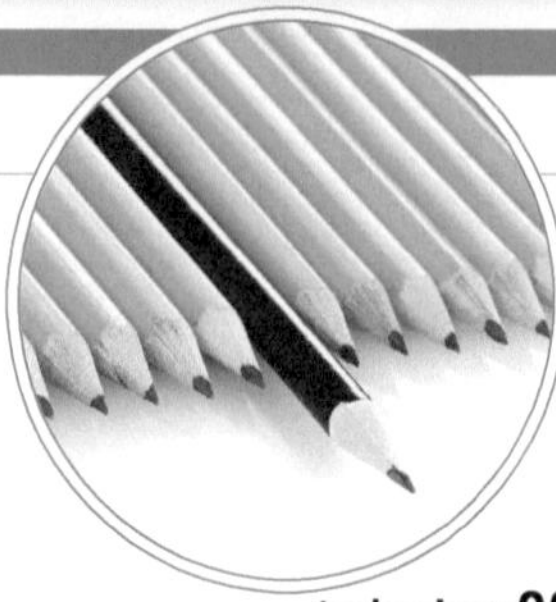

technology 088

鉛筆

鉛筆という単語には「鉛《なまり》」の文字があるが、本当に鉛は入っているのか。そもそも、なぜ鉛筆で紙に字が書けるのだろう。

鉛筆は「鉛の筆」と書く。そのため「鉛筆の芯《しん》には鉛が含まれている」という迷信があった。しかし、じつは鉛筆に鉛は含まれていない。その代わり、漢字で書くと「鉛」とまぎらわしい「黒鉛《こくえん》」が入っている。この**黒鉛と粘土から鉛筆の芯ができている**のだ。黒鉛は炭素からできているが、同じ炭素からできているものに、ダイヤモンドがある。しかし、これらは似ても似つかない。このように、同一の元素からできているのに性質がまったく異なるものを同素体《どうそたい》と呼ぶ。

ナノの世界で見ると、黒鉛はすべりやすい炭素の層構造をしている。このすべりやすさが大切で、筆圧で層が簡単に剝《は》がれ落ち、黒い粉となる。**これが字やイラストの線になる**のだ。

黒鉛とダイヤモンドは成分元素が同じ

黒鉛(グラファイトともいう)とダイヤモンドは、いずれも「炭素原子」からできているが、結合の仕方が異なる。このように、成分元素が同じでも物質として異なるものを「同素体」と呼ぶ。黒鉛は炭素の層が重なり、互いの層は滑りやすい。この滑りやすさが字が書ける秘密だ。

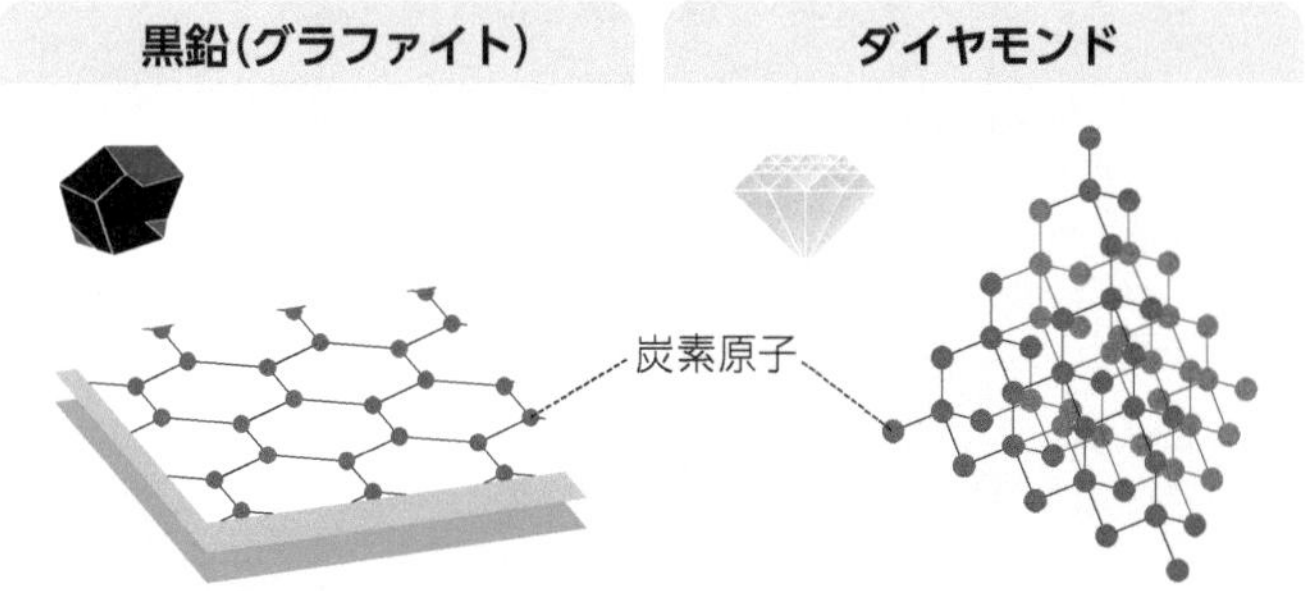

層状の結晶構造をしている。　固く結合した結晶構造をしている。

鉛筆で紙に字が書けるしくみ

紙の表面は植物繊維が折り重なってできている。その隙間に鉛筆の粉が付着することで、字が書けるのだ。

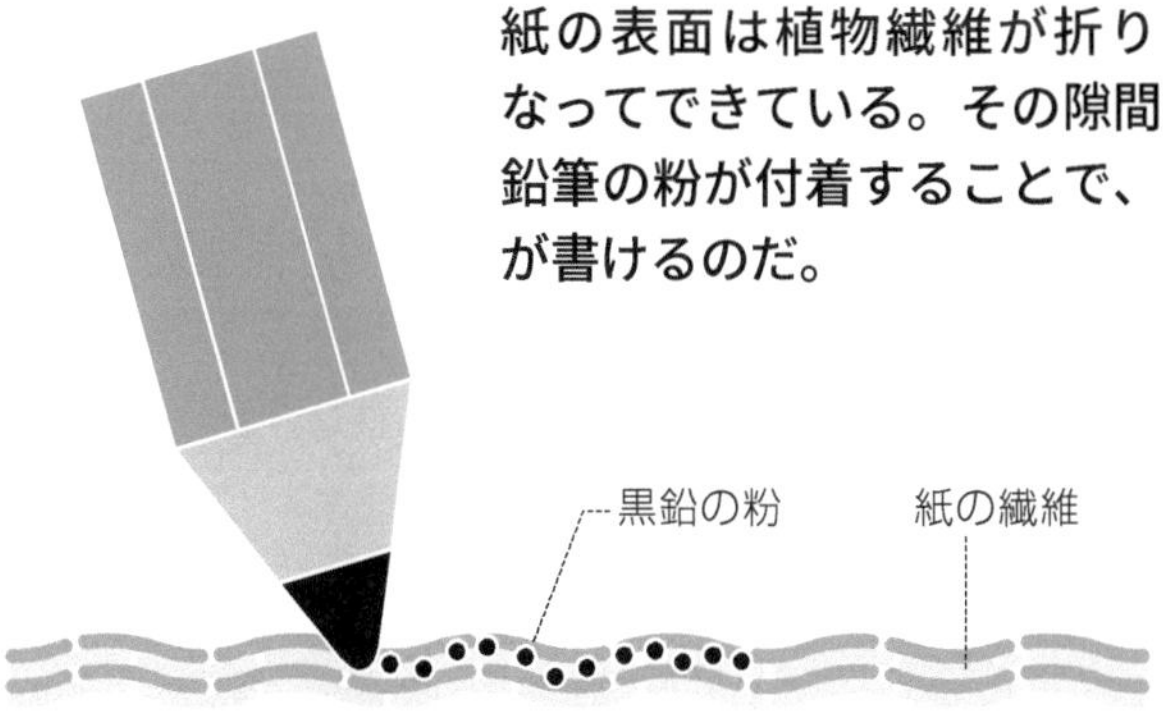

黒鉛はおよそ450年前にイギリスで発見され、すぐに筆記用具として利用されるようになった。これが鉛筆の始まりだ。もっとも、いまのような鉛筆の形になるのは、それから200年後の話である。

では、紙に書けて鉄やガラスに書けないのはなぜだろうか。この理由は先に述べた黒鉛の性質にある。炭素の層が筆圧で剝がれ落ちるには、引っかかりがなければならないからだ。鉄やガラスの表面は、硬くスベスベしているため黒鉛の層が引っかからない。一方、紙は植物繊維《せんい》でできているため、表面はザラザラしている。**この凹凸《おうとつ》に黒鉛が引っかかり、黒い粉は繊維の隙間《すきま》に付着する**。これが紙に鉛筆で字が書ける秘密だ。当たり前と思っていることに、こんなミクロの世界の理由があるのだ。

鉛筆の芯の濃さと硬さはBとHからなる硬度記号で表される。BはBlack《ブラック》、HはHard《ハード》の頭文字で、Bにつけられた数が大きいほど軟らかく、Hにつけられた数が大きいほど硬い。鉛筆の硬さは黒鉛と粘土の割合によって決まる。例えば、HBでは黒鉛70パーセントに対して、粘土30パーセントである。**Bの数が多いほど黒鉛が多く含まれる**ことになる。ちなみに、HとHBの中間にFがある。FはFirm《ファーム》（ひきしまった）の頭文字だ。

ふつうの鉛筆と色鉛筆の材料

ふつうの黒の鉛筆(墨芯鉛筆という)の芯は粘土と黒鉛を練り合わせ、焼き固めたもの。一方、色鉛筆の芯はロウや顔料など、油性的なものがタルクなどと練り固められたもの。ちなみに、タルクは書くときの滑りをよくする材料で、ベビーパウダーにも利用されている。

ふつうの鉛筆

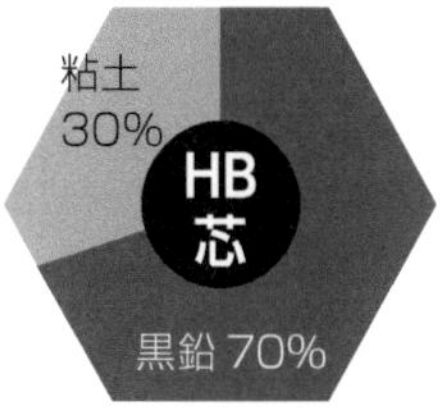
粘土
30%
HB
芯
黒鉛 70%

色鉛筆

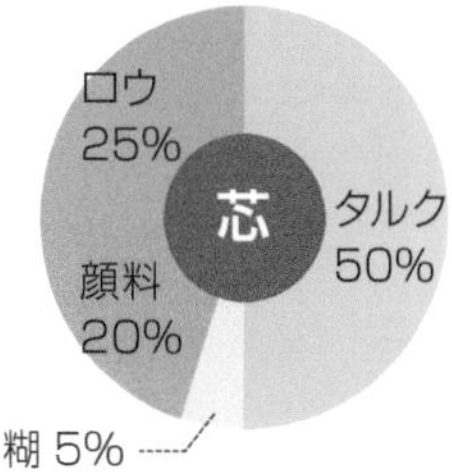
ロウ
25%
芯
タルク
50%
顔料
20%
糊 5%

色鉛筆が消しゴムで消えない理由

一般的に、色鉛筆で書いた文字は、消しゴムで消しづらい。これは、色鉛筆の芯の成分が「油性的」だからだ。

ふつうの鉛筆

芯の粉が紙の繊維の隙間に付着しているだけなので、消しゴムで絡め取ることができる。

色鉛筆

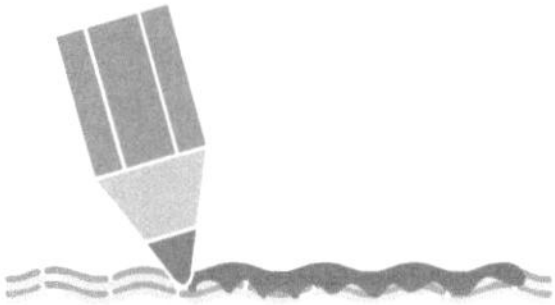

色鉛筆の芯の材料は軟らかく油性的で、紙の繊維に入り込むため、消しゴムで絡め取りにくい。

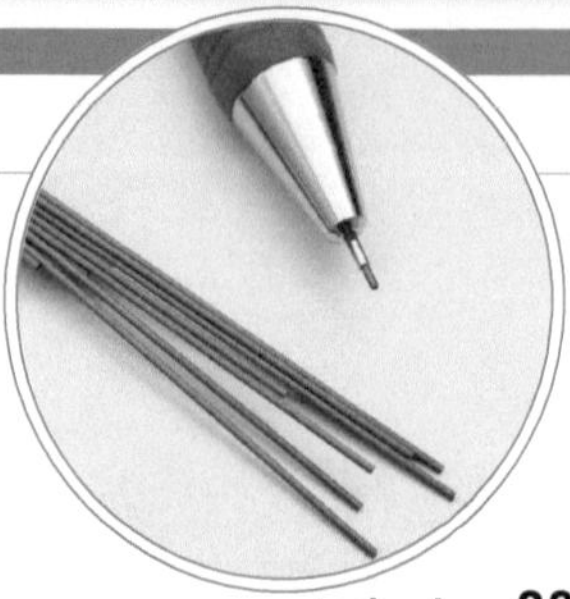

technology 089

シャープペン

芯《しん》を削らずに使えるシャープペン。この名称は、大手電機メーカー「シャープ」の創業者が製品化したことに由来する。

小学校では鉛筆を使うことが奨励《しょうれい》される。だが、ふだんの生活で鉛筆を使う機会は少なくなった。シャープペンに取って代わられたからだ。若者は親近感から「シャーペン」と呼んでいる。

ところで、このシャープペン、カタカナ表記なので欧米生まれとも思えるが、**製品として最初に開発されたのは日本**である。家電大手シャープの創業者早川徳次氏が開発・命名したもので、いまから100年以上前の話だ。最初の製品はノック式ではなく回転式だったといわれる。ノック式が発売されたのは、約半世紀後の1960（昭和35）年である。

100円もしないシャープペンも売られているが、そのしくみは精巧《せいこう》だ。

ノック式シャープペンのしくみ

ノック式のシャープペンのしくみは精巧だ。指でノブをノックするたびに、チャックが芯を挟んで外へと押し出している。

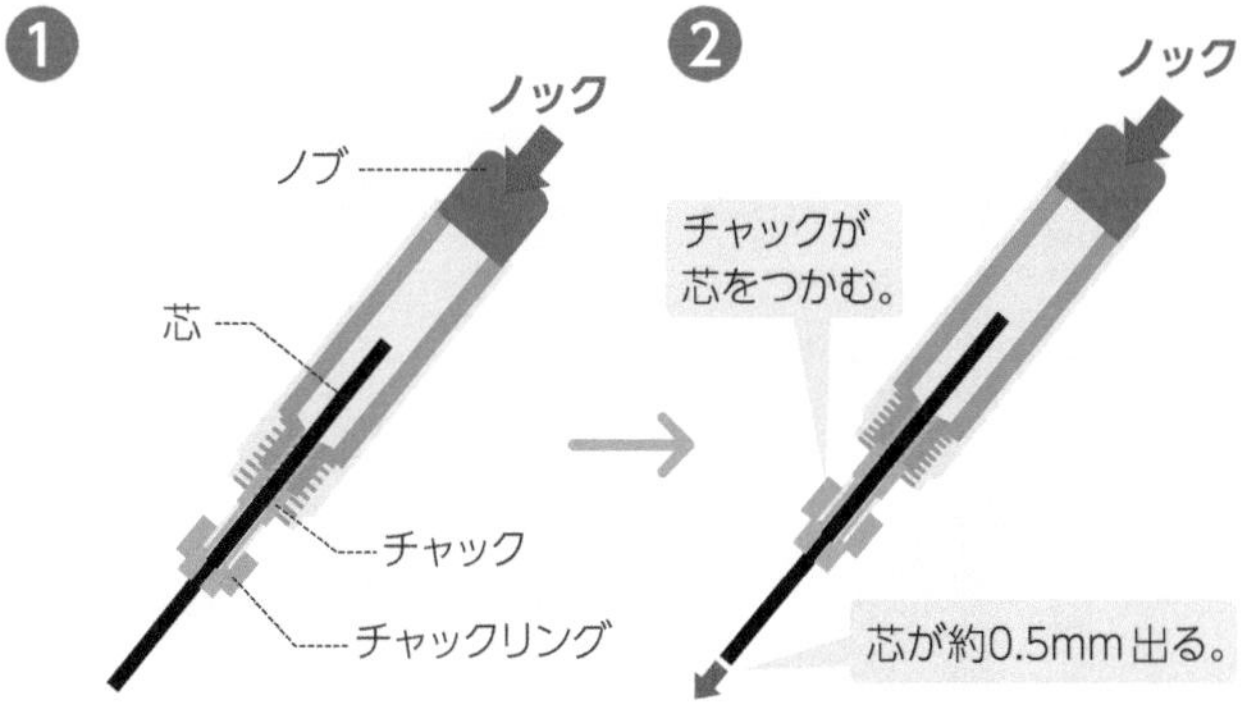
1
ノック
ノブ
芯
チャック
チャックリング
2
ノック
チャックが
芯をつかむ。
芯が約0.5mm出る。

指でノブを押してノックする。

芯を運ぶ役割のチャックにつかまれた芯が、約0.5mm前進する。

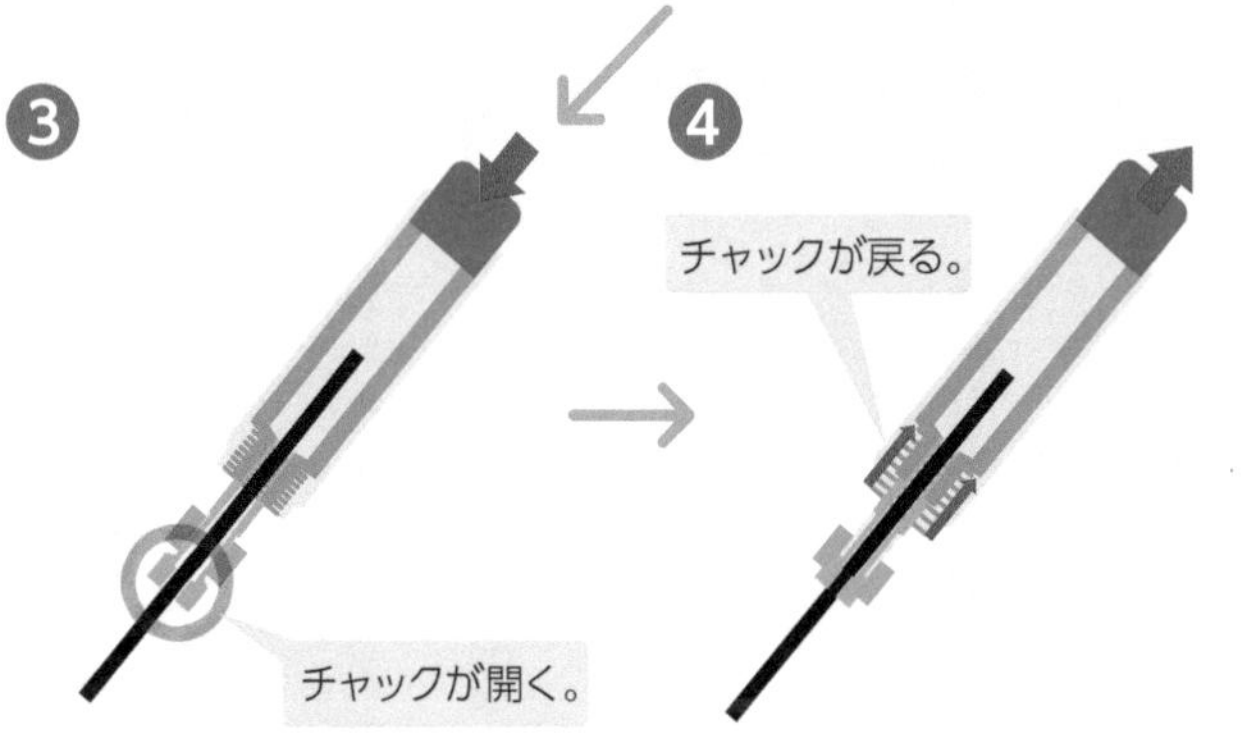
3
チャックが開く。
4
チャックが戻る。

ノブを押し切ると、チャックが開いて芯が停止する。

ノブから指を離すと、スプリングの力でチャックは元に戻る。

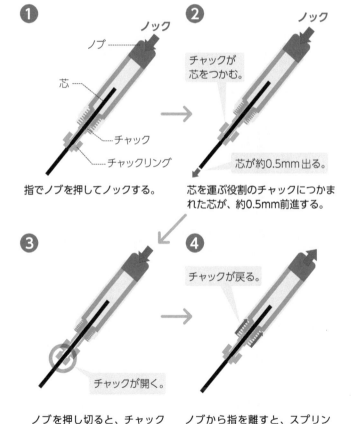

指でノブを押す（ノックする）と、チャックが芯を捕まえて押し出す。押し切るとチャックが開き、一定の長さ以上は芯が出ない。ノブが戻る際は先端にあるゴム製の保持チャックが芯を捕まえ、芯が戻ることはない。これら**摩擦《まさつ》力の絶妙のバランスで、芯のコントロールがなされている**のである。

余談だが、ノックすると出る「カチカチ」は、中のチャックリングが弾《はじ》かれて壁にぶつかる音である。チャックリングはチャックの動きをガードし、芯をつかむ手伝いをする。このリングが金属性の場合にはいい音がする。

シャープペンの芯（略してシャー芯）は、発売当初、直径が1ミリメートルを超えていたという。ふつうの鉛筆の芯が用いられたからだ。鉛筆の芯は粘土と黒鉛《こくえん》でできているため、あまり細くはできない。だが、現在のシャープペンの芯は0・5ミリメートル以下と細い。この細さを実現したのが、**プラスチック樹脂《じゅし》と黒鉛を原料に用いた芯（樹脂芯という）**である。細い芯に整形して焼き固めてつくり、完成後はプラスチックが炭素化するので、炭素ほぼ100パーセントの強い芯ができあがることになる。このとき練り合わせるプラスチックの量で、芯の硬さが決まる。

芯ガイドの構造

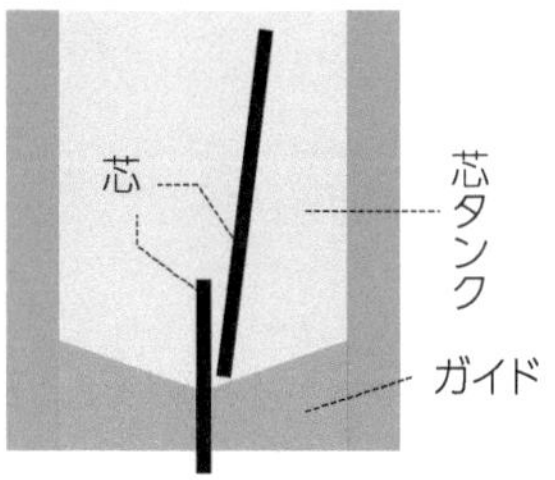
芯
芯タンク
ガイド

芯を連続的に繰り出す芯ガイドの穴径は1本の芯径よりも大きく、2本分の芯径よりは小さく設計されている。そのため、シャープペンの芯はちゃんと1本ずつ繰り出されるのだ。

シャープペンの芯のつくり方

シャープペンの芯の製造方法は、鉛筆の芯とは異なる。粘土ではなくプラスチック樹脂を混ぜて焼き上げ（たくさん混ぜると軟らかい芯ができる）、油を染み込ませることで滑らかさを実現。こうすることで、細くても折れず、滑らかな書き心地の芯ができる。

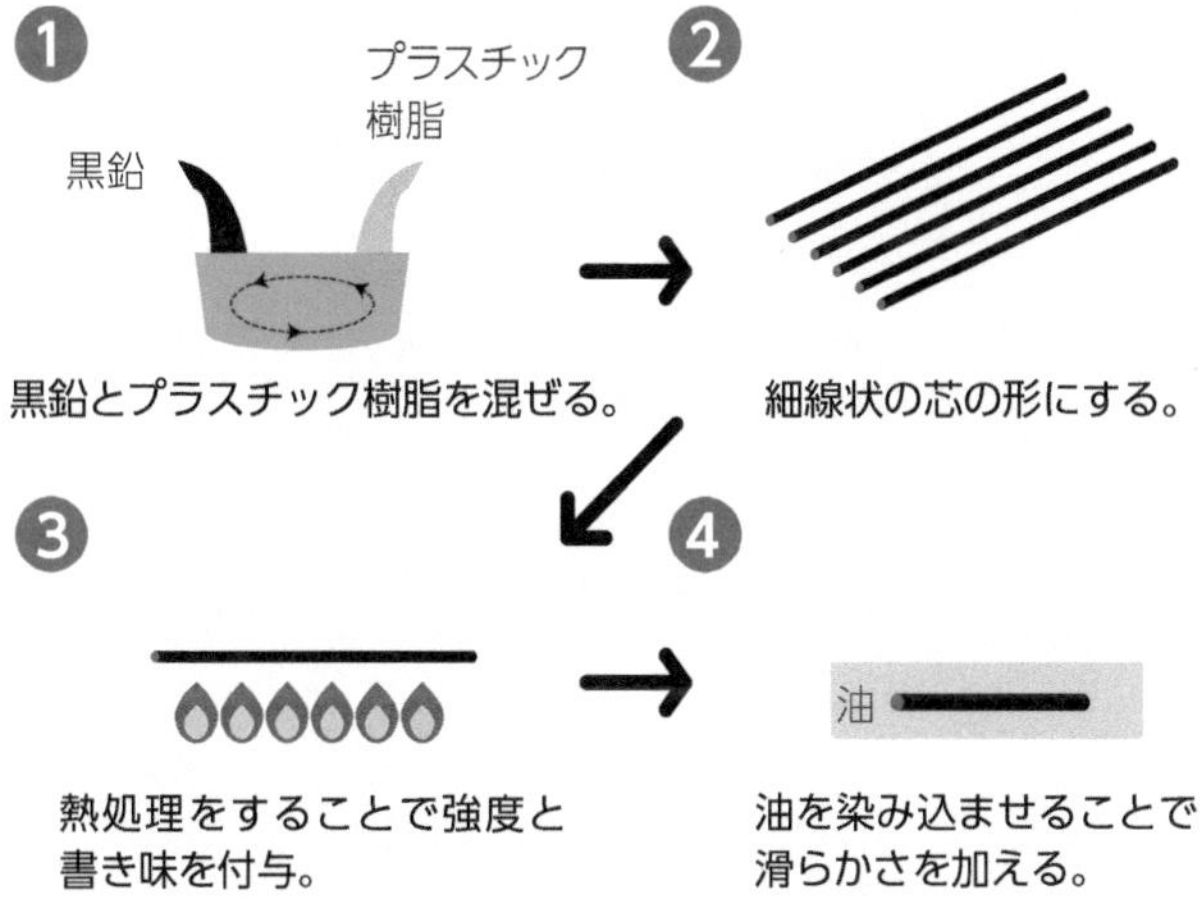
❶
プラスチック樹脂
黒鉛
黒鉛とプラスチック樹脂を混ぜる。
❷
細線状の芯の形にする。
❸
熱処理をすることで強度と書き味を付与。
❹
油
油を染み込ませることで滑らかさを加える。

technology 090

消せるボールペン

ふだん、当たり前のように利用しているボールペンだが、いろいろな種類の製品が出回っている。それらの工夫を見てみよう。

文具店の筆記コーナーに立ち寄ると、色の鮮やかさと形の豊富さから、ついつい買いたくなってしまうのがボールペンである。その豊富さは外見だけではない。内部のインクや構造もバラエティーに富んでいておもしろい。

まずボールペンの基本構造を押さえておこう。ボールペンという名称が示すように、**先端には金属ボールが埋め込まれている**。それが筆の役割になってインクを紙に運ぶのだ。安価なボールペンでも、先端にはミクロ単位の加工が施《ほどこ》されている。一見頑丈《がんじょう》そうだがデリケートで、突いたり落としたりすると破損《はそん》するので注意しよう。

最初にも述べたように、ボールペンのインクや構造はバラエティーに富む。技術的には飽《ほう》

ボールペンのしくみ

ペン先に金属ボールがあり、それが回転することで、インクが繰り出される。

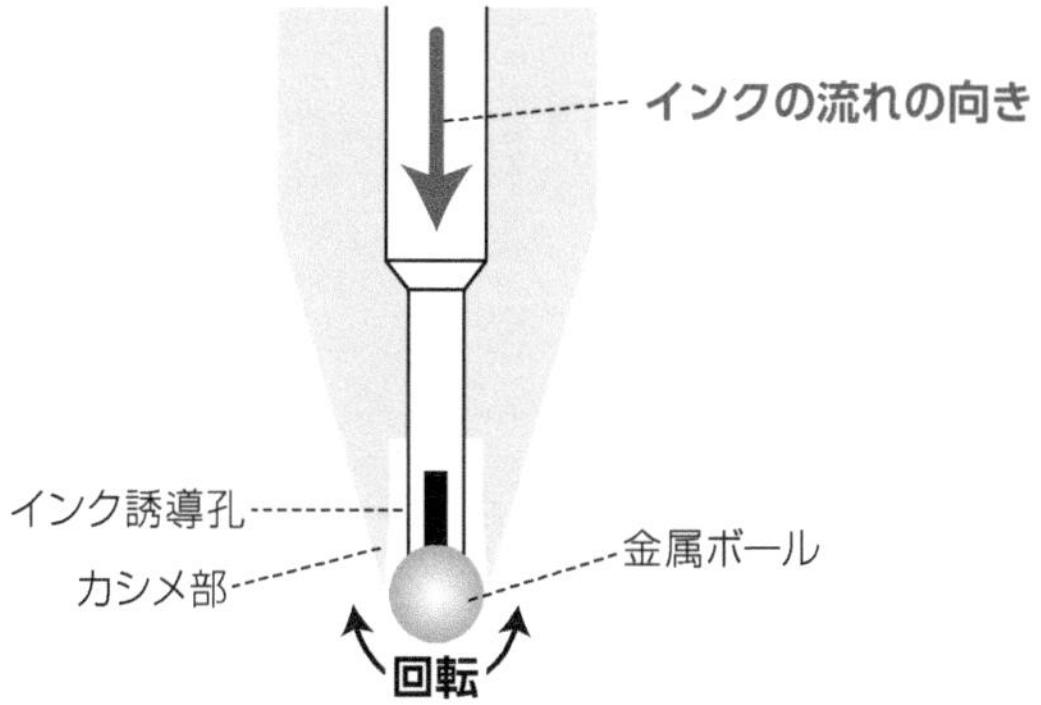
インクの流れの向き
インク誘導孔
カシメ部
金属ボール
回転

加圧ボールペンのしくみ

インクに圧力を加えることで、ボールとインクとのかい離を防ぐ。どんな持ち方でも、滑らかに字が書ける。

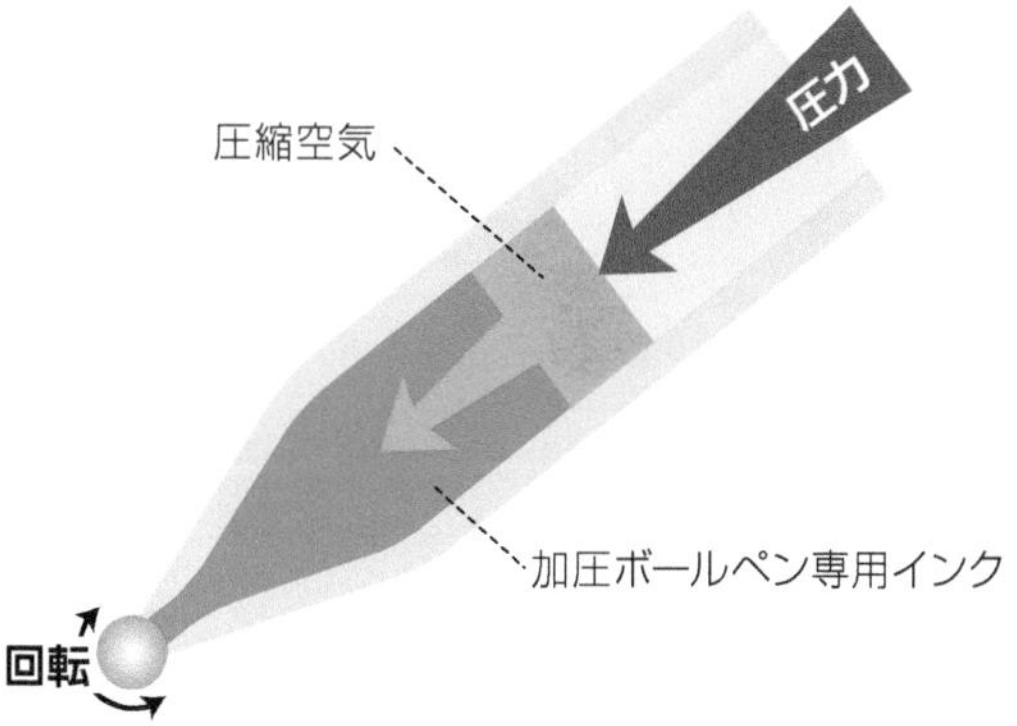
圧力
圧縮空気
加圧ボールペン専用インク
回転

和《わ》しているように見えるボールペンの世界だが、さまざまな工夫が新たに加えられている。

一例として加圧ボールペンを見てみよう。ふつうのボールペンは、芯《しん》を上に向けて書くとインクが出なくなってしまう。上に向けると自らの重みでインクが下がろうとし、**筆記中に空気を巻き込んでしまう**からだ。インクとボールとの間に空間ができると、字が書けなくなる。そこで、インクの芯の空気圧を高め、**常にインクがボールに向かうようにしたのが加圧ボールペン**である。これならば、上向き筆記をしても大丈夫である。

もう一つの例として消せるボールペンを見てみよう。その名の通り、消しゴムでこすると書いた文字が消せる不思議なペンである。その秘密は、消しゴムでこするときに発生する摩《ま》擦《さつ》熱にある。インクとしてロイコ染料、顕色剤《けんしょくざい》、変色温度調整剤を一つのマイクロカプセルに入れた顔料を用いている。摩擦で温度が上がると、発色していた顕色剤とロイコ染料の結合が分離する。こうして**ロイコ染料が本来の無色に戻り、インクの色が消える**のである。

このしくみは、小売店のポイントカードで利用されるリライトカードでも用いられている。また、ノーカーボン紙（410ページ）にも応用されている。

文字が消えるしくみ

「消せるボールペン」で書いた文字が消せる秘密は、ゴムでこするときに発生する摩擦熱にある。温度が60°C以上になると、発色していたロイコ染料が元の無色に戻るのだ。

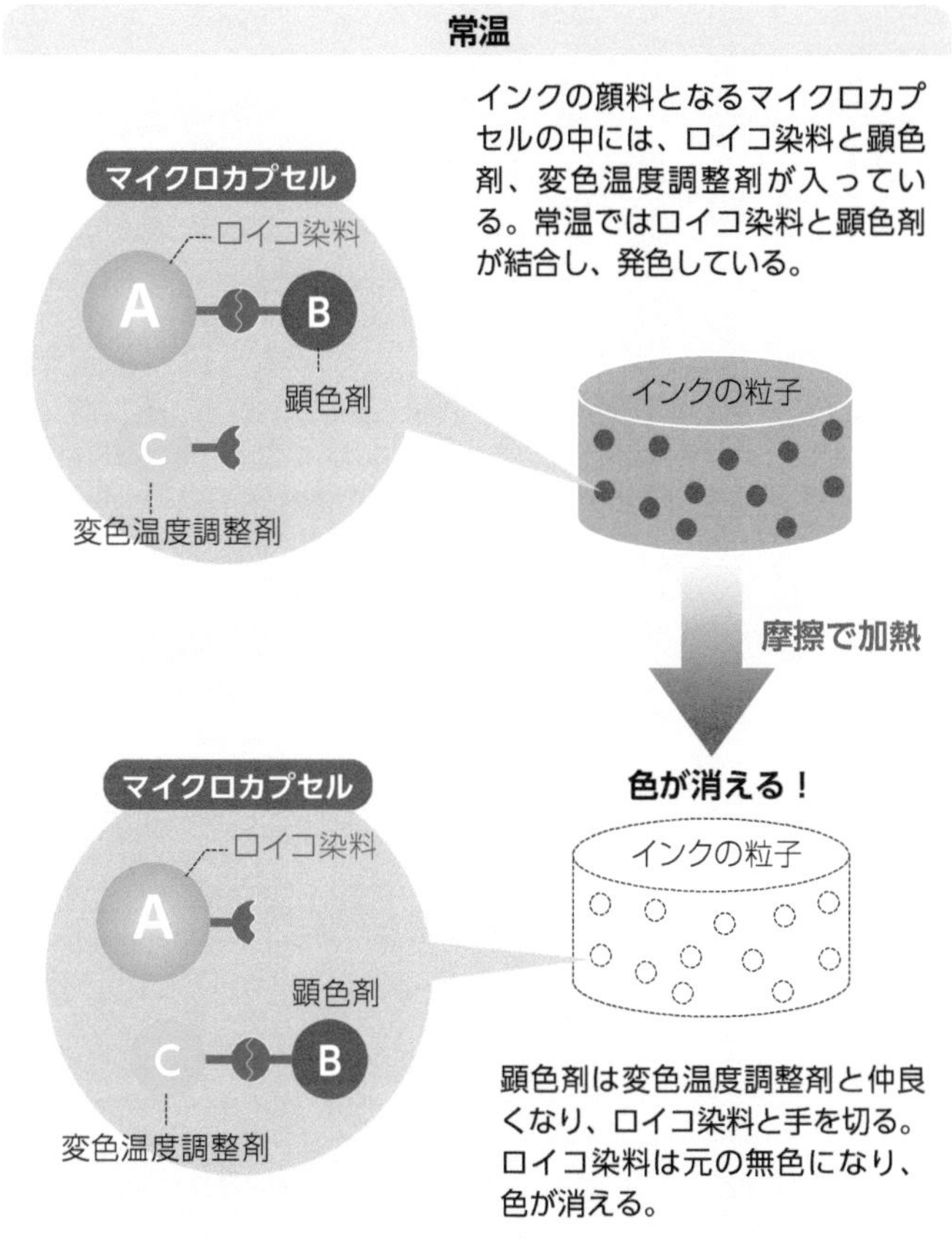
常温
インクの顔料となるマイクロカプセルの中には、ロイコ染料と顕色剤、変色温度調整剤が入っている。常温ではロイコ染料と顕色剤が結合し、発色している。
マイクロカプセル
ロイコ染料
A
B
顕色剤
C
変色温度調整剤
インクの粒子
摩擦で加熱
色が消える！
マイクロカプセル
ロイコ染料
A
顕色剤
C
B
変色温度調整剤
インクの粒子
顕色剤は変色温度調整剤と仲良くなり、ロイコ染料と手を切る。ロイコ染料は元の無色になり、色が消える。

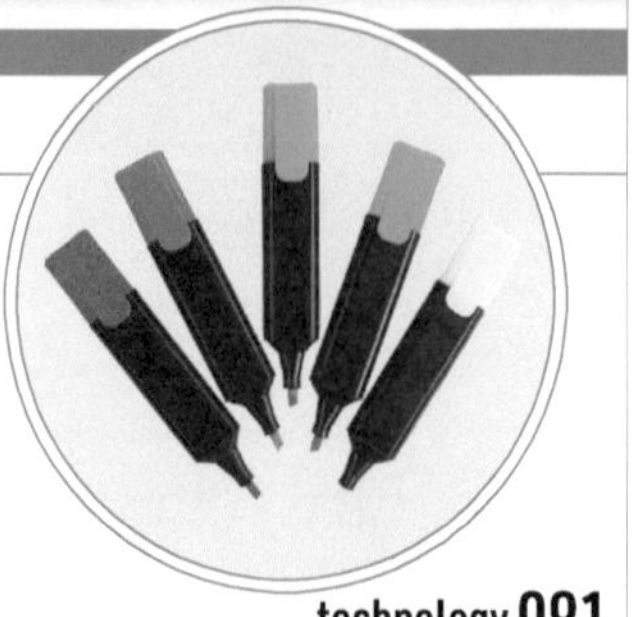

technology 091

蛍光ペン

1970年代初めに開発された蛍光ペン。多くの人のペンケースに1本は入っているという人気商品に成長している。

発売当初、見たことのない鮮やかさと透明感を持つ蛍光ペンのインクの色に人々は感銘を受けた。それから半世紀、ペンケースに1本は入っている定番商品に成長している。

蛍光ペンのインクはなぜ光って見えるのだろう。それはインクの中に蛍光物質が含まれているからだ。蛍光物質とは、**外の光を浴びて吸収し、固有の色に変換して光る物質**である。その光を蛍光という。蛍光ペンのインクが明るく見えるのは、この**蛍光のぶんだけ光が増えるから**だ。

身近なところでは、蛍光物質は蛍光灯に利用されている。蛍光管の内側に塗られ、管の中で放射される紫外線を可視光《かしこう》に変換している。

蛍光物質が発光するしくみ

光を浴びて高いところに上がった電子が、少しエネルギーを捨てて元の位置に戻る。この光が蛍光だ。蛍光物質が発光するしくみを見てみよう。

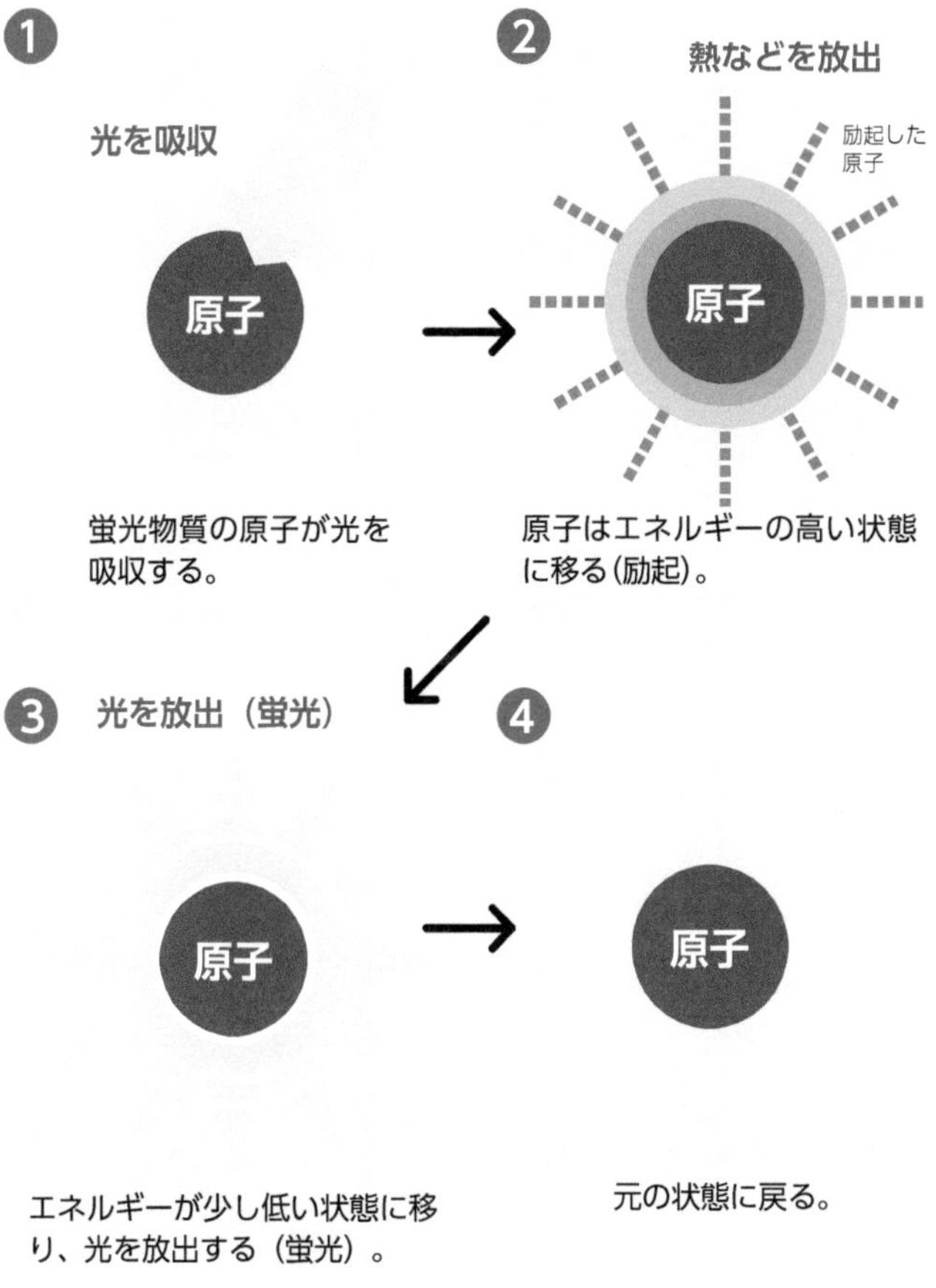
1
光を吸収
原子
蛍光物質の原子が光を吸収する。
2
熱などを放出
励起した原子
原子
原子はエネルギーの高い状態に移る（励起）。
3
光を放出（蛍光）
原子
エネルギーが少し低い状態に移り、光を放出する（蛍光）。
4
原子
元の状態に戻る。

また、LED《エルイーディー》照明でも利用されている。そこには青色発光ダイオードが使われているが、普及型の場合、青の光の一部は蛍光物質に吸収され、黄色の光に変換される。**この黄色の光が元の青の光と混じり、白色になる**のだ。

蛍光という言葉からホタルを連想し、自らが光ると誤解する人が多い。しかし、蛍光物質は自ら光ることはない。また、蛍光物質を含む塗料を蛍光塗料と呼ぶが、これも夜光塗料と混同されやすい。**夜光塗料は光を蓄積（蓄光《ちっこう》）する。**夜光塗料が塗られた場所は蓄光によって暗所でも光る。時計の文字盤に利用されているので有名だ。

蛍光ペンで書いても下の文字が透けて見えるのは、サインペンに比べてインクの中の顔料や染料の量が少ないから。水彩絵の具を薄めて塗ると、画用紙の地が透けるのと同じ原理だ。

では、蛍光とまぎらわしい「ホタルの光」は何が光っているのだろう。ホタルが光るのは生物ルミネッセンスと呼ばれるもので、新世代テレビのパネルとして有名な有機EL《イーエル》（エレクトロルミネッセンス）のしくみと似ている。ある物質は電気や化学のエネルギーを受け取ると、特有な光に変換される。この現象をルミネッセンスと呼ぶが、**ホタルはそのような物質を体内で合成しているの**だ。

蛍光ペンのインクが光るしくみ

ふつうのインクと蛍光ペンのインクの違いを見てみよう。蛍光ペンのインクが明るく感じられるのは、反射光以外に蛍光の援軍を得ているからだ。

黄色のふつうのインク

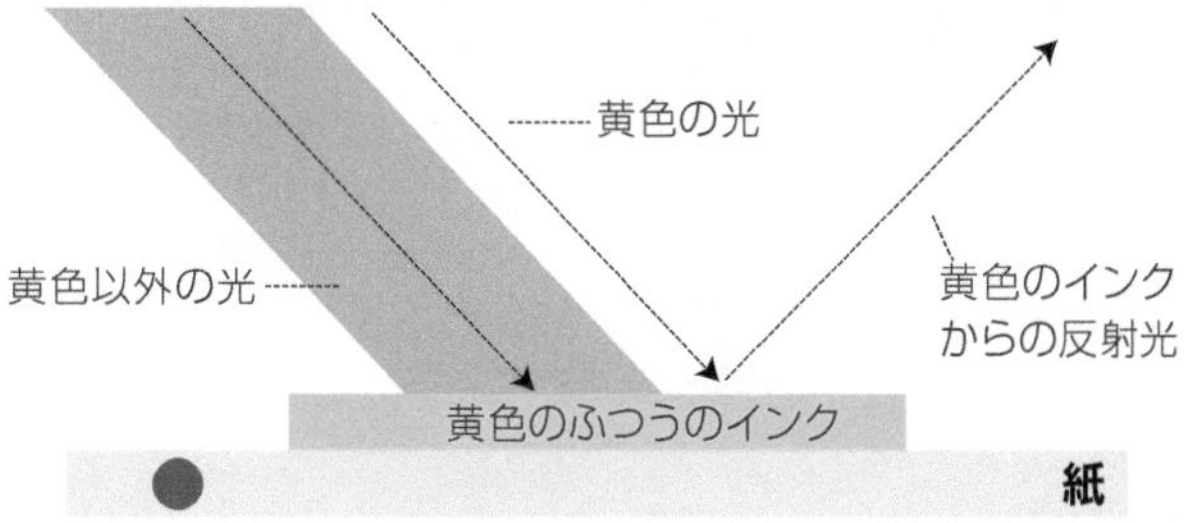
黄色の光
黄色以外の光
黄色のインクからの反射光
黄色のふつうのインク
紙

黄色の蛍光ペンのインク

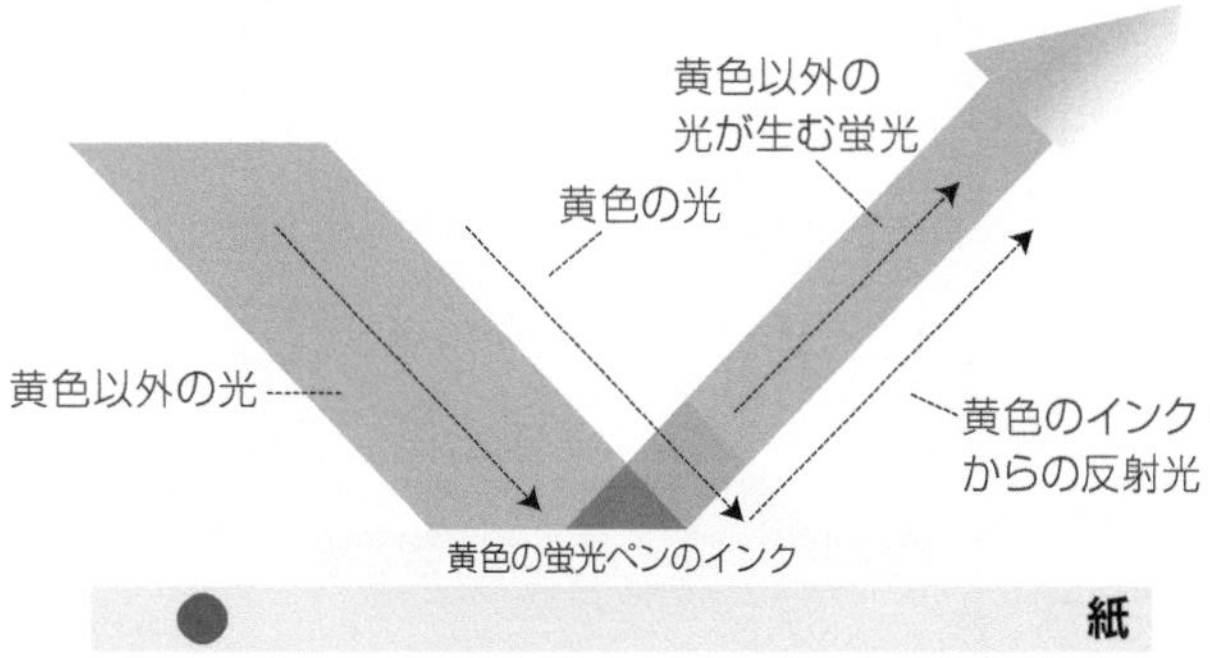
黄色以外の光が生む蛍光
黄色の光
黄色以外の光
黄色のインクからの反射光
黄色の蛍光ペンのインク
紙

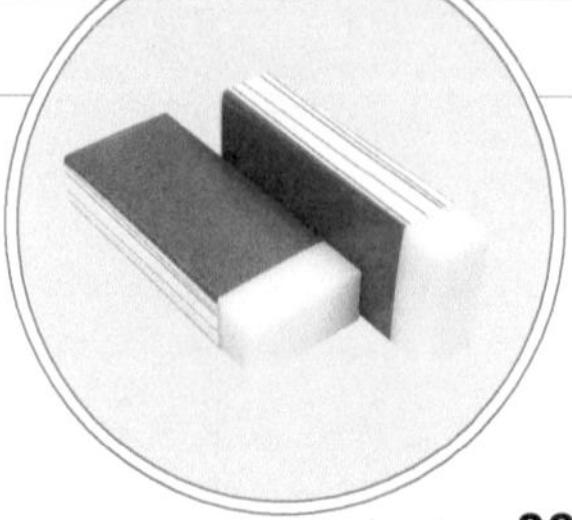

technology 092

消しゴム

消しゴムといっても、いまはゴムではなくプラスチック製のものが主流。そもそも、なぜ鉛筆の字は消しゴムで消せるのか。

最初の消しゴムは、1772年にロンドンで製品化されたという。一方、1564年に黒鉛が発見され、ほどなくそれを棒に挟んだ鉛筆が発明された。鉛筆の発見から消しゴムの発見までには大きなタイムラグがある。人類はベストの組み合わせを発見するのに、ずいぶんと時間を要したことになる。

さて、消しゴムで鉛筆の字が消せるのはなぜだろうか。その秘密は**黒鉛粒子《こくえんりゅうし》と紙との関係にある**。鉛筆で紙に書いた点や線は、紙の表面に黒鉛の粉末が付着しているだけの状態だ（367ページ）。そこで、こすって剥《は》ぎ落とせば字は消える。しかし、こするだけでは完全には消えない。拡散してしまうからだ。消しゴムは**黒鉛の粉末を中に絡め取り、消しくずとして**

消しゴムで文字が消せるしくみ

紙に書かれた文字が消しゴムで消せるしくみは、鉛筆とインクで異なる。鉛筆の場合は紙の上の黒鉛を絡め取り、インクの場合は紙の繊維ごと削っているのだ。

鉛筆の場合

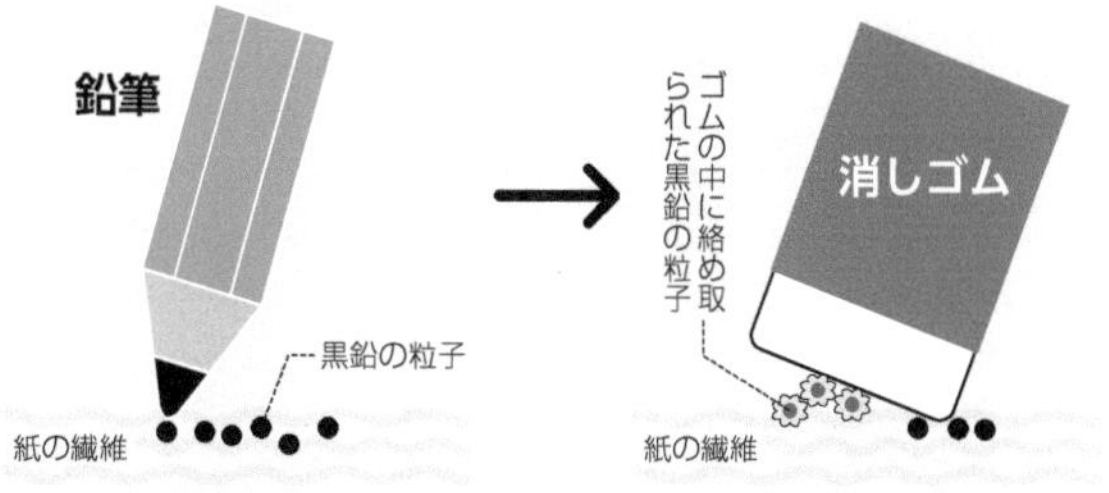

鉛筆で書いた字は、紙の繊維に黒鉛の粒子が付着している状態。

消しゴムで紙をこすることで、黒鉛の粒子を絡め取る。

インクの場合

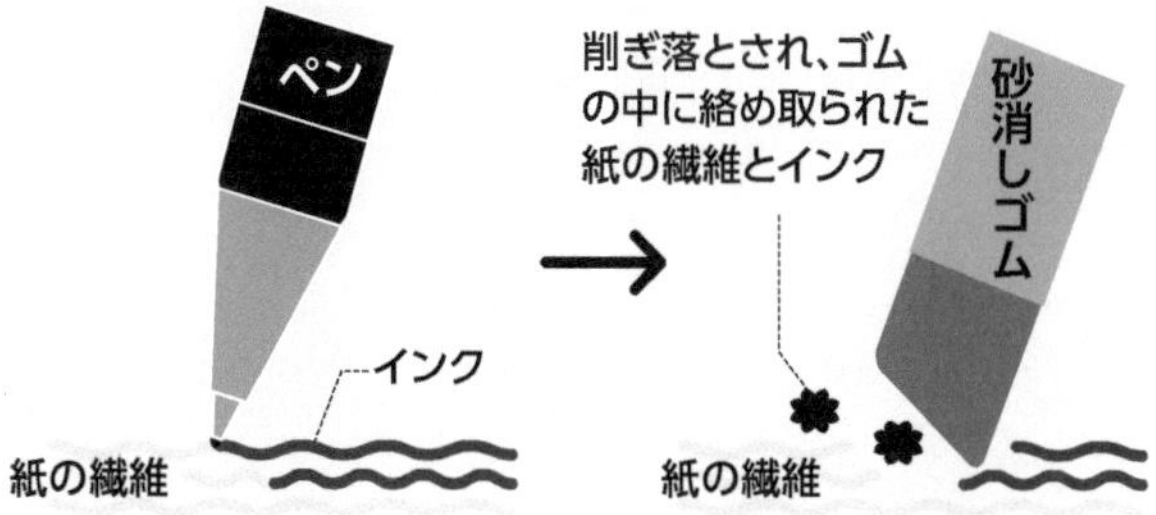

ペンで書いた字は、インクが紙の繊維に染み込んだ状態。

染み込んだインクを消すには、砂消しゴムで削ぎ落とすしかない。

まとめてくれる。これが消しゴムで鉛筆の字が消える秘密だ。

最近の消しゴムはプラスチックでできている。ゴムよりもよく消えるということで、急速にシェアを広げた。そこで、鉛筆の字を消すゴムやプラスチックは「字消し」と統一して呼ばれる。しかし、「消しゴム」のほうが通りがいい。

左ページにプラスチック消しゴムの製法を示したが、完成品は一つひとつ紙ケースに収められる。消しゴムのプラスチックは**接触すると、再結合してしまうから**である。

周知《しゅうち》のように、インクで書かれた文字は消しゴムでは消せない。インクの文字は紙の繊維《せんい》に染み込んでいるからだ。これを消すには砂消しゴムが必要となる。ゴムに含まれる砂で、**染み込んだインクを紙から削ぎ落とす**のだ。もっとも、最近は修正液や修正テープのほうが手軽で人気ではある。

近年、消しゴムにもさまざまな工夫が凝《こ》らされている。例えば「カドケシ」と命名された消しゴムは何度も新しいカドで消すことができ、細かいところを消すのにたいへん便利だ。また「ブラック消しゴム」と呼ばれるものは、黒いプラスチックを利用して、ゴム部分の汚れが目立たずきれいに使える。また、消しクズが黒く見やすいため、片づけも容易である。

プラスチック消しゴムのつくり方

プラスチック消しゴムの製造方法を見てみよう。消しゴムが紙のケースに収められるのは、プラスチックの再結合を防ぐためだ。

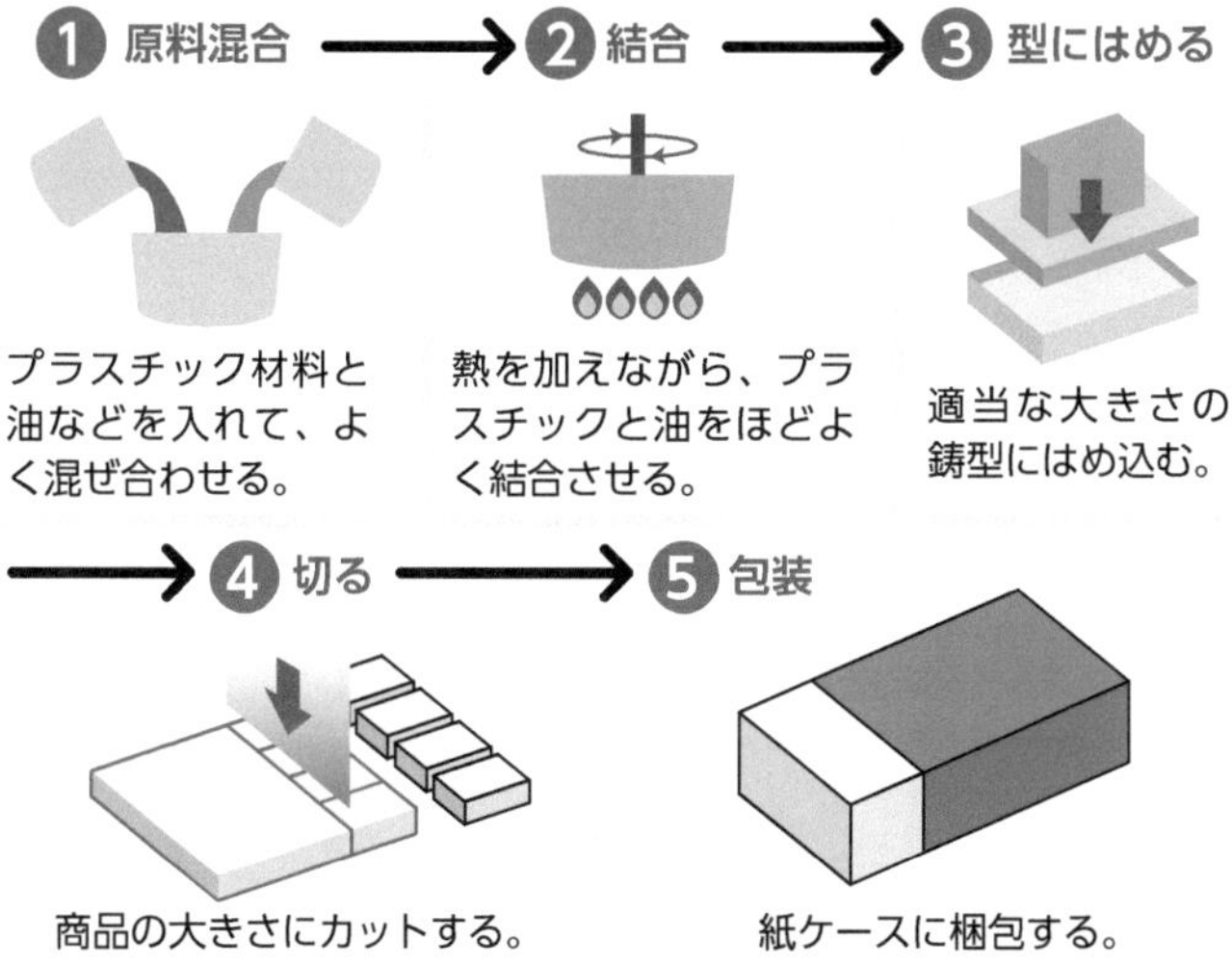

1 原料混合
2 結合
3 型にはめる
プラスチック材料と油などを入れて、よく混ぜ合わせる。
熱を加えながら、プラスチックと油をほどよく結合させる。
適当な大きさの鋳型にはめ込む。
4 切る
5 包装
商品の大きさにカットする。
紙ケースに梱包する。

消しゴムケースの角に切り込みがある理由

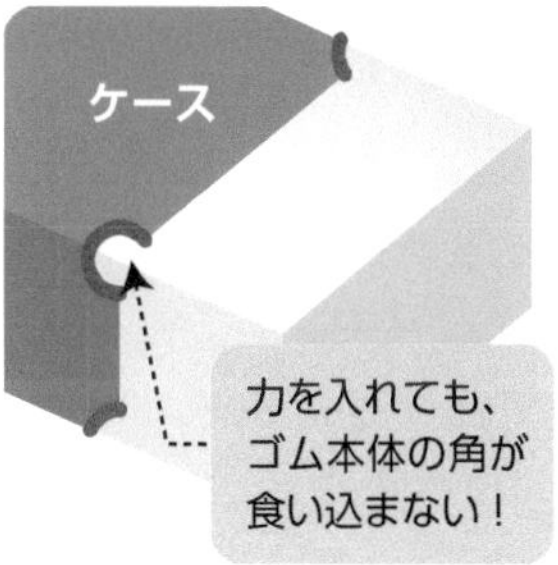

ケース
力を入れても、ゴム本体の角が食い込まない！

トンボ鉛筆の消しゴムをはじめ、消しゴムケースの角には切り込みが入れられていることがある。これは、強い力で消しゴムを押し当てた場合でも、消しゴム本体がケースの角に食い込むのを防止するための工夫だ。

technology 093

修正液

ボールペンで書いた文字を消すのに便利なのが修正液である。修正液の白は、日焼け止めに使われる酸化チタンだ。

インクで書いた文字やイラストを修正するのに便利なのが修正液。発売当初は刷毛《はけ》で修正箇所を塗りつぶすタイプが主であったが、現在ではペンタイプが一般的になっている。また、テープ形式も人気だ。

修正液の成分には、**溶剤としてメチルシクロヘキサンが、字を消すための白の顔料《がんりょう》として酸化チタンが、その顔料を固まらせるための固着剤としてアクリル系の樹脂《じゅし》**が利用されている。顔料の酸化チタンは重く、放置しておくと溶剤の中で分離して沈んでしまう。そこで、長く放置した修正液は、上部に透明の溶剤が集まり、使い物にならなくなる。そんなときは、使用前にキャップをしてよく振ることだ。ペンタイプの修正液には攪拌用《かくはんよう》の玉が入っていて、

修正液のつくり方

白い粉の主成分は酸化チタン。この白が紙の字を隠す。溶剤はすぐ乾くものが利用され、メチルシクロヘキサンという物質がよく使われる。樹脂は、乾いたとき、白い粉が紙に定着するためのもので、アクリル系樹脂などが利用される。

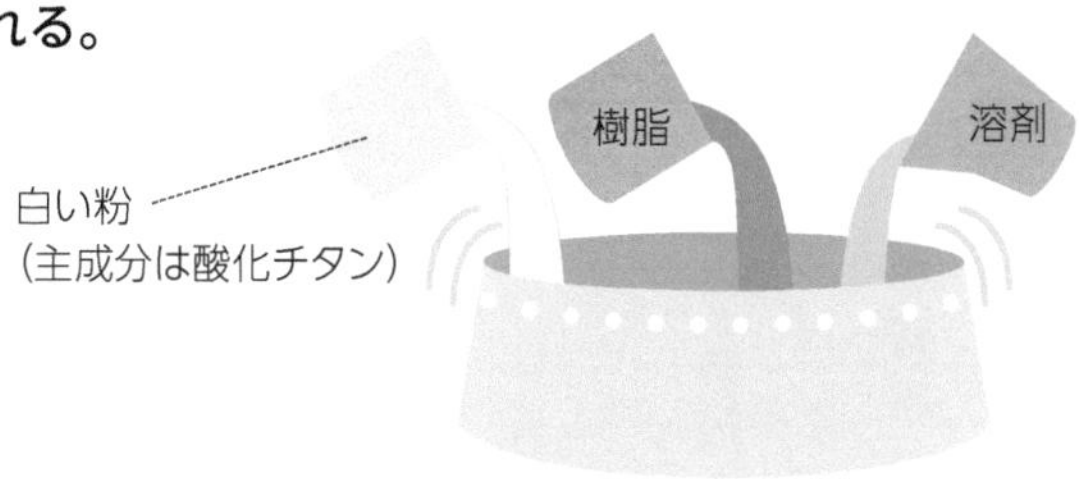
樹脂
溶剤
白い粉
（主成分は酸化チタン）

修正ペンのしくみ

修正液の成分の酸化チタンは溶剤と混ざりにくいので、よく攪拌させるために玉が入っている。使用前によく振るのはこのためだ。

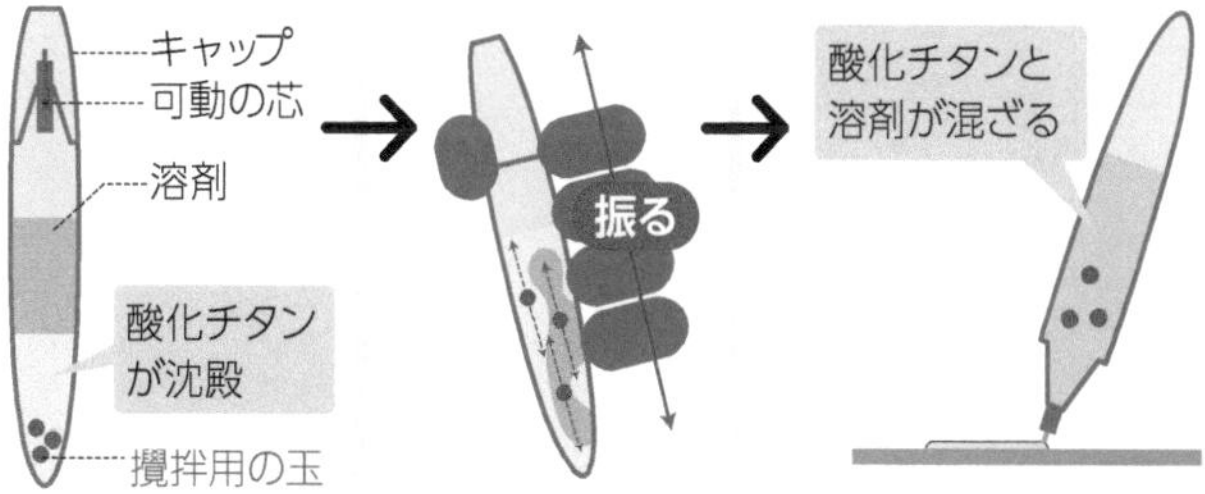
キャップ
可動の芯
溶剤
酸化チタンが沈殿
攪拌用の玉
振る
酸化チタンと溶剤が混ざる

使用していない修正ペンの内部は、酸化チタンが沈殿している。このまま使うと溶剤と混ざらず、文字が消せない。

修正ペンを振ると、球が溶剤と酸化チタンを攪拌する。

酸化チタンと溶剤が混じった状態になり、キレイに文字が消える。下向きで保管すると酸化チタンが固まり、修正液が出なくなるので注意。

振るとカタカタ鳴る。よく鳴らしてから利用しよう。

修正液で注意すべきことは、消す文字を書いたインクとの相性だ。相性が悪いと、消したい文字のインクが浮き出て、かえって汚くなってしまう。使う前に相性を確認しておきたい。

日常生活の中で「白」はすべての色の基礎となっているが、**酸化チタンにまさる白はない**といわれる。そこで、修正液では酸化チタンが白の顔料として利用されている。絵の具でも白の顔料としては酸化チタンがよく用いられる。余談だが、酸化チタンは多少高価なので、安価な絵の具には酸化亜鉛がよく代用されている。

「酸化チタン」という言葉には、文具以外でも聞き覚えのある人も多いと思う。化粧のファンデーションや日焼け止めクリーム、抗菌《こうきん》剤に利用されているからだ。酸化チタンには不思議な性質があり、**光に当たると分解作用や親水作用の触媒《しょくばい》として働く**。

触媒とは、自らは変化せずにほかの化学変化を促進する性質を持つ物質のこと。光の作用で触媒作用が生まれるものを光触媒と呼ぶが、酸化チタンはその代表だ。「掃除不要のトイレ」「汚れない塗装」「曇らない鏡」などの材料として、その性質は多様な分野で活用されている。

修正テープの構造

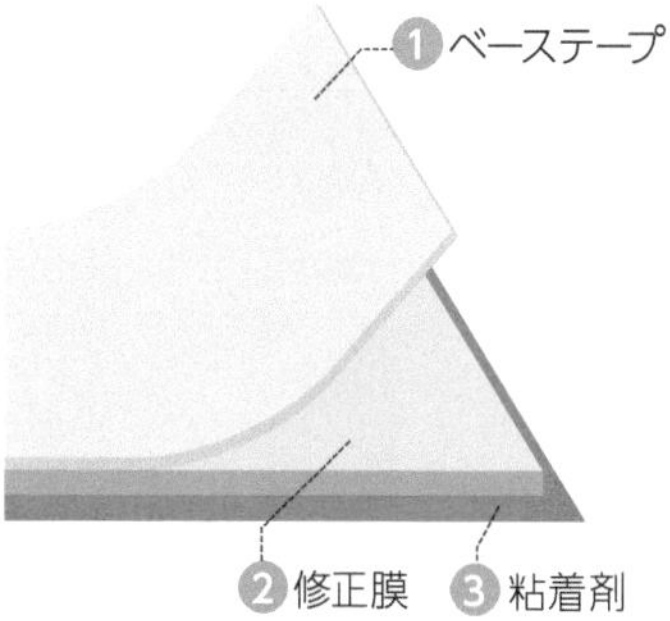
❶ベーステープ
❷修正膜
❸粘着剤

修正テープは3層からなる。ベーステープは修正膜と粘着剤をのせるもので、紙やプラスチックフィルムが用いられている。修正膜は修正液と似たものが利用される。粘着剤は修正膜を修正する紙に接着させる。

修正テープ本体の内部構造

基本的には2つのリールとヘッドからできている。使用済みテープを巻き取るリール上のテープは、紙に白インクと糊を接着したあとなので、生テープのリールより多少薄い。

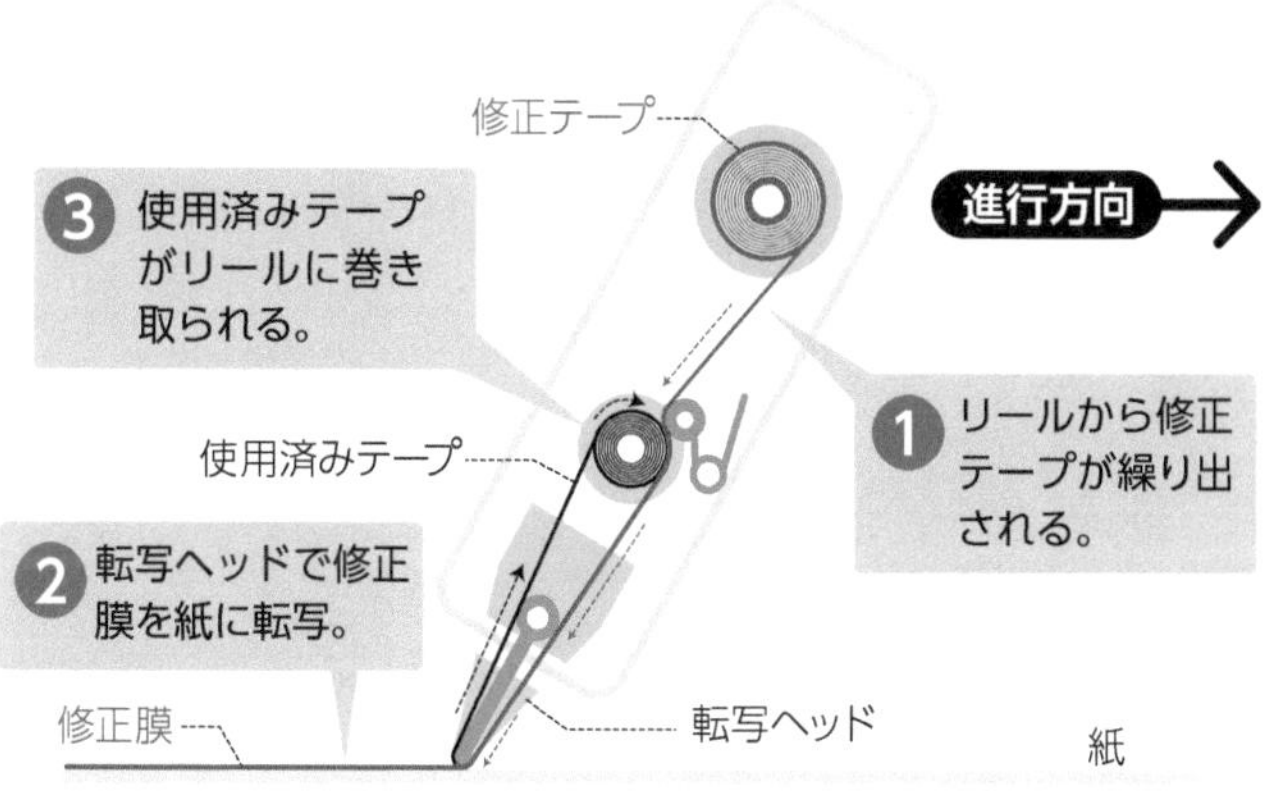
修正テープ
進行方向
❸使用済みテープがリールに巻き取られる。
❶リールから修正テープが繰り出される。
使用済みテープ
❷転写ヘッドで修正膜を紙に転写。
修正膜
転写ヘッド
紙

technology 094

瞬間接着剤

モノを壊したときの力強い助っ人が瞬間接着剤。瞬く間に壊れた部分を貼りつけてくれる。その瞬間の秘密は水分にある。

瞬間接着剤がモノを瞬間的に接着するしくみを調べる前に、接着剤の基本を知っておこう。

接着剤は液体であり、接着対象の二つの表面に広がりなじんで分子レベルで結合する。そして、乾燥して固化することでしっかりと2面をくっつける。このしくみからわかるように、**接着剤は最初は液体、そして塗ったあとは固体になる**。

接着の時間を大きく決定するのは液体の固化である。瞬間接着剤はこの「固まる」動作が一瞬の接着剤なのだ。では、どうやって一瞬で固化するのか。秘密は空気中の水分にある。**空気中の水分に触れると瞬間的に固まる物質を、瞬間接着剤は利用している**のだ。

ふつうの生活の環境では、常に空気中に湿気があり、モノの表面はわずかながら湿ってい

瞬間接着剤のしくみ

文字通り、モノを“瞬間的”に接着してくれる瞬間接着剤。液体が瞬時に固化する秘密は、空気中の水分にある。

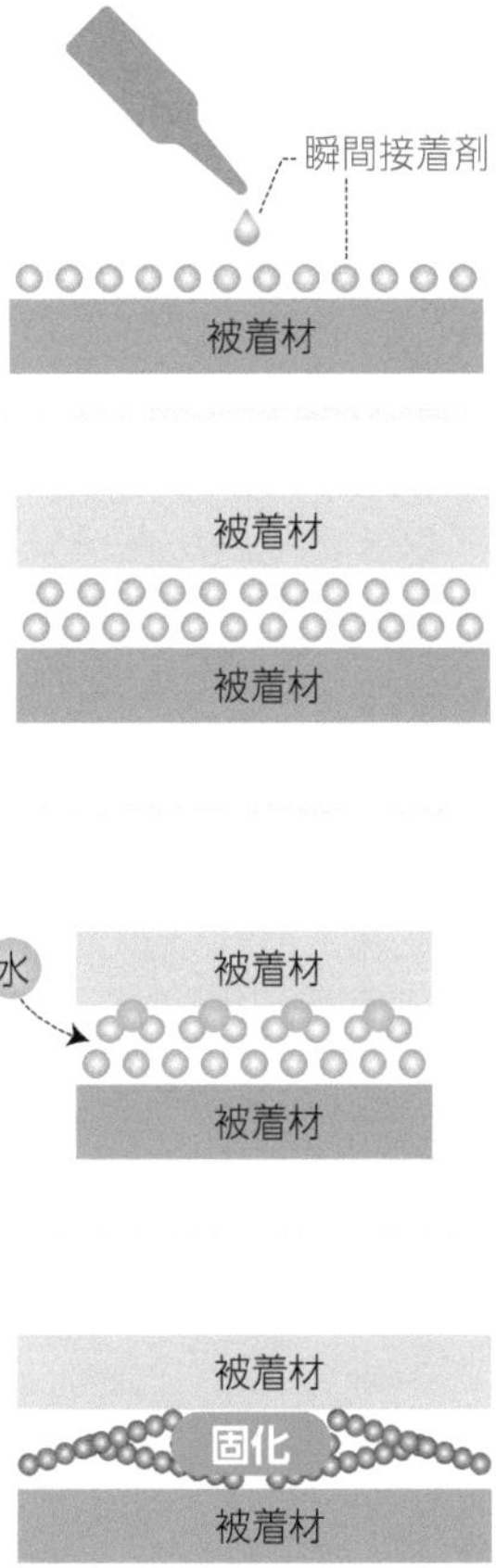
瞬間接着剤
被着材
被着材
被着材
水
被着材
被着材
被着材
固化
被着材

❶ 瞬間接着剤を塗る。液体の接着剤は被接着面に広がり、しっかりとなじむ。

↓

❷ 2枚の被接着面を合わせる。

↓

❸ 被接着面上の水分や空気中の水分に瞬間接着剤が反応し、急速に固化する。有機化合物のシアノアクリレートなどがこの性質を持つ。

↓

❹ 接着剤が固まり、2面は接着される。

る。瞬間接着剤はそのわずかな水分をきっかけとして、一瞬にして固まってしまうのだ。

瞬間接着剤の代名詞になっているアロンアルファでしくみを見てみよう。**主成分はシアノアクリレートと呼ばれる物質**だ。この物質にはまさに先ほど述べた「水分に触れると固まる」という性質がある。通常は液体の状態で分子がバラバラの分子（モノマー）になっているが、空気中の水分に触れると瞬間的に分子同士が手をつなぎ、固まって固体（ポリマー）になる。こうして瞬間接着が可能になるのである。

この水分に相当するものを化学の世界では触媒《しょくばい》と呼ぶ。化学反応の速度を速めるが、自らは反応しない物質のことだ。化学工業の世界で、触媒はとても重要である。モノをつくるときに時間の尺度が重要だからだ。早く製造できなければ、いくらいい製品でも工業的には意味がない。そこで触媒が利用されるのである。

身のまわりの触媒として有名なものに、灰がある。**燃え残りの灰はそれ以上燃焼することはないが、燃焼を促進できる**のだ。

例えば、角砂糖はそのままでは火をつけても燃えないが、灰をまぶして火をつけると燃え始める。これが灰の触媒作用である。

ミクロで見た接着のしくみ

瞬間接着剤が固化するメカニズムを、ここでは「ミクロの視点」で見てみよう。

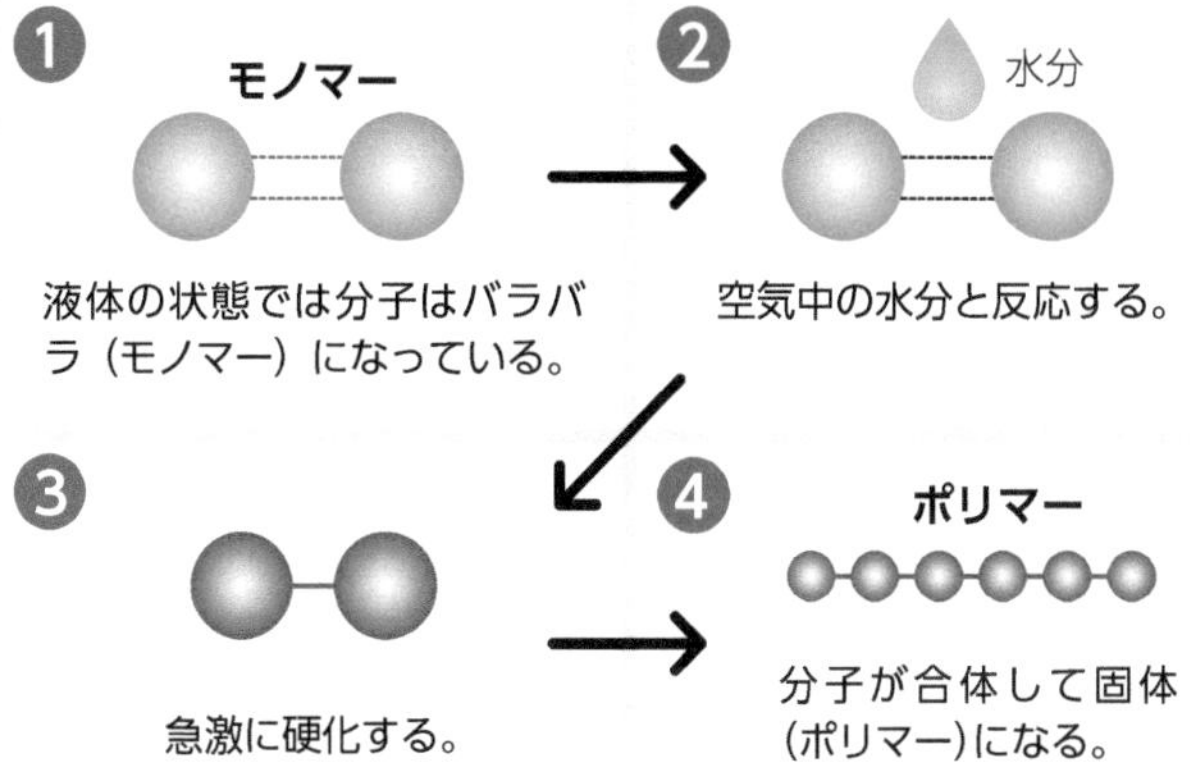

1
モノマー
液体の状態では分子はバラバラ（モノマー）になっている。
2
水分
空気中の水分と反応する。
3
急激に硬化する。
4
ポリマー
分子が合体して固体(ポリマー)になる。

灰の触媒作用

化学反応を早めるが、自らは反応しない物質のことを「触媒」という。下図のような角砂糖を用いた実験では、灰の中の炭酸カリウムが燃焼の触媒になっている。

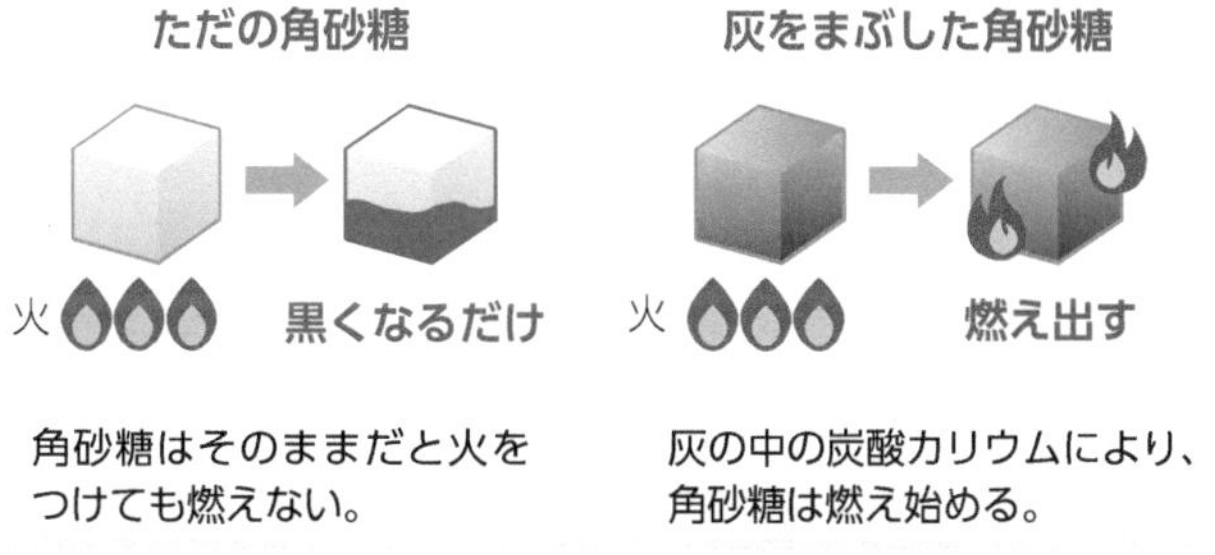

ただの角砂糖
火
黒くなるだけ
角砂糖はそのままだと火をつけても燃えない。
灰をまぶした角砂糖
火
燃え出す
灰の中の炭酸カリウムにより、角砂糖は燃え始める。

technology 095

付箋《ふせん》

覚書や学習のメモ書きなどに欠かせない付箋。机や本、ノートにもペタペタ貼れて、すぐに剝《は》がせるので便利だ。

付箋（粘着メモ）は、**米国3M《スリーエム》社の商標「ポスト・イット」**の名でもよく知られている。どうして何度もくっつき、きれいに剝がせるのか。この秘密を知るには、開発の歴史を辿るとわかりやすい。

いまから半世紀ほど前、接着剤を研究する3M社の研究者の一人が、開発の過程で剝がれやすい粘着剤を偶然作成した。接着剤の研究者としては、当然強く接着するものを期待し、「失敗作」と思ったが、気になって調べてみると、粘着剤の分子が球状になって均一に分散していることがわかった。**粘着剤の分子が球形となって並べば、くっつけたり剝がせたりする糊になることが発見された**のである。

付箋を貼って剥がせるしくみ

一度貼った付箋が簡単に剥がせるのは、糊となる粘着剤の構造が球状のため、被着体と接する面積が小さいからだ。

❶ 接着前

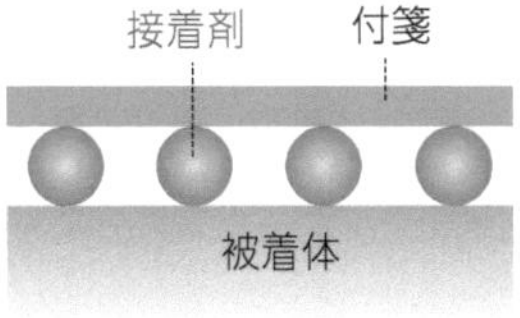

付箋を紙などの被着体に貼る前は、接着剤が球状になっている。

❷ 接着

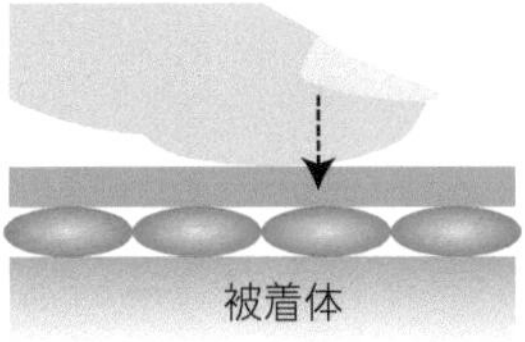

上から指で圧力を加えると、球が横に広がり被着体にくっつく。

❸ 剥がす

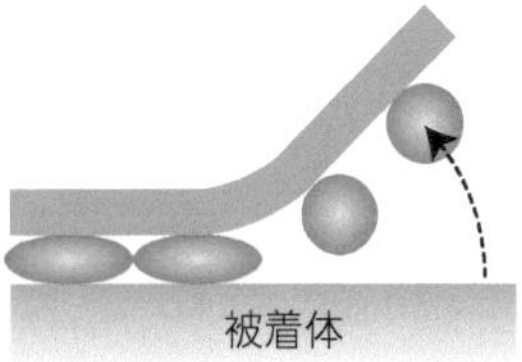

引っ張ると、糊が元の球状に戻ってきれいに剥がれる。

これには後日談がある。この粘着剤がすぐに付箋と結びついたわけではない。当初、使い道が不明で、3M社の社内でこの糊の用途を公募しても、企画が出なかったのだ。それから5年後、開発者とは別の研究員が合唱で歌う最中、挟んでいた栞《しおり》を落とした。このとき閃《ひらめ》いたのだ。「貼って剝がせる用紙があると便利」と。1974年、ポスト・イット誕生の瞬間である。

この**「貼って剝がせる」糊を利用した製品は、多方面で活躍している**。例えば、紙切れを付箋に変える「剝がせるスティック糊」や、ボードに画びょうやマグネットのように紙を掲示できる「粘着グミ」（「粘着画びょう」ともいう）がそうだ。また、文具以外でも利用されている。例えば掃除用具の「コロコロ」。くっついて剝がせるという付箋の粘着剤の性質を上手に生かした商品である。2種の粘着剤のついた円筒をコロコロ回転させることで、ゴミを吸着するしくみだ。

ちなみに、医療用にも「剝がせる」テープが販売されている。**皮膚が引っ張られにくく、剝がす際に傷口の痛みが軽減されるテープ**だ。お世話になった読者も多いだろう。このテープの糊は付箋とは異なり、シリコーンからできたものが利用されている。

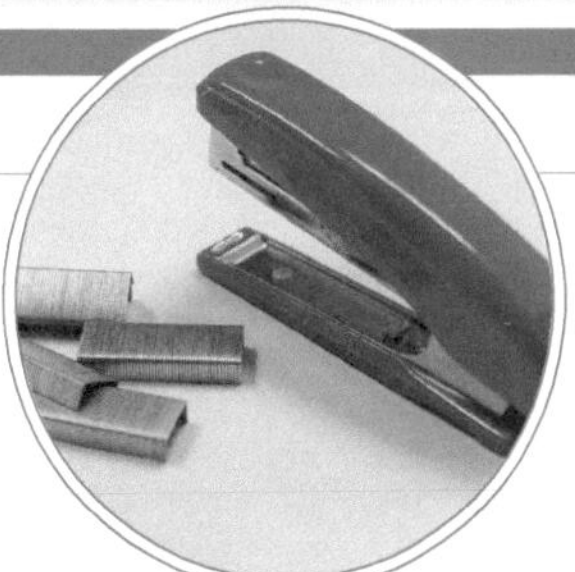

technology 096

ステープラー

書類綴《と》じの必須文具の一つがステープラーである。日本では「ホッチキス」と呼んだほうが通りがいいだろう。

小型のステープラーが日本で発売されたのは1952（昭和27）年。ホッチキスの商品名を冠されたこの文具は、またたく間に世に広まった。以来、ステープラーという一般名詞よりもこの商品名のほうが通りはいい。

ステープラーの基本的なしくみは、いまも昔も変わらない。金属加工でいうプレス加工を専用の針に施《ほどこ》しているのである。ドライバーと呼ばれる板の力で**クリンチャという金型部分に針が押しつけられ、メガネのような形に曲げられる。**こうして紙は綴じられるが、この一連の動作をクリンチと呼ぶ。

従来のステープラーでクリンチされた針はメガネの形をしていた。そのため、書類を綴じて何部も積み重ねると、**針の部分だけが厚くなって重ねづらい**。

そこで、フラットクリンチ（またはフラット綴じ）と呼ばれる針の曲げ方が人気を呼んでいる。ガイドの金属板を取りつけることで**針先がフラットに曲げられるようになったもの**で、おかげで綴じた書類を何部重ねても、書類を平らに置くことが可能になった。

ところで、針はどのように製造されるのだろうか。材料となる針金をメッキして針にしたあとに、意外かもしれないが、接着剤でくっつけて完成しているのである。クリンチするたびに接着された針が1本1本剝《は》がれていくのはそのためだ。

不要書類をリサイクルする際、「ステープラーの針取りが面倒」という嘆きも聞かれる。しかし、鉄針は再生紙をつくる際に邪魔にはならないという。古紙は水に溶かされドロドロになるため、**比重の重い鉄は簡単に除去される**からだ。ステープラーの針箱に「ホッチキス針は古紙の再生紙工程で支障ありません」と記載されているものがあるのは、これが理由だ。

普及してから〝還暦《かんれき》〟を過ぎたステープラーだが、最近になって革命が起こっている。針のいらないもの、針が紙のもの、そして何十枚も軽く綴じられるものなど、これまでになかった**新しいアイデアの新商品が次々と開発**されているのだ。

クリンチのしくみ

プレス加工で金型に金属を押しつけるように、ドライバーがクリンチャに針を押し込むようになっている。

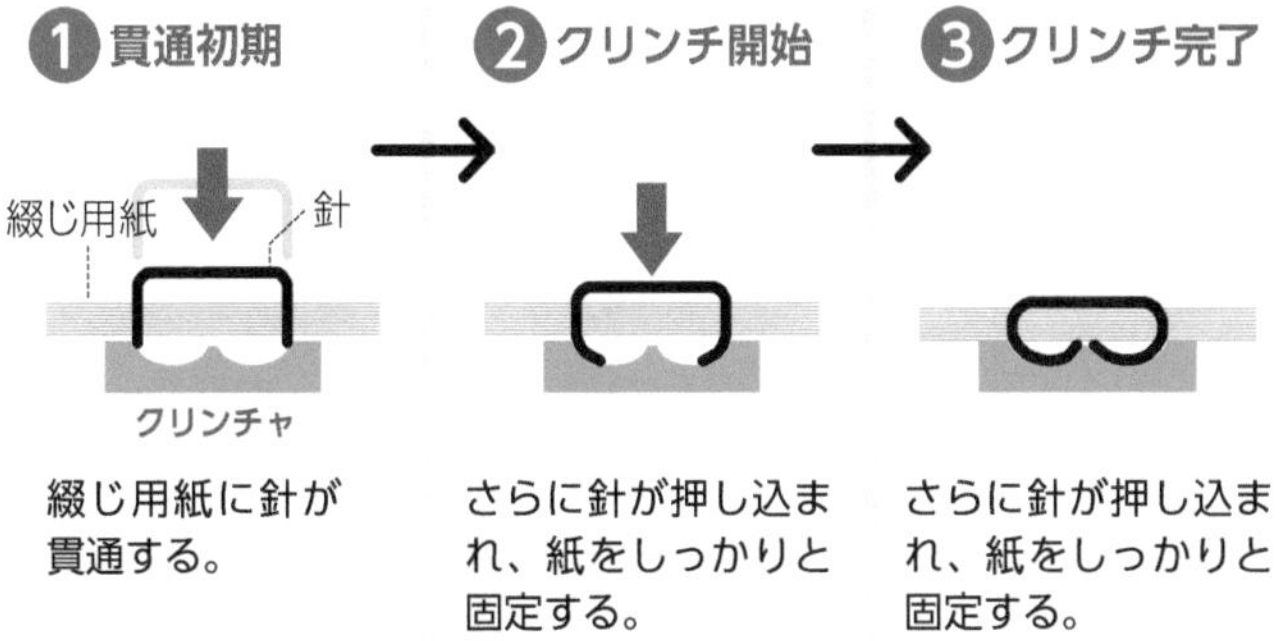
①貫通初期
②クリンチ開始
③クリンチ完了
綴じ用紙
針
クリンチャ
綴じ用紙に針が貫通する。
さらに針が押し込まれ、紙をしっかりと固定する。
さらに針が押し込まれ、紙をしっかりと固定する。

フラットクリンチのしくみ

従来のステープラーは針をクリンチャでメガネのような形に曲げていた。フラットクリンチは、針の曲げ方を文字通りフラット(平ら)にしたものだ。

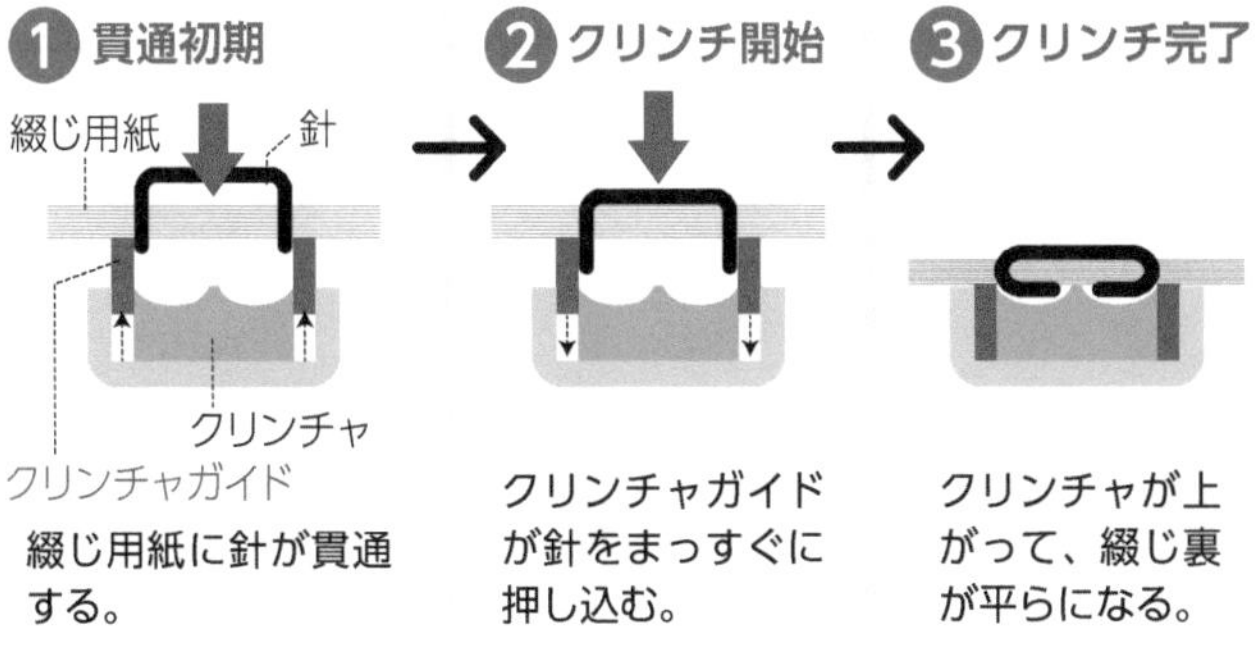
①貫通初期
②クリンチ開始
③クリンチ完了
綴じ用紙
針
クリンチャ
クリンチャガイド
綴じ用紙に針が貫通する。
クリンチャガイドが針をまっすぐに押し込む。
クリンチャが上がって、綴じ裏が平らになる。

technology 097

黒板

黒板と呼ばれているが、いまの黒板はグリーンがふつう。ところで、表面に字が書けるのはどうしてだろうか。

黒板は明治初期に輸入されたが、その名称は英語の「ブラックボード」の直訳である。実際、**昔の黒板の表面は黒かった**。昭和の中頃に表面の塗料が改良され、目に優しいグリーンの黒板が採用されるようになった。

チョークで文字が書ける秘密は黒板の表面の構造にある。表面は、ミクロに見ると細かく硬い凹凸《おうとつ》からできている。白い粉を固めてつくったチョークをこすりつけると、**剥《は》がれた粉が黒板表面の凹凸に残る**。その白粉が黒板の白い文字になるのだ。このしくみのおかげで、チョークの文字は黒板消しでふき取ることができる。これらは、紙に鉛筆で文字を書き、消しゴムで消せるしくみによく似ている。

黒板にチョークで書けるしくみ

黒板表面の塗装は、完全な平面ではなくザラザラしている。このザラザラがチョークの粉を削り取っている。

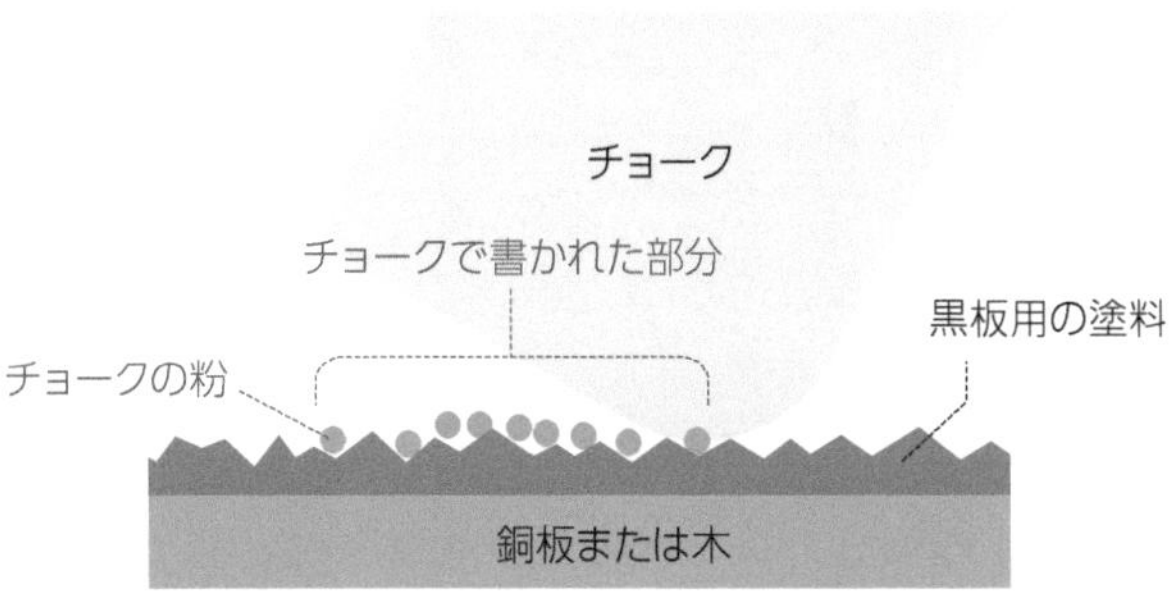

摩擦の原因

黒板の表面をミクロに見ると、黒板表面の塗装とチョークとの接触点で、凝着部分と掘り起こし部分が見られる。これが凝着摩擦と、掘り起こし摩擦の原因だ。

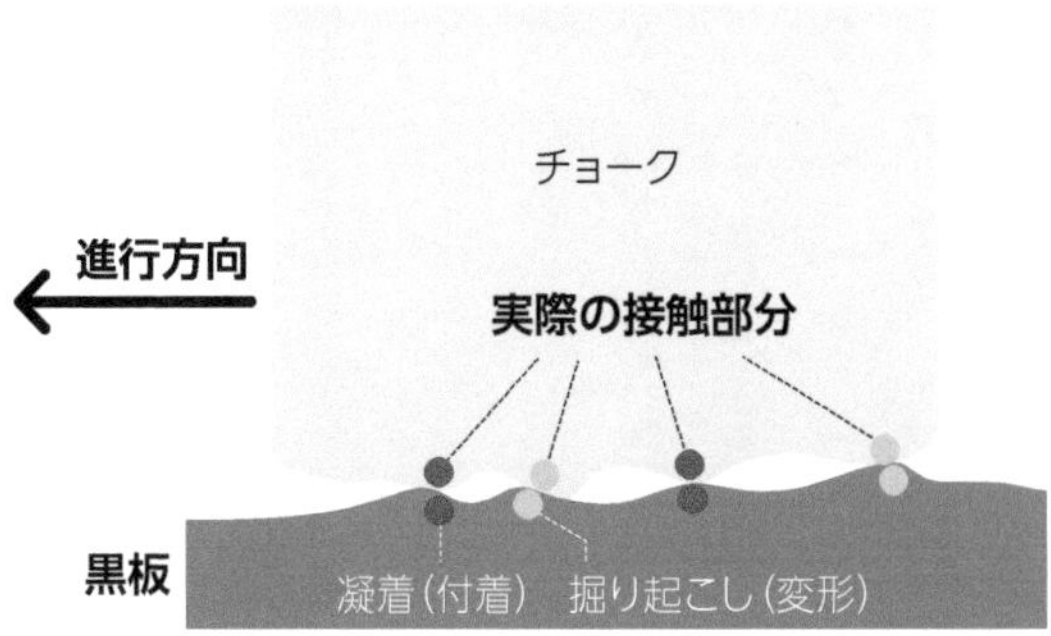

さて、チョークで黒板に書くときには、軽い摩擦《まさつ》の力を感じる。チョークのかたまりを粉末にするための摩擦力だが、この力の正体はなんだろう。摩擦は**接触する表面が付着すること による摩擦**（凝着摩擦《ぎょうちゃく》）と、**変形することによる摩擦**（掘り起こし摩擦）がおもな源泉である。チョークと黒板の関係はまさにこの2者の摩擦のしくみを具現化している。チョークと黒板の接触点で、チョークが黒板に付着したり（凝着摩擦）、黒板表面の凸部分から掘り起こされたり（掘り起こし摩擦）することで、文字が書けるのである。

次に、チョークについて調べよう。昔は白墨《はくぼく》とも呼ばれたが、石膏《せっこう》製の軟らかいものと炭酸カルシウム製の硬いものとに分類される。当初はフランスから輸入された石膏製が使われていたが、後にアメリカから炭酸カルシウム製チョークが渡ってくると、**石灰石《せっかいせき》を多く産する日本では、この炭酸カルシウム製が主流**になった。また、以前は捨てられていた貝殻や卵の殻も原料にできるので、炭酸カルシウムは自然にやさしいチョークにもなる。

ちなみに、黒板と似た役割を果たすものに「ホワイトボード」がある。そのしくみを示すのが左ページの図だ。マーカー書いた文字が布やスポンジで拭くと消えるのは、マーカーのインクに**顔料と樹脂のほか、剥離剤が混じり合っているから**である。

ホワイトボードマーカーには剥離剤が混じっている

ホワイトボードマーカーのインクには、溶剤(おもにアルコール)、顔料、樹脂のほか、剥離剤も混じり合っている。文字が簡単に消せる秘密は、この剥離剤にある。

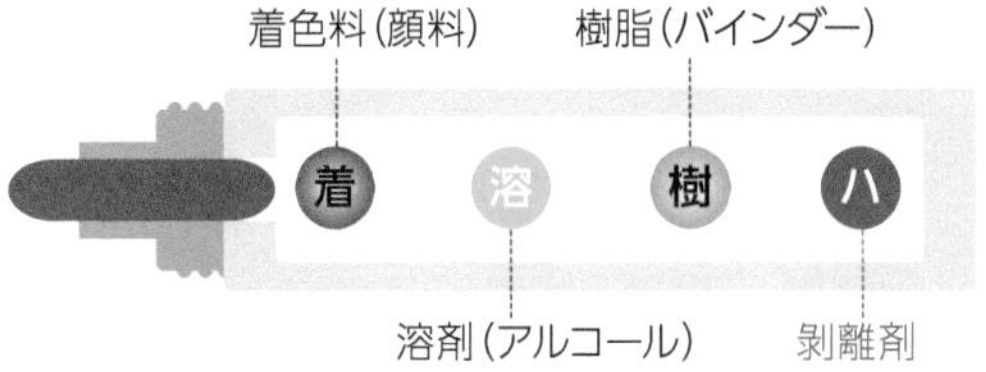
着色料(顔料)
樹脂(バインダー)
着
溶
樹
ハ
溶剤(アルコール)
剥離剤

ホワイトボードマーカーが消えるしくみ

ホワイトボードに文字を書いたあと、布やスポンジで拭くと文字が消える。これは、剥離剤のおかげで皮膜が「浮かんだ」状態になっているからだ。

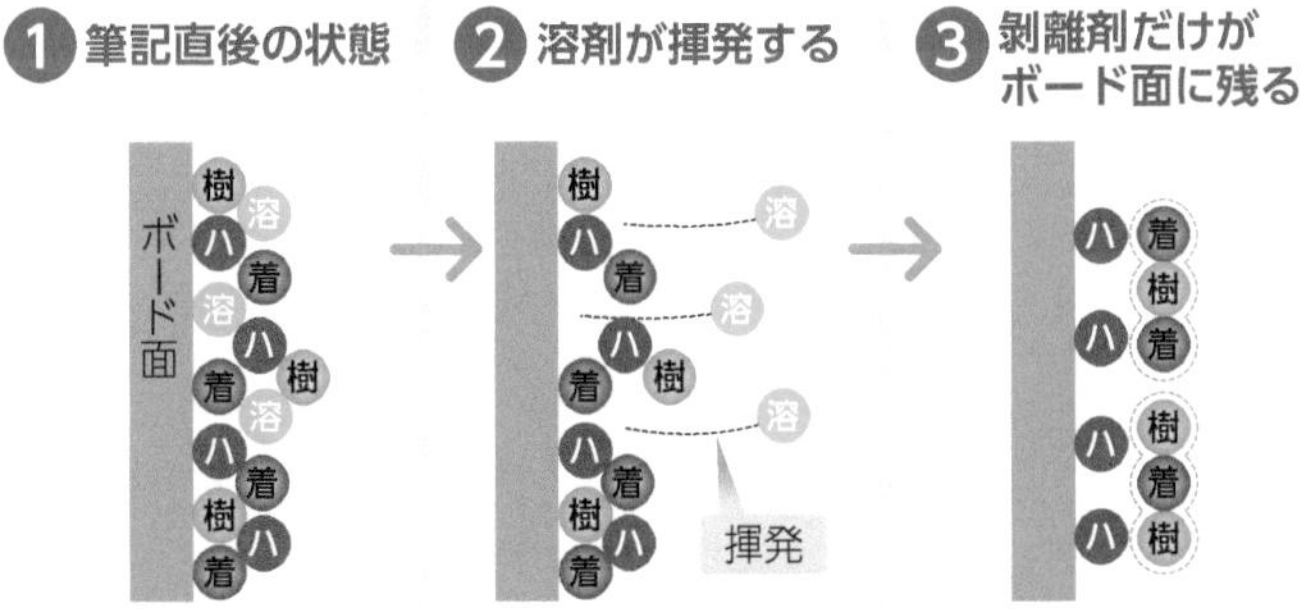
1 筆記直後の状態
2 溶剤が揮発する
3 剥離剤だけがボード面に残る
ボード面
揮発

顔料、樹脂、アルコール、剥離剤のすべての物質が混じった状態でボードにのる。

ほどなく、インクの中の溶剤(アルコール)だけが揮発する。

顔料と樹脂が結合して膜をつくり、はく離剤の上に浮いた状態になって固まる。こうしてインクが剥がれやすくなっている。

technology 098

和紙

近年、〝特別な紙〟として和紙が人気だ。卒業証書や創作折り紙の素材として、伝統紙が再評価されているのだ。

明治時代に入るまで、日本で紙といえば和紙だった。**パルプを用いた近代的製紙法が輸入されてから生産は激減**したが、それでも和紙の人気は絶えることがない。その独特の風合いが、日本人の心を引きつけるのだろう。例えば、千代紙《ちよがみ》は紋《もん》や柄《がら》で飾られた和紙である。日本の伝統的な折り紙や紙人形の衣装、工芸品の装飾に用いられている。近年では、卒業証書に和紙を利用するのがブームになっている。

紙の製法が日本に伝わったのは、いまから１４００年以上前の飛鳥《あすか》時代の頃だ。それから改良が加えられ、現在の和紙にいたっている。

和紙は現在大量に流通する紙（洋紙）とどこが違うのだろうか。どちらも植物から繊《せん》維《い》質《しつ》

多重構造化された素材

現在、大量に流通しているのは洋紙である。日本古来の和紙とはどのように違うのだろうか。

和紙

木の中皮部分の繊維。洋紙に比べて繊維が長く、表面は荒くて不均一。

洋紙

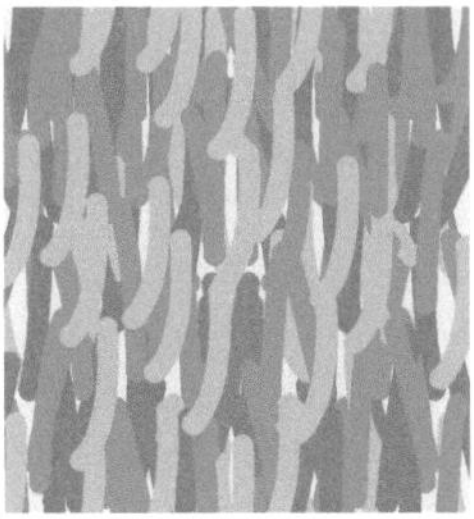

木質部分の繊維。和紙に比べて繊維が短く、表面は滑らかで均一。

植物繊維の結合

植物繊維の素はセルロースだが、それらは自然の力（水素結合）で弱くくっついている。紙を折ったり破ったりできるのは、この弱さに理由がある。また、紙が水に弱いのは、この力が水でほぐされてしまうからだ。

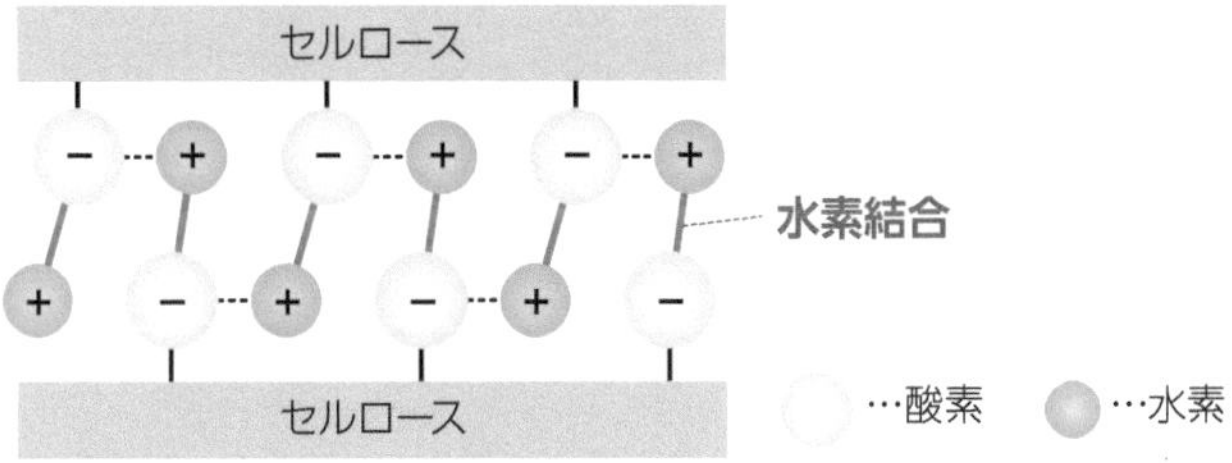

を取り出して抄《す》くことは同じだ。**違いはその繊維の取り出し方にある。**

和紙づくりは、原料を煮て繊維を取り出し、叩《たた》いてほぐし、網ですくい上げ（これを抄くという）、乾燥させる。それに対して、現代の洋紙づくりは木材を機械的にすりつぶし、薬品を加えて煮て植物繊維を取り出すのが主流だ。**和紙はどちらかというと物理的に、洋紙は化学的につくられる**のである。

この製造法からわかるように、和紙は**繊維が長く、丈夫で劣化が少なく、保存性に優《すぐ》れている**。それに比べ、洋紙は繊維が緻密で大量生産に向き、品質が均一で加工が容易だ。

ところで、紙はなぜ折ったり破ったりできるのだろう。それは原料の植物繊維が絡み合い、**本来持っている接着力（水素結合という）でくっついてできているから**だ。このくっつく力は物を近づけると生まれる力で、強くはない。紙が折ったり破ったりできるのは、ここに理由がある。強い力で結合しているなら、ガラスのように折ると壊れてしまう（この弱さを補強するために、製紙の際に糊成分を添加する）。

紙を水に浸すと弱くなってバラバラになる性質も、この結合の弱さで説明がつく。弱い結合は水でほぐされ、繊維同士がバラバラになるためだ。

technology 099

インクジェット紙

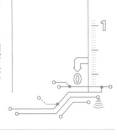

文具店に行ってインクジェット用の紙を買おうと思うと、多くの種類があることに気づく。どう違うのだろう。

年賀はがきにはインクジェット紙やインクジェット写真用が販売されている。また、文具店や家電量販店でプリンターの用紙を探すと、マット紙や写真用紙、スーパーファイン紙などが販売されている。これらはどんな用紙なのだろう。

インクジェット紙の種類を理解するには、まず塗工紙《とこうし》を知る必要がある。パルプを抄《す》いてできた紙の表面には凹凸《おうとつ》がある。そこで、表面をツルツルにするため、塗料を塗って化粧を施《ほどこ》す。それが塗工紙だ。**こうすることで表面の凹凸がなくなる。**また、塗料が印刷インキを吸収するので、印刷がきれいに仕上がる。ちなみに、塗工紙でない原紙を非塗工紙と呼ぶ。コピー用紙やノートの紙は非塗工紙である。

塗工紙製造には抄紙《しょうし》工程にコート工程が加えられる。そのための機械をコーターと呼ぶが、そこで塗られる材料によって塗工紙は大きく**光沢を抑えたマットコート紙と光沢感のあるグロスコート紙**に分けられる。グロスコート紙よりさらに光沢感を出すために表面加工を施したものには光沢紙がある。

具体的に見てみよう。スーパーファイン紙は上質な普通紙で非塗工紙だ。文字印刷はきれいにできるが、写真には難がある。マット紙はマットコート紙の略で、ツヤ消し処理した塗工紙だ。年賀はがきのインクジェット紙はこれに相当する。写真用紙は光沢紙が利用されている。年賀はがきのインクジェット写真用がこれだ。

プリンターの印刷の仕上がりは用紙で決まる。デジカメの写真をきれいに印刷しようとするなら、専用のコーティングが施されたインクジェット専用紙の光沢紙が必要だ。光沢紙には、高分子系のコートを施したものと、多孔性微粒子系《たこうせいびりゅうし》のコートを施したものがある。高分子系はゼラチンを、多孔性微粒子系はシリカゲルを想像してもらえればいい。これまでは高分子系の商品が主流だったが、今後は**インクののりがよく速乾性の多孔性微粒子系の用紙**が主流となっていくと考えられる。

グロスコート紙とマットコート紙

塗工紙は、光沢感のあるグロスコート紙と、光沢を抑えたマットコート紙に分類できる。それぞれの違いを見てみよう。

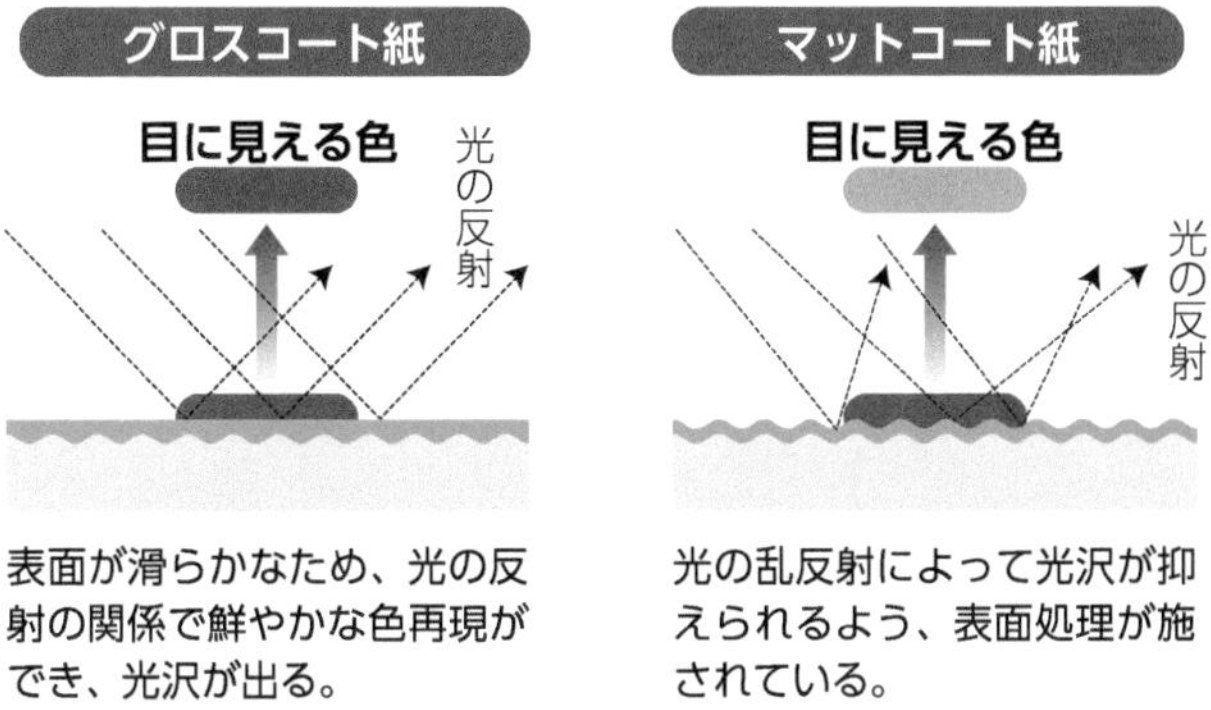
グロスコート紙
目に見える色
光の反射
表面が滑らかなため、光の反射の関係で鮮やかな色再現ができ、光沢が出る。
マットコート紙
目に見える色
光の反射
光の乱反射によって光沢が抑えられるよう、表面処理が施されている。

多孔性微粒子系コートと高分子系コート

インクジェット専用の光沢紙には、多孔性微粒子系のコートを施したものと、高分子系のコートを施したものがある。

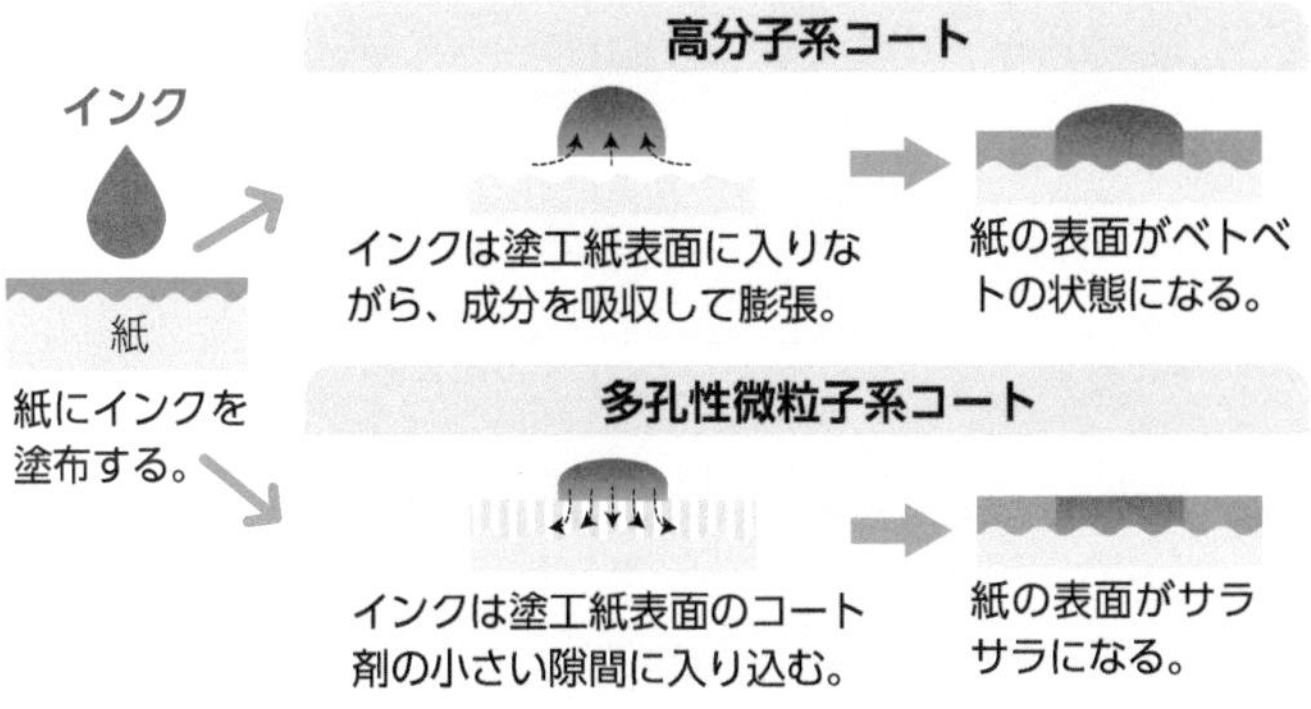
インク
紙
紙にインクを塗布する。
高分子系コート
インクは塗工紙表面に入りながら、成分を吸収して膨張。
紙の表面がベトベトの状態になる。
多孔性微粒子系コート
インクは塗工紙表面のコート剤の小さい隙間に入り込む。
紙の表面がサラサラになる。

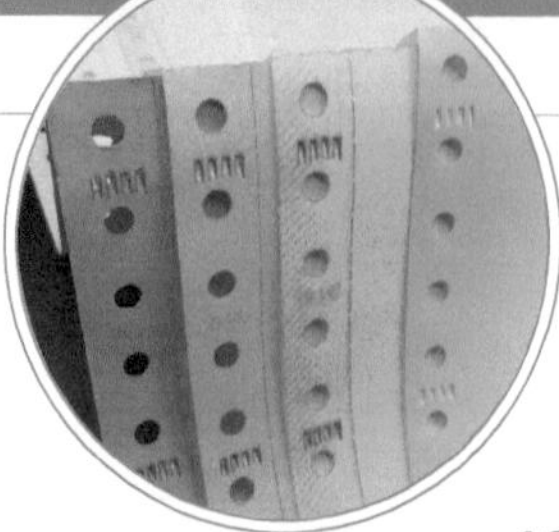

technology 100

ノーカーボン紙

複写式の領収書や納品書を受け取ると、ノーカーボン紙が使われていることが多い。手が汚れず便利な紙だ。

ノーカーボン紙は生活のさまざまなシーンで利用されている。銀行の振込用紙や宅配便の伝票など、**控《ひか》えが必要な場所で活躍**している。

ノーカーボン紙があるなら、当然カーボン紙もある。例えば宅配便の伝票で、自社用控えにこれが利用されている。1面の裏にカーボン（炭の粉）を塗り、筆圧で2面の紙に印字する方式だ。このしくみからわかるように安価だが、触ると手が汚れる場合がある。

カーボン紙で手が汚れるという問題を解消する製品がノーカーボン紙だ。1953年に米国で発明された製品だが、どのようなしくみなのだろう。

ノーカーボン紙にはミクロン単位の大きさのマイクロカプセルが利用されている。ペンの

カーボン紙の転写のしくみ

宅配便の伝票などに利用されるカーボン紙。単純なしくみなため安価だが、触ると手が汚れることもある。

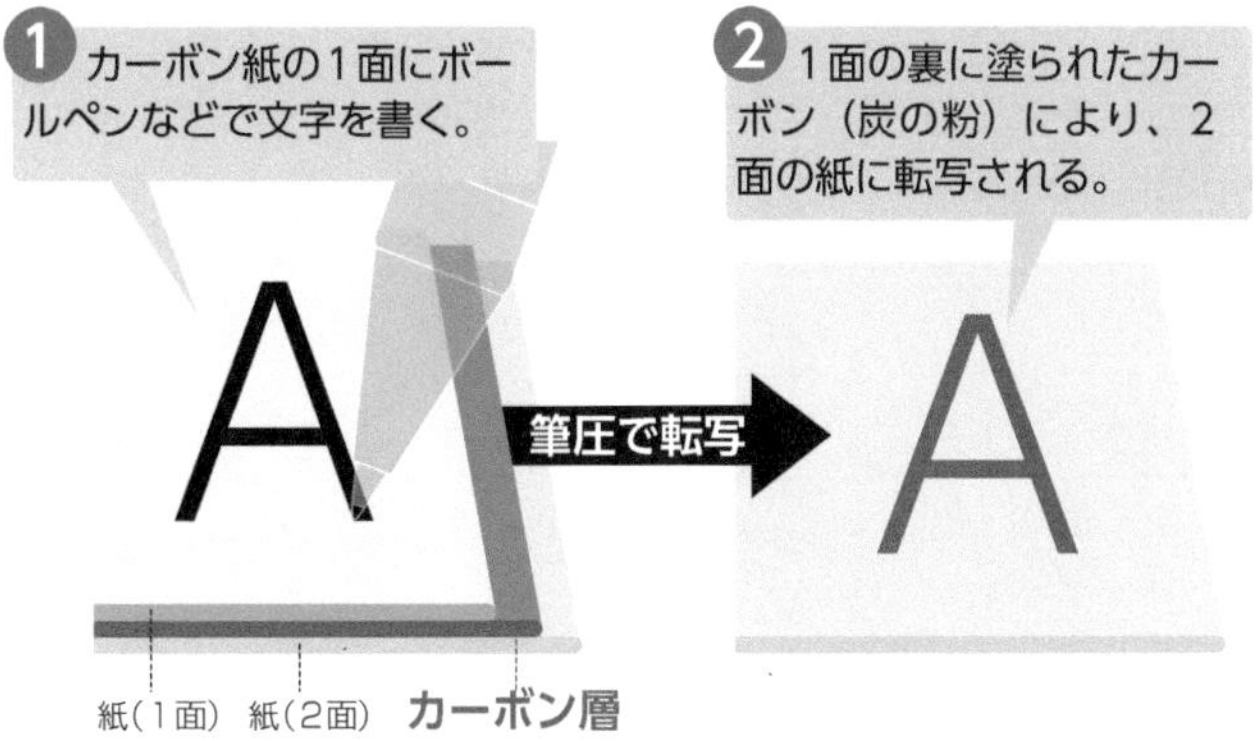
1 カーボン紙の1面にボールペンなどで文字を書く。
2 1面の裏に塗られたカーボン（炭の粉）により、2面の紙に転写される。
A
筆圧で転写
A
紙（1面）
紙（2面）
カーボン層

ノーカーボン紙で文字が写るしくみ

ボールペンの筆圧でロイコ染料（最初は無色）の入ったマイクロカプセルがつぶれ、顕色剤と化学反応して色が出る。左図は3枚複写の場合。

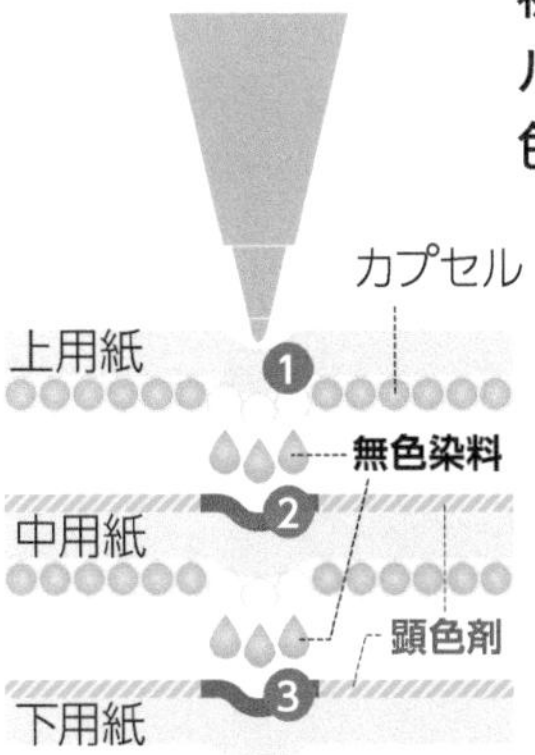
カプセル
上用紙
1
無色染料
2
中用紙
顕色剤
3
下用紙

1. ボールペンの筆圧で上用紙のマイクロカプセルがつぶれる。
2. 顕色剤との化学反応で中用紙に色が出て、マイクロカプセルがつぶれる。
3. 同様に顕色剤と化学反応が起こり、下用紙に色が出る。

筆圧が加えられると、1面の裏面に塗布してあるカプセルが壊れ、中に入っている無色の発色剤が染み出す。すると、**2面表に塗ってある顕色剤《けんしょくざい》と化学反応し、色が現れる**。これが控えの紙の文字になる。

この発色のしくみから、「消せるボールペン」（376ページ）で調べたロイコ染料と顕色剤の組み合わせが思い起こされる。実際、マイクロカプセルに入っている発色剤はロイコ染料の一種なのだ。ただし、「消せるボールペン」のインクとは異なり、ノーカーボン紙の場合は**ふつうの温度では変化しない性質のものを利用**する。ゴムでこすって消えては困るからだ。

ノーカーボン紙と同様の印字のしくみは、熱転写用紙にも活用されている。熱転写用紙はFAXやレシートの用紙に利用されているが、プリンターヘッドの熱パターンがそのまま転写される用紙である。紙表面に発色剤と顕色剤を混合しておき、**熱でこれら二つを化学反応させるしくみ**だ。

カーボンを使っていないという意味で、ここで調べたノーカーボン紙とは異なる方式のノーカーボン紙も存在する。パイロットが実用化したプラスチックカーボン紙だ。プラスチック層にインクを含ませた構造を採用し、手が汚れないように工夫されている。

マイクロカプセルはミクロン単位

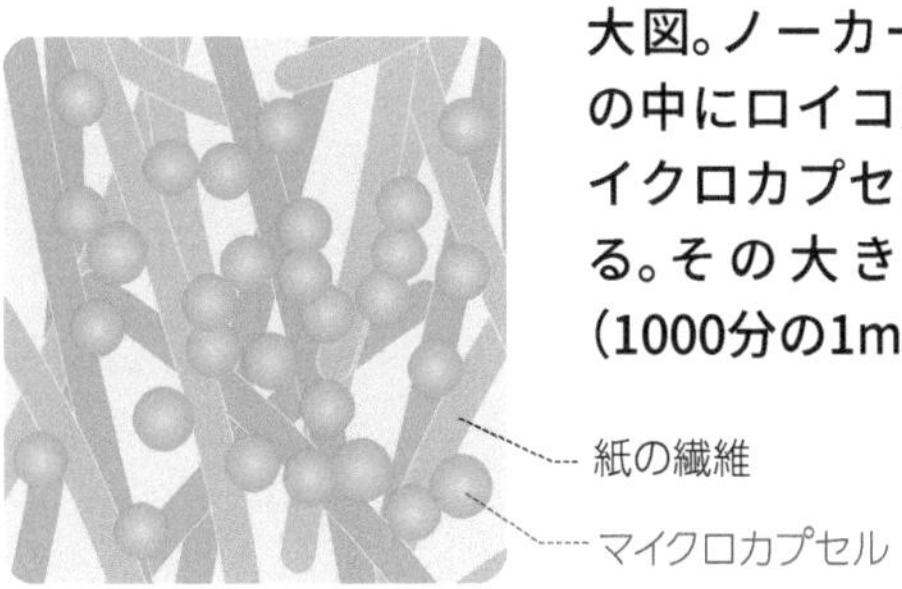

左図はノーカーボン用紙の拡大図。ノーカーボン紙の繊維の中にロイコ染料の入ったマイクロカプセルが付着している。その大きさはミクロン(1000分の1mm)単位だ。

感熱紙のしくみ

レシートなどに使われている感熱紙。感熱紙の表面には、顕色剤とロイコ染料がバインダー(糊のようなもの)の中に塗りこまれている。

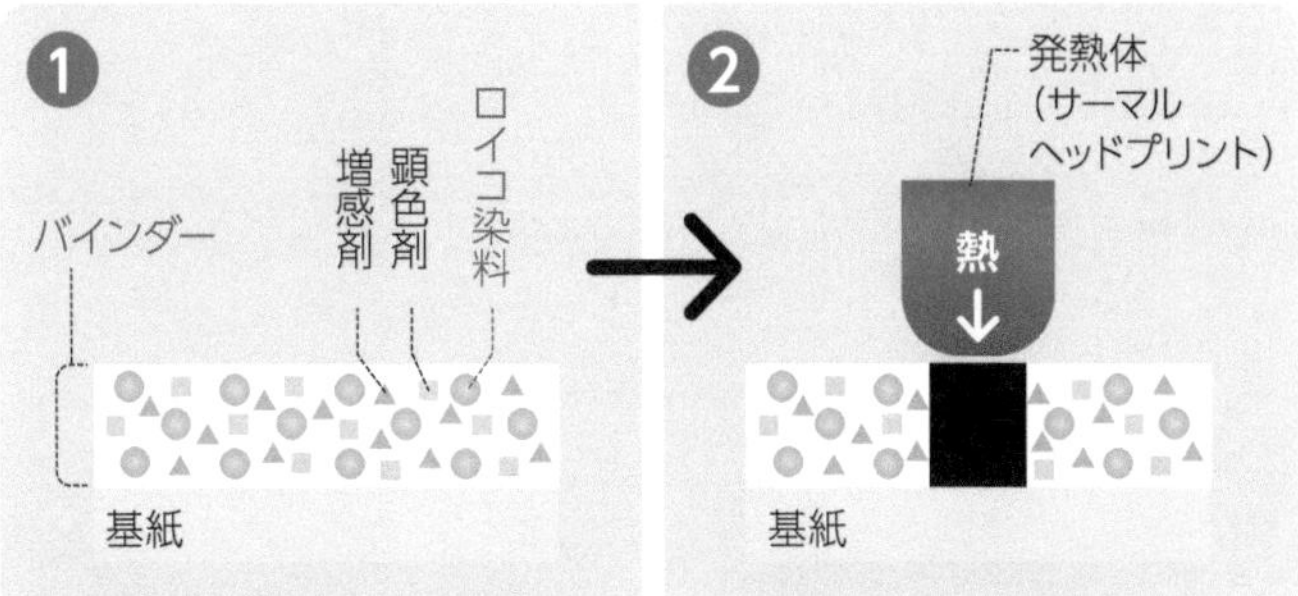

紙表面のバインダーに、顕色剤とロイコ染料が塗りこまれている。増感剤はこれらの化学反応を起こしやすくする薬品だ。

熱が加わると、顕色剤とロイコ染料が溶けて合体し、化学反応を起こして黒くなる。

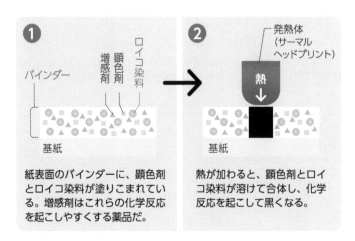

カラー図解《ずかい》　身《み》のまわりのすごい技術大全《ぎじゅつたいぜん》

2024年６月17日　初版発行

著者／涌井《わくい》 良幸《よしゆき》
　　　涌井《わくい》 貞美《さだみ》

発行者／山下直久

発行／株式会社KADOKAWA
〒102-8177　東京都千代田区富士見2-13-3
電話 0570-002-301（ナビダイヤル）

印刷所／株式会社KADOKAWA

製本所／株式会社KADOKAWA

●お問い合わせ
https://www.kadokawa.co.jp/（「お問い合わせ」へお進みください）
※内容によっては、お答えできない場合があります。
※サポートは日本国内のみとさせていただきます。
※Japanese text only

定価はカバーに表示してあります。

ISBN 978-4-04-606780-7　C0050

◆◇◇